D0192709

De oproep

Van dezelfde auteur

Koud spoor

Matthew Hall

De oproep

A.W. Bruna Uitgevers B.V., Utrecht

Oorspronkelijke titel
The Disappeared

Vertaling
Fanneke Cnossen
Omslagbeeld
Getty Images; Shutterstock Images (Arabisch ornament)
Omslagontwerp
Mariska Cock

ISBN 978 90 229 9693 5
NUR 305

Dit boek is gedrukt op papier dat het keurmerk van de Forest Stewardship Council (FSC) mag dragen. Bij dit papier is het zeker dat de productie niet tot bosvernietiging heeft geleid. Een flink deel van de grondstof is afkomstig uit bossen en plantages die worden beheerd volgens de regels van FSC. Van het andere deel van de grondstof is vastgesteld dat hiervoor geen houtkap in de laatste resten waardevol bos heeft plaatsgevonden. Daarom mag dit papier het FSC Mixed Sources label dragen. Voor dit boek is het FSC-gecertificeerde Munkenprint gebruikt. Dit papier is 100% chloor- en zwavelvrij gebleekt en wordt geleverd door Arctic Paper Munkedals AB, Zweden.

Voor Bob en Romayne
en vele dappere jaren

Verhul uw spiegel niet, Amine lief,
Totdat ook de nacht elke ster verhult
Daar doet zich een tweevoudig wonder voor:
Het enige gezicht zo schoon als dat van u
De enige ogen die zonder wanhoop,
Van dichtbij of veraf, kunnen kijken in de uwe.

– James Clarence Mangan

1

In het halfjaar dat Jenny Cooper als rechter van instructie, ook wel onderzoeksrechter genoemd, bij het Severn Vale-district werkzaam was, was het aantal lijken dat na een dag of twee nog niet kon worden geïdentificeerd op één hand te tellen geweest. Jane Doe, oftewel JD-0110, lag nu ruim een week in haar plastic lijkenzak in de koelcel van het mortuarium van het Vale-ziekenhuis. Door de toevloed van lijken die op autopsie lagen te wachten, werd die van haar niet geopend en werd zij niet onderzocht.

Ze was aan de Engelse kant van de rivier de Severn aangespoeld, bij de monding van de Avon, meegezogen door de stroming en naakt op een modderbank uitgespuugd, een stukje stroomafwaarts van waar de M5-snelweg over de rivier denderde. Ze was blond, een meter zeventig lang, had geen lichaamshaar en was deels door meeuwen aangevreten. Van het zachte weefsel van haar buik en borsten was weinig meer over, en zoals meestal het geval is bij lijken die enige tijd aan de elementen zijn overgeleverd, waren de ogen uit hun kassen verdwenen. In het kader van de identificatie had Jenny erop gestaan dat er glazen ogen ingezet werden. Die waren onnatuurlijk blauw, waardoor haar gezicht een domme en popperige indruk maakte.

Alison Trent, medewerkster van de onderzoeksrechter, had geregeld dat een paar mensen die haar mogelijk zouden kunnen identificeren op een vrijdagnamiddag naar het lijkenhuis zouden komen, maar ze werd op het laatste moment naar een supermarktmagazijn weggeroepen, waar in een koeltrailer, tussen een lading uit Frankrijk geïmporteerde runderkadavers, de lijken van drie Afrikaanse jonge mannen waren ontdekt. Liever dan de families in spanning te laten, ging Jenny met tegenzin eerder van kantoor weg om zelf de leiding in het mortuarium op zich te nemen.

Het was de laatste week van januari en ijskoude, natte sneeuw viel diagonaal uit de loodgrijze hemel. Het was nog geen vier uur en het daglicht was al vrijwel verdwenen. Toen Jenny aankwam, stonden in de onbemande receptieruimte van het lijkenhuis, aan de achterkant van het ziekenhuis, een stuk of tien mensen te wachten. De antieke radiatoren stonden ofwel niet aan, ofwel ze waren kapot. De koppels stonden onderling met elkaar te fluisteren en hun adem steeg in wolkjes op. De meesten waren ouders van middelbare leeftijd met op hun gezicht een angstige uitdrukking, die dieper liggende gevoelens als schuld en schaamte maskeerde. Hoe heeft het zover kunnen komen, leken hun sombere, gerimpelde gezichten te zeggen.

Omdat er niemand beschikbaar was om bij de gerechtelijke schouwing te assisteren, moest Jenny de groep als een schooljuffrouw uitleggen dat ze om de beurt door de klapdeuren naar de koelcel achter in de gang moesten lopen. Ze waarschuwde hen dat het lijk wellicht niet meteen herkenbaar was en vertelde dat ze hun DNA-monsters naar een particulier laboratorium konden laten sturen, zodat ze met die van Jane Doe konden worden vergeleken; dat kostte niet heel veel, maar haar karige budget liet dat net toe. Ze schreven plichtsgetrouw het e-mailadres en telefoonnummer van het bedrijf op, maar een van hen, merkte Jenny op, deed dat niet. Hij vulde ook niet zijn gegevens in op de lijst van degenen die geïnformeerd wilden worden voor het geval er andere ongeïdentificeerde lijken zouden opduiken. In plaats daarvan stond de lange, magere man van ergens halverwege de vijftig een beetje apart van de groep. Zijn ingevallen, door de zon verweerde gezicht was uitdrukkingsloos. Het enige teken van bezorgdheid dat hij vertoonde was dat hij zo nu en dan met zijn hand door zijn korte, met grijs doorstreepte haar woelde. Jenny zag zijn fascinerende groene ogen en hoopte dat hij niet zou hoeven huilen.

Er waren altijd tranen.

Het gebouw was dusdanig ingericht dat het voor de bezoekers niet schokkender kon zijn. Tijdens de twintig meter lange wandeling door het mortuarium moesten ze langs een lange rij brancards, waarop stuk voor stuk een in glanzend wit polytheen gewikkeld lijk lag. In de bedompte lucht hing een verstikkende stank van bederf, ontsmettingsmiddelen en een vleug clandestiene sigarettenrook. De drie echtparen maakten om de beurt de tocht door de gang en zetten zich schrap om het onbedekte hoofd en schouders van Jane Doe te bekijken; haar huid begon nu geel en perkamentachtig te worden. De een na de ander schudde het hoofd. Uit hun gezicht spraken opluchting en een mengeling van onzekerheid en angst voor nog komende, vergelijkbare beproevingen.

De man met de groene ogen sjokte er niet zoals de anderen naartoe. Hij liep er met afgemeten voetstappen op af en bewoog zich bruusk en zakelijk, maar leek toch een zeker verdriet of onzekerheid te maskeren die Jenny als smart interpreteerde. Zonder terughoudendheid keek hij naar het gezicht van Jane Doe; hij nam haar even nauwlettend op en schudde toen resoluut zijn hoofd. Nieuwsgierig vroeg Jenny hem naar wie hij op zoek was. Met een beschaafd trans-Atlantisch accent legde hij kort uit dat zijn stiefdochter een rondreis door Groot-Brittannië maakte en dat ze al een paar weken niets van zich had laten horen. Haar laatste e-mail was verzonden vanuit een internetcafé in Bristol. De politie had hem over dit lijk verteld. Voordat Jenny iets kon antwoorden draaide hij zich om en vertrok even snel als hij gekomen was.

Meneer en mevrouw Crosby kwamen na de groep aan. Hij was achter in de vijftig en gekleed in het zakenkostuum dat paste bij iemand met een hoge functie in het bedrijfsleven; zij was een paar jaar jonger en had de goed geconserveerde gelaatstrekken en het zachtere voorkomen van een vrouw die nooit van haar leven had hoeven werken. Bij hen was een jonge man van achter in de twintig, eveneens strak in het pak en met een stropdas. Meneer Crosby stelde hem stijfjes voor als Michael Stevens, de vriend van zijn dochter. Hij leek slecht op zijn gemak toen hij dat zei: een vader die nog niet bereid was om de genegenheid van zijn volwassen dochter over te dragen. Jenny glimlachte meelevend naar hen en sloeg hen gade terwijl ze naar het lijk keken – hoe ze de contouren van het starende, levenloze gezicht in zich opnamen, een blik met elkaar wisselden en hun hoofd schudden.

'Nee, dit is niet Anna Rose,' zei mevrouw Crosby met een spoortje twijfel. 'Zulk lang haar heeft ze niet.'

Haar man leek tevreden met die verklaring, maar de jonge man wierp er nog een steelse blik op. Jenny zag dat hij slim genoeg was om te weten dat de doden er misleidend anders konden uitzien dan de levenden.

'De ogen zijn van glas,' zei ze, 'dus de kleur kan afwijken. Er zijn geen specifieke kenmerken en het lichaam was helemaal kaalgeschoren.'

Meneer Crosby vuurde een vragende blik op haar af.

'Ze heeft geen lichaamshaar,' legde zijn vrouw uit.

Hij slaakte een afkeurende grom.

'Ze is het niet,' zei Michael Stevens uiteindelijk. 'Nee, ze is het absoluut niet.'

'Als u ook maar enigszins twijfelt, raad ik u aan een DNA-test te laten doen,' zei Jenny tegen de ouders.

'We hebben Anna Rose geadopteerd,' zei mevrouw Crosby, 'maar ik denk dat we wel iets van haar kunnen vinden. Een haarborstel is toch wel goed?'

'Een haarmonster is prima.'

Meneer Crosby bedankte haar op zakelijke toon en legde een hand op de onderrug van zijn vrouw, maar toen hij haar weg wilde leiden, draaide ze zich naar Jenny om.

'Anna Rose wordt nu tien dagen vermist. Ze heeft natuurkunde gestudeerd, ze werkt met Mike in Maybury. Ze zit niet in de problemen en leek volkomen gelukkig met haar leven.' Mevrouw Crosby zweeg even om zich te vermannen. 'Hebt u ooit zoiets meegemaakt?'

Meneer Crosby, die zich voor de naïviteit van zijn vrouw geneerde, sloeg zijn ogen neer. Mike Stevens keek onzeker naar de beide ouders van zijn vermiste vriendin. Er stond schrik in zijn ogen te lezen. Hij begreep er niets van.

'Nee. Niet zo vaak,' zei Jenny. 'Naar mijn ervaring is er bij zelfmoord – als u daar soms aan mocht denken – altijd sprake van een depressie. Als de persoon in kwestie u erg na staat, dan zou ik denken dat u dat wel zou weten.'

'Dank u,' zei mevrouw Crosby. 'Dank u wel.'

Haar man nam haar mee.

Mike Stevens keek Jenny kort aan, alsof hij ook een vraag had, leek het wel, maar die hield hij voor zich, uit verlegenheid of omdat het buiten het gezinsprotocol viel, en hij liep achter de Crosby's aan naar buiten.

Toen ze uit het zicht waren verdwenen, herinnerde Jenny zich vagelijk iets wat ze op de radio had gehoord, een item over een jonge vrouw die uit haar huis in Bristol vermist werd: een stagiaire van Maybury, de ontmantelde kerncentrale, vijf kilometer ten oosten van de Severn Bridge. De laatste tijd was er in de plaatselijke media veel discussie geweest over Maybury en de andere drie gesloten centrales aan de riviermonding: er was een nieuwe generatie wetenschappers gerekruteerd om de vijftig jaar oude reactor te ontmantelen en de nieuwe te bouwen waar de regering groen licht voor had gegeven. Toen ze naar de verhitte telefoondiscussies luisterde, had Jenny het idealisme uit haar jonge jaren voelen opborrelen, dat herinneringen opriep aan weekendtrips met medestudenten naar vredeskampen bij Amerikaanse luchtbases. Ze vond het maar vreemd dat een generatie later een jonge vrouw een carrière was begonnen in een branche waarvan zij in haar vormende jaren had geloofd dat die alles vertegenwoordigde wat corrupt en gevaarlijk was in de wereld.

Jenny deed een latex handschoen aan, trok het stuk plastic over het gezicht van Jane Doe en duwde de zware lade dicht.

Nadat het mortuarium het vijf maanden lang uitsluitend had moeten doen met een aaneenschakeling van onbetrouwbare waarnemers, arriveerde er op maandag een nieuwe fulltime patholoog-anatoom. Jenny keek uit naar stipte postmortemverslagen, en dat ze niet haar middagen hoefde te verdoen met klusjes die zijn personeel hoorde op te knappen. Het was niet eenvoudig om als onderzoeksrechter je professionele waardigheid te behouden wanneer je afdeling met een uitgekleed budget te kampen had, en hoewel ze inmiddels honderden lijken in verschillende stadia van ontbinding en bederf had gezien, was ze nog steeds doodsbang in de buurt van dode lichamen.

Ze gooide de gebruikte handschoen weg en haastte zich zo snel mogelijk op haar naaldhakken naar buiten de bijtende kou in. Ze had een afspraak, en die moest ze nakomen.

Het grootste deel van haar tijd bij dr. Allen werd in beslag genomen door de dood en haar ongemakkelijke relatie daarmee. Tijdens hun tweewekelijkse sessies in de spreekkamer van het Chepstow-ziekenhuis, altijd in de vooravond, had ze slechts trage vorderingen gemaakt en qua inzicht was ze ook niet veel verder gekomen. Maar Jenny had het gered met een regime van antidepressiva en bètablokkers, en ze had zijn verbod op alcohol en kalmerende middelen in hoge mate gerespecteerd. Hoewel haar algehele angststoornis absoluut nog niet genezen was, was die in de afgelopen vijf maanden dankzij medicijnen binnen de perken gebleven.

Zoals altijd reikte dr. Allen met zijn frisse gezicht plichtsgetrouw naar het dikke zwarte notitieboek dat hij exclusief voor de sessies met haar reserveerde. Hij bladerde naar de vorige aantekeningen en las ze zorgvuldig door. Jenny wachtte geduldig, erop voorbereid om beleefd te antwoorden op de vragen over haar zoon, Ross, waarmee hij meestal begon. Na een poosje merkte ze dat het vandaag anders was. Dr. Allen leek ergens in verdiept, hij was afgeleid.

'Dromen...' zei hij. 'Ik hecht er meestal niet veel waarde aan. Meestal herkauwen ze de rommel van overdag, maar ik moet bekennen dat ik iets over het onderwerp heb gelezen.' Hij hield zijn blik halsstarrig op het boekje gericht.

'O ja?'

'Ja. Tijdens mijn studie heb ik wat aan de analyse van Jung gesnuffeld, maar dat werd niet echt aangemoedigd; volgens mijn professor was het een doodlopende weg, herinner ik me nog. Ik heb nooit een cliënt meegemaakt die is genezen doordat hij de betekenis van zijn dromen doorgrondde.'

'Zit u nu door mij in zak en as?'

'Helemaal niet.' Hij bladerde terug door zijn notities, op zoek naar een eerdere sessie. 'Ik herinner me alleen dat je vroeger, voordat je medicijnen kreeg, nogal levendige dromen had. Ja...' Hij had gevonden wat hij zocht. 'In de muur van je kinderslaapkamer een dreigende open scheur, die uitkwam op een donkere, afschrikwekkende ruimte erachter. Een angstaanjagende aanwezigheid die zich daar schuilhield, die je nooit kon zien of waar je je zelfs maar een beeld van kon vormen... een onuitsprekelijk soort afgrijzen.'

Jenny voelde haar hart zwellen, er schoot een golf hitte over haar gezicht, angst fladderde in haar plexus solaris. Ze deed haar best haar stem in bedwang te houden. *Wees kalm, blijf kalm,* zei ze keer op keer in stilte tegen zichzelf.

'Inderdaad. Vroeger had ik dat soort dromen.'

'Hoe oud was je toen je ze voor het eerst kreeg?' Hij sloeg een blanco pagina op, in de aanslag en alert.

'Begin dertig, vermoed ik.'

'Een stressvolle tijd, met de combinatie van werk en moederschap?'

'Ja.'

'En hoe oud ben je in je droom, als dromer?'

'Ik ben een kind.'

'Weet je dat zeker?'

'Ik zíé mezelf nooit... Ik denk het gewoon.'

'En als kind voelde je je hulpeloos? Doodsbang voor een dreiging waarover je geen macht hebt?'

Ze knikte. 'Volgens mij weet ik wat u nu gaat zeggen.'

'Wat dan?'

'Dat het niets met mijn jeugd te maken heeft. Dat de droom alleen maar een weerspiegeling is van mijn angst en verlamming.'

'Dat is één interpretatie.' Zijn gezicht betrok omdat ze zijn theorie zo gemakkelijk had doorzien.

'Inderdaad. Maar van mijn hele vierde levensjaar kan ik me nog steeds niets herinneren. En u maakt me niet wijs dat ik me dat verbeeld.' Ze keek hem doordringend aan, zodat hij er even het zwijgen toe deed.

'Er is één stroming die beweert dat een gat in de herinnering een onderbewust verdedigingsmechanisme is,' zei hij, 'een buffer, zo je wilt, een leegte waarin de bewuste geest een geloofwaardige reden, een logische verklaring voor de angst kan projecteren. Een intelligent, rationeel brein als het jouwe, zo luidt de theorie, zou kiezen voor het meest voor de hand liggende antwoord en daarmee genoegen nemen: hoewel de pijn blijft bestaan, moet je geest zich tevredenstellen met de wetenschap dat de oorzaken onbekend blijven...'

Ze onderbrak hem. 'Zo is het ook.'

'Maar stel dat we naar de verkeerde oorzaak zoeken? Stel dat de oorzaak volslagen simpel en duidelijk is... Alleen maar stress, bijvoorbeeld?'

Jenny stond zichzelf toe om over die mogelijkheid na te denken, hoewel ze zich ervan bewust bleef dat hij haar wellicht eerder wilde overrompelen door haar met een nieuw inzicht af te leiden, waarna hij met de indringende vraag zou toeslaan als zij even niet oplette. Ze wachtte tot hij verder zou gaan, maar dat deed hij niet.

'Nou, wat denk je?' zei hij, terwijl zijn ogen oplichtten omdat zijn diagnose zo vernuftig eenvoudig was.

'Het volgende dat u me gaat vertellen is dat ik nu een lange vakantie moet nemen of een andere baan moet zoeken.'

Er kwam nu een onbuigzamere klank in zijn stem. 'Wees eerlijk, die beproefde en uitgeteste methoden wilde je per se níét uitproberen.'

Jenny streek de kreukels in haar rok glad om haar moedeloosheid te camoufleren. 'Is dit een beleefde manier om me te vertellen dat uw mogelijkheden nu uitgeput zijn, dat u niets meer voor me kunt doen?'

'Ik probeer alleen het voor de hand liggende uit te sluiten.'

'En als dat is gebeurd?'

'Minstens een lange vakantie...'

'Ik zal u vertellen wat er tijdens vakanties met mij gebeurt: dan komt alles in golven over me heen. De angst, de ongewenste gedachten, irrationele schrikbeelden, dromen...' Ze wachtte even. Haar tong voelde dik aan in haar mond, een recente toevoeging aan haar steeds breder wordende palet van symptomen.

'Wat is er, Jenny?'

Ze zag de tranen in haar schoot vallen nog voor ze die had voelen opkomen.

'Waarom moet je huilen?'

Er was geen directe aanleiding, alleen een vaag, bekend angstgevoel dat langzaam, als een paar reusachtige, verstikkende handen, zijn greep op haar geest verstevigde. 'Ik weet het niet...'

'Het laatste woord dat je zei was "dromen".'

Opnieuw een tranenstroom, en de ontluikende angst werd scherper. Er ging een rilling door haar lichaam, waarna ze met trillende handen naar de altijd klaarstaande doos tissues reikte.

'Vertel me eens over je dromen.'

Ze wilde haar hoofd schudden – de medicijnen hadden haar dromen geblokkeerd, of haar ervan gered – maar toen flitste er een beeld achter haar ogen, een enkel venster dat een verband legde met haar angst, waardoor er een nog hevigere rilling als een lichte elektrische schok door haar heen ging.

'Heb je gedroomd?'

'Ik had er een... altijd dezelfde...' Haar woorden kwamen er tussen de ingehouden snikken door hakkelend uit.

'Wanneer?'

'Jaren geleden... Ik was negentien, twintig...'

'Vertel me er eens over.'

'Het is in een tuin.' Het beeld hechtte zich vast in haar geest. 'Er zijn een heleboel kinderen, jonge meisjes in rokjes en met vlechtjes... Ze lopen in groepjes van drie achter elkaar aan en houden huppelend elkaars hand vast, het is een vrolijke bedoening. En dan...' Ze drukte de doorweekte tissue tegen haar ogen. 'Dan blijven ze staan. En in elk groepje van drie houden twee meisjes een springtouw vast en de derde springt... en als het touw over hun hoofd zwaait, verdwijnen ze.'

'Wie verdwijnt er?'

'De meisjes in het midden.'

Dr. Allen schreef in zijn notitieboek. 'Waar gaan ze naartoe?'

'Waar? Ik weet... Dat weet ik niet. Er is gewoon níéts.'

'En de meisjes die achterblijven?'

'Die lijken het niet te merken.'

'En dat is alles?'

'Ja.' Jenny zoog een teug lucht naar binnen. De angstgolf nam langzaam af en liet haar ontredderd en verdoofd achter. Ze staarde door het raam naar het diffuse licht dat werd opgevangen door de op het kale stuk tuin vallende regen.

'Hoe oud was je toen je die droom kreeg?'

'Ik zat op de universiteit... Hij bleef maar terugkomen. Ik weet nog dat ik niet wist hoe ik de dagen door moest komen, terwijl die zorgeloos hadden moeten zijn.'

'Wat maak jij daarvan?'

Ze schudde haar hoofd en maakte zichzelf wijs dat ze het niet wist, maar de woorden vormden zich als vanzelf en kwamen er bijna tegen haar bewuste wil in uit. 'Voor elk iets bestaat een niets. Voor elk voorwerp een afwezigheid... Ik ben niet bang voor de dood, maar voor de léégte.'

'Ben je bang dat je verdwijnt?'

'Nee...' Ze worstelde om haar gemoedstoestand onder woorden te brengen. 'Ik ben bang om ergens te zijn waar niets is... en om niet te zijn waar alles wel is.'

Aan dr. Allens gezicht was te zien dat hij er moeite mee had dit te begrijpen. 'Alsof je aan de verkeerde kant van de spiegel gevangenzit, buiten tijd, plaats of context?'

'Zoiets, denk ik.'

In de daaropvolgende stilte keek de dokter zijn aantekeningen door. Hij wreef in zijn ogen en worstelde met een gedachte, die hij zo te zien moeilijk vond, maar waar hij absoluut uiting aan moest geven. Hij keek op en bestudeerde even haar gezicht alvorens hij besloot hem uit te spreken. 'Bent u gelovig, mevrouw Cooper?' Het feit dat hij haar bij haar achternaam noemde, gaf aan dat hij zich ongemakkelijk voelde.

'Waarom vraagt u dat?'

'De drie-eenheid is een krachtig christelijk symbool. Vader, Zoon en de Heilige Geest...'

'Veel dingen komen in drieën: moeder, vader, kind. Goed, slecht, onverschilligheid. Hemel, aarde, hel,' zei Jenny.

'Een passend voorbeeld. Je bent gelovig opgevoed, meen ik me te herinneren. Die concepten leven dus voor je.'

'We waren min of meer anglicaans, geloof ik. En ik ging naar de zondagsschool.'

Dr. Allen keek bedachtzaam. 'Weet je, ik denk dat je gelijk hebt. Er ontbreekt een stuk... Het meisje, de ruimte achter de ruimte. Of dat nu emotioneel, fysiek of spiritueel is, daar kan ik nog niets over zeggen. Maar soms is dat waar we het meest bang voor zijn iets wat we juist nodig hebben. De machtigste verhalen gaan vaak over vreemde verlossers, demonen die een inspiratiebron worden... Zoals Paulus of...'

'Darth Vader?'

Hij glimlachte. 'Waarom niet?'

'Zo klinkt het alsof verdringing een diagnose uit de goeie ouwe tijd is. Geloof me, ik heb geprobeerd het er allemaal uit te gooien, en dat was geen prettige ervaring.'

'Wil je één ding voor me doen?' Hij was plotseling heel serieus. 'Ik zou heel graag een grote stap willen zetten om dit open te breken.'

'Vraag maar een eind weg.'

'Hou de komende veertien dagen een dagboek bij. Schrijf je gevoelens en impulsen, op, hoe bizar of irrationeel ze ook zijn.'

'En wat hopen we dan precies te vinden?'

'Dat weten we pas als we het zien.'

'Zeg eens eerlijk: werpen we hiermee de laatste teerling?'

Hij schudde zijn hoofd en glimlachte vriendelijk. 'Ik zou hier niet meer zijn als ik niet het idee had dat ik je kon helpen.'

Jenny deed alsof ze daar tevreden mee was, maar ze kreeg onwillekeurig het gevoel dat psychiatrie een traag pad naar niemandsland was. Ze had op de een of andere manier nog een greintje hoop dat ze op een dag naar een stralende hemel zou opkijken en niets anders zou voelen dan puur geluk. Maar hoe ze dat voor elkaar moest krijgen, daar had ze in de verste verte geen antwoord op. Misschien waren haar gesprekken met dr. Allen de moeite waard. In elk geval werd ze er van tijd tot tijd door wakker geschud, keek ze in hoeken die ze normaal gesproken zou omzeilen.

Later, toen ze onder een sterreloze hemel naar huis reed, speelde een enkele zinsnede haar almaar door het hoofd: ‘vreemde verlossers’. Dat idee was nieuw voor haar. Het stond haar wel aan.

2

Jenny was er inmiddels aan gewend om met het lawaai van een zestienjarige in huis te leven, en iets in haar miste Ross als hij in het weekend bij zijn vader in Bristol was. Ze zou Steve gebeld hebben, de gekmakende vrijbuiter, zoals ze haar 'los-vaste vriendje' beschreef, maar hij had haar bijna veertien dagen niet gebeld, ook al had hij van het architectenbureau, waar hij tijdens zijn laatste studiejaar stage liep, per se een telefoon moeten aanschaffen. Zij had hem aangespoord om zijn zelfverkozen ballingschap op de kleine boerderij ten noorden van Tintern te verbreken, waar hij tien jaar lang had geprobeerd om een fantasie uit te leven waarin hij zichzelf kon bedruipen. Nu hij in de stad werkte en zijn avonden aan een tekentafel doorbracht, zagen ze elkaar zelden meer.

Ze gaf niet graag toe aan eenzaamheid – nadat ze uit een verstikkend huwelijk was ontsnapt om op het platteland te gaan wonen had die een bevrijding moeten zijn – maar wanneer ze op maandagochtend vroeg langs de bochtige Wye-vallei door de dichte, bladerloze bossen naar het zuiden reed, was ze blij dat ze zo meteen van haar eigen gezelschap verlost zou zijn. Er wachtte haar een doorsneeweek: doden uit het ziekenhuis en als gevolg van verkeersongelukken, bedrijfsongevallen en zelfmoorden. Ze putte er enigszins troost uit dat ze met een professionele distantie kon omgaan met de onvoorstelbare trauma's van anderen. Het feit dat ze rechter van instructie was, had haar de illusie van controle en onvergankelijkheid gegeven. Maar terwijl de tweeënveertigjarige vrouw Jenny Cooper nog altijd worstelde om normaal en nuchter te blijven, was de onderzoeksrechter Jenny Cooper van haar baan gaan houden.

Met een kop meeneemkoffie in één hand en haar aktetas in de andere duwde Jenny met haar schouder de deur open naar haar uit twee kamers bestaande kantoorruimte op de begane grond van het achttiende-eeuwse huizenblok aan Whiteladies Road. Terwijl haar kleine domein helemaal was opgeknapt, waren de gemeenschappelijke ruimtes nog altijd haveloos en de planken in de gang kraakten nog steeds onder het versleten tapijt. Het feit dat de huiseigenaar het vertikte om ook maar een cent aan een lik verf uit te geven, ergerde haar elke keer als ze binnenkwam. Maar Alison, haar medewerkster, was blij met het compromis. Aangezien zij het grootste deel van haar volwassen leven bij de politie had gewerkt, voelde ze zich op haar gemak in een omgeving zonder opsmuk en ze wantrouwde uiterlijk vertoon. Ze had de dingen graag eenvoudig en pretentieloos. Het stijlvolle, niervormige bureau waaraan ze nu de stapels documenten zat te sorteren die in de afgelopen nacht per koerier waren binnengekomen, bood ruimte aan een verzameling kamerplanten, en op haar ultramoderne computermonitor prijkten inspirerende kaartjes die ze in de kerkboekwinkel had gekocht: 'Schijn als een licht over de wereld', omgeven door kinderlijke engeltjes.

'Hallo Alison.'

'Goedemorgen mevrouw Cooper. Er zijn dit weekend vijftien sterfgevallen gemeld, ben ik bang.' Ze schoof een stapel papieren over het bureau. 'En over vijf minuten komt er een mevrouw die u wil spreken. Ik heb tegen haar gezegd dat ze een afspraak moest maken, maar...'

'Wie?' onderbrak Jenny haar, terwijl ze in gedachten een lijstje afliep met verschillende hardnekkige obsessieve personen die ze de laatste tijd had moeten afwimpelen.

Alison keek op haar notitieblok. 'Mevrouw Amira Jamal.'

'Nooit van gehoord.' Jenny pakte een spiraalmap met politiefoto's uit haar postvakje en bladerde door de verschillende portretten van de verstarde lijken uit de supermarktvrachtwagen. 'Wat wilde ze?'

'Daar kon ik geen wijs uit... Ze kakelde nogal.'

'Geweldig.' Terwijl Jenny de rapporten oppakte, zag ze dat Alison een gouden kruis om haar gedrongen hals droeg. Ze was nog geen vijfenvijftig en niet onaantrekkelijk – ze had nog rondingen, en verfde haar korte krulhaar in een natuurlijke blonde kleur – maar sinds kort was er een soort onwrikbaarheid in haar gedrag geslopen. Sinds ze zich bij een evangelische kerk had aangesloten.

'Dat was een doopgeschenk,' zei Alison, en er klonk iets uitdagends in haar stem door terwijl ze haar e-mails doorliep.

'Aha...' Jenny wist niet zo goed wat ze daarop moest zeggen. 'Was dat pasgeleden?'

'Gisteren.'

'O. Gefeliciteerd.'

'U vindt het toch niet erg dat ik het op mijn werk draag?' vroeg Alison.

'Ga gerust je gang.' Jenny schonk haar een neutraal glimlachje en duwde de zware eiken deuren naar haar kantoor open terwijl ze zich afvroeg of zij op Alisons leeftijd ook zo zou worden. Aansluiting bij een godsdienstige groep en een laat ontluikende lesbische geaardheid leken het meest voor te komen. Ze wist niet waar zij voor zou kiezen. Misschien ging ze het allebei wel uitproberen.

Amira Jamal was een kleine, mollige vrouw van nauwelijks anderhalve meter lang en was ergens halverwege de vijftig. Ze droeg een modieus zwart mantelpakje met een grote, fijn afgewerkte zijden sjaal, die ze van haar hoofd wikkelde en om haar schouders drapeerde toen ze ging zitten. Uit een rolkoffertje haalde ze een archiefdoos met een stapel notities, documenten, verklaringen en krantenartikelen tevoorschijn. Ze was duidelijk een goed opgeleide vrouw, maar emotioneel en geagiteerd. Ze had het in korte, opgewonden bewoordingen over een vermiste zoon, alsof Jenny al van de zaak op de hoogte was.

'Zeven jaar heeft het geduurd,' zei mevrouw Jamal. 'Zéven jaar. Vorige week ben ik naar het hooggerechtshof in Londen geweest, de familierechtbank, ik kan u niet vertellen hoe moeilijk het was om zover te komen. Ik moest de advocaat ontslaan, en vóór hem nog drie anderen; geen van hen wilde me geloven. Ze zijn allemaal achterlijk. Maar ik wist dat de rechter zou luisteren. Het kan me niet schelen wat de mensen zeggen, ik heb altijd in het Britse rechtsstelsel geloofd. Bekijk deze papieren maar eens...' Ze reikte naar de doos.

'Wacht even, mevrouw Jamal,' zei Jenny geduldig, terwijl ze dat bepaald niet was. 'Ik ben bang dat we even een stukje terug moeten.'

'Wat is er dan?' Mevrouw Jamal keek haar met haar vlammende, donkerbruine ogen niet-begrijpend aan. Haar wimpers waren bedekt met een laag mascara en op haar oogleden zat dik oogschaduw.

'Ik hoor nu voor het eerst van uw zaak. We moeten dit stap voor stap doen.'

'Maar de rechter zei dat ik bij u moest zijn,' zei mevrouw Jamal een beetje paniekerig.

'Ja, maar de rechter van instructie is een onafhankelijke ambtenaar. Wanneer ik naar uw zaak kijk, moet ik met een schone lei beginnen. Dus misschien kunt u beknopt vertellen wat er is gebeurd.'

Mevrouw Jamal bladerde door haar ongeordende papieren en schoof driftig een fotokopie van een gerechtelijk bevel naar haar toe. 'Alstublieft.'

Jenny zag dat het bevel gedateerd was op vorige week vrijdag: 23 januari. De rechter, mevrouw Haines van de familierechtbank van het hooggerechtshof, had verklaard dat Nazim Jamal, geboren op 5 mei 1982 en op 1 juli 2002 als vermist opgegeven, inmiddels zeven jaar vermist werd en nu vermoedelijk dood was.

'Is Nazim Jamal uw zoon?'

'Mijn enige zoon. Mijn enig kind... alles wat ik had.' Ze wrong haar handen ineen en wiegde heen en weer op een manier waardoor Jenny wel begreep waarom ze bij haar advocaten eerder ergernis dan sympathie opwekte. Maar ze had genoeg jaren in het gezelschap van verdrietige moeders doorgebracht – vijftien jaar als gezinsadvocaat bij de juridische afdeling van een fel bestookte plaatselijke overheidsdienst – om melodrama van echt verdriet te kunnen onderscheiden en in de ogen van de vrouw las ze een oprechte gekweldheid. Tegen beter weten in besloot ze het verhaal van mevrouw Jamal aan te horen.

'Misschien kunt u me vanaf het begin vertellen wat er is gebeurd?'

Mevrouw Jamal keek haar aan alsof ze even was vergeten waarom ze daar was.

'Wilt u misschien een kop thee?' vroeg Jenny.

Gewapend met een kop van Alisons sterke, troebele bouwvakkersthee begon mevrouw Jamal hortend en stotend haar verhaal, dat ze al talloze keren aan sceptische politieagenten en advocaten had verteld. In het begin leek ze wantrouwig, maar toen ze zag dat Jenny aandachtig naar haar luisterde en gedetailleerde chronologische aantekeningen maakte, ontspande ze zich geleidelijk aan en kwamen de woorden makkelijker over haar lippen. Ze onderbrak zichzelf alleen om tranen weg te vegen en zich te verontschuldigen omdat ze zo emotioneel was. Ze was een uitermate gespannen maar sterke vrouw, besefte Jenny, een vrouw die wellicht aan haar kant van het bureau had kunnen zitten als ze in het leven andere kansen had gehad.

En hoe meer Jenny te horen kreeg, hoe bezorgder ze werd.

Amira Jamal en haar man Zachariah waren in de jaren zestig allebei als kind meegenomen naar Groot-Brittannië. Hun huwelijk was gearrangeerd door hun families toen ze begin twintig waren, maar gelukkig voor hen werden ze verliefd op elkaar. Zachariah werd tandarts en begin jaren tachtig verhuisden ze van Londen naar Bristol, waar hij bij zijn oom in de praktijk ging werken. Ze waren drie jaar getrouwd toen Amira zwanger werd. De zwangerschap was een enorme opluchting: ze werd al bang dat de oerconservatieve familie van haar man bij hem op echtscheiding zou aandringen, of dat hij zelfs een andere vrouw zou nemen. Het was een vreugdevol moment toen ze hem een gezonde jongen schonk.

Door de liefde en aandacht waarmee zijn ouders, die hem adoreerden, hem omringden, zeilde hij door de basisschool en kreeg hij een beurs voor het exclusieve Clifton College. En terwijl hun zoon werd opgenomen in de Britse cultuur, pasten Amira en Zachariah zich aan hun nieuwe sociale milieu aan. Ze waren nu ouders wier kind naar een particuliere school ging. Nazim behaalde het ene succes na het andere, haalde hoge examencijfers en speelde in het schooltennis- en -badmintonteam.

De eerste uitbarsting binnen het gezin deed zich voor toen Nazim zeventien was, aan het begin van zijn laatste schooljaar. Doordat Amira zoveel in het gezelschap van andere moeders had verkeerd, was ze zich gaan realiseren wat zij allemaal had gemist terwijl ze in huis opgesloten zat. Tegen de wens van Zachariah in wilde ze per se buitenshuis werken. De enige baan die ze kon vinden was die van verkoopassistente in een respectabele damesmodezaak, maar ook dat kon de trots van haar man niet verdragen. Hij dwong haar te kiezen tussen hem en de baan. Ze nam de uitdaging aan en koos voor de baan. Toen ze die avond thuiskwam trof ze haar twee zwagers aan, die haar meedeelden dat hij van haar ging scheiden en dat ze onmiddellijk het huis moest verlaten.

Nazim gaf toe aan een onweerstaanbare druk vanuit de familie en bleef bij zijn vader wonen, die kort daarna een jongere vrouw trouwde, met wie hij nog eens drie kinderen kreeg. Nadat Amira het huis uit was gezet moest ze een flat huren. Nazim bezocht haar trouw een paar avonden per week en, liever dan haar in alle eenzaamheid achter te laten, wees hij een aanbod van het Imperial College in Londen af. In plaats daarvan ging hij aan de Bristol-universiteit natuurkunde studeren.

Hij begon daar in de herfst van 2001, in de weken dat de wereld nog op zijn grondvesten schudde en het woord 'moslim' een synoniem was voor gruweldaden. Omdat Nazim niet in politiek geïnteresseerd was, had hij het nauwelijks over de gebeurtenissen in Amerika en ging hij vrolijk naar college, en hij besloot, als eerste opstandige daad jegens zijn vader, op de campus te gaan wonen.

'Dat jaar zag ik hem niet zo vaak,' zei mevrouw Jamal met een met trots doorspekt vleugje verdriet. 'Hij had het erg druk met zijn werk en tennis, hij deed zijn best om in het universiteitsteam te komen. En wanneer ik hem zag, leek het goed met hem te gaan, hij leek gelukkig. Hij was geen jongen meer, ik zag hem in een man veranderen.' Er kwam weer een spoortje emotie in haar stem terug en ze wachtte even. 'In het tweede semester, na de kerstvakantie, werd hij afstandelijker. Toen heb ik hem maar drie of vier keer gezien. Het viel me op dat hij een baard had laten staan en soms droeg hij een gebedskapje, een *taqiya*. Ik was geschokt. Zelfs mijn man droeg westerse kleding. Eén keer kwam hij naar mijn flat en droeg hij de complete traditionele kleding: een wit gewaad en *shalwar*, zoals de Arabieren dragen. Toen ik hem vroeg waarom hij dat deed, zei hij dat veel van zijn moslimvrienden zich zo kleedden.'

'Werd hij religieus?'
'We waren altijd al een godsdienstig gezin, maar vreedzaam. Mijn man en ik waren volgelingen van sjeik Abd-al-Latif: onze religie is iets tussen God en ons. Geen sprake van politiek. Zo is Nazim ook opgevoed: dat hij zijn medemens moet respecteren, wie het ook is.' Even trok er onbegrip over haar gezicht. 'Later zei hij dat hij naar de Al-Rahma-moskee was geweest en naar bijeenkomsten...'
'Wat voor bijeenkomsten?'
'Met extremisten, Hizb ut-Tahrir, zei de politie. Ze vertelden me dat hij naar een *halaqah* was geweest.'
'Een halaqah?'
'Een kleine groep. Ze noemen het een cel.'
'Laten we hier even bij stilstaan. Wanneer begon hij naar die bijeenkomsten te gaan?'
'Dat weet ik niet precies. Een poosje na kerst.'
'Oké...' Jenny maakte een aantekening dat wat er ook met Nazim was gebeurd, dit in verband stond met mensen die hij in de winter van 2001-2002 had ontmoet. 'U hebt begin 2002 een verandering bij uw zoon opgemerkt. Wat gebeurde er toen?'
'In de paasvakantie was hij nog net zo. Zijn vader praatte niet met me, dus ik wist niet hoe hij zich bij hem thuis gedroeg, maar ik maakte me ongerust.'
'Waarom?'
'Nazim praatte niet over godsdienst als ik erbij was, maar ik had dingen gehoord. Dat hadden we allemaal. Bij die Hizb, volgelingen van die misdadiger Omar Bakri, is het allemaal politiek wat de klok slaat. Ze zeiden tegen onze jonge mannen dat ze voor hun volk moesten strijden, voor een kalifaat, een islamitische staat.'
'Weet u zeker dat uw zoon zich met die extremisten inliet?'
'Ik wist niets. Nog steeds niet, alleen wat de politie me heeft verteld.' Ze gebaarde naar de stapel papieren. 'Zij zeggen dat ze hem elke woensdagavond voor een halaqah in en uit een huis in St. Pauls hadden zien gaan. Hij en Rafi Hassan, een studievriend van hem.'
'Vertelt u me eens over Rafi.'
'Hij zat in hetzelfde jaar als Nazim. Hij studeerde rechten. Ze hadden een kamer in hetzelfde gebouw, Manor Hall. Zijn familie komt uit Birmingham.'
'Hebt u hem ontmoet?'
'Nee. Nazim had het nauwelijks over hem. Ik heb dit allemaal van de politie gehoord... daarna.' Ze haalde een schone zakdoek uit haar jas en bette haar ogen terwijl ze in haar stoel heen en weer wiegde.

'Na wat?' vroeg Jenny aarzelend.

'Ik heb Nazim in mei nog een keer gezien. Hij kwam op een zaterdag, op mijn verjaardag. Zijn tantes waren er, en zijn neven en nichten. Het was een prachtige dag. Hij was zichzelf weer... En daarna nog een keer in juni, de tweeëntwintigste, weer op een zaterdag.' De data stonden in haar geheugen gegrift. 'Hij kwam 's ochtends en zag bleek. Hij zei dat hij zich niet lekker voelde, hij had koorts en hoofdpijn. Hij nam een beetje soep, maar was nog steeds te moe om naar de universiteit terug te gaan, dus is hij die nacht gebleven. Ik werd vroeg wakker en hoorde hem bidden: precies volgens de *tajwid*-regels. Hij citeerde uit de Koran alsof hij het met de paplepel ingegoten had gekregen.' Ze haalde bibberig adem en sloot haar ogen. 'Ik moet weer in slaap zijn gevallen. Toen ik opstond om ontbijt te maken, was hij weg. Hij had een briefje voor me achtergelaten: "Bedankt mam. Doeg. Naz". Dat zit daar tussen de papieren... Daarna heb ik hem nooit meer gezien.' Tranen stroomden over haar wangen. Ze drukte haar zakdoek vol mascaravlekken ertegen en probeerde zich te vermannen. 'De politie zei... Ze zeiden dat ze hem op de avond van vrijdag 28 juni om halfelf uit de halaqah hebben zien komen. Dat was in Marlowes Road in St. Pauls. Hij liep met Rafi Hassan naar de bushalte en dat is het. Hij ging de volgende ochtend niet tennissen en geen van beiden volgde op maandag colleges. De politie heeft met alle studenten van de Hall gepraat, maar niemand van hen had ze in het weekend gezien, of verder ooit nog.'

Voor het eerst tijdens hun gesprek werd mevrouw Jamal door verdriet overmand. Jenny liet haar uithuilen. Ze had geleerd dat je op rouwende familieleden het best kon reageren door respectvol te zwijgen en hun een meelevende glimlach te schenken, maar zo weinig mogelijk te zeggen. Woorden, hoe goedbedoeld ook, verlichtten zelden de pijn van verdriet.

Toen de tranen uiteindelijk opdroogden, vertelde mevrouw Jamal dat de universiteitsleiding haar man had gebeld, die haar daarna had gebeld omdat Nazim de woensdag daarna niet bij zijn studiebegeleider was komen opdagen. Hij had een belangrijke scriptie moeten inleveren. Zachariah en een paar neven van hem hadden de campus afgezocht, maar niemand had Nazim of Rafi sinds de week daarvoor gezien, en geen van de andere jongens leek goed met hen bevriend te zijn. Zelfs de studenten die op de kamers naast hen woonden, kenden hen slechts oppervlakkig.

Aanvankelijk reageerde de politie met de gebruikelijke onverschilligheid die ze altijd aan den dag legde wanneer iemand als vermist werd opgegeven. Eén contactpersoon bij de politie ging zelfs zover te opperen dat de twee jongens misschien een seksuele relatie met elkaar hadden gekregen en samen waren weggelopen. Mevrouw Jamal kende haar zoon goed genoeg om te weten dat dat niet waarschijnlijk was. Toen bleek dat de laptops en mobiele telefoons van de jongens weg waren. De politieagent die hun kamers had doorzocht, vond bewijs dat hun kamerdeur met een stuk gereedschap was opengebroken, waarschijnlijk een grote schroevendraaier. En toen, bijna een week later, trad er een meisje van een kamer in het naastliggende gebouw, Dani James, naar voren en vertelde de politie dat ze op 28 juni rond middernacht een man in een dikke anorak en met een baseballpet op snel Manor Hall had zien verlaten. Ze meende dat hij een grote rugzak of reistas over zijn schouder droeg.

Ondanks protesten van beide families stond de politie niet te trappelen om de zaak te onderzoeken. Mevrouw Jamal had naar haar plaatselijke raadslid en parlementslid geschreven, wanhopig op zoek naar hulp, toen ze thuis bezoek kreeg van twee jonge mannen, een blanke en een Aziaat, die beweerden dat ze voor de veiligheidsdienst werkten. Ze zeiden dat Nazim en Rafi ervan werden verdacht dat ze zich inlieten met Hizb ut-Tahrir en dat ze door de politie in de gaten werden gehouden toen ze een extremistische halaqah bijwoonden.

'Dat was voor het eerst dat ik daarvan hoorde, hoewel ik zoiets wel had vermoed,' zei mevrouw Jamal, 'maar ik wilde niet dat het waar was. Ik zette die gedachten uit mijn hoofd. Ze bleven me maar met vragen bestoken. Ze wilden niet geloven dat ik niets wist van wat hij op de universiteit uitspookte. Ze beschuldigden me er feitelijk van dat ik loog om hem te beschermen.'

'Wat was er dan volgens hen met hem gebeurd?'

'Ze vroegen steeds maar weer of hij een keer had laten vallen dat hij naar Afghanistan ging en of hij het over Al-Qaida had gehad. Ik heb ze gezegd dat hij nooit over zoiets had gesproken. Maar dan ook nooit.'

'Dachten ze dat Rafi en hij misschien naar het buitenland waren gegaan om als extremisten te worden getraind?'

'Dat zeiden ze. Maar zijn paspoort lag nog in het huis van zijn vader.'

'En dat van Rafi?'

'Hij had er niet eens een. En ze hebben al hun bankrekeningen gecontroleerd... Daar was niets verdachts mee.'

'Heeft een van beiden na 28 juni nog gebruikgemaakt van zijn bankrekening of creditcards?'

'Nee. Ze zijn gewoon verdwenen, in rook opgegaan.'

Jenny voelde een steek van onrust door zich heen gaan: een gevoel van geestelijke beklemming dat op het eerste stadium van paniek wees.

Ze haalde adem, ontspande haar ledematen en probeerde het gevoel te laten wegebben. 'Bent u nog meer te weten gekomen?'

'Twee weken later verklaarde een man, ene Simon Donovan, bij de politie dat hij op de ochtend van de negenentwintigste in een trein naar Londen twee jonge mannen had gezien die aan hun signalement voldeden. Ze hadden allebei een baard en droegen traditionele kleding, zei hij. Zijn verklaring zit in het dossier. Daardoor kwam de politie op het idee dat ze naar het buitenland waren gegaan, dus opnieuw hebben ze alle studenten in de Hall ondervraagd. Een meisje, dat Sarah Levin heette, beweerde dat ze Rafi in de kantine een keer iets had horen zeggen over de "broeders" die naar Afghanistan gingen.' Mevrouw Jamal schudde halsstarrig haar hoofd. 'Dat zou hij nooit hebben gedaan, mevrouw Cooper. Ik ken mijn zoon. Dat zou hij nooit hebben gedaan.'

Jenny dacht aan Ross, die keer dat ze hem afgelopen zomer van school had gehaald en hij stoned was van de hasj, aan zijn grillige humeur en ontstellend kwetsende uitbarstingen. Ze dacht dat ze de gevoelige jongen die daaronder schuilging kende, maar soms vroeg ze zich dat af; ze bedacht dat we zelfs degenen die ons het meest na staan niet helemaal kunnen doorgronden.

'Wat heeft de politie met die informatie gedaan?' vroeg Jenny.

'Ze hebben naar bewijs gezocht, maar nooit iets gevonden. Ze zeiden dat ze vast met valse papieren het land uit waren gegaan, naar Pakistan.'

'Hebben ze de passagierslijsten gecontroleerd? Het is niet eenvoudig om via een luchthaven onopgemerkt weg te komen.'

'Ze zeiden tegen ons dat ze alles hadden gecontroleerd. Ze beweerden zelfs dat ze wellicht via een ander Europees land waren gereisd, of Afrika, het Midden-Oosten... Ik weet het niet.' De energie was uit haar weggesijpeld. Ze leek nu kleiner en fragieler dan daarstraks.

'Hoe liep het af?'

'In december 2002 kregen we een brief. De politie zei dat ze alles hadden gedaan en dat de meest aannemelijke verklaring was dat ze met een islamistische groep naar het buitenland waren vertrokken. Dat was alles. Meer niet. Niets.'

'Hoe zit het met de moskee en de halaqah?'

'De politie zei tegen ons dat de moskee in augustus dat jaar gesloten was, evenals de halaqah. Ze zeiden dat de veiligheidsdienst hun activiteiten in de gaten had gehouden, maar dat ze niets nieuws over Nazim of Rafi te weten waren gekomen. Ze beloofden dat ze het ons zouden laten weten als er iets bekend werd.'

'Hebben die mensen van de veiligheidsdienst ooit nog contact met u opgenomen?'

Mevrouw Jamal schudde haar hoofd.

'U had het over advocaten...'

'Ja. Ik wilde dat ze vragen zouden stellen, dat ze met de veiligheidsdienst en de politie zouden praten, maar het enige wat ze deden was mijn geld incasseren. Het kwam op mij neer. Ik ben er zelf achter gekomen dat iemand die wordt vermist na zeven jaar doodverklaard kan worden.' Ze ontmoette Jenny's blik. 'En ik heb ook gelezen dat de rechter van instructie moet uitzoeken wat de doodsoorzaak was. Zijn vaders adres, destijds Nazims officiële woonplaats, valt onder uw district, dus daarom ben ik hier.'

Zodra ze de rechterlijke verklaring had gezien, had Jenny aangenomen dat mevrouw Jamal op een gerechtelijk onderzoek uit was, maar dat vooruitzicht riep een heleboel problemen op, niet in de laatste plaats omdat er geen lijk was en het slechts om een vermoedelijke dood ging. In zulke omstandigheden moest ze volgens artikel 15 van de Coroner's Act bij de minister van Binnenlandse Zaken een verzoek indienen om toestemming voor zo'n onderzoek. Dat zou alleen worden ingewilligd wanneer werd geoordeeld dat het onderzoek het algemeen belang diende, wat net zozeer een politieke als een wettelijke keuze was. En als die horde was genomen, dan zou het nog niet eenvoudig zijn om zoveel jaar na dato onwillige politieagenten en overheidsambtenaren over te halen om hun dossiers uit de mottenballen te halen en alle informatie die niet als bedreigend voor de nationale veiligheid werd beschouwd vrij te geven. Hoe ver de macht van een onderzoeksrechter ook reikte, in dit geval moest ze het opnemen tegen de machtige machinerie van de staat.

'Mevrouw Jamal,' zei Jenny, met naar ze hoopte een juiste balans tussen voorzichtigheid en bezorgdheid, 'ik wil met alle liefde naar de zaak van uw zoon kijken, maar het enige wat ik kan doen is een verslag naar de minister van Binnenlandse Zaken schrijven, met het verzoek...'

'Dat weet ik. Dat heeft de rechter me verteld.'

'Dan weet u ook dat de kans dat het onderzoek ook daadwerkelijk wordt ingesteld uiterst klein, om niet te zeggen verwaarloosbaar is. Het is heel ongebruikelijk wanneer er geen feitelijk bewijs is voor een sterfgeval.'

Mevrouw Jamal schudde haar hoofd en haar gezicht kreeg een harde, teleurgestelde uitdrukking. 'Bedoelt u soms dat ik het na al die strijd moet opgeven?'

Als ze volkomen eerlijk was, dan had Jenny haar verteld dat, aangezien er geen lijk was en er zeven jaar waren verstreken, ze het gerechtelijk bevel maar het best kon beschouwen als een laatste bewijs van Nazims dood en zichzelf moest toestaan om te rouwen en verder te gaan met haar leven. Dan had ze tegen haar gezegd dat het feit dat ze zo door het lot van haar zoon werd geobsedeerd het belangrijkste obstakel was dat haar geluk in de weg stond, en dat een onderzoek daar hoogstwaarschijnlijk niets aan zou veranderen.

'Het zou verkeerd zijn als ik u enige hoop geef dat we er ooit achter komen wat er met uw zoon is gebeurd,' zei Jenny. 'Wellicht moet u zich afvragen welk doel er volgens u met een onderzoek is gediend. U krijgt hem er niet door terug.'

Mevrouw Jamal verzamelde haar papieren. 'Het spijt me dat ik uw tijd heb verspild.'

'Ik wijs een onderzoek niet af...'

'U bent duidelijk geen moeder, mevrouw Cooper, anders zou u wel begrijpen dat ik geen keus heb. Mijn leven betekent niets vergeleken bij dat van mijn zoon. Ik zou nog liever sterven tijdens het onderzoek naar wat er met hem is gebeurd dan in onwetendheid verder leven.'

Mevrouw Jamal stond van haar stoel op alsof ze zonder nog een woord te zeggen weg wilde benen, maar plotseling leek ze de energie niet meer te hebben en wankelde ze. Ze legde het dossier langzaam weer op het bureau en vouwde haar handen erop samen, terwijl ze haar hoofd liet hangen alsof ze niet de kracht had om het op te heffen. 'Mijn verontschuldigingen, mevrouw Cooper. Ik had te hoge verwachtingen van u. Ik hoop niet op een wonder... Ik weet dat Nazim dood is. Toen hij die middag met koorts naar mijn flat kwam, had ik al een voorgevoel. Ja... en toen ik de volgende ochtend wakker werd en hem de tajwid hoorde opzeggen... Ik weet nog steeds niet zeker of hij het was of zijn geest.' Ze keek met droge, wanhopige ogen op. 'Misschien hebt u gelijk. Er is te veel tijd overheen gegaan.'

Jenny was teruggedeinsd voor iets wat ze had aangezien voor mevrouw Jamals allesomvattende zelfmedelijden, maar niet voor het eerst tijdens hun ontmoeting zag ze daarachter het diepe en onpeilbare verdriet van een moeder die op zoek was naar haar vermiste kind. Het laatste waar ze op zat te wachten was de zoveelste beladen en tijdverslindende zaak, maar haar emoties kolkten al, de gezichten van de vermiste jongens waren al voor haar gaan leven, hun schimmen achtervolgden haar al.

'Laat het dossier maar hier,' zei Jenny. 'Ik zal er vanmiddag naar kijken en neem dan contact met u op.'

'Dank u, mevrouw Cooper,' antwoordde mevrouw Jamal zachtjes. Ze reikte naar de sjaal die over haar schouders lag en wikkelde hem om haar hoofd.

'Hoe zit het met Rafi Hassan? Is zijn familie op zoek naar een verklaring?' vroeg Jenny.

'We spreken elkaar niet. Ze staan heel vijandig tegenover mij. Zij geloven liever dat Nazim verantwoordelijk is voor wat er met hun zoon is gebeurd.'

'En uw man?'

'Die heeft het al lang geleden opgegeven.'

Jenny bespeurde een kilte in Alisons gedrag toen ze mevrouw Jamal uitliet. In het halfjaar dat ze met elkaar samenwerkten had ze geleerd om elke kleine stemmingsverandering bij haar medewerkster op te merken. Alison was een vrouw die griezelig goed in staat was om zonder een woord te zeggen precies te laten merken wat ze ergens van vond. Jenny zag in haar houding jegens mevrouw Jamal een achterdocht die regelrecht aan afkeuring grensde. Toen ze een paar minuten later in de deuropening verscheen om te melden dat de politie haast had met de postmortemrapporten van de lijken uit de koelvrachtwagen, merkte Jenny op dat ze zich kennelijk aan mevrouw Jamal had geërgerd.

Alison sloeg haar armen over elkaar. 'Ik herinner me de zaak van haar zoon. In die tijd werkte ik bij de criminele inlichtingendienst. Iedereen wist dat hij en die andere knaap naar het buitenland waren vertrokken om te vechten.'

Nog een trekje dat Jenny had opgemerkt: dat Alison zich halsstarrig achter de heersende mening van haar ex-politiecollega's schaarde.

Jenny zei: 'En "iedereen" is...?'

'Het team dat vijf maanden op die heethoofden was gezet. De extremisten hadden in die tijd vrij spel.'

Jenny voelde een steek van ergernis. 'Zijn moeder heeft nog steeds het recht om te weten wat er met hem is gebeurd, voor zover dat mogelijk is althans.'

'Als ik haar was, weet ik zo net nog niet of ik dat wel zou willen weten. We kunnen niet bepaald getuigen uit Afghanistan oproepen.'

'Nee. Weet je toevallig wie er tijdens die observatie de leiding had?'

'Daar kan ik wel achter komen. Maar ik denk niet dat u erg ver zult komen... Bij dit soort dingen wemelt het van de spionnen.' Alison stapte op een ander onderwerp over: 'Hoe moet het nu met die lijken in de vrachtwagen? Wilt u dat ik ernaar kijk? Ik verwacht dat de politie die zaak ook wel voor zichzelf wil.'

'Maak jij je eigen verslag maar,' zei Jenny, en ze kon het niet nalaten eraan toe te voegen: 'We weten dat onze in het blauw gestoken vrienden soms het ene zien en iets anders opschrijven.'

'Ik vertel u alleen maar wat ik destijds heb gehoord, mevrouw Cooper,' kaatste Alison terug. 'En in die tijd gaven we moslims nog het voordeel van de twijfel.'

Jenny hield haar mond. Ze voelde aan Alisons reactie dat mevrouw Jamal gecompliceerde gevoelens bij haar had losgemaakt. Ze waren nu een halfjaar verder en Jenny wist dat Alison nog altijd stilletjes rouwde om de man op wie ze verliefd was geweest: de overleden Harry Marshall, die vóór haar onderzoeksrechter was geweest. Ze hadden elkaar zeer na gestaan. De onsmakelijke omstandigheden van zijn plotselinge en onverwachte overlijden hadden een puinhoop aan onverwerkte gevoelens achtergelaten, waar ze met een flinke dosis christendom klaarheid in probeerde te scheppen. Wanneer ze onzeker was, klemde Alison zich aan instituties vast – de politie, de kerk – en kwam ze in het geweer tegen alles wat die kon bedreigen. Het was irrationeel, maar wie was Jenny om daar een oordeel over te vellen? Zonder haar medicijnen was zij ook een speelbal van irrationele angsten.

'Haar zoon is doodverklaard,' zei Jenny. 'Ze heeft recht op een onderzoek, hoe beperkt ook. Ik betwijfel alleen sterk of we er iets mee opschieten.'

Alisons vijandige houding bleef nog lang nadat ze van kantoor was weggegaan als een onwelkome aanwezigheid in de lucht hangen. Jenny voelde zich bijna schuldig toen ze de papieren van mevrouw Jamal min of meer op volgorde legde. Ze had zich niet meer zo gevoeld sinds ze voor het eerst met Alison aan een zaak had gewerkt: die van de veertienjarige Danny Wills, die in een particuliere gevangenis dood in zijn cel was aangetroffen. Misschien voelde Alison, als ex-politievrouw, de problemen scherper aan dan zij.

Ook al waren het er nog zoveel, mevrouw Jamals documenten wierpen weinig licht op de zaak. Er waren lijsten van studenten bij die destijds in de studentenhuizen woonden, verklaringen van leden van beide families, verklaringen van politieagenten die de campus hadden doorzocht, kopieën van zinloze correspondentie met verschillende raadslieden en politici. Er was een kopie van de oorspronkelijke verklaring van Simon Donovan, waarin hij de twee jongemannen beschreef nadat hij ze in de trein had geïdentificeerd; verklaringen van de studenten Dani James en Sarah Levin, waarin de raadselachtige indringer werd beschreven en de opmerking die Rafi had gemaakt over moslimbroeders die naar Afghanistan gingen. Er was een schetsmatige kopie van Nazims Britse paspoort, de bevestiging van het bevolkingsregister dat Rafi

Hassan er nooit een had bezeten of had aangevraagd, en een onbewogen brief van de agente Sarah Owens, contactpersoon voor gezinszaken bij de politie, waarin ze op bevoogdende toon uitlegde dat de politie had besloten het onderzoek op te schorten totdat er nieuw bewijs aan het licht kwam. Het laatste document was een VERMIST-poster, die op de computer thuis was gemaakt, met verschillende opnamen van de jonge mannen. Het viel Jenny op hoe knap ze waren: doordringende ogen en een slank postuur. Ze keek een hele poos naar hen en werd toen door een plotseling, bijna ondraaglijk verdriet overvallen. Ze waren niet dood, maar het was nog erger: ze waren eenvoudigweg verdwenen.

Ze schoof het dossier opzij en vocht tegen de irrationale associaties die ze in gedachten al maakte met haar gesprekken met dr. Allen. Mensen verdwenen zo vaak spoorloos. Het was puur toeval dat deze zaak op haar bureau was beland. Technisch gesproken had hij ook bij de onderzoeksrechter van Bristol kunnen zijn terechtgekomen, als Nazim Jamal voor het laatst in zijn district was gezien. Jenny hoefde de zaak helemaal niet op zich te nemen... Maar toch wist ze dat ze geen keus had.

De telefoon ging op het onbemande secretariaat en ze draaide zich werktuiglijk om naar de telefoon op haar bureau. Ze nam met zakelijke toon op: 'Met het kantoor van de Severn Vale-onderzoeksrechter. Met Jenny Cooper.'

'Goedemorgen, met Andrew Kerr. Ik ben de nieuwe patholoog in Vale.' Hij klonk informeel en energiek. 'Ik heb net even naar die Jane Doe van u gekeken. Volgens mij moeten we praten.'

3

Ze werd binnengelaten door een van de assistenten die niet meer uitbrachten dan eenlettergrepige woorden – figuren van het onmededeelzame soort dat ze ooit alleen op afstand en slechts onder elkaar had horen lachen – liep voorzichtig over de pas gedweilde vloer door de receptie en hoorde gaandeweg het geluid van harde stemmen aan de andere kant van de klapdeuren. Ze duwde ze open en trof daar een gespierde jongeman met chirurgenhandschoenen aan – ze nam aan dat hij de nieuwe patholoog was – die zijn best deed om zich een agressieve Schot van het lijf te houden. De bezoeker, die gekleed was in donker pak en overjas, sloeg een kwade toon aan en had een onvoorspelbaar dreigende uitstraling, die haar als een lichte schokgolf trof toen hij met zijn vinger tegen de borst van de patholoog prikte.

'Hoor eens even, knul... De kleine meid van mijn cliënt is nu een halfjaar spoorloos. De arme kerel is zo kaal als een biljartbal. Het zou me niet verbazen als hij de kanker krijgt als hij haar niet snel vindt.'

'U zult met de politie moeten terugkomen. U kunt hier niet zomaar binnenwandelen en eenvoudigweg eisen om een lijk te bekijken.'

'Ik ben zijn advocaat, godbetert, zijn juridisch raadsman. Ik weet dat opleiding tegenwoordig niets meer voorstelt, maar ze moeten je toch minstens hebben geleerd wat dát betekent.' Hij streek zijn weerbarstige zandkleurige haar van zijn voorhoofd naar achteren, waardoor gelaatstrekken onthuld werden die ooit aantrekkelijk waren geweest, maar er nu gerimpeld en afgeleefd uitzagen.

De patholoog zette zijn handen in zijn zij en week geen duimbreed, terwijl hij een stevig stel in de sportschool getrainde schouders opzette. 'Oké, nu is het genoeg. Ik heb u verteld hoe de zaak ervoor staat. U hebt het nummer van de rechercheur... Bel hem. Ik heb werk te doen.' Hij keek langs de man heen naar Jenny. 'Sorry, mevrouw. Kan ik u helpen?'

Niet van plan zich te laten afpoeieren, zei de woedende Schot: 'Wat maakt het jou verdomme nou uit als ik er een smeris bij haal die m'n hand vasthoudt?'

Jenny liep naar voren en sprak hem aan. 'Jenny Cooper. Rechter van instructie van het Severn Vale-district. Het lichaam is momenteel onder mijn hoede.' Ze had nu de volledige aandacht van beide mannen. 'Dr. Kerr?'

'Ja.'

Ze wendde zich tot de bezoeker. 'En u bent?'

'Alec McAvoy. O'Donnagh & Drew.' Hij bekeek haar van top tot teen, met verrassend blauwe ogen die in een veel jonger gezicht thuishoorden. 'Enige kans om deze knul een lesje in wetskennis te leren?'

Ze negeerde de opmerking en zei: 'Als u me precies kunt vertellen wie u vertegenwoordigt, kan ik u misschien van dienst zijn.'

'Mijn cliënt heet Stewart Galbraith. Mijn kantoor vertegenwoordigt de familie al sinds God nog een jongetje was. De politie heeft hem trouwens over dit lijk verteld.'

'Welke politie?'

'Nou maakt ú een grapje. Laatst nog geprobeerd om het politiebureau te bellen? Als je geen Indiër krijgt, dan is het wel zo'n kloterobot.'

Jenny zag dat dr. Kerr zijn stekels overeind zette, maar ze bleef kalm. Advocaten werden ervoor betaald om zich lomp te gedragen. Ondanks zijn poeha zag ze in McAvoys schalkse ogen dat er geen sprake was van persoonlijke wrok.

'Hebt u een visitekaartje?'

mcAvoy gromde en viste een kaartje uit zijn jaszak: DRS. ALEC MCAVOY, JURIDISCH ADVISEUR, O'DONNAGH & DREW, ADVOCATEN. Ze las het twee keer, zich afvragend waarom een man met een graad in de rechten een juridisch adviseur was en geen bevoegd advocaat.

Hij zag dat ze het opmerkte.

'Dat is een heel verhaal. Dat vertel ik u nog weleens,' zei McAvoy.

'Hebt u er bezwaar tegen als ik uw kantoor even bel?'

'Ga uw gang.'

Ze wilde haar telefoon pakken, maar bedacht zich toen. Het was een beetje kinderachtig om zijn referenties te controleren. Ze kende de naam van O'Donnagh & Drew uit de tijd dat ze zelf nog praktiseerde. De firma bestond al heel lang en stond er vooral om bekend dat ze in Bristol het monopolie op grote strafzaken hadden.

Ze wendde zich tot dr. Kerr. 'Hebt u er bezwaar tegen als we snel even kijken? Het duurt maar heel even.'

'Het is uw lijk, mevrouw Cooper. Ik ben in mijn kantoor.' Hij draaide zich om en liep snel de gang door, waarna hij de deur hard achter zich dichtsloeg.

'Weet u zeker dat hij wel oud genoeg is voor dit werk?' vroeg McAvoy. 'Hij is nauwelijks uit de luiers.'

'Zullen we dit maar even afhandelen?'

Ze wees hem de weg naar de koelcel. Ze liepen langs een stuk of wat op brancards geparkeerde lijken en ze was zich van McAvoys blik bewust terwijl hij achter haar aan liep. Hij was een man die niet probeerde te doen alsof hij niet keek.

Ze pakte een latex handschoen uit een aan de muur bevestigde dispenser. 'Hebt u een foto van de dochter van uw cliënt? Het is soms moeilijk...'

'Niet nodig. Ik ken haar al van kleins af aan...'

'Hoe heet ze?'

'Abigail.'

Ze opende de deur van de koelunit – een zwaar metalen geval van tweeënhalve meter bij een meter twintig – en trok de lade naar zich toe. Ze zag dat McAvoy in een reflex een kruis sloeg, waarna hij zijn hand uitstak om de plastic zak van het gezicht weg te trekken. Ze schrokken allebei van de aanblik: het gezicht staarde met lege oogkassen naar hem omhoog.

'Lieve god,' fluisterde McAvoy.

Jenny kromp in elkaar en keek de andere kant op. 'Sorry. Ze had glazen ogen. Iemand moet ze eruit hebben gehaald.'

Hij boog zich naar voren om haar beter te kunnen bekijken. Jenny zag vanuit haar ooghoeken dat hij elk detail van het gezicht onderzocht en toen het plastic een stukje verder van de bovenkant van de romp terugtrok.

'Nee. Het is Abigail niet,' zei hij terwijl hij weer rechtop ging staan. 'Zij had een kuiltje in haar kin en een kleine moedervlek aan de zijkant van haar hals. Maar evengoed bedankt.'

Jenny knikte. Ze aarzelde om weer omlaag te kijken en het gezicht te bedekken.

'Laat mij maar,' zei McAvoy, en voordat ze haar hand kon uitsteken trok hij het zeil er al overheen. 'Als de ziel eenmaal is heengegaan, blijft er niets dan stof over... Dat zou u tegen uzelf moeten zeggen.' Hij duwde de la in de kast terug. 'Nog zo'n kwelling waar de goddeloze meerderheid mee moet leven: de gedachte dat alles slechts vlees en bloed is.' Hij duwde de deur van de koelunit dicht en keek naar de brancards met lijken die in de gang op een rij stonden. 'Als een ongelovige hier een nacht doorbrengt zal hij al snel om zijn schepper smeken.' Er flitste even een vals glimlachje over zijn gezicht. 'Ik heb u hier niet eerder gezien, wel?'

'Nee.' Ze trok de handschoen uit en liet die in de afvalbak vallen.

'Nieuw?'

'Relatief.'

'Wat een baan voor een vrouw.' Hij bestudeerde haar even en knikte toen, alsof hij zijn nieuwsgierigheid had bevredigd. 'Ja, nu begrijp ik het wel.' Hij glimlachte nu vriendelijker, alsof hij toch nog een zachte kant bleek te hebben. 'Nou ja, kom maar niet te vaak bij die lui in de buurt. Ik zie u nog weleens.' Hij draaide zich om en liep weg, terwijl hij zijn haar uit zijn gezicht schudde en zijn handen diep in zijn jaszakken stopte.

Ze bleef hem staan nakijken tot hij weg was, half en half verwachtend dat hij op zijn weg naar buiten iets zou stelen.

Jenny liep het kantoor van dr. Kerr binnen en zag dat hij druk aan het werk was op zijn computer. In plaats van een schort droeg hij nu een T-shirt, dat strak om zijn borstspieren zat. Ze schatte dat hij een jaar of dertig was en nog steeds single, met meer dan genoeg tijd voor zichzelf.

'Hebt u hem afgepoeierd?' zei hij terwijl hij een e-mail verzond.

'Ja. Ze was niet degene naar wie hij op zoek was.'

Dr. Kerr draaide zich in zijn stoel om en keek haar aan. Ze zag dat hij de meubels anders had neergezet en de planken en het kleed had verplaatst. De rij handboeken op de plank achter hem oogde nieuw en was onaangeroerd. Een paar exemplaren van *Men's Health* en *Muscle and Fitness* lag ernaast.

'Prettig kennis te maken, mevrouw Cooper.'

Hij stak zijn hand uit. Ze deed haar best zijn stevige handdruk te evenaren, maar dat mislukte.

'Insgelijks. Veel langer had ik het met die plaatsvervangers niet meer uitgehouden.'

'Dan zult u wel blij zijn te horen dat ik mijn eigen postmortemverslagen typ en ze graag 's avond voor ik naar huis ga af wil hebben.'

'Ik zie dat u daar al mee bezig bent.'

'Geen commentaar,' zei hij glimlachend.

Jenny realiseerde zich dat het lichte accent dat ze in zijn stem bespeurde op Ulster duidde. Om de een of andere reden vond ze dat geruststellend – solide, betrouwbaar.

Dr. Kerr zei: 'Ik zag dat uw Jane Doe hier al een tijdje ligt, dus ik heb haar vanochtend even bekeken.' Hij gaf haar een rapport van drie pagina's. 'Ik wist niet of ik eerst met u of met de politie moest praten, maar ik zag in het dossier dat u een gerechtelijk onderzoek bent gestart.'

'Gestart en verdaagd, terwijl ik probeer uit te zoeken wie ze is.'

'Is de politie daar niet in geïnteresseerd?'

'Pas wanneer er belastende feiten opduiken. Tot die tijd zijn ze meer dan blij dat ze het veldwerk aan een ander kunnen overlaten.'

Hij knikte, hoewel hij verbaasd keek. Jenny hoopte dat hij als patholoog beter was dan als kenner van de hogere politiek.

'Na een eerste onderzoek is het onmogelijk te zeggen wat de doodsoorzaak is. De meeste inwendige organen waren weg. Zeemeeuwen, las ik.'

'Kennelijk, ja.'

'Er was nog wat longweefsel over, genoeg om te kunnen zien dat de bronchiën opgezwollen waren...'

'En dat betekent?'

'Verdrinking is een mogelijkheid, maar dat kan ik niet bewijzen. Maar wat me interesseert zijn die twee inkepingen in de buikzijde van de lumbale wervelkolom. Die zouden door de meeuwen veroorzaakt kunnen zijn, maar snijwonden kan ik ook niet uitsluiten.'

'Kunt u daar niet achter komen?'

'Ik ben bang van niet.' Hij vervolgde iets minder zelfverzekerd: 'Twee andere dingen. Ten eerste haar tanden: geen bederf, geen vullingen, dus van gebitsgegevens zullen we waarschijnlijk niet veel wijzer worden. En ten tweede heb ik haar hals opengesneden om te kijken of ze misschien gewurgd was. Daar heb ik geen bewijzen voor gevonden, maar ze heeft een beginnende tumor aan de schildklier. Hij was zo groot dat ze hem wellicht al kon voelen. Misschien is ze bij de dokter geweest omdat ze druk op haar luchtpijp voelde.'

'Schildklierkanker? Hoe komt ze daar nou aan?'

'Hoe kom je überhaupt aan kanker? Tenzij ze aan een dosis straling heeft blootgestaan, kun je daar onmogelijk iets van zeggen.'

'Straling?' Ze moest denken aan het gezin Crosby en hun dochter die in de ontmantelde krachtcentrale werkte. 'Er wordt een jonge vrouw vermist die in de Maybury-kerncentrale werkte, verderop langs de Severn.'

'Aha. Ik wilde net zeggen dat dit soort tumoren het meest in Oost-Europa voorkomt, in de nasleep van Tsjernobyl. Haar jukbeenderen doen enigszins Slavisch aan.'

'De familie regelt een DNA-test. Als die niets oplevert, kunnen we iets geavanceerders proberen – geografische mineralenanalyse of iets dergelijks.'

'Dat krijg je met mijn budget niet voor elkaar.'

'We zullen zien,' zei Jenny met een half glimlachje. 'Misschien kunnen we de politie overhalen om over de brug te komen.'

'Ik zou best ergens een stralingsmeter kunnen opduikelen... Er bestaan behoorlijk nauwkeurige radiologische gegevens waarmee ik haar kan vergelijken. Als ze uit Oost-Europa komt, kan ik misschien ruwweg bepalen waarvandaan.'

'Alles helpt.' Jenny stond op uit haar stoel. 'Hoe eerder we haar kunnen identificeren, hoe eerder u meer ruimte in de koelcellen hebt.'

'Nu we het daar toch over hebben: kan het lijk niet worden verhuisd naar een begrafenisondernemer of...'

Jenny onderbrak hem. 'U zit in vaste dienst, hè?'

'Ja...'

'Dan kunt u het zich veroorloven om een vuist te maken. Als je niet onmiddellijk eisen stelt, laten ze je doodbloeden... Dan moet je bestek uit de kantine stelen om je post mortems te kunnen uitvoeren.'

'Voor mijn gevoel is het wat vroeg om dwars te gaan liggen.'

Ze voelde zich bijna moederlijk bezorgd om hem: nog geen dertig en nu al de leiding over de schatkamer van de duisterste geheimen van het ziekenhuis. 'Luister, Andrew... mag ik je zo noemen?'

'Natuurlijk.'

'Ze geven je een week. Daarna hangen de specialisten aan de telefoon en zetten je onder druk om hun fouten te verdoezelen, en het management zal je vertellen dat je elke doodsoorzaak mag opschrijven, behalve een ziekenhuisinfectie. Als je daar eenmaal in meegaat, zit je er voor altijd aan vast. Vraag dat maar aan je voorganger.'

'Oké,' zei hij onzeker. 'Ik zal eraan denken.'

De regen was opgehouden en er lag nu een laag rijp, die op het asfalt glinsterde toen Jenny over de brede overspanning van de Severn Bridge naar huis reed. De lichten van de fabrieken van Avonmouth aan haar linker- en Maybury aan haar rechterkant reflecteerden op het gladde water op een windstille avond. Aan de overkant reed ze Wales in en ze wachtte tot de spanningen van de dag van haar af vielen terwijl ze langs Chepstow glipte en het bos in dook. De knopen werden iets losser, maar op de een of andere manier was het gevoel van bevrijding vanavond minder sterk. De ontmoeting met mevrouw Jamal en de beproeving van de Jane Doe-zaak hadden een hardnekkige angst opgeroepen waardoor ze niet kon genieten van de glimpjes halvemaan die tussen de skeletachtige bomen door schenen.

Ze probeerde haar gevoelens te analyseren. Willekeurig, onrechtvaardig en angstaanjagend... Dat waren de woorden die in haar opkwamen. Waarom werd ze in de afgelopen drie jaar van haar leven zo opgejaagd en soms overweldigd door zulke diepgaande en verwarrende krachten waarover ze, sinds die zich voor het eerst hadden geopenbaard, nog geen spat wijzer was geworden? Ze had een bescheiden vooruitgang geboekt. Nog maar een halfjaar geleden kon ze alleen nog maar met behulp van kalmeringsmiddelen en flessen wijn de dagen door komen. Door dr. Allen had ze met beide gewoonten kunnen breken. Ze kreeg medicijnen, maar kon zich staande houden: ze functioneerde. En ze had bewezen dat het masker waarachter ze zich verborg niet zo dun was als ze had gevreesd. In dat halfjaar was het niet weggegleden. Wie haar geschiedenis niet kende had er geen enkel idee van.

Uit alle ramen van haar kleine stenen cottage, Melin Bach, scheen licht, dus Ross was thuis. Hij kreeg bijna elke avond een lift van een pas afgestudeerde docent Engels die op zijn middelbare school lesgaf en verderop in het dal woonde. Voor zover zij begrepen had, rookten ze tijdens hun rit sigaretten en luisterden ze naar muziek van onafhankelijke platenlabels die ze hadden gedownload en met elkaar uitwisselden. De docent was nog net zo'n knulletje als Ross.

'Moeten álle lampen aan?' riep ze naar boven. Uit zijn kamer dreunde muziek: rauwe gitaren en zang die klonken als een zwak aftreksel van de Stones. 'Hoe moet het nou met de aarde?'

'Die is toch al naar de maan,' riep Ross vanachter de deur terug.

Schitterend. Ze hing haar jas op. 'Je hebt zeker niet over eten nagedacht?'

'Nee.' De muziek werd harder gezet. Jenny liep de woonkamer in en sloeg de deur achter zich dicht.

Ze pakte de borden vol toastkruimels, vuile kopjes en glazen op en schopte de vergeten sportschoenen die midden op de tegelvloer lagen opzij toen ze zich naar het ouderwetse keukentje achter in het huis begaf. Haar ex-man had moeten lachen toen hij dat zag – zijn keuken had tachtigduizend pond gekost en was geïnstalleerd door een batterij Duitse vaklui die in een Winnebago-camper waren gearriveerd. Voor haar was dat precies de reden waarom ze vasthield aan haar ouderwetse Welshe keukenkast en het grote, excentrieke kolenfornuis dat nog, zo hadden de buren haar verteld, uit het begin van de jaren veertig van de vorige eeuw dateerde.

Zoals gewoonlijk was er geen kruimel eten in huis. Ross had alles opgegeten, op een pot gedroogde linzen en een pak suikervrije muesli na, die ze de afgelopen zomer had gekocht, in een misplaatste opwelling om haar leven te beteren. Ze dook helemaal achter in de kast en vond alleen een fles koffiemelk en een potje beschimmelde kerriepasta.

Ross denderde gekleed in een gevechtsjack door de deur naar binnen. Hij was ruim een meter tachtig lang; ze kwam met haar ogen tot de onderkant van zijn kin.

'Je zou online boodschappen moeten doen en ze moeten laten thuisbezorgen. Je bent vast de enige die dat niet doet,' zei Ross, en hij gooide een leeg Pepsi-blikje in de afvalbak.

'Hé, recycling.'

'Ja, het is wel goed. Alsof we daar allemaal door gered worden.' Hij liep weer naar de deur. 'Ik ben weg.'

'Waarheen?'

'Naar Karen. Haar moeder geeft haar wél elke avond te eten.'

'Er staat je niets in de weg om...'

'Te koken? Elke keer als ik me hier vertoon krijg je een paniekaanval.'

'Je ruimt de rommel nooit op.'

'Jij wilde met een puber samenwonen. Dit is de realiteit.' Hij haalde zijn schouders op, schonk haar een spottend glimlachje en ging de kamer uit.

Jenny liep achter hem aan. 'Hoe denk je daar op dit uur van de avond te komen?'

'Lopend.'

'Het is ijskoud.'

'Dat is het hier ook.' Hij stortte zich door de deur de gang in. 'Steve heeft gebeld.'

'Wat wilde hij?'

'Dat zei hij niet.'

Bam. Hij was door de voordeur de nacht in gegaan.

Jenny liet hem gaan. Ze voelde zich te kwetsbaar om de zoveelste ruzie te beginnen. Ze begreep dat hij haar wegduwde omdat dat deel uitmaakte van zijn volwassen-worden, maar daardoor werd het er niet gemakkelijker op.

Ze dacht na over wat ze kon gaan doen: naar een supermarkt rijden of hongerig haar achterstallige lijkschouwingsrapporten wegwerken en dan vroeg naar bed. Ze had nergens zin in. Ze liet zich in een leunstoel vallen en probeerde uit te dokteren hoe ze haar gezinsleven zo kon organiseren dat ze Ross in de rest van de anderhalf jaar voor hij naar de universiteit vertrok gelukkig kon maken. Ze moest een alternatief bedenken voor de ad-hocritjes naar benzinestationwinkels. Ze moest hun huisje comfortabeler maken. Het was een en al hout en steen en Ross had liever de weinig aanlokkelijke huizen van zijn vrienden, met kamerbreed tapijt en centrale verwarming. Ze moest zich als een echte moeder gaan gedragen.

Ze had zich net naar boven gesleept om de zwijnenstal in zijn slaapkamer op te ruimen toen er werd aangebeld. Ze gluurde behoedzaam om het gordijn en er ging een golf van opluchting door haar heen: het was niet Ross die terugkwam om haar de huid vol te schelden, maar Steve.

Ze maakte de deur open en zag hem op wandelschoenen en met een dikke jas aan op de drempel staan. Hij had een zaklantaarn bij zich. Alfie, zijn herdershond, snuffelde op het grasveld aan de voorkant rond.

'Ik heb je al een poos niet gezien,' zei Jenny, onwillekeurig met een spoortje verwijt in haar stem.

Hij glimlachte verontschuldigend naar haar. 'Ik vond het wel weer eens tijd.'

'Wil je binnenkomen?'

'Ik laat Alfie uit, hij heeft de hele dag binnen gezeten. Misschien heb je zin om mee te gaan. Het is een prachtige avond.'

Ze liepen in stevige pas over het steile, smalle en door hoge heggen omsloten laantje en sloegen rechts af het zandpad op dat naar een bos van ruim veertig hectare liep. Alfie liep met zijn neus op de grond voor hen uit en ging op strooptocht in het struikgewas. Jenny bleef dicht naast Steve lopen. Hun armen schoven langs elkaar, maar geen van beiden wilde de hand van de ander pakken. Sinds ze elkaar afgelopen juni hadden ontmoet, hadden ze niet meer dan een paar nachten met elkaar doorgebracht en het slechts één keer over hun 'relatie' gehad. Ze waren er niet uit gekomen, maar Steve zou, na tien jaar in de wildernis te hebben doorgebracht, eindelijk zijn laatste examens doen om een bevoegd architect te worden. Om de eindjes aan elkaar te knopen had hij zijn boerderijtje aan een paar weekenders uit Londen verhuurd en woonde hij zelf op de zolder van de schuur, waar hij een eenkamerappartement had geïmproviseerd. Hij had nooit voorgesteld om bij haar in te trekken en zij had het hem nooit gevraagd, maar ze kon niet doen alsof ze er niet aan had gedacht. Alleen wonen was nog te overzien, maar het leven met een grillige puberzoon kon pijnlijk eenzaam zijn. Er waren wel momenten geweest dat ze naar de standvastige energie van een man verlangde die de spanning kon doorbreken.

De bevroren modder knerpte onder hun voeten. Een geelbruine uil kraste en ergens diep vanuit het bos kwam een kreet terug.

Steve zei: 'Weet je wat ik hier 's avonds nou zo heerlijk vind? Je komt er geen sterveling tegen. Iedereen zit aan de buis gekluisterd zonder zich te realiseren dat ze dit allemaal in hun achtertuin hebben.'

Hij ging er prat op dat hij geen tv bezat en er ook nooit een had gehad. Jenny had hem ooit verteld dat hij voor een hardnekkige antimaterialist nog genoeg dingen wist te bedenken waarover hij kon opscheppen. De grap was niet aangekomen.

'Is dat jouw idee van geluk – geen andere mensen tegenkomen?' vroeg ze.

'Het is vredig.'

'De meeste mensen zijn als de dood in hun eentje.'
'Dan zijn ze als de dood voor zichzelf.'
'Ben jij dat dan nooit? Ik wel, hoor.'
'Nee. Nooit.'
Nog iets waarin hij was veranderd: sinds hij geen wiet meer rookte, was hij scherper geworden. Hij gaf direct antwoord, terwijl hij vroeger alleen zijn schouders had opgehaald of had geglimlacht. Ze hield van zijn nieuwe manier van doen.
'Vind je het niet erg om de hele dag op een kantoor vol mensen te zitten?'
'Ik overleef het wel. De meesten hebben veel met elkaar gemeen.'
'Ik dacht dat idealisten altijd met elkaar bekvechtten.'
'Dat is nog niet gebeurd.'
Ondanks haar cynische houding stond het idee haar wel aan dat Steve en zijn zogenaamde 'ecotect'-collega's elke dag hun best deden om van de wereld een mooier en harmonieuzer oord te maken. Haar werk was altijd één lang gevecht geweest waar geen eind aan leek te komen.
'Vind je het niet erg dat je de boerderij hebt verhuurd?'
'Ik vind het verschrikkelijk, maar het is maar tijdelijk. Over een jaar of twee trek ik er zelf weer in.'
'Misschien wil je wel wat anders, of wil je iets van de grond af aan opbouwen.'
'Wie weet?'
Zijn antwoord verbaasde haar. Hij had altijd gezegd dat de boerderij het enige was wat hem een doel en houvast in zijn leven bood. Zijn werkelijkheid bestond uit de bossen waarin hij werkte en de groenten die hij teelde; al het andere was slechts een middel waardoor hij daar kon blijven en één kon worden met de natuur. Ze kreeg even het gevoel dat ze hem niet kende, maar zij had hem ertoe aangezet. Ergens had ze het wel gedacht.
'Denk je er echt over om te verhuizen?'
'Ik sta open voor verandering.'
'Wauw.'
Hij keek haar aan. 'Jij was anders degene die me dat zetje heeft gegeven.'
'Misschien was ik alleen het excuus dat je nodig had?'
Hij keek de andere kant op. 'Jij kunt ook nooit een complimentje aannemen.'
Ze liepen zwijgend door. Steve trok zich in zijn eigen gedachten terug en Jenny probeerde hoogte van hem te krijgen. Ze was er niet aan gewend dat hij zo lichtgeraakt was. Hij was juist altijd gemakkelijk in de

omgang en vatte alles wat ze zei luchtig op. De onrust die haar bij zijn broeierige zwijgen had bekropen, sloeg om in een onbehaaglijk gevoel. Ze besefte hoe graag ze wilde dat ze het goed met elkaar konden vinden, hoe graag ze de nacht met hem wilde doorbrengen, om de beelden van de doden en vermisten, die nooit ver uit haar gedachten weg waren, opzij te duwen.

Ze stak haar arm door de zijne en drukte hem stevig tegen haar lichaam aan. Ze zocht naar zijn hand en vlocht haar koude vingers tussen de zijne door. Die ontspanden zich langzaam. Ze waren warmer en zachter dan ze zich herinnerde, de handen van een architect – niet die van een boer.

'Sorry dat het zo lang heeft geduurd,' zei ze zacht. 'Niet dat ik niet aan je gedacht heb, trouwens.'

'Het is al goed.'

'Dat is het niet... Ik ga helemaal in mezelf op. Werk, Ross...'

Na een aarzeling zei Steve: 'Ga je nog steeds naar de psychiater?'

'Ja. Het gaat goed.'

'Zeker weten?'

'Hoezo? Doe ik raar of zo?'

'Nee... helemaal niet.' Er klonk een spoortje onzekerheid in zijn stem door.

'Wat is er dan?' vroeg Jenny. 'Je bent jezelf niet.'

'Niets...'

Ze greep zijn hand steviger beet, vastbesloten het uit hem te krijgen. 'Vertel.'

'Echt, het is niets...' Hij zuchtte. 'Alleen dook mijn ex, Sarah-Jane, van de week op...'

'O jee.' Jenny voelde een knoop van jaloezie in haar maag. Aan Sarah-Jane had ze altijd gedacht als iemand uit het verre verleden. De paar keren dat Steve het over haar had gehad, had hij haar als een monster afgeschilderd: artistiek, emotioneel, wispelturig en zonder enig schaamtegevoel dat ze hem helse jaren had bezorgd alvorens ze vertrok om buiten te gaan spelen.

'Nog steeds zo gek als een deur... Ze beweerde dat ze nog geld van me kreeg. Ging gillend weg toen ik zei dat ze kon opsodemieteren, en dook vervolgens midden in de nacht weer op om bij me in bed te kruipen.'

'Heb je dat toegelaten?'

'Wat denk je nou?'

'Sorry.' Ze wilde dat ze het niet had gevraagd. 'Ik wilde niet...'

'Dat weet ik wel.' Steve liet haar hand los. God, wat was hij gauw op zijn teentjes getrapt. 'Ik weet niet eens waarom ik het je vertel... Ik dacht dat ik van haar af was. Ze was een soort duivelsverschijning. Je kent dat wel, de enige op de hele wereld die jou met een enkel woord kan neersabelen.'

Jenny had hem nog nooit zo meegemaakt – overstuur, helemaal door zichzelf in beslag genomen – maar ze begreep het wel. Ze had wel vrouwen als Sarah-Jane ontmoet: emotionele parasieten die hun egoïsme en heftige stemmingen voor creativiteit lieten doorgaan. Steve was methodisch, een planner en, was Jenny zich gaan realiseren, in veel opzichten heel verfijnd. Instinctief zou ze hem mee naar huis willen nemen, hem willen troosten en opbeuren, maar tegelijk was ze bang om hem te verstikken en nog verder van zich af te duwen.

Ze wilde iets vriendelijks en begripvols zeggen, maar wat eruit kwam was: 'Het laatste wat je nu kunt gebruiken is nog een gecompliceerde vrouw in je omgeving, neem ik aan.' Op het moment dat ze het zei, realiseerde ze zich hoe deerniswekkend dat klonk.

Steve zei: 'Het is koud. Ik zal je naar huis brengen.'

Hij liep tot het hek met haar mee en vertrok zonder het moment af te wachten waarop ze hem wellicht binnen had kunnen vragen, zoals andere keren. Ze was verbluft. Hij was bij haar langsgekomen, maar tijdens hun wandeling had ze op een bepaald moment het gevoel gekregen dat ze zich aan hem opdrong. Ze dacht dat ze inmiddels zijn stemmingen wel aanvoelde, dat ze hem uit zijn melancholieke buien kon halen die hij zo nu en dan had en hem aan het lachen kon maken. Niets was gelukt vanavond.

Ross was nog niet thuis en het was koud en stil in huis. Ze bleef in de stilte staan, hoorde het oude pand kraken en samentrekken – geluiden die, zelfs nu ze in de veertig was, in haar verbeelding in spoken veranderden. Een vaag getik van de leidingen werd de verdwaalde geest van Jane Doe die lusteloos rondwaarde, op zoek naar een aardse ziel om zich aan vast te klampen en haar geheimen in te fluisteren.

Ze trok zich terug in de kleinste, veiligste kamer – haar werkkamer onder aan de trap – en deed de deur zorgvuldig achter zich dicht. Ze zette een blaaskacheltje aan, zowel voor het geruststellende gesuis als voor de armzalige warmte, en pakte uit de onderste bureaula de blocnote die als het dagboek diende dat dr. Allen haar had gevraagd bij te houden. Ze deed even haar ogen dicht, terwijl ze haar gevoelens zo ver in haar bewustzijn liet opkomen als ze veilig kon toelaten, en schreef:

Maandag 26 januari

U vroeg of ik gelovig was. Ik weet niet precies wat dat betekent. Heb ik een religie? Nee. Geloof ik in goed en kwaad? Ja. Hemel en hel? Ik denk het wel. Waarom? Omdat ik iets weet van de plek daartussenin, ik weet iets van vergetelheid. Dát is de plek waar ik bang voor ben. De leegte, een vergeten ruimte waar zielen wachten en wachten, niet in staat om te voelen, niet weten hoe dat moet en waarom. Ik vind het verschrikkelijk dat ik dat weet. Ik wilde dat ik alles tot het hier en nu kon terugtrekken, dat ik in het heden kon leven, gelukkig en onwetend kon zijn. Maar om de een of andere reden was het mij vergund om een glimp van het onbekende op te vangen, en ik wilde dat ik die deur dicht kon doen.

4

Alison legde de telefoon abrupt neer toen Jenny het kantoor binnenkwam. Ze leek gespannen.

'Alles goed?' zei Jenny.

'Prima.'

Ze zag dat dat niet waar was, maar wist dat Alison er geen prijs op stelde als ze verder aandrong. Uit flarden telefoongesprekken die ze had opgevangen, had Jenny opgemaakt dat Alison en haar man Terry een moeilijke fase doormaakten. Hij was ook een ex-rechercheur en stapte van het ene tijdelijke baantje over naar het andere, dat altijd tegen leek te vallen. Het laatst had hij gewerkt voor een privédetective die door een verzekeringsmaatschappij in de arm was genomen. Hij moest procederende partijen op het gebied van persoonlijk letsel bespioneren. Alison vond het stijlloos om een man met een videocamera te volgen, om hem te betrappen als hij met zijn kinderen voetbalde terwijl hij zich ziek had gemeld, maar Terry had zijn oog laten vallen op een condominium op een Spaanse golfbaan en het maakte hem niet veel uit waar het geld vandaan kwam.

'Er zijn een paar berichten van mevrouw Jamal voor u,' zei Alison zonder omhaal. 'Vijf, om precies te zijn.'

'O? Waarover?'

'Voornamelijk over de politie – dat ze allemaal leugenaars en misdadigers zijn, en dat ze graag weerloze vrouwen intimideren. Als ze geen moslim was, zou ik zeggen dat ze er een paar te veel op had.'

Jenny negeerde Alisons sneer, liep naar haar kantoor en luisterde de berichten af. Elk bericht werd voorafgegaan door de melding van het tijdstip. Mevrouw Jamal had voor het eerst om tien uur 's avonds gebeld en haar laatste bericht, dat ze vermoeid en huilerig had ingesproken, was van na middernacht. Jenny vond niet dat ze irrationeel overkwam. Eerder eenzaam, door verdriet overmand, en ze had duidelijk behoefte om haar kwellende gedachten met iemand te kunnen delen. Kern van haar smart was dat ze geloofde dat de politie veel meer over de verdwijning van haar zoon wist dan ze bereid waren vrij te geven. Jenny voelde met haar mee, maar zelf dacht ze dat mevrouw Jamals verdenkingen ongegrond waren. In het beste geval was het al moeilijk om de politie zover te krijgen dat er grondig onderzoek naar een vermissing werd gedaan. Twee Aziatische jongens die met het extremisme hadden geflirt en het land hadden verlaten, waren weer twee potentiële problemen minder. Na een terloops onderzoek konden hun dossiers in een la verdwijnen met de opmerking: 'Geen vervolgactie', zonder de opmerking dat er meer gedaan had moeten worden.

Jenny verzon uitvluchten om haar niet terug te hoeven bellen, maar besloot dat ze er niet onderuit kon, ook al was het maar om een paar basisregels met haar af te spreken.

Ze belde het nummer van mevrouw Jamal en kreeg een antwoordapparaat. Ze begon een bericht in te spreken: 'Mevrouw Jamal, met Jenny Cooper, rechter van instructie van het Severn Vale-district. Bedankt dat u me hebt gebeld. Ik kan u verzekeren dat de zaak van uw zoon mijn volle aandacht heeft, maar als u in gedachten zou willen houden dat...'

Aan de andere kant werd de hoorn van de haak gegrist. Mevrouw Jamal zei op gealarmeerde fluistertoon: 'Ze houden me in de gaten, mevrouw Cooper. Dat weet ik zeker. Ze kunnen vanaf de straat mijn flat zien. Er zitten een paar mannen in een auto. Een van hen heeft gisteravond geprobeerd in te breken. Ik hoorde dat hij aan de deur rammelde.'

'Ik weet dat dit een heel angstige tijd voor u is, mevrouw Jamal, maar u moet er echt op vertrouwen dat ik...'

'Nee, mevrouw Cooper, het is echt waar. Ze zijn jarenlang weggebleven en nu zijn ze terug. Ik zie ze vanuit mijn raam. Ze zijn met z'n tweeën. Ze zitten er nu ook.'

Haar afpoeieren zou niet helpen en zou waarschijnlijk een nieuwe golf telefoontjes uitlokken. Jenny besloot met haar mee te praten. 'Oké. Loopt u eens naar het raam en vertel me dan hoe ze eruitzien of in wat voor soort auto ze zitten.'

Ze hoorde dat de hoorn werd neergelegd en het geluid van schuifelende voeten door de kamer, een gordijn dat werd teruggeschoven en toen een enigszins verraste uitroep.

Mevrouw Jamal keerde naar de telefoon terug. 'Ze zijn weg. Ze moeten ons hebben gehoord.'

'Ik begrijp het,' zei Jenny geduldig. 'Ik wil dat u het volgende doet. U mag altijd contact met me opnemen voor elk stukje bewijs dat ik volgens u zou moeten hebben maar dat u me nog niet hebt gegeven, en zodra ik wat navraag heb gedaan, open ik een gerechtelijk onderzoek.'

'Wanneer?'

'Dat kan ik niet precies zeggen. Binnenkort. Over een week of twee. Maar als u in de tussentijd door iemand wordt lastiggevallen of bang wordt gemaakt, dan moet u de politie bellen.'

'Ha! Denkt u dat ik dat niet heb gedaan? Ik bel ze om de haverklap en krijg telkens hetzelfde antwoord: naam, adres, zaaknummer. Wat heb je eraan om die criminelen te bellen?'

Jenny hield het telefoontje een eindje van haar oor af terwijl mevrouw Jamal in een lange tirade uitbarstte. Toen ze na een poosje nog geen aanstalten maakte om ermee op te houden, sprak Jenny kalm op haar in en beloofde te bellen zodra ze iets te melden had.

Alison kwam met een grimmig glimlachje op haar gezicht uit haar kantoor. 'Als u wilt, kan ik u wel voor haar afschermen.'

'Ze kalmeert wel weer.'

'Weet u zeker dat u deze zaak wilt doen, mevrouw Cooper? Niet dat ik er onwelwillend tegenover sta, maar bij sommige krijg je toch een bepaald gevoel.'

'En wat voel je dan?'

Alison trok een gepijnigd gezicht. 'We zijn allebei moeder, u weet hoe het is... Als iemand u iets over uw kind vertelde dat u niet zou willen geloven, hoe zou u zich dan voelen?'

Dit was een van de weinige keren dat Alison het over Bethan had, haar dochter en enig kind. Het enige wat Jenny over haar wist was dat ze drieëntwintig was en in Cardiff woonde. In het besef dat ze uit eigen ervaring sprak, zei Jenny: 'Ik zal haar op een helder moment toespreken en proberen uit te leggen dat een onderzoek van de rechter van instructie onafhankelijk is, en niet bedoeld is om haar theorieën te onderbouwen.'

'Succes ermee.' Alison gaf haar een briefje met een naam en telefoonnummer.

'Wat is dit?'

'Inspecteur Dave Pironi, een oude vriend en collega van me,' zei Alison, waarmee ze impliceerde dat dit een relatie was die niet door het slijk gehaald of verloochend mocht worden. 'Hij had de leiding in de zaak met die heethoofden in de Al-Rahma-moskee.'

'Bedankt. Is er iets wat ik over hem moet weten?'

'Het is een goeie vent. Zijn vrouw is een paar jaar geleden aan borstkanker overleden. Zijn zoon is korporaal bij de cavalerie in het leger. Hij is net voor de derde keer naar Afghanistan gestuurd.'

Jenny knikte. Ze begreep de boodschap.

Ze spraken op neutraal terrein af: in een koffieketen halverwege haar kantoor en het politiebureau New Bridewell, waar Pironi momenteel gestationeerd was. Jenny was er het eerst en zocht een tafel die zo ver mogelijk van de stereospeakers af stond, waaruit een oud nummer van Fleetwood Mac schalde.

Inspecteur Pironi had op zo'n afgemeten toon door de telefoon met haar gesproken dat ze had verwacht dat hij kortaf en onmededeelzaam zou zijn en de zware kaken en dode, onaangedane ogen van een rechercheur zou hebben. De man die met een espresso en een glas water naar haar toe liep, zag er echter eerder uit als een zakenman die zojuist een onverwacht lucratieve deal had gesloten. Hij was begin vijftig en zag er goed verzorgd uit. Zijn casual modieuze kleding leek Italiaans en elegant: een zwart gebreid poloshirt met daaroverheen een wollen blazer. Zijn nagels vielen haar op: gevijld en gepolijst.

'Mevrouw Cooper?' Hij had een licht Welsh accent.

'Ja.' Ze stond half op uit haar stoel en schudde hem de hand.

'Ik heb maar een paar minuutjes, ben ik bang.'

'Dat geeft niet. Iets spannends?'

'Ik moet getuigen in Short Street. Ooit van Marek Stich gehoord? Een Tsjech. Hij heeft eind vorig jaar een van de jongens in uniform doodgeschoten. Echt een etterbak.'

'Ik ken hem. Hij heeft een nachtclub, toch?'

'Dat is een van zijn belangen. Onze jongen kwam koud van de academie, houdt hem aan omdat hij door rood licht rijdt, en *pop*.'

'Wordt hij veroordeeld?'

'Dat zou ik wel willen. Alles hangt af van het gerechtelijk bewijs. Geen enkele fatsoenlijke getuige had het lef om zich te melden.' Hij schudde zijn hoofd terwijl hij in zijn koffie roerde. 'Weet u waardoor het publiek de politie de rug toekeert? Camera's langs de weg. Een apparaat dat rechter en beul tegelijk is, er is geen enkele privacy meer. Daardoor verachten de mensen elk gezag.'

'Bent u een voorstander van de gedachte "het voordeel van de twijfel"?'

'Altijd geweest.' Hij glimlachte en bracht zijn kopje naar zijn lippen.

Jenny probeerde de chic geklede, moderne rechercheur in overeenstemming te brengen met het weinige wat ze wist over de dagelijkse realiteit binnen de politie. Wat zei het over een politieman die bijna aan het einde van zijn carrière was en zo'n bestudeerde zelfbeheersing aan den dag kon leggen? Wat had hij te verbergen?

Ze kwam ter zake. 'Alison heeft me verteld dat u de leiding had over de observatie van de Al-Rahma-moskee.'

'Ja.' Hij zette zijn kopje met weloverwogen precisie op het schoteltje terug.

'Kunt u me vertellen waar u naar op zoek was?'

'We hadden informatie dat daarbinnen extremisten actief waren, die cellen opzetten en jonge mannen wilden rekruteren voor Hizb ut-Tahrir en andere organisaties. Destijds beschikten we nog niet over informanten; we moesten ze drie maanden in de gaten houden om namen, tijden en locaties te ontdekken.'

'Mag u me vertellen hoe u aan die informatie kwam?'

'Laten we zeggen dat we een van de partners in de operatie waren.'

'Met de veiligheidsdienst?'

'Ik ben slechts een eenvoudig inspecteur, mevrouw Cooper. Ik haal me allerlei problemen op de hals als ik op die vragen een rechtstreeks antwoord geef.'

Dit leek meer op een politieman: het haar wel vertellen, maar net doen alsof hij dat niet deed, met het idee dat hij dat op een slimme manier aanpakte.

'Laten we een hypothetische situatie nemen,' zei Jenny. 'Stel dat MI5 een tip had gekregen en een moskee aan een nader onderzoek wilde onderwerpen. Ze zouden samenwerking met de plaatselijke politie zoeken en hen het observeerwerk vanuit de auto laten doen, klopt dat?'

'Ze hebben de laatste jaren aardig wat personeel aangenomen. Tegenwoordig zouden ze dat wellicht allemaal zelf aankunnen.'

'Maar destijds?'

'Toen waren we allemaal een stuk naïever, nietwaar?'

'Wat betekent... dat er per ongeluk dingen over het hoofd zijn gezien?'

'Ik zeg alleen maar dat we het nu anders aanpakken. We hebben nu infiltranten; die grijpen sneller in. Ze voorkomen problemen.'

Jenny streek haar haar uit haar gezicht en keek hem met een onschuldige blik aan waarmee ze volgens haar wellicht zijn belangstelling kon prikkelen, zodat zijn waakzaamheid wat zou verslappen. 'Nazim Jamal en Rafi Hassan waren twee van de jongemannen die u in de gaten hield, neem ik aan?'

'Ja.' Zijn ogen dwaalden langs haar hals naar de open kraag van haar blouse.

'Hoe lang?'

'Zover ik me kan herinneren een paar weken.'

'Hebt u enig idee wat er op de avond van 28 juni 2002 met ze is gebeurd?'

'Nadat ze bij de bijeenkomst zijn weggegaan? Nee.'

'Heeft niemand hen gevolgd?'

'Mijn agenten zagen ze weggaan, maar het was hun taak om daar te blijven kijken wie het gebouw in- en uitging, niet om die twee door de stad te volgen.'

'Denkt u dat ze die avond naar hun kamers in de studentenflat zijn teruggegaan?'

'Ik weet zeker dat u de verslagen van mijn team hebt gelezen, mevrouw Cooper. We weten het niet precies, maar de volgende ochtend werden ze in de trein naar Londen gesignaleerd.'

'Enig idee waar ze daarna naartoe zijn gegaan?'

'De banden van de bewakingscamera's in Paddington waren overschreven toen wij ze kregen. Daar liep het spoor dood. We zijn niet verder gekomen dan de ontdekking dat er via Frankrijk, Italië en de Balkan sluiproutes bestonden, maar daar was geen hard bewijs voor. Als ze Turkije hebben gehaald, dan hadden ze van daaruit een vlucht naar Kabul, Islamabad of waar dan ook kunnen nemen.'

Hij dronk de laatste druppels koffie op en bette zorgvuldig zijn lippen met het papieren servet.

Jenny zei: 'Klopt mijn vermoeden dat uw partners de leiding overnamen toen bekend werd dat ze verdwenen waren?'

'Met de middelen die we hadden, hebben we gedaan wat we konden. Of anderen verder hebben gezocht zou ik niet weten. We hebben geen informatie meer gekregen.'

'Tussen de papieren die ik van mevrouw Jamal heb gekregen zitten maar heel weinig politieverklaringen. Ik mag aannemen dat uw agenten gedetailleerde observatieverslagen hebben bijgehouden.'

'Ons is gevraagd een klus te klaren en dat hebben we gedaan,' zei hij, en hij keek op zijn dure gouden horloge. Jenny stelde zich zo voor dat hij dat aan de ondervragingstafel aan schurken liet zien om hun te tonen dat een smeris er ook zo een kon hebben.

'Wat dacht u dan van een paar namen, mensen die die jongens kenden? Er is vast gekeken naar hun vrienden en kennissen.'

Pironi keek door het raam naar buiten. Ze wist dat ze een smalle grens overschreed. Tijdens een gezamenlijke operatie met de veiligheidsdienst waren zijn agenten en hij er vast voortdurend op gewezen dat geheimhouding van het grootste belang was, maar ze had het gevoel dat hij wel zo ijdel was om haar niet met lege handen te laten vertrekken.

Pironi zei: 'U kent de procedure. Ik kan u alleen vertellen welke namen die vermeld staan in de destijds afgenomen verklaringen we het belangrijkst vonden. Er was een moellah, Sayeed Faruq – hij moet toen rond de dertig zijn geweest – die een paar weken later naar Pakistan verdween. Hij heeft nooit met ons gesproken. Hij is nooit teruggekomen. En er was nog een kerel, een radicaal die volgens ons met die halaqah is begonnen. Hij heette Anwar Ali. Hij was een regelmatig bezoeker van de moskee en hield in zijn flat kleine bijeenkomsten. Naar hem heb ik zelf onderzoek gedaan. Ik kon hem niets maken, maar ik had het idee dat hij die knullen inpalmde en ze naar anderen doorschoof. Hij was een postdoctoraalstudent aan de universiteit... politicologie en sociologie, zoiets.'

'Enig idee wat er met hem is gebeurd?'

Pironi bestudeerde zijn goed verzorgde handen. 'Ik heb er vanochtend mee ingestemd om u te ontmoeten omdat Alison een goede vriendin van me is. We hebben vijftien jaar op hetzelfde politiebureau gewerkt. Ze heeft haar portie risico's ruimschoots gehad en in deze fase van haar leven kan ze die er niet meer bij hebben. Ik zou het zeer waarderen als u haar er niet op uitstuurt om met deze mensen te gaan praten.'

'Ik zou haar niets laten doen waar ze zich niet prettig bij voelt.'

'Dat vroeg ik niet.'

Hij keek haar in de ogen. Ze voelde zich als een verdachte.

'Oké. Begrepen.'

'Mooi zo.'

Hij haalde een velletje papier uit zijn zak en legde dat onder zijn schoteltje.

'Prettig kennis gemaakt te hebben, Jenny.' Hij stond van tafel op.

'Nog één ding,' zei Jenny. 'Heeft verder iemand nog enige interesse in deze zaak?'

'Je hoeft niet diep te wroeten om daar achter te komen.'

Hij liep naar de uitgang.

Ze zag hoe hij de straat over rende en in een burgervoertuig van de politie sprong, dat aan de overkant geparkeerd stond met een junior rechercheur aan het stuur. Ze pakte het opgevouwen papiertje van onder het schoteltje en maakte het open. Dat vermeldde de naam Anwar Ali en een adres in Morfa, in het zuiden van Wales.

Het was al laat in de middag voor ze de meest urgente dossiers van haar bureau had weggewerkt. Tussen de stapel papieren zat een rapport van dr. Kerr over de Afrikanen in de koelwagen. Hij had verfsporen onder hun nagels gevonden, wat erop wees dat ze hadden geprobeerd zich een uitweg te krabben voordat ze door de kou werden overmand. De jongste van de drie was een vijftienjarige jongen, slechts gekleed in een voetbalshirt van Manchester United. Geen van hen had papieren of documenten bij zich waarmee ze geïdentificeerd konden worden. Zij zouden nu ook in het mortuarium worden opgeborgen, tot de politie na onbepaalde tijd tot de conclusie zou komen dat ze met hun onderzoekingen op een dood spoor zaten.

Ze wachtte het juiste moment af – terwijl Alison opnieuw opging in een gespannen, op fluistertoon gevoerd telefoontje met haar man – en glipte het kantoor uit. Binnen hun werkrelatie wilde Alison nog altijd graag de rol van onderzoeker spelen. Elke poging van Jenny om zonder haar met mogelijke getuigen te praten vatte ze op als een inbreuk op haar terrein. Het was inderdaad zo dat de meeste onderzoeksrechters ervoor kozen om vanachter hun bureau te opereren en liever hun medewerkers erop uitstuurden om verklaringen te verzamelen en ter plaatse bewijs te vergaren, maar er was geen reden – los van een misplaatst gevoel voor decorum – waarom ze, voor zover ze daartoe in staat waren, niet hun eigen zoektocht naar de waarheid zouden doen. Volgens een eeuwenoude wet was het de taak van de rechter van instructie om bij een sterfgeval de identiteit en het hoe en wanneer vast te stellen. Jenny had nooit begrepen hoe dat je kon doen zonder je handen vuil te maken.

Morfa was een woonwijk uit de jaren zestig aan de rand van Newport, vijfenveertig kilometer ten noordwesten van Bristol aan de Welshe kant van de Severn: een verwaarloosde uithoek van een nagenoeg vergeten stad. De wijk was ontstaan in een tijd waarin het grootste deel van de mannen uit het zuiden van Wales in de kolenmijnen en staalfabrieken werkte en bestond uit een vormloze massa identieke betonnen prefabdozen, waarin de arbeiders en hun gezinnen gehuisvest werden. Nu woonden er werklozen. Groepen kaalgeschoren jongens en bleke, te dikke meisjes hingen op de hoeken rond, kapotte auto's stonden zonder wielen op bakstenen, en een zwerfhond schooierde over een met afval bezaaide woestenij waar vroeger een park was geweest. Dit was geen buurt, maar een veestal.

En alsof de problemen in de wijk nog niet erg genoeg waren, fungeerde die ook nog eens als afvalputje voor asielzoekers. Terwijl ze door een verwarrend netwerk van eenvormige straten reed, zag Jenny hier en daar Midden-Oosterse en Aziatische gezichten en zo nu en dan een Afrikaans gezicht. In een winkelgalerij was een Indiase afhaaltoko waar zware stalen luiken voor zaten en daarnaast had in een uitgebrand en dichtgetimmerd pand een slijterij gezeten.

Ze reed verder naar het adres aan Raglan Way. Dat was bijna aan de rand van de wijk, wat tenminste het voordeel had dat je uitzicht had op een paar bergen in de verte. In tegenstelling tot de belendende huizen waren het pad en het gazonnetje aan de voorkant schoon en aangeveegd, en de voordeur was onlangs geschilderd. Een kleine oase van trots in een zee van onverschilligheid.

Ze belde aan. Er werd niet opengedaan, hoewel ze dacht dat ze binnen iets hoorde bewegen. Ze probeerde het opnieuw, maar het bleef stil. Ze keek of er een brievenbus was waardoor ze kon roepen en merkte dat die dichtgeschroefd zat. Zich er al bij neerleggend dat ze later terug zou moeten komen, wilde ze zich omdraaien om te vertrekken, toen ze zag dat een van de zware vitrages voor de bovenramen bewoog. Een gesluierde vrouw trok zich er snel achter terug. Jenny liep weer naar de voordeur en riep erdoorheen: 'Bent u mevrouw Ali? Ik ben Jenny Cooper, rechter van instructie. Ik wil graag met uw man spreken. Hij zit niet in moeilijkheden, het gaat alleen om een routineonderzoek.'

Ze wachtte op een reactie en dacht dat ze aarzelende voetstappen op de trap hoorde.

'Wat wilt u?' zei een angstige vrouwenstem vanachter de deur.

'Ik onderzoek de verdwijning van een jonge man in 2002. Hij heette Nazim Jamal. Ik heb begrepen dat meneer Ali hem heeft gekend.'

'Hij is niet thuis. Hij is nog op zijn werk.' Ze had een jonge stem en haar accent was een combinatie van noordelijk Brits en Pakistaans.

'Wanneer komt hij thuis?'

'Dat weet ik niet. Hij heeft een vergadering.'

'Bent u zijn vrouw?' Er kwam geen antwoord. Jenny pakte een visitekaartje uit haar portefeuille en schoof dat onder de deur door. 'Luister eens, hier hebt u mijn kaartje. Dan kunt u zien wie ik ben. Ik ben geen politieagent, maar u bent wettelijk verplicht om medewerking te verlenen aan mijn onderzoek. Het enige wat ik moet weten is waar ik uw man kan vinden, zodat ik met hem kan praten.'

Ze voelde de paniek en twijfel van de vrouw. Uiteindelijk werd het kaartje weer naar buiten geschoven, waarop nu een telefoonnummer was geschreven.

Het vluchtelingencentrum was gehuisvest in een twee verdiepingen tellend betonnen gebouw en stond midden in de wijk. Ooit was het een pub geweest. De dertig centimeter lange letters waren van de voorgevel geschroefd en hadden hun spookachtige afdruk in een lichtere grijstint achtergelaten: DE CHARTISTS' ARMS. Door de deels gesloten luxaflex voor het raam op de begane grond zag ze een graatmagere Aziatische man, met in zijn kielzog een vrouw en twee kleine kinderen, aan de balie naar een vermoeid ogende blanke vrouw gesticuleren. Doof voor zijn protesten deed de vrouw haar uiterste best om wijs te worden uit een grote envelop propvol papieren die hij haar had overhandigd. Langs de muren stonden rijen van de overheid geërfde archiefkasten en voor de ramen waren stalen tralies bevestigd ter bescherming van de paar aftandse computers en een antiek fotokopieerapparaat.

Anwar Ali deed zelf de deur open. Ze schatte hem begin dertig, hoewel hij door zijn volle baard, pak en stropdas ouder leek. Hij mompelde een korte groet en werkte haar de trap op naar een net kantoortje. Recht tegenover de smalle gang was een klaslokaal waar taalles werd gegeven en de leerlingen 'Aangenaam kennis te maken' opdreunden. Ze keek naar de keurige planken en zag een verzameling boeken zowel in het Engels als in het – nam ze aan – Urdu. Er stonden verschillende politieke biografieën over Midden-Oosterse figuren tussen wier namen ze niet herkende.

'Hoe kan ik u van dienst zijn, mevrouw Cooper?' vroeg Ali. Zijn woede dat ze daar was werd slechts door een dun, beleefd vernislaagje verdoezeld.

'Uw naam werd genoemd omdat u met Nazim Jamal en Rafi Hassan omging in de periode voor hun verdwijning.'

'Door wie?' Hij formuleerde zijn woorden zorgvuldig en zijn houding maakte duidelijk dat hij een man was met een scherp, analytisch verstand – het type waar Jenny angstig van werd. Ali was geprikkeld en ze zou hem omzichtig moeten benaderen.

'De politie. Kennelijk ging u in de maanden daarvoor met Jamal en Hassan naar de Al-Rahma-moskee en in uw flat aan Marlowes Road hield u halaqahs – ik hoop dat ik dat goed uitspreek.'

'Uw uitspraak is prima. Mekkert de politie nog steeds over dat verhaal?'

'Destijds hadden ze u zonder meer als extremist bestempeld. Ik heb geen idee hoe ze daar nu over denken.'

'Goddank hebben we weinig met elkaar te maken gehad. De korte tijd dat ik onwettig vastzat, was meer dan genoeg. Ik weet nog steeds niet of ik door de politie of door de veiligheidsdienst in hechtenis ben genomen. Ze hebben me gestompt, geschopt, me voedsel en slaap geweigerd. Ik mocht me niet wassen, werd gestoord tijdens mijn gebeden, werd gedwongen om op de grond te plassen. Ze hebben geen bewijs tegen me gevonden, ik ben niet aangeklaagd en dat is ook nooit gebeurd.' Hij boog zich in zijn stoel naar voren. 'Ik zou maar heel voorzichtig zijn met wat u aanneemt van mensen die zich zo gedragen, mevrouw Cooper. Ze waren niet bezig met schuld of onschuld, of zelfs maar met de waarheid. Het enige wat zij wilden was moslims achter de tralies zetten.'

'Ze hebben tegen mevrouw Jamal gezegd dat u lid was van Hizb ut-Tahrir.'

'U praat al bijna net zoals zij. Ik dacht dat een rechter van instructie onafhankelijk van de politie te werk ging?'

Hij leunde weer naar achteren, terwijl hij haar kalm opnam en op haar verklaring wachtte.

'Nazim Jamal is wettelijk doodverklaard. Het is mijn taak om uit te zoeken wat er is gebeurd.'

'Ik dacht dat alleen maar werd áángenomen dat hij dood was? Dat biedt niet voldoende grond voor een gerechtelijk onderzoek.'

'Dit is een voorlopig onderzoek. Mevrouw Jamal heeft jarenlang in onwetendheid verkeerd. Ik vind dat dit het minste is wat ik voor haar kan doen.' Ze zette een glimlach op die naar ze hoopte oprecht overkwam. 'Ik neem aan dat u veel met die twee omging, op vriendschappelijke voet zelfs?'

'Ja, een poosje.'

'Wilt u hun familie misschien iets laten weten?'

'Er valt niets te zeggen. We gingen naar de moskee, studeerden een beetje samen. Meer niet.'

'Wilt u me vertellen wat jullie bestudeerden?'

'Aspecten van onze godsdienst.'

Ze knikte naar de boekenplank. 'Hadden die discussies soms ook een politieke inslag?'

'We waren studenten. We bediscussieerden van alles en nog wat.'

'Zeven jaar is een lange tijd. Ik neem aan dat u veranderd bent?'

Hij schudde zijn hoofd. 'U hebt echt uw roeping gemist, mevrouw Cooper. Ik ben geen...' – hij wachtte even om zijn woorden kracht bij te zetten – '... voorstander van geweld. Nooit geweest ook.'

'Weet u waar ze naartoe zijn gegaan, meneer Ali?'

Hij hield haar blik vast zonder met zijn ogen te knipperen. 'Denkt u nou echt dat ik hun familie dat niet zou hebben verteld als ik dat wist?'

'Hebben ze het er ooit met u over gehad dat ze naar het buitenland wilden, naar Afghanistan misschien?'

'Nee.'

'U weet dat wordt beweerd dat ze de volgende ochtend in een trein naar Londen zijn gezien.'

'Als dat zo was, dan weet ik daar niets van.'

'De politie denkt dat u een soort ronselaar was, dat u idealistische jonge mannen in uw netten verstrikte en ze op het pad van gevaarlijke fanatici stuurde.'

'Ze denken zoveel, maar begrijpen heel weinig.'

'Vertel het me dan. U hebt vast een theorie.'

Hij keek haar even aan en dacht zorgvuldig na over zijn antwoord. 'Ik heb vele jaren kunnen nadenken en ik kan maar twee dingen concluderen. Ten eerste: ook al denken we dat we iemand kennen, dat hoeft nog helemaal niet zo te zijn. En ten tweede: zelfs in dit land doet een moslimleven er weinig toe.'

'Vertelt u me de hele waarheid, meneer Ali?'

'Deze twee jonge mannen waren niet alleen vrienden van me, ze waren ook mijn broeders. Waarom zou ik liegen?'

Om allerlei redenen, dacht ze, maar ze wist dat het weinig zin had om door te drammen. Het beste wat ze kon doen was een beroep doen op zijn geweten en het dan aan hem overlaten. 'Ik vraag maar één ding van u,' zei ze, 'namelijk dat u aan mevrouw Jamal denkt. Nazim was haar enig kind.' Ze haalde een visitekaartje tevoorschijn en legde dat op zijn bureau. 'Zij heeft er recht op het te weten, ook al heeft het grote publiek dat niet.'

Hij stond niet op om haar uit te laten. Toen ze een hand op de deurklink legde, zei hij: 'Wees voorzichtig met wie u vertrouwt, mevrouw Cooper. Als een vriend u de keel doorsnijdt, ziet u hem niet aankomen.'

Ali's laatste woorden bleven haar bij. Ze had geen idee wat ze met hem aan moest, behalve dat hij in een wereld leefde die zij niet begreep en waarvan ze een tikje nerveus werd. Ze kon best geloven dat hij een jonge extremist was geweest, een fanaticus zelfs, maar ze had het er moeilijk mee dat een moslimmoeder niet door iemand uit de eigen gemeenschap op de hoogte was gesteld als haar vrome zoon vrijwillig voor een religieuze zaak ging strijden, al was het maar anoniem. En als Nazim en Rafi niet met de moedjahedien waren gaan vechten of trainen, waar konden ze dan naartoe zijn gegaan? Ze waren nauwelijks meer dan een paar schooljongens, nog maar negen maanden op weg in hun universitaire carrière. Verschillende duistere scenario's drongen zich aan haar op: misschien waren ze naar Londen gelokt en moesten ze zich tegen hun wil bij een organisatie aansluiten? Misschien waren ze nog springlevend, vurig en fanatiek, of misschien waren ze vluchtelingen en leefden ze ondergedoken en voortdurend in angst?

Eén ding was nu zeker: als Ali iets te maken had met hun verdwijning, dan was degene met wie hij samenwerkte nu al op de hoogte van haar en haar onderzoek. Haar gezonde verstand gaf haar in dat ze zich moest terugtrekken nu het nog kon, maar elke keer dat die gedachte door haar hoofd speelde, kwam iets diep binnen in haar daartegen in opstand.

Ze had dat gevoel eerder gehad. Het was alsof ze geen keus had.

5

Om van de minister van Binnenlandse Zaken toestemming te krijgen voor een gerechtelijk onderzoek in de zaak van een vermiste, vermoedelijk dode persoon, moest Jenny hem ervan overtuigen dat het althans zeer waarschijnlijk was dat Nazim Jamal inderdaad was overleden. Strikt genomen moest ze ook nog redenen hebben om te geloven dat hij in of vlak bij haar district was doodgegaan – wat ze onmogelijk kon bewijzen –, maar ze hoopte dat te kunnen beargumenteren met een verwijzing naar lijken die vanuit het buitenland naar huis werden gevlogen: mocht het lichaam ooit worden gerepatrieerd, dan zou dat binnen haar jurisdictie vallen. Het was een slap argument, en als je er goed over nadacht, leken de argumenten tegen een gerechtelijk onderzoek zelfs nog slapper. Het was duidelijk in het algemeen belang om te weten waarom twee intelligente jonge Britse burgers waren verdwenen. Wanneer een onderzoek zou worden geweigerd, zou het ernaar rieken dat de overheid de zaak in de doofpot wilde stoppen, en de anderhalf miljoen Britse moslims waren voor welke regering dan ook een te groot kiezerspubliek om het risico te lopen om dat van zich te vervreemden.

Gesterkt door haar ochtendlijke dosis bètablokkers om haar fysieke angstsymptomen te beteugelen, in combinatie met antidepressiva om haar stemming in balans te houden, kon ze de wereld weer tegemoet treden. Ze wilde zo snel mogelijk aan haar rapport voor Binnenlandse Zaken beginnen, maar eerst moest ze nog de twee meest voor de hand liggende onderzoeken doen: nagaan wat er op de universiteit over de vermiste jongens bekend was, als er al iets was, en welke andere documenten de politie nog van het oorspronkelijke onderzoek had bewaard.

Die ochtend belde ze op weg naar haar werk de administratie van de universiteit, terwijl Ross half in slaap naast haar op de passagiersstoel zat met een iPod in zijn oren. Ze werd doorverbonden met het kantoor van professor Rhydian Brightman, hoofd van de faculteit natuurwetenschappen. Zijn niet al te behulpzame secretaresse beweerde dat hij de komende week bomvol zat, maar Jenny hield voet bij stuk en herinnerde haar er kalm aan dat als er niet aan een onderzoek van de rechter van instructie werd meegewerkt, dit kon uitmonden in gevangenisstraf wegens belemmering van de rechtsgang.

Ross keek tijdens dit gesprek om zich heen en trok een van zijn oortjes los om te horen wat eruit kwam: al snel was er een afspraak gemaakt, de volgende dag aan het eind van de ochtend.

Hij zei: 'Wauw, kun je mensen echt naar de gevangenis sturen?'

'Als het moet wel.'

'Heb je dat ooit gedaan?'

'Vorige zomer. Twee getuigen bij eenzelfde onderzoek. Dat leidde tot heel wat ophef.' Ze keek hem met een glimlach aan, maar hij had zijn oortje alweer in, terwijl hij met zijn hoofd met de muziek meedeinde.

Alison begroette haar met de gebruikelijke stapel papierwerk en een reeks verzoeken van andere gezinnen met vermiste dochters die naar Jane Doe wilden kijken.

'Hoe zit het met de labresultaten van de laatste groep? Zouden we die niet eerst moeten uitsluiten?'

'Zover ik weet duurt dat minstens twee weken. Oké, ik regel wel een bezichtiging later in de week. Waarschijnlijk staan ze tegen die tijd tot aan de hoek in de rij.'

Jenny bladerde door de lijst verzoeken. Ongelooflijk dat er zoveel schijnbaar goed aangepaste jonge mensen uit hun vorige leven waren verdwenen. Waar waren ze gebleven? Alison verzekerde haar dat er jaarlijks honderden, zo niet duizenden gevallen waren, meestal mensen die waren ingestort, of voor schulden of een slechte relatie weggevlucht waren. Het goede nieuws was dat ze op een handvol na allemaal weer opdoken.

Jenny gaf Alison een brief die ze aan de hoofdcommissaris van Bristol en Avon had geschreven. Daarin verzocht ze om toegang tot al hun archiefmateriaal met betrekking tot de vermissing van de jongens en hun observaties van de Al-Rahma-moskee en de halaqah op Marlowes Road.

Alison keek er afkeurend naar. 'Dat is tijdverspilling, mevrouw Cooper. Die spullen hebben ze niet meer.'

'Hoe weet je dat?'

'Ik heb gisteravond met Dave Pironi gesproken. Gistermiddag zijn er een paar bobo's uit Londen met een ministeriële machtiging langs geweest en hebben de hele handel meegenomen.'

'Weten we wie die mensen waren?'

'Dat kan hij me niet vertellen.'

'Hij moet je toch enig idee hebben gegeven.'

Op haar hoede zei Alison: 'Ik kreeg niet de indruk dat ze van de politie waren.'

'Dan moeten ze van MI5 zijn geweest.' Jenny klikte op haar internetbrowser en zocht een telefoonnummer op.

Alison sloeg haar vanuit de deuropening gade.

'Wat is er?' zei Jenny.

'Normaal gesproken zou ik zoiets niet zeggen, mevrouw Cooper, maar Dave denkt dat u er niet bij betrokken moet raken.'

'O, echt waar?' Ze vond het algemene nummer van MI5 en krabbelde dat neer. 'Wat heeft hij te verbergen?'

'Niets. Feit is dat de politie onmiddellijk na de verdwijning min of meer op een zijspoor is gezet. De mensen die ervanaf weten, als die er al zijn, zitten zo hoog in de voedselketen dat het geen zin heeft zelfs maar een poging te wagen om achter ze aan te gaan. U maakt het alleen maar een stuk moeilijker voor uzelf.'

'Heeft hij je dat verteld?'

'Niet met zoveel woorden, maar als hij zegt dat u daar niet naartoe moet gaan, is dat niet voor niets.'

'Misschien wil hij dat in het kader van mijn onderzoek wel met me delen.'

Alison zuchtte gefrustreerd. 'Ik kan u wel vertellen dat er weinig sympathie voor die twee jongens bestond, maar zelfs bij de CID waren ze niet blij met de manier waarop er een eind aan het onderzoek werd gemaakt. Ik weet dat u denkt dat alle politiemensen stiekem racisten zijn, maar wat hen betrof hadden ze een belangrijk onderzoek te pakken. Zij wisten destijds niet beter of die knullen waren op een onderduikadres verdwenen om zelfmoordbommen om te gorden. Ze mochten daar zelfs geen foto's...' Ze onderbrak zichzelf midden in de zin, omdat ze zich realiseerde dat ze al te veel had gezegd.

'Waar mochten ze geen foto's ophangen?'

'Het maakt niet uit. Gewoon kantineroddel.'

'Vertel je me nu dat Pironi's mensen niet het gebruikelijke onderzoek naar vermiste personen mochten uitvoeren?'

'Dat heeft hij nooit gezegd.'

'Misschien zou jij een verklaring moeten afleggen. Wat hebben ze in de kantine nog meer gezegd?'

'Ik wilde dat ik u geen woord had verteld. U krijgt trouwens sowieso geen toestemming om dit onderzoek te doen.'

Jenny keek van haar computerscherm op en bespeurde iets bij Alison wat naar een lichte paniek neigde. 'Pironi heeft je gevraagd om me hiervan af te brengen, hè?'

'Dat zou hij nooit van me vragen. Maar we weten allemaal hoe de schuldvraag naar de lagere regionen wordt doorgeschoven, en Dave gaat volgend jaar met pensioen. Hij heeft de behandeling van zijn vrouw uit eigen zak betaald en heeft zijn pensioen nodig. Als u zich hier toch mee wilt bemoeien, neem dan tenminste van me aan dat hij nooit iets verkeerds heeft gedaan.'

Alison stond erom bekend dat ze andere mannen dan haar echtgenoot op een voetstuk plaatste; Harry Marshall, de vorige onderzoeksrechter die acht maanden geleden was overleden, hoorde daar ook bij. Jenny twijfelde er niet aan dat Dave Pironi uiterst charmant kon zijn, maar was zich er tegelijk van bewust dat wanneer het op mannen aankwam die in haar ogen aantrekkelijk waren, haar medewerkster geen flauw benul had.

Jenny zei: 'Je hebt vast gelijk, maar ik zou het fijn vinden als je de brief toch verstuurde.' Ze griste een blocnote weg en liet die in haar aktetas vallen. 'Ik zie je later wel. Ik heb een afspraak op de universiteit.'

Rhydian Brightman was een lange, zenuwachtige man met een permanente verbijsterde uitdrukking op zijn gezicht. Hij kon maar een jaar of twee ouder zijn dan Jenny, maar hij had zich al bij de middelbare leeftijd neergelegd en droeg een bril met dikke glazen die in een groef halverwege zijn neus balanceerde. Ze troffen elkaar in een drukke kantine op de begane grond van de faculteit natuurwetenschappen, omdat Brightman beweerde dat zijn kantoor momenteel bezet was wegens een vergadering van een collega. Ze vermoedde dat de werkelijke reden was dat zij hem met haar aanwezigheid nerveus had gemaakt. Hij kwam op haar over als een uitermate gespannen man die zich alleen op zijn gemak voelde tussen zijn soortgenoten in zijn eigen wereld. Daar hoorden geen nieuwsgierige onderzoeksrechters bij.

Ze gingen aan een plakkerig tafeltje zitten en dronken een kop smerige thee uit de automaat. Aan de tafel naast hen wisselden een paar luidruchtige eerstejaars huiveringwekkende verhalen uit over dronken seksescapades, maar de professor leek hen niet op te merken. Hij hield met zijn ene oog Jenny en met het andere de deur in de gaten.

'U herinnert zich vast Nazim Jamal nog wel. Hij is hier in de herfst van 2001 als eerstejaars gekomen,' zei Jenny.

'Een beetje. Hij moet mijn colleges hebben gevolgd. We zijn elkaar waarschijnlijk een paar keer in de collegezaal tegengekomen.'

'Kunt u zich zijn verdwijning nog herinneren?'

'Ja, natuurlijk. Dat weten we allemaal nog. Verschrikkelijk.'

'Ik neem aan dat de politie u destijds een hoop vragen heeft gesteld.'

‘Ze zijn hier een paar weken druk in de weer geweest. Ik kreeg niet de indruk dat ze veel vonden waar ze iets aan hadden. Het leek allemaal nogal raadselachtig.’ Hij schonk haar een onbeholpen, verontschuldigend glimlachje. ‘Punt is dat er maar weinig contact is tussen de staf en de eerstejaars – niet op het persoonlijke vlak. Ik ken de meeste eerstejaars van gezicht, maar ik zou u niet kunnen vertellen wat ze buiten de faculteit uitspoken.’

‘Wie was het eerste aanspreekpunt voor de politie tijdens het onderzoek?’

‘Dat was ik, denk ik. Ik was destijds technisch gesproken verantwoordelijk voor onze eerstejaars. We zijn een paar keer bij elkaar geweest. Zoals ik al zei: daar is niet veel uit gekomen.’ Hij realiseerde zich dat hij met rusteloze vingers op de tafel zat te trommelen en legde zijn handen doelbewust in zijn schoot.

‘Technisch gesproken?’

‘In academisch opzicht. Natuurlijk, als ze met persoonlijke problemen naar me toe waren gekomen... Maar voor dat soort dingen hebben we andere kanalen.’

‘Wat ik in dit stadium werkelijk zou willen weten, is welke geruchten er onder de studenten of het personeel de ronde deden. Er moet toch eindeloos gespeculeerd zijn; anderen, die dichter bij hem stonden moeten toch theorieën hebben gehad.’

‘Eigenlijk verbazingwekkend weinig. Dat was nou juist zo vreemd. De politie heeft met veel eerstejaars gesproken, maar die andere knul...’

‘Hassan.’

‘Ja. Hij leek de enige te zijn met wie Jamal echt bevriend was. Zelfs degenen die in zijn werkgroep zaten, wisten maar heel weinig van hem.’

‘Zijn moeder gaf me de indruk dat hij een sociale knul was – hij kwam van Clifton College, speelde tennis...’

‘Je zou toch denken dat ze meer aanwijzingen hadden moeten vinden, nietwaar?’

Jenny herinnerde zich dat ze onderweg langs prikborden voor studenten was gekomen, die vol hingen met folders en aankondigingen voor verenigingen en politieke bijeenkomsten. Er hingen er ook een paar van moslimgroepen tussen, die lezingen organiseerden, en debatten over de Amerikaanse buitenlandse politiek en de toekomst van Palestina.

‘Waren er in die tijd op de een of andere manier islamieten actief op de campus?’

'Volgens de politie wel, maar ik was me er niet zo van bewust dat het echt leefde. Studenten natuurwetenschappen hebben minder belangstelling voor politiek dan anderen. Daar hebben ze het te druk voor, vermoed ik.' Hij barstte in een nerveuze lach uit en wierp een ongeruste blik op twee collega's die aan een naburig tafeltje waren gaan zitten.

Jenny ging zachter praten in een poging zijn vertrouwen te winnen. 'Ik zal open kaart met u spelen. Ik betwijfel of u veel aan een gerechtelijk onderzoek zou kunnen bijdragen. Ik hoef u waarschijnlijk niet eens als getuige op te roepen...' De spieren op zijn voorhoofd ontspanden zich, waardoor de rimpels boven zijn wenkbrauwen gladtrokken. 'Maar ik moet meer te weten komen.' Ze wachtte even en hield zijn ogen even met haar blik vast, terwijl ze tot de mens onder de oppervlakte probeerde door te dringen. 'Mag ik aannemen dat u, en anderen, niet alleen door de politie bent ondervraagd?'

'Dat kunt u wel veilig aannemen.'

'Dan is u in dat geval ongetwijfeld verteld dat u de inhoud van die gesprekken geheim moest houden.'

'Geloof me, mevrouw Cooper, er valt niet veel te vertellen.'

'Ik vraag u niet een geheimhouding te schenden, maar zou u me niet kunnen vertellen of gedacht werd dat Nazim Jamal lid was van een extremistische groepering – Hizb ut-Tahrir, bijvoorbeeld?'

'Dat zou weleens ter sprake kunnen zijn geweest.'

'Deze vraag is misschien lastiger voor u: waren er andere studenten, los van Rafi Hassan, die er ook van werden verdacht lid te zijn?'

Brightman schudde snel zijn hoofd. 'Daarover heeft niemand iets tegen me gezegd.'

'Hebt u destijds een officiële verklaring afgelegd?'

'Nee. Zo is het helemaal niet gegaan. We hebben alleen een paar "babbeltjes" gemaakt.'

Ze bekeek hem even nauwlettender en vroeg zich af waarom een natuurkundeprofessor informatie zou achterhouden. Ze bedacht dat de universiteit een hele tijd nauwlettend door de veiligheidsdienst in de gaten was gehouden, dat stafleden richtlijnen hadden gekregen om bij de leiding iedere student te rapporteren van wie ze vermoedden dat die banden met extremisten had, dat feitelijk alle docenten als spion gerekruteerd waren. En eens een spion, altijd een spion. Professor Brightman had waarschijnlijk nog altijd een telefoonnummer in zijn agenda dat hij van tijd tot tijd geneigd was te bellen, ook al was het maar om zich in te dekken. Als hij dit allemaal aan Jenny zou onthullen, zou dat hem op z'n minst in gevaar brengen. Zijn contact bij MI5 zou er vast op hebben gehamerd dat discretie van het grootste belang was: om extremisten te kunnen identificeren kon de universiteit niet anders dan toestaan dat de dienst er min of meer actief was. Als bekend werd dat alle personeelsleden potentiële informanten waren, dan zouden de extremisten gedwongen zijn om ondergronds te gaan.

Ze zei: 'Ik begrijp dat u in een netelige positie zit, maar misschien kunt u me helpen om in contact te komen met een van Jamals leeftijdgenoten. Je weet maar nooit. Misschien herinnert iemand zich iets wat destijds niet relevant leek.'

'Ik kan natuurlijk met u naar de administratie van de universiteit gaan,' zei hij. 'Daar hebben ze de gegevens van dat jaar. Sterker nog: een van onze junior stafleden was een van hen, maar ik vrees dat zij de komende dagen op een conferentie in Duitsland is; haar onderzoeksgroep heeft een nieuw deeltje ontdekt.' Hij glimlachte, opgelucht bij het vooruitzicht dat hun gesprek op zijn eind liep.

'Fantastisch. Hoe heet ze?'

'Sarah Levin, of dóctor Levin, moet ik zeggen. Een van onze rijzende sterren.'

De naam klonk haar bekend in de oren. 'Heeft zij toentertijd geen verklaring bij de politie afgelegd?'

'Zou goed kunnen. Ik weet zeker dat ze alles in het werk zou hebben gesteld om te helpen.'

Professor Brightman belde naar de administratie van de universiteit om voor Jenny een afspraak te maken met een van de beheerders, die een uitdraai maakte van een lijst met alumni en hun contactgegevens uit het jaar van Nazim en Rafi. Jenny kreeg een geprint exemplaar mee en liet het bestand naar haar kantoor e-mailen, zodat Alison onmiddellijk kon gaan rondbellen.

Ze liep weer over de campus terug, waarbij ze de gelegenheid te baat nam om de studenten gade te slaan en de atmosfeer in zich op te nemen. De eerste groep die ze passeerde was gekleed in modieuze casual kleding; ze droegen laptops en hielden een mobieltje tegen hun oor geklemd. Jonge mannen en vrouwen leken zich gemakkelijk met elkaar te vermengen, en op de prikborden waren de berichten over politieke bijeenkomsten ver in de minderheid ten opzichte van de aankondigingen van feestjes en borreluurtjes in de plaatselijke cafés. Hedonisme, en niet idealisme, was aan de orde van de dag. Ze kon niet doen alsof de dingen tijdens haar studietijd in Birmingham anders waren geweest. Ze had weliswaar meegelopen met de stakende mijnwerkers en de antikernwapendemonstratie, maar in werkelijkheid was ze meer geïnteresseerd geweest in haar gitaarspelende vriendje en in drankjes bietsen bij de studentenvereniging. Haar vriendinnen en zij vonden geld, carrière en bezit dan misschien minder belangrijk, maar afgezien van zo nu en dan blokken voor een examenperiode was het toch drie jaar lang aan één stuk door feesten geweest.

Toen zag ze iets waardoor ze van gedachten veranderde. Een groep van een stuk of tien jonge vrouwen, allemaal gekleed in identieke boerka's – de zwarte gewaden en sluiers die alleen de ogen vrijlieten – stak in een kluitje het vierkante plein over. Toen ze een groepje jongens passeerden, sloegen ze hun ogen neer. Ze zonderden zich volkomen af. Ze hadden zichzelf bedekt en ondoordringbaar van het publieke domein afgesneden. Toen Jenny nog studeerde had ze veel moslimvriendinnen gehad, meisjes die uit streng orthodoxe families kwamen, maar daar wat graag van los wilden komen en zich net zo wilden gedragen en kleden als iedereen. Twintig jaar later droeg de volgende generatie kleding die nog conservatiever was dan die van hun grootmoeders. Geconfronteerd met een verbijsterende en vijandige wereld hadden ze hun toevlucht tot het geloof gezocht. Ze werden er niet toe gedwongen; het was hun eigen keus.

Een zwarte hybrideauto reed stilletjes achter haar en glipte een parkeerplaats op toen ze naar de voordeur van haar kantoor liep. Ze wilde net haar sleutels pakken toen een vrouw in mantelpak en een mannelijke collega, allebei nauwelijks ouder dan dertig, uitstapten en op haar af kwamen.

'Mevrouw Cooper?' vroeg de vrouw.

'Ja?'

De vrouw, donker, aantrekkelijk, maar vermoeid rondom de ogen, stak haar hand uit. 'Gillian Golder. Dit is mijn collega, Alun Rhys.'

Rhys groette haar beleefd. Hij was een stevige, gedrongen jonge man die zo van een universiteitsrugbyveld kon zijn weggelopen.

Gillian Golder zei: 'Dit is een vriendschappelijk bezoekje. We zijn agenten van de veiligheidsdienst. Hebt u even?'

'Natuurlijk,' zei Jenny luchtig, en ze leidde hen de schemerige gang in.

Jenny kon niet besluiten of het ontspannen inleidende babbeltje van Golder en Rhys geruststellend of onheilspellend was. Ze had genoeg ambtenaren in verschillende functies meegemaakt om te weten dat het tegenwoordig in de mode was om te doen alsof ze toegankelijk en redelijk waren, ook al was de onderliggende agenda onveranderd gebleven. In plaats van een eerlijke benadering werd nu cool optreden, in de betekenis die pubers daaraan gaven, als algemene deugd beschouwd. Lichaamstaal moest openhartig blijven, spreektaal eufemistisch en niet confronterend. Als je het volgens deze regels speelde, werd je als een insider beschouwd. Wanneer je gereserveerd of te stijf overkwam, dan was je 'discutabel' en niet te vertrouwen.

'Ik neem aan dat u weet waarom we hier zijn?' vroeg Gillian Golder, die de leiding nam terwijl Rhys de rol van toeschouwer speelde.

Jenny glimlachte en deed haar uiterste best om niet geïntimideerd of verdedigend over te komen. 'Ik vermoed dat het om Nazim Jamal gaat.'

'Ja. We hebben natuurlijk de uitspraak van de rechter vorige week gehoord, en waarschijnlijk is mevrouw Jamal bij u geweest vanwege een gerechtelijk onderzoek.'

Jenny was zich er terdege van bewust dat ze dat wisten. Inspecteur Pironi zou zodra ze een afspraak met hem had gemaakt de telefoon hebben gepakt. Dat was allemaal onderdeel van het spel, en Golder wilde zien of Jenny zich een houding zou aanmeten.

'Inderdaad.'

'Hmm. Nou, dat verbaast me niet echt. Het moet moeilijk voor haar zijn.'

'Zeker.'

'En... hoe staat u daar tegenover?'

'Hoe ík daartegenover sta?' Jenny was door de vraag van haar stuk gebracht. 'Ik doe gewoon mijn werk, ik stel een rapport op en stuur dat naar de minister van Binnenlandse Zaken, en die moet vervolgens zijn toestemming geven voor een gerechtelijk onderzoek.'

'Denkt u dat dat gebeurt?'

'Ik zou het niet weten.'

'Voor wat het waard is: wij denken dat u aan de slag kunt. Als toestemming geweigerd zou worden, zou het alleen maar lijken of we iets te verbergen hebben.' Rhys knikte instemmend. 'En we doen duidelijk allemaal ons best om bruggen te bouwen met de moslimgemeenschap.'

Er viel een stilte, waardoor Jenny het gevoel had dat van haar een reactie werd verwacht. Steeds meer in de war, en meer dan een beetje geërgerd doordat Gillian Golder om de hete brij heen draaide, vroeg ze: 'Wilt u soms iets in het bijzonder met me bespreken?'

Golder zei: 'Dit is duidelijk een zaak waarin gevoelige kwesties aan de orde zullen komen. En we weten allemaal dat de media geneigd zijn om dit soort verhalen op te kloppen en er sensatieverhalen van te maken...' Ze keek haar collega aan. 'Maar wij van onze kant hebben het gevoel dat als we van meet af aan elk mogelijk wantrouwen de kop in kunnen drukken, we kunnen vermijden dat er hysterie uitbreekt.'

'Wantrouwen?' vroeg Jenny, en ze deed alsof de opmerking haar in de war bracht.

'Ja.' Gillian Golder verschoof op haar stoel. 'Mevrouw Jamal is duidelijk van streek – dat zou iedereen zijn in haar situatie – maar ze zou in de verleiding kunnen komen om een gerechtelijk onderzoek te beschouwen als een gelegenheid om minder rationele gevoelens naar buiten te brengen... Het zou heel ongelukkig uitkomen als een door en door fatsoenlijk onderzoek op die manier zou worden gegijzeld, vooral nu we er in de afgelopen tijd zo hard aan gewerkt hebben om het vertrouwen van jonge Britse Aziaten te winnen.'

'Ik kan haar er niet van weerhouden met de pers te praten, als u dat soms bedoelt.'

'Natuurlijk niet. Punt is dat we willen vermijden dat ze ongegronde beschuldigingen uit aan het adres van de veiligheidsdienst. We zullen zo veel mogelijk meewerken, maar we kunnen u nu alvast vertellen dat we nagenoeg niets weten over wat er met Jamal en Hassan is gebeurd. Echt, we hebben alle dossiers doorgenomen, maar het spoor liep dood.'

'Mag ik die inzien?'

'Dat beslist de leiding. Soms maken we in het kader van het openbaar belang gebruik van een gerechtelijk bevel waardoor de procederende partij geen bewijzen naar buiten mag brengen, zodat onze lopende zaken niet in gevaar komen – ter bescherming van onze methoden en wat al niet meer –, maar we zullen u in elk geval een getuige leveren die de feiten van ons onderzoek kan toelichten.'

'En hoe zit het met de politiegegevens? Ik neem aan dat u die ook hebt gezien?'

'Daar zit ook niet veel belangwekkends bij, wat er nog van over is tenminste.'

Jenny ging achterover in haar stoel zitten en probeerde door het rookgordijn heen te kijken. Ze had het gevoel dat dit een poging was om haar vanaf het begin te muilkorven en te controleren, maar de boodschappers leken zo welwillend dat ze er niet zeker van was.

'Dus als ik het goed begrijp,' zei Jenny, 'zegt u dat als ik inderdaad tot een gerechtelijk onderzoek mag overgaan, u met één getuige van de veiligheidsdienst op de proppen komt, maar dat ik geen inzage in uw gegevens krijg?'

Gillian Golder knikte. 'Daar komt het wel zo'n beetje op neer.'

'En u vraagt me niet verder aan te dringen om inzage te krijgen in welk ander schriftelijk bewijs ook, en ook niet mevrouw Jamal op de gedachte te brengen dat er wellicht geheime informatie zou kunnen zijn waartoe ik geen toegang krijg?'

Rhys kwam tussenbeide. 'We willen u niet vleugellam maken, mevrouw Cooper, we willen alleen twee dingen duidelijk maken. Ten eerste is de kans nihil dat welke van onze interne notities of gegevens dan ook voor een gerechtelijk onderzoek zal worden vrijgegeven. U kunt er op z'n hoogst op hopen dat u ze onofficieel onder ogen krijgt. Ten tweede vragen we u ons te vertrouwen wanneer we zeggen dat we geen flauw idee hebben wat er met Nazim Jamal en Rafi Hassan is gebeurd. We hebben niet alleen de papieren opnieuw doorgenomen, we hebben ook met de gepensioneerde agent gesproken die destijds de leiding over de zaak had. Die twee zijn gewoon weg... van de aardbodem verdwenen, bedoel ik. Oké, er is slechts een maand of zo onderzoek gedaan, maar nadat ze in de trein gesignaleerd waren, was er geen enkele duidelijke aanwijzing meer.'

'Wat is er dan volgens uw mensen met hen gebeurd?'

'We gaan ervan uit dat ze naar het buitenland zijn gegaan. Dat deden er zoveel in die tijd.'

'Geen andere theorieën?'

'Niet één die standhoudt. Ze waren gewoon een paar moslimknullen die met extremisten flirtten en hoogstwaarschijnlijk zijn vertrokken om strijders te worden.'

'Is het echt zo makkelijk om ongezien het land uit te komen? Dat geloof ik gewoon niet.'

Beide agenten glimlachten onmiddellijk. 'U zou versteld staan,' zei Rhys. 'We hebben weliswaar bewakingscamera's, maar dat wil nog niet zeggen dat de beelden goed zijn, of dat een of andere kluns ze niet heeft overschreven.'

'Ik heb gehoord dat het leger routinematig DNA-monsters neemt van overleden rebellen in Irak en Afghanistan. Is er een poging ondernomen om hen via die weg op te sporen?'

'Ze zitten allebei in een database. We zouden het weten als daar iets uit gekomen was.'

Jenny zuchtte. Er wrong iets. 'Nog één vraag: waarom heeft het politieonderzoek zo kort geduurd? Ik hoorde dat sommige agenten vonden dat de zaak te vroeg werd gesloten.'

Gillian Golder pareerde de vraag prompt: 'Ze waren zo compleet van de aardbodem verdwenen dat we dachten dat ze zich schuilhielden. Besloten werd om het onderzoek op een laag pitje te zetten en ons op inlichtingen te concentreren. Ze dachten dat we, als we ze te vroeg uitrookten, misschien iets groters zouden mislopen.'

Jenny knikte, maar als deze bijeenkomst bedoeld was om haar wantrouwen weg te nemen, dan was dat niet gelukt. Golder en Rhys waren jong, maar wisten hoe ze hun werk moesten doen.

Ze hadden haar de mogelijkheid van een gerechtelijk onderzoek voorgespiegeld, maar op voorwaarde dat ze het volgens hun regels zou spelen. Ze wilden weinig publiciteit, wilden dat ze de veiligheidsdienst niet al te veel vragen zou stellen, wilden de schijn ophouden om de moslimgemeenschap zoet te houden, en bovenal wilden ze vermijden dat de vlam in de pan zou slaan.

Ze dacht over haar dilemma na en besloot toen de enige koers te varen die ze met haar geweten in overeenstemming kon brengen. 'Ik wil net zomin als u dat mijn onderzoek op een mediacircus uitdraait,' zei ze, 'en het is niet mijn bedoeling om een podium te bieden voor wilde, ongegronde beschuldigingen. Maar aangezien u helemaal hierheen bent gekomen om me te spreken, moet u wel weten dat ik bij mijn onderzoek geen enkele inmenging van buitenaf duld. Als het wordt uitgevoerd, zal dat gebeuren zoals het hoort: grondig, onafhankelijk en volgens de wet.'

Gillian Golder zei: 'We verwachten niet anders. Echt, mevrouw Cooper, wij willen net zo graag als u te weten komen wat er is gebeurd.'

Jenny wist niet of ze de krachtmeting had gewonnen of verloren. Of er kwam gegarandeerd geen gerechtelijk onderzoek, of ze hadden uit haar oprechte optreden geconcludeerd dat ze zo naïef was dat ze wel te vertrouwen was. Evenmin wist ze of ze schaamteloos was voorgelogen of dat de bewering van Golder en Rhys dat de veiligheidsdienst geen flauw idee had wat er met Rafi en Nazim was gebeurd, toch op waarheid berustte. Het enige wat ze zeker wist was dat ze een haar onbekende wereld binnenging.

Ze omzeilde Alisons pogingen om haar een woordelijk verslag van haar gesprek met de twee veiligheidsdienstagenten te ontlokken en sloot zich de rest van de middag op om haar rapport voor Binnenlandse Zaken te schrijven. Ze hield het beknopt en oncontroversieel, haalde slechts zelden jurisprudentie aan en streefde er in alle opzichten naar een redelijke indruk te maken. Haar conclusie was een toonbeeld van terughoudendheid, waarin ze betoogde dat de minister weliswaar wettelijk volkomen gerechtigd was om te concluderen dat er onvoldoende grond was om een gerechtelijk onderzoek te houden – niet in de laatste plaats omdat er geen lijk was –, maar dat het belang om het recht zijn loop te laten vóór een formeel onderzoek pleitte.

'Ten slotte,' schreef ze, en ze stond zichzelf één retorische stijlbloem toe:

Terwijl andere instellingen van de Kroon er veelvuldig door familieleden van worden beschuldigd dat ze alleen maar eigenbelang of politieke belangen najagen, is de rechter van instructie een waarlijk onafhankelijk gerechtelijk ambtenaar, wiens enige plicht het is om de waarheid aan het licht te brengen. Hoewel de kansen daarop in deze zaak klein zijn, is een niet-vinden nog altijd beter dan helemaal geen poging wagen.

Ze liet het rapport per motorkoerier naar Londen brengen. En toen die op weg ging, betrapte ze zichzelf op een stil schietgebedje.

6

Mevrouw Jamal was op de een of andere manier achter Jenny's privénummer gekomen. Toen ze thuiskwam kondigde Ross aan dat er om de tien minuten een krankzinnig mens had gebeld. Het antwoordapparaat stond vol berichten. Op steeds hysterischer wordende toon werden almaar dezelfde aantijgingen herhaald: dat ze in de gaten werd gehouden, op straat werd gevolgd, dat haar post werd onderschept en dat er geheime camera's in haar appartement waren geplaatst. 'Ik ben een gevangene in mijn eigen huis,' was een zinsnede die ze vele malen herhaalde. Tijdens het laatste telefoontje was ze zo in tranen dat Jenny er nauwelijks meer wijs uit kon worden.

Persoonlijk contact met de naaste familie moest formeel blijven, want een relatie aangaan met achtergebleven familieleden kon problemen geven. Familieleden begrepen zelden dat de rechter van instructie louter en alleen in het publieke belang opereerde, dat elke schijn van vriendelijkheid gebaseerd was op wellevendheid en de wens om het proces voor de achtergeblevenen zo pijnloos mogelijk te laten verlopen. Een gepaste reactie zou zijn om mevrouw Jamal een brief te schrijven waarin ze beleefd uitlegde dat ze zich aan onfatsoenlijk gedrag schuldig maakte en haar vroeg ermee op te houden. Als ze haar nu zou terugbellen, riskeerde ze dat ze verwachtingen zou wekken die ze nooit zou kunnen waarmaken. Maar wat was je voor iemand als je zulke wanhopige verzoeken om hulp kon negeren?

Mevrouw Jamal nam bij de eerste keer overgaan prompt de telefoon op. 'Ja. Met wie?' Ze klonk bezorgd.

'Mevrouw Jamal, met mevrouw Cooper, de...'

'O, goddank,' zei ze, haar onderbrekend. 'Ik wist wel dat ik u kon vertrouwen. U bent een godsgeschenk, dat wist ik gewoon. Niemand anders begrijpt het, niemand anders.' Ze ratelde maar door, zonder adem te halen. 'Die mensen vallen me dag en nacht lastig, mevrouw Cooper. Ze laten me maar niet met rust. Ze houden mijn flat in de gaten, ze volgen me over straat. Ze zijn hier 's avonds geweest, dat weet ik zeker. Ze hebben dingen verplaatst. Ze hebben afluisterspullen in de flat aangebracht, dat hebben ze gedaan. Ze luisteren ons nu ook af. Ik moet hier weg, ik moet gaan...'

'Wacht even. Kalmeer een beetje. Laat mij ook even iets zeggen.'
'Ja, ja, natuurlijk, maar u moet geloven...'
'Luister naar me!'
Eindelijk hield mevrouw Jamal haar mond.
'Nu kalm blijven. U schiet er niets mee op als u zichzelf zo overstuur maakt.'
'Nee, u hebt gelijk. Ik ben zo dankbaar...'
'Vertel eens door wie u volgens u in de gaten wordt gehouden.'
'Ik weet niet wie het zijn. Het zijn mannen, blanke mannen. Ik weet niet wat ze van me willen. Ik weet helemaal niets. Ik ben alleen maar een moeder...' Ze slikte tranen weg.
'Denk eens terug aan de laatste keer dat we elkaar hebben gesproken. U ging naar het raam en toen was er niemand.'
'Ze luisteren me af. Ze weten wanneer ze moeten verdwijnen. Daarom moet ik ergens heen waar ze me niet kunnen vinden.'
'Mevrouw Jamal, u bent in de war. U maakt een van de meest stressvolle ervaringen door die iemand zich maar kan voorstellen. U hebt uw zoon verloren en u wilt ontzettend graag weten waar hij is gebleven. Bedenk dit dan eens: u weet niet waar hij is en daarom wilt u een onderzoek. Niemand heeft ook maar enige reden om u te schaduwen of af te luisteren. Ik weet dat dat misschien moeilijk te begrijpen is, maar ik denk dat uw geest een spelletje met u speelt.'
'Nee...' zei mevrouw Jamal, maar zonder veel overtuiging.
'Ik wil dat u naar uw huisarts gaat en met hem over uw gevoelens praat. Dit gaat niet vanzelf over, en ik wil dat u zo kalm bent dat u het tijdens een gerechtelijk onderzoek kunt volhouden, als dat er komt.'
'Ik ben niet gek, mevrouw Cooper, ik weet wat ik zie. Ik kan hier niet blijven. Straks komen ze 's nachts binnen...'
'Vertrouw me nou, alstublieft! Ik weet heel goed hoe mensen reageren en ik begrijp precies hoe u zich voelt.' Ze wachtte even en merkte dat, nu mevrouw Jamal de aandacht kreeg waar ze zo naar hunkerde, ze ook echt luisterde. 'U voelt zich heel alleen, heel kwetsbaar en heel onzeker,' vervolgde ze, 'maar als u eenmaal ziet dat we een beetje verder komen, dan gaan die gevoelens over. Neem dat nou maar van mij aan.'
'Maar ik ben bang, mevrouw Cooper.'
'Dat is volkomen normaal. U hebt zeven jaar met een vraag geleefd waar geen antwoord op kwam. U bent bang voor wat de komende weken u zullen kunnen brengen.'
Tussen gesmoorde snikken door zei mevrouw Jamal: 'Ik weet dat hij me niet in de steek zou laten. Hij was een goede zoon. Hij kwam me

altijd opzoeken, zelfs toen zijn vader dat probeerde te voorkomen. Nazim zou me niet in de steek hebben gelaten.'

Jenny zei: 'Laten we samen iets afspreken. Ik ga hiermee door en zal mijn werk zo goed mogelijk doen, en u gaat hulp zoeken om de komende weken door te komen. Gaat u daarmee akkoord?'

'Ja...' antwoordde ze zwakjes. 'Dank u wel.'

Ross sloot zich de hele avond in zijn kamer op om op internet met vrienden te chatten en naar muziek te luisteren – alles liever dan beneden bij zijn moeder te moeten zitten. Om dat nare gevoel van afwijzing op afstand te houden, trok Jenny zich in haar werkkamer terug en probeerde de voortdurend groeiende stapel veronachtzaamde papieren in te schatten. Lijken waren een goede indicatie van maatschappelijke trends. In de afgelopen weken waren twee vrouwen van nog geen vijfentwintig jaar plotseling gestorven na een abrupt en noodlottig leverfalen als gevolg van alcohol, en een derde was in het toilet van een nachtclub ingestort en aan een alcoholvergiftiging bezweken; twee depressieve vijftienjarige jongens hadden zelfmoord gepleegd na een ontmoeting in een chatroom; en een getrouwde vader van vijfendertig was van een viaduct op de snelweg gesprongen toen de bank zijn huis in de executieverkoop deed. Als jongeren schijnbaar ongelukkig waren, waren de ouderen zelden beter af. Voor haar lag een foto van een tachtigjarige weduwnaar die van de slaapkamer in zijn piepkleine flatje een gaskamer had gemaakt. Hij had een briefje achtergelaten waarin hij uitlegde dat hij zoveel moeite had om de eindjes aan elkaar te knopen dat het hem te veel was geworden.

Gedeprimeerd stopte Jenny haar papieren in haar aktetas en pakte de telefoon om Steve te bellen, in de hoop dat hij zijn tochtige schuur wel graag een paar uurtjes zou willen ontvluchten. Er werd niet opgenomen en er was zelfs geen antwoordapparaat waarop ze een bericht achter kon laten. En hij had geen mobieltje. Ze vermoedde dat hij zijn hond aan het uitlaten was, die tegenwoordig doordeweeks was veroordeeld tot een draadgazen kippenren, maar toen ze het later nog eens probeerde, en opnieuw, en nog weer eens, tot middernacht aan toe, legde ze zich erbij neer dat hij niet thuis was. Er waren allerlei redenen waarom hij op een woensdagavond pas laat thuis zou zijn, zei ze tegen zichzelf; hij was waarschijnlijk bij vrienden, of logeerde bij een collega in Bristol. Hij was niet bij een andere vrouw. Dat kon niet. Hun relatie, hoe oppervlakkig ook, betekende te veel om die te verraden door de verleiding van wat los-vaste seks. En ze had hem nooit weggestuurd als ze merkte dat hij bij haar wilde blijven slapen.

Voor deze keer voelde ze zich te rusteloos om in haar dagboek te schrijven. Ze nam twee pillen en lag in het donker te luisteren naar de ijskoude regen die tegen het raam sloeg. Het glas in lood rammelde in de versleten kozijnen en de wind huilde bij vlagen onder de dakrand en riep spoken en dreigender geesten op toen ze tussen waken en slapen wegdommelde. Het laatste wat ze merkte voor ze in een diepe, onbehaaglijke slaap viel, was dat de grond onder haar verschoof, dat de aarde kreunde, en dat ze het gevoel kreeg dat er iets grondig was veranderd.

Verstrooid en verontrust klampte ze zich 's ochtends vast aan een schijn van normale routine. Ze maakte Ross' ontbijt klaar en praatte over koetjes en kalfjes met hem tot ze hem bij school had afgezet. Pas toen hij opging in de stroom leerlingen die door de hekken drongen, gaf ze zich over aan de lichte paniekaanval die al was opgeborreld sinds ze onder de douche had gestaan en het water nauwelijks op haar huid had gevoeld. Dr. Allen had haar ervan overtuigd dat de ergste symptomen van haar stoornis tot het verleden behoorden. Hij had haar met grafieken uitgelegd hoe de hersenen zich aan de medicijnen aanpasten en de vecht-of-vluchtreactie, die diep in de amygdala werd aangewakkerd, tot een normaal niveau terugbrachten. Hij had haar belóófd dat ze weer zou terugkeren naar waar ze ooit was geweest. Maar een halfjaar later, terwijl ze in het spitsverkeer in de val zat, voelde haar hart dubbel zo groot als normaal aan en werd er een band om haar middenrif aangesnoerd.

Ze ging tegen de symptomen tekeer. Ze schreeuwde en schold ze uit, waardoor andere bestuurders haar aanstaarden. Hoe waagden ze het terug te komen en haar leven te vergallen? Ze worstelde zich door elke kleiner wordende golf heen, weigerde de auto aan de kant te zetten en zich eraan over te geven, tot de adrenaline uiteindelijk wegebde en ze zich alleen nog maar moe, zwaar en hol voelde. Ze stopte voor een verkeerslicht en bekeek zichzelf in het zonneklepspiegeltje. Ze had grote, starende pupillen en haar gezicht zag bleek: allebei klassieke signalen van een acute angstaanval. Woede maakte plaats voor wanhoop. Waarom? Waarom was ze op een doodgewone ochtend, zonder enige dreiging, zo doodsbenauwd? Wat verontrustte haar zo? En waarom kwam het uitgerekend nu, nu ze meer dan ooit zichzelf de baas moest blijven, weer naar boven?

Haar mobieltje ging over toen ze op een parkeerplaats tegenover haar kantoor de auto neerzette. Terwijl ze achteruit inparkeerde, viste ze het uit haar handtas. Er klonk gekraak van plastic. Ze deed alsof ze het niet had gehoord.

Een geagiteerde stem zei: 'Mevrouw Cooper? Met Andy Kerr van de

Vale. Ik vroeg me af of u soms het overdrachtsformulier had getekend om Jane Doe te verplaatsen.'

'Sorry?'

'Ik dacht dat u misschien toestemming had gegeven om het te laten verplaatsen... Het is weg.'

'Wát?'

'Het lijk was hier gisteravond nog en nu is het verdwenen.'

'Meen je dat serieus? Wie had er dienst?'

'Gisteravond was er maar één iemand aanwezig. Ik neem aan dat als iemand heeft weten in te breken...'

Ze hoorde de paniek in zijn stem. Ze stelde zich de krantenkoppen al voor: ONBEKEND LIJK GESTOLEN UIT LIJKENHUIS.

'Het is er niet, mevrouw Cooper. Het viel onder uw toezicht. Wat moeten we doen?'

'Ik ben er zo.'

Dr. Kerr leek nog grauwer te zien dan zij zich voelde. Ze liep achter hem aan door de gang en staarde naar de lege lade. Hij legde uit dat de assistent die nachtdienst had gehad eigenlijk een nachtwaker was, een Filippino die overdag in een schoonmaakploeg zat en soms de nacht bleef. Grote kans dat hij het grootste deel van de tijd had liggen slapen in de rustkamer van het personeel, die om de hoek was, minstens een meter of tien bij de koelkamer vandaan. Indringers konden ofwel binnenkomen via de deuropening op het parkeerterrein, ofwel via de ondergrondse tunnel die er vanaf de kelder in het hoofdgebouw van het ziekenhuis heen leidde. Er waren geen braaksporen, maar er zaten dan ook bepaald geen moderne sloten op.

Jenny zei: 'Weet je zeker dat er geen verwisseling heeft plaatsgevonden? Het komt wel meer voor dat begrafenisondernemers het verkeerde lijk meenemen.'

Andy Kerr schudde zijn hoofd. 'Er liggen er hier momenteel zesendertig. Die kloppen allemaal.'

Jenny ging koortsachtig de mogelijkheden na, maar er was slechts één logische verklaring: Jane Doe was gestolen. Maar waarom zou iemand een lijk willen stelen?

Zenuwachtig zei Andy: 'En er is nog iets. Weet u nog dat u het over dat vermiste meisje had, dat op Maybury werkte?'

'Ja?'

'Ik kon niet aan echt goede spullen komen, maar ik heb een eenvoudige dosimeter weten te lenen van de afdeling Radiologie. Het lijk gaf lage doses bèta- en gammastraling af. Ik weet niet van welke isotoop, maar op een bepaald moment is ze zonder meer aan een aanzienlijke bron blootgesteld geweest.'

'Waar hebben we het dan over... een nucleair ongeluk?'

'Nee. Helemaal niet. Maar de straling is ruim dubbel zoveel dan je zou verwachten, zelfs voor iemand die bij een kerncentrale werkt. Bij Oost-Europeanen is dat niet ongebruikelijk.'

'Genoeg om een schildkliertumor te veroorzaken?'

'Zou kunnen. Maar ze is waarschijnlijk al een tijdje geleden blootgesteld geweest, misschien wel jaren geleden.'

'Dan lijkt het me evengoed tijd worden dat we de politie erbij halen, denk je ook niet?'

De rechercheur heette Sean Murphy. Een man niet ouder dan drieëndertig in een gekreukt pak met een overhemd met open boord, een warrige haardos en een korte baard langs zijn kaaklijn om een beginnende onderkin te verdoezelen. En toen hij zich naar opzij draaide, zag Jenny dat hij in zijn linkeroor een diamanten sierknopje droeg.

Ze stonden rondom de lege lade in de koelcel, alsof daar een aanwijzing te vinden was. Murphy zei: 'Hoe weet u nu wie wie is?'

'Ze hebben allemaal een labeltje aan hun teen,' zei Andy. 'En we houden het ook nog bij op dat whiteboard daar.'

'Zijn ze ooit weleens verwisseld?'

'Dat zou ik niet weten... Ik werk hier pas vier dagen.'

Murphy zei knikkend 'O', alsof dat alles verklaarde.

Jenny zei: 'Dat komt heel zelden voor. Dr. Kerr blijft erbij dat het lijk gisteravond is verdwenen. Er zijn nergens gegevens dat er in die tijd een begrafenisondernemer is geweest of voor een lijk heeft getekend. Ik denk dat we wel kunnen aannemen dat het gestolen is.'

'Enig idee wie het heeft gedaan?' zei Murphy.

'Geen enkel,' zei Jenny. 'We hebben in de afgelopen week een stuk of vijfentwintig groepen familieleden op bezoek gehad, van wie allemaal een dochter wordt vermist. Geen van hen heeft haar geïdentificeerd. Morgen zouden er nog meer mensen komen.'

'En u hebt geen idee wie ze is?'

Andy schudde zijn hoofd.

Jenny zei: 'De families zijn allemaal in contact gebracht met een lab dat DNA-tests uitvoert.'

'Hmm.' Murphy stak zijn voet uit en duwde de la met de neus van zijn instapper dicht. 'Hebt u foto's van het lijk?'

Andy zei: 'Ik kan u er wel een paar mailen.'

'Dat zou fijn zijn.' Hij keek links en rechts de gang in. 'Hoe zit het met die vent die op de boel had moeten letten?'

'Hij is om acht uur naar huis gegaan. Tussen de middag komt hij terug voor zijn schoonmaakdienst.'

Murphy wreef met een hand over zijn mond en krabde aan zijn bakkebaarden terwijl hij een gezicht trok. 'Wat is het voor man?'

'Volgens de andere personeelsleden heel betrouwbaar.'

Jenny voelde de bui al hangen en kwam tussenbeide om de inspecteur de moeite te besparen. 'Als u zich afvraagt of hij het lijk op de een of andere manier heeft misbruikt, dan lijkt me dat niet waarschijnlijk. De oogkassen waren leeg, het grootste deel van de ingewanden was weg en de laatste keer dat ik hier was, rook het ook niet al te best meer. Als u om u heen kijkt, zijn er meer dan genoeg aantrekkelijker alternatieven.'

'Ik geloof u op uw woord.' Hij schonk haar een wellustig glimlachje, met ogen die nog altijd bloeddoorlopen waren van zijn uitspattingen van de vorige avond. 'Geen camera's of zo, neem ik aan?'

'Daar niet,' zei Andy, 'alleen in de hoofdreceptie van het ziekenhuis en op de kraamafdeling. Het is niet waarschijnlijk dat ze daarlangs zijn gegaan.'

'En ik denk dat er op straat ook wel een paar zijn. We moeten daar misschien een team naartoe sturen, kijken of die lijkenpikkers afdrukken hebben achtergelaten. Zijn hier vanochtend veel mensen geweest?'

'Vijf of zes,' zei Andy.

Murphy pakte zijn telefoon en zei: 'Shit. Ik heb hier geen bereik. Waar is uw telefoon?'

'Wilt u niet meer over het lijk weten?' vroeg Andy. 'Forensisch kan ik het niet bewijzen, maar de kans bestaat dat ze slachtoffer is van een moord.'

'Dat doen we allemaal later, als jullie je verklaringen opschrijven.'

'Kan ik dat nu meteen doen? Ik heb een drukke dag.'

Murphy trok zijn kin in, draaide zich om en keek hem met opgetrokken wenkbrauwen aan. 'Dat lijkt me niet, goede vriend... U bent een verdachte.'

Jenny zei: 'Ik weet niet hoeveel u gisteravond hebt gedronken, meneer Murphy, maar ik hoop dat u hier niet met de auto bent gekomen.'

Murphy deed zijn mond open om antwoord te geven, maar Jenny keek hem met een scherpe blik aan en zei: 'Als u het vriendelijk vraagt, mag u van dr. Kerr misschien zijn kantoortelefoon gebruiken.'

De rechercheur snoof en sjokte rond op zoek naar bereik.

Andy zei: 'Meent hij dat nou? Wat moet ik nou met een lijk?'

'Niet op letten. Hij heeft een kater.'

Een paar tellen later dook Murphy aan het eind van de gang op en riep naar hen: 'Hoe heet dat lab van die DNA-tests?

Jenny weerhield zich ervan hem weer af te snauwen. Ze zou zich later wel bij zijn hoofdinspecteur beklagen, zodat hij een lesje in manieren zou krijgen. 'Meditect. Ze zitten in de buurt van Parkway.'

'Interessant. Dat is net in vlammen opgegaan.'

Het was vroeg in de middag toen Jenny op kantoor terugkwam. Ze had het eerder kunnen afkappen en kunnen vertrekken, maar Andy had er zo verbijsterd uitgezien toen een team van de technische recherche met een aantal rechercheurs bezit nam van zijn lijkenhuis dat ze zich geroepen voelde om hem te helpen. Ze hadden allebei een verklaring afgelegd en Alison had de gegevens gemaild van iedereen die naar het lijk was komen kijken of daar belangstelling voor had getoond.

De voorlopige berichten sijpelden stukje bij beetje binnen, maar in de loop van de ochtend werd duidelijk dat Meditect, dat in een klein kantoorpand op een bedrijventerrein gehuisvest was, zeer vakkundig tot de grond toe was afgebrand. De alarmkabels waren doorgesneden, er was dieselolie door het ventilatiesysteem gepompt en aangestoken. Op een braakliggend stuk land in de buurt was ook brand gesticht, waardoor de brandweer cruciale minuten lang werd afgeleid en er desastreuze schade aan het testlab was veroorzaakt. Het was met inhoud en al volkomen verwoest.

Jenny en Andy gingen samen naar de afdeling Histologie van het ziekenhuis om de bloed- en weefselmonsters van de schildkliertumor op te sporen, die hij daar voor analyse naartoe had gestuurd, en troffen daar een chaos aan. Verschillende rekken met monsters bleken die nacht uit de koelkasten te zijn verdwenen. Daar waren ook die van Jane Doe bij. Het logboek van het toegangssysteem liet zien dat een junior analiste om vier uur 's morgens zeven minuten in het lab aanwezig was geweest. Ze bezwoer dat ze op dat tijdstip in bed had gelegen. Murphy nam haar persoonlijk onder handen, maar ze stortte in en vroeg om een advocaat. Het laatste wat Jenny van haar zag, was dat ze door twee agenten werd weggeleid.

Het DNA van Jane Doe was uit het bestand gewist. Zelfs de binnenkant van de koellade was met een spray industrieel bleekmiddel bewerkt. Er was geen fysiek bewijs meer van haar bestaan en wie dit ook had geregeld, het was grondig, vakkundig en veel slimmer gedaan dan de meeste criminelen te werk gingen.

Alison werd geheel en al door het drama in beslag genomen. Om de haverklap zat ze met een van haar ex-collega's aan de telefoon, terwijl ze naar het laatste nieuws viste en opgewonden roddels uitwisselde. Wilde en bizarre theorieën over de identiteit van Jane Doe verspreidden zich al als een lopend vuurtje.

Jenny opende net een e-mail van het kantoor van de minister van Binnenlandse Zaken, toen Alison met het laatste opwindende nieuwtje binnenstormde. 'De labassistente die ze hebben gearresteerd beweert dat haar pas was gestolen toen ze gisterochtend naar de kantine was, maar dat die 's middags weer opdook.'

'Wat bedoelt ze daarmee? Dat iemand hem heeft gekopieerd?'

'Dat zou kunnen. Het is net zoiets als een creditcard, als je die door een lezer haalt, heb je binnen een paar minuten een kopie.'

'Hoe kom je aan zo'n lezer?'

'Voor een paar pond op internet. Het lijkt ingewikkeld, maar het is doodsimpel. Iedereen met een beetje hersens kan het. Bij benzinestations is het schering en inslag.'

Jenny zei: 'Het is niet zo simpel om uit te zoeken waar de monsters in het histologielab opgeborgen waren, neem dat maar van mij aan. Ze wisten waar ze moesten zoeken.'

'Blijkbaar is er gistermiddag iemand verschillende keren met de pas het lab in- en uitgegaan. Als het waar is wat ze zegt, dan lijkt het erop dat iemand gewoon in en uit is gelopen en alles heeft kunnen verkennen.'

Jenny luisterde maar half. De mail die ze net had geopend was van de vaste ondersecretaris, die haar liet weten dat de minister van Binnenlandse Zaken het met haar eens was dat het zonder meer in het publiek belang was dat de verdwijning van Nazim Jamal aan een gerechtelijk onderzoek zou worden onderworpen:

> *[...] met het voorbehoud dat de rechter van instructie er rekening mee moet houden om met name discretie te betrachten bij zaken die de nationale veiligheid aangaan. Hiertoe zou de rechter van instructie wellicht willen overwegen om de daartoe aangewezen personen te consulteren, met wie, zo is begrepen, inmiddels al contact is gelegd.*

'Het lijkt erop dat mevrouw Jamal haar zin krijgt,' zei Jenny.

'Ze laten u toch zeker niet uw gang gaan?' zei Alison ongelovig.

'Min of meer wel.'

'U komt er geen stap verder mee. Daar zorgen ze wel voor.'

'Jij hoeft je er niet mee te bemoeien, Alison.'

'Heb ik dat gezegd? Ik zeg alleen wat ik ervan vind, mevrouw Cooper. Niemand komt er ooit achter wat er met die jongens is gebeurd. Ze hebben acht jaar geleden de politie teruggefloten en u zullen ze heus niet anders behandelen.'

'We zullen wel zien. Maar als je een probleem hebt met deze zaak, of met moslims of wat dan ook, gooi het er dan nu maar uit; dan krijgen we later tenminste geen problemen.'

'Nee, ik heb bepaald niet veel sympathie voor radicale moslims, mevrouw Cooper. Ik heb het altijd vreemd gevonden dat we ons in allerlei bochten wringen om die mensen fatsoenlijk te behandelen terwijl we tegelijk alles waar ze voor staan verachten. Neem nou hun opvattingen over vrouwen: als mijn man er net zo over zou denken als zij, zou hij een paria zijn.'

'Zijn niet alle extremisten paria's?'

'Wacht maar tot u degene bent die de klappen krijgt. Eens kijken of u dan nog zo redelijk blijft.'

'Heb je daar dan persoonlijk mee te maken gehad?' vroeg Jenny spottend.

Alison klemde haar kaken op elkaar en keek de andere kant op. 'Mevrouw Cooper, ik ben uitstekend in staat om tijdens mijn werk mijn persoonlijke gevoelens opzij te zetten. Ik ben tenslotte vijfentwintig jaar politie-inspecteur geweest.' Ze draaide zich om en liep de deur uit, met een giftig kielzog achter zich aan.

7

Het gerechtelijk onderzoek was voor maandagochtend gepland, de tweede dag in februari. Zoals door het hele land bij zoveel rechters van instructie het geval was, had Jenny nog steeds geen vaste of zelfs semivaste rechtszaal. Alison zette haar contacten bij de rechtbank onder druk, maar kreeg te horen dat er in Bristol de komende maanden geen ruimte beschikbaar was. Jenny was gewend geraakt aan dit soort tegenwerking vanuit de lagere echelons. Ze vond het niet erg dat ze het moest doen met het scala aan dorps- en gemeenschapshuizen waaraan ze de afgelopen maanden gewend was geraakt – van sommige onderzoeksrechters was bekend dat ze zitting hielden in padvindershutten en zalen van restaurants zonder vergunning (wettelijk mochten gerechtelijke onderzoeken niet plaatsvinden in gelegenheden waar alcohol werd geschonken) –, maar een deel van haar hunkerde heimelijk naar de erkenning en het ceremonieel die een fatsoenlijke rechtszaal met zich meebrachten. Alison had de voormalige methodistenkapel voorgesteld, waar haar New Dawn Church elke zondag bijeenkwam. Jenny wees dat beleefd van de hand. Ze hadden een compromis gevonden in de vorm van een bescheiden onderkomen aan de noordkant van de monding van de Severn. Het was in een dorpje dat dicht bij het vogelasiel Slimbridge lag, waarvan Alison lid voor het leven was en waar een uitstekend eethuis bij hoorde, zei ze.

Dit soort trivialiteiten wedijverden om Jenny's aandacht, samen met gestolen lijken, een gestage stroom paranoïde sms'jes – (die in de plaats waren gekomen van de telefoontjes) – van mevrouw Jamal en het uitwerken van een tactiek om van de politie en de veiligheidsdienst zo veel mogelijk informatie los te krijgen. En tegelijkertijd hield ze de symptomen van acute angstaanvallen met extra bètablokkers op afstand. Ze had dr. Allen via mail om advies gevraagd, maar kreeg een bericht dat hij een week in de Italiaanse Alpen was gaan skiën en er dus niet was. Bofte hij even. Ze had een mobiel nummer voor noodgevallen, maar was bang dat hij zich zodra ze belde gedwongen voelde om haar de Ziektewet in te sturen, of ze dat nu wilde of niet. Ze had weinig andere keus dan zich er zo goed mogelijk doorheen te slaan.

Ross kwam zaterdagavond laat thuis. Jenny werd wakker door zijn gesmoorde gegiechel met Karen en twee paar stuntelende voetstappen op de trap. Ze gingen naar zijn slaapkamer en even later werd er muziek opgezet. Onderdeel van hun afspraak was dat hij 's nachts zijn vriendin mee naar huis mocht nemen als haar ouders dat goedvonden, en Jenny was wel tevreden over zichzelf dat ze zo cool was dat ze het überhaupt had voorgesteld. In de praktijk was het een ramp. Ze vond het maar niks dat hij wel als volwassene behandeld wilde worden, maar niet bereid was ook maar een greintje verantwoordelijkheid te nemen. En ze was kinderachtig jaloers. Zijzelf was nog net jong genoeg om evenveel pret te hebben als ze in de kamer naast haar hadden, maar de kansen dat dat ooit nog zou gebeuren leken steeds verder weg.

De jongelui lagen tot het eind van de ochtend in bed, kwamen vervolgens gapend en verfomfaaid tevoorschijn en klaagden dat ze zo moe waren. Ondanks haar verstoorde nachtrust had Jenny een productieve ochtend in haar werkkamer achter de rug; ze had vragen opgesteld voor de getuigen tijdens haar onderzoek. Een stoot adrenaline had tijdelijk haar op de loer liggende angsten aan de kant geschoven. Geconcentreerd en doelbewust liep ze energiek naar de keuken om de lunch klaar te maken. Doordat ze het gevoel had dat ze een prestatie had geleverd, kon ze de verdraagzaamheid opbrengen om zich niet te ergeren aan de aanblik van die twee die op de bank hingen, met de gordijnen half dichtgetrokken zodat het daglicht – God verhoede – niet op het tv-scherm scheen. Geforceerd vrolijk bracht ze koppen thee, waarmee ze Karen een glimlach en een bedankje ontlokte.

De kinderen zaten nog steeds aan de buis gekluisterd toen Jenny met een complete zondagse lunch uit de keuken tevoorschijn kwam. Ze keek trots naar het resultaat: ze kon best een goede moeder zijn.

Jenny dekte de tafel aan de andere kant van de woonkamer en ze gingen eten. Ross en Karen leken verrast dat er plotseling, als bij toverslag, eten op tafel stond. Ze deed een poging om over koetjes en kalfjes te praten. Dat ging niet zo soepel. Doodsbenauwd om in het bijzijn van zijn vriendin in zijn hemd te worden gezet, wierp Ross haar elke keer dat ze haar mond opendeed heimelijke blikken toe. Het was verbijsterend hoe verlegen hij was. Hij mocht doen wat hij wilde – Jenny stelde alles in het werk om hem als een volwassene te behandelen – en nog ging hij als een angstig kind door het stof.

Jenny was het beu om op eieren te lopen en zei tegen Karen: 'Heeft Ross verteld wat er vrijdag is gebeurd? Er is een lijk gestolen uit het ziekenhuismortuarium. Volkomen verdwenen.'

'God, wat verschrikkelijk. Hoezo?'

Ross wierp haar een blik toe. Ze negeerde hem.

'Dat weten we niet. Het zou kunnen dat de vrouw in kwestie was vermoord en dat degene die haar heeft vermoord het bewijs probeert te vernietigen.'

Ross zei: 'Moeten we het de hele tijd over dat walgelijke werk van je hebben?'

'Ik vind het niet erg,' zei Karen. 'Het is interessant.'

'Dat vind ik anders niet. De hele dag dode mensen om je heen – het is ziek.'

Jenny zei: 'We moeten weten hoe mensen gestorven zijn.'

'Ik niet. Ik krijg er de rillingen van.'

Ze stak haar handen in de lucht. 'Sorry dat ik erover ben begonnen.'

'Ik wil alleen maar zeggen... Je hoeft er niet zo gespannen over te doen.'

Ze snauwde: 'Ik, gespannen? Ik deed alleen maar mijn best, zodat we geen stommetje hoeven te spelen.'

'Nou, laat maar.'

'Prima.'

Ze schepte nog wat aardappels op, glimlachte naar Karen en at zwijgend. Eigenlijk had ze moeten zeggen dat hij zich fatsoenlijk te gedragen had of van tafel kon vertrekken, dat hij in het huishouden moest meehelpen of er genoegen mee moest nemen te worden behandeld als het kind dat hij was. In plaats daarvan liet ze de stilte als een gapende opening in een afgrond eindigen. Haar opgewekte humeur verdween en ze voelde er een golf paniek voor in de plaats komen. Haar maag trok zich in een knoop samen en haar hand trilde toen ze haar glas pakte om een slokje water te nemen. God, wat zou ze graag willen dat het wijn was. Met een beetje alcohol zou alle pijn verdwijnen, zouden de opkomende tranen oplossen en haar zo ontspannen dat ze de lucht met een enkele vlotte opmerking kon klaren.

Jenny verzamelde snel de lege borden en bood aan om een stuk appeltaart warm te maken. Ross weigerde namens Karen en kondigde aan dat ze die middag naar haar huis zouden gaan. Hij liep al zonder een vinger uit te steken naar de deur.

Jenny zei: 'Ross, kan ik je even spreken?'

'Waarover?'

'Karen, wil je die borden even naar de keuken brengen? Dankjewel.'

Jenny smoorde de protesten van haar zoon in de kiem met een blik die, als hij tegensputterde, een scène beloofde die veel verderging dan een gênante toestand.

'Misschien kun je me uitleggen waarom je, ondanks het feit dat je vriendin hier 's nachts mag logeren en ik vervolgens voor jullie allebei een lunch klaarmaak, het niet eens kunt opbrengen om een beschaafd woord met me te wisselen,' zei Jenny.

'Ik heb niks gezegd.'

'Nee, je zit me alleen aan te kijken alsof je me dood wilt hebben.'

'Je bent de hele tijd zo chagrijnig. Waarom kun je niet gewoon een beetje ontspannen doen, zoals andere mensen?'

'Goeie god, ik doe mijn best.'

'Ja, oké.'

'Wát?'

'De sfeer hier in huis... Ik weet niet wat jou mankeert.'

'Mij? Ik heb me aan mijn deel van de afspraak gehouden. Hoe kan ik het nog beter doen? Zeg het maar, ik wil het dolgraag weten.'

'Je bent nooit op je gemak. Nooit.'

Jenny deed haar mond open om iets te zeggen, maar de woorden bleven in haar keel steken en ze voelde tranen in haar ogen opwellen.

'Begrijp je nou wat ik bedoel?'

'Ross...'

Hoofdschuddend liep hij weer naar zijn vriendin.

Jenny verschanste zich in haar werkkamer en deed haar best de tranen te smoren die maar niet wilden opdrogen. Ze wilde het ontzettend graag weer goedmaken, maar dat was onmogelijk zonder met rode kijkers Karen onder ogen te komen. Omdat ze geen kant op kon, luisterde ze hoe de twee de tafel afruimden en de vaatwasser vollaadden, waarna ze stilletjes via de achterdeur naar buiten gingen om niet het risico te lopen haar onderweg naar buiten tegen te komen.

Zelfs 's zomers was de lucht niet zo blauw en fel. Het beekje aan het eind van de tuin achter de vervallen molen was helder en diep. Kleine bruine forellen verzamelden zich in een poel zonlicht om de eerste warme stralen van het jaar op te vangen en langs de ondiepe oevers staken tere krokussen en sneeuwklokjes hun kopje boven de koude grond. Het was voor haar een openbaring geweest dat de natuur in de winter niet sliep. Toen ze in de stad woonde, waren haar alleen de bomen opgevallen, die in april vol blad kwamen te staan. Nu ze er een hele winter tussenin had gewoond, had ze gezien dat zich zelfs al in december, toen de laatste bladeren vielen, nieuwe knoppen vormden. Er was geen tijd voor stilstand. Het leven bewoog zich in een voortdurende, onstuitbare kringloop voort.

Ze troostte zich met die gedachten terwijl ze om haar erf van een kleine veertienhonderd vierkante meter heen wandelde, en haar best deed de vredigheid ervan in zich op te nemen voordat ze naar haar bureau terugkeerde. Ze streek met haar vingers over zacht, hoog mos op de afbrokkelende stenen muur van de molenschuur, en betastte de broze nieuwe hulstbladeren van een jong boompje dat uit het wegkwijnende kalkcement was ontsproten. Alles wat oud en verrot was, was vruchtbare grond voor iets nieuws.

Terwijl de sprankjes hoop langzaam door haar sluier van zwaarmoedigheid heen prikten, stond ze het zichzelf toe te geloven dat Ross alleen maar de zoveelste onvermijdelijke en noodzakelijke fase doormaakte. Dat hij, om op eigen kracht tot een zelfstandig mens te kunnen opgroeien, haar wel móést afwijzen, of het nu wel of niet terecht was. Als ze dat nu maar begreep, dan kon ze het wel verdragen. Hij zou het huis uitgaan, zijn eigen weg vinden, en op een dag zou hij als een stevige en zelfverzekerde jonge man terugkeren. Hij kwam niet tegen haar of tegen haar sfeer in opstand, hij trok aan de ketenen van zijn jeugd. Ze wenste hem meer geluk dan zij had gehad: zij stevende nu op de middelbare leeftijd af en zat nog altijd vast in geestelijke kluisters, die naarmate ze ouder en roestiger werden steeds meer gingen knellen.

Ze hoorde een ademhaling en rennende poten achter zich. Ze draaide zich om en zag Alfie naast het huis over het gras van het oude karrenspoor stuiteren. Hij plonsde in de stroom, hapte naar het stromende water en slobberde het naar binnen. Steve kwam een eindje achter hem aan, alleen gekleed in een T-shirt en spijkerbroek, met een sweatshirt om zijn schouders geknoopt.

'Prachtige dag,' zei hij terwijl hij naar haar toe kuierde. 'Stoor ik?'

'Nee.'

Hij liep naar de oever van de beek en ging naast haar staan. 'Drukke week gehad?'

'Ja... En jij?'

'We azen op een klus in Manchester en daar ben ik gaan kijken. Verschrikkelijk. De vloek van de architect: je zou alles wel willen slopen en opnieuw willen beginnen.'

'Ik vroeg me al af waar je was.'

'Ik wilde je nog bellen...'

'Dat hoeft niet, hoor.'

'Maar misschien toch wel?' Hij keek haar met een min of meer verwachtingsvolle glimlach aan.

Ze haalde haar schouders op en wilde dat ze hem meer kon vertellen, maar ze voelde haar broze balans kantelen en de emotie waarvan ze dacht dat die uit haar was weggespoeld weer opkomen.

'Gaat het wel?'

'Ja, hoor.' Ze keek de andere kant op, over de muur naar de anderhalve hectare weiland en het bos dat daarachter oprees. Een paar drachtige schapen stonden ongemakkelijk tot hun enkels in de modder.

Ze voelde zijn warme hand over haar schouders glijden en de andere glipte om haar middel. Hij stond achter haar en drukte haar dicht tegen zich aan. En terwijl hij haar gewicht tegen zich aan liet rusten, raakte hij haar haar en gezicht aan, en hij zei niets toen hij haar tranen voelde.

Ze veegde haar ogen af met de mouw van haar jas. 'Sorry.'

'Wil je erover praten?'

Ze draaide zich naar hem toe, keek hem aan en schudde haar hoofd. Hij boog zich naar voren en kuste haar teder.

Even later gingen ze allebei gehuld in een sweatshirt aan de aftandse tafel op het grasveld thee zitten drinken. Steve rookte een dun shagje en Jenny stal zo nu en dan een trekje terwijl ze schoorvoetend bekende dat ze sinds haar laatste sessie met dr. Allen weer door haar oude symptomen werd bestookt. Hij luisterde zwijgend en liet haar helemaal uitpraten terwijl hij een tweede sigaret draaide.

Toen ze klaar was, zei hij: 'Begonnen die dromen rond je twintigste?'

'Zo ongeveer ja.'

'Dan was je nog maar net volwassen. Heb je ooit bedacht dat het zoiets eenvoudigs kon zijn als verdriet omdat je jeugd voorbij was?'

'Ik heb geen vervelende jeugd gehad. Niet heel geweldig, maar ook niet echt verdrietig. In elk geval niet tot mijn moeder stierf, en toen was ik al bijna een tiener.'

'Dan gaat het nog op. De onschuld verdwijnt in je droom.'

'Dat is een van de vele menselijke tragedies: als je die eenmaal kwijt bent, is er geen weg meer terug.'

'Waarom voelt niet iedereen dat dan?'

'We kunnen allemaal op een bepaald punt vast komen te zitten. Hemel, ik heb dat ook gehad... Ik heb me tien jaar in het bos verstopt.'

'Dus waar zit ik dan vast, dr. Freud?'

'Je bent op heel jonge leeftijd met een dominante man getrouwd.'

'David was géén vaderfiguur.'

'Ik durf te wedden dat je jezelf heel wat beter bent gaan leren kennen sinds je bij hem weg bent.'

'Dat is wel waar.'

'En je hele huwelijk lang heb je met probleemkinderen gewerkt.'

'Wat is jouw theorie dan?'

'Daar werk ik nog aan.' Hij stak zijn sigaret op met de ouderwetse koperen aansteker die ze hem voor zijn verjaardag had gegeven. 'Als alles zich bij je opstapelt, stort je in...'

'Ja...' zei ze sceptisch.

'En dan... Om bij te komen van al die opgestapelde rommel, begin je een carrière waarin je moet uitvissen hoe mensen zijn doodgegaan.'

'En dat betekent?'

'Dat een deel van je gestorven is?'

Jenny zuchtte. Dit hele terrein had ze op de een of andere manier al eerder betreden. 'Ik weet dat mijn eerste psychiater, dr. Travis, ervan overtuigd was dat iemand me had misbruikt. Ik weet niet hoe vaak ik daaraan heb gedacht, maar ik weet dat het niet zo is. Het is gewoon niet gebeurd.'

'Mag ik nog één ding zeggen? Denk je dat juist deze baan bij je past? Ik bedoel, denk je niet dat een deel van jou het onmogelijke probeert te doen, dat het de doden weer tot leven wil wekken, terwijl je eigenlijk door moet gaan met leven?'

Ze verviel in stilzwijgen. Hij bedoelde het goed, maar de woorden kwamen aan als een kwetsende beschuldiging.

'Dat klonk akeliger dan ik bedoelde...'

'Om eerlijk te zijn zeggen mensen tegen me dat ik behoorlijk goed ben in mijn werk.'

'Het enige wat ik zeg is dat er misschien wel meer ruimte voor plezier in je leven is, als je dat maar toelaat.'

'Wat was vanmiddag dan?'

'Een begin.' Hij glimlachte. 'Maar weet je, hoe je je vanbinnen ook voelt, je ziet er prima uit.'

Ze werd er moedeloos van. Ze had er een bloedhekel aan als iemand dat tegen haar zei. Hij had net zo goed kunnen zeggen dat ze drukte maakte om niks.

Hij stak zijn hand uit en streelde over de zachte kant van haar pols, wat betekende dat hij haar mee naar bed wilde lokken.

Ze trok haar handen terug, stopte ze onder haar armen en huiverde. 'Ik moest maar eens verder.'

Een beetje gekwetst zei Steve: 'Ja, natuurlijk.' Hij stond van tafel op, floot naar Alfie, die vanachter de molen kwam aanhuppelen, waar hij naar muizen had lopen graven. Steve trok zijn sweatshirt aan, keek naar de silhouetten van de tegen de schemerige lucht afstekende essenbomen en zei: 'Ik heb het je al eerder gezegd: je woont op een schitterende plek. Luister ernaar, misschien vertelt hij je wel iets.' Hij liep langs haar heen, raakte even haar wang aan en liet haar toen aan haar eigen gedachten over.

Toen ze weer aan haar bureau zat, haalde ze haar dagboek tevoorschijn en probeerde haar verwarring onder woorden te brengen, maar ze wilden niet komen. Ze kreeg het gewoon niet voor elkaar. Ze had in de afgelopen jaren steeds maar weer in dezelfde kringetjes rondgelopen en was niet veel wijzer geworden dan dat ze een twintig jaar oude droom en een paar flarden van onbehaaglijke, maar verre van schokkende jeugdherinneringen had. Ondanks al haar worstelingen en ondanks al haar pogingen om haar situatie en carrière te verbeteren, had niets enig licht geworpen op die donkere plek. Zelfonderzoek leek het alleen nog maar erger te maken. Ze had het gevoel alsof ze een moeras overstak: als je er snel overheen liep, hield de ondergrond het misschien, maar als je ook maar even stilstond werd je door de modder omlaaggezogen.

Het enige wat ze kon bedenken om op te schrijven was: *Dingen moeten veranderen. Met nadenken schiet ik niets op. Van nu af aan volg ik eenvoudigweg mijn instinct en hoop ik maar dat ik aan de overkant kom.*

8

Ross merkte de omslag in haar stemming op tijdens hun gehaaste ontbijt en wist een halve verontschuldiging voor zijn gedrag van de vorige dag uit te brengen. Jenny zei dat het niet erg was en dat hij alleen moest opschieten en klaar moest staan; ze moest naar een gerechtelijk onderzoek. Toen hij naar boven verdween om gel in zijn haar te smeren en een heleboel deodorant op te doen, stoof ze haar werkkamer in om haar pillen in te nemen. Toen de chemicaliën in haar bloedbaan kwamen, raakte ze het opgejaagde, opgewonden gevoel waarmee ze wakker was geworden kwijt; haar hart ging niet meer zo tekeer, haar ledematen voelden lomer en haar verstrooide gedachten schoven gaandeweg weer op hun plek. Ze zei tegen zichzelf dat de paniekaanval van vrijdag alleen maar een dipje was geweest, een soort onderbewuste test van haar vastberadenheid. Ze had zich erdoorheen geslagen en was er sterker uit gekomen.

En nu had ze een klus te klaren.

Alison was niet veel opgeschoten met de lijst alumni van de Bristoluniversiteit uit het jaar van Nazim en Rafi. Tot nu toe was alleen Dani James, het meisje dat een verklaring had afgelegd met een beschrijving van de man die om middernacht haastig Manor Hall had verlaten, als getuige naar voren gekomen. Dr. Sarah Levin had ermee ingestemd zich op de tweede dag van het onderzoek beschikbaar te stellen, maar zei dat ze niets had toe te voegen aan wat ze destijds al aan de politie had verteld. Alle anderen met wie er contact was geweest beweerden zich weinig tot niets van de twee jongens te kunnen herinneren, laat staan dat ze informatie hadden die enig licht zou kunnen werpen op hun verdwijning. Daardoor had Jenny op haar openingsdag een heel korte lijst getuigen, maar dan had ze een rustige overgang naar dag twee, wanneer verschillende politieagenten en een inmiddels gepensioneerde MI5-agent, David Skene genaamd, op de getuigenlijst stonden.

De ruimte die haar in Rushton Millennium Hall als kantoor was toegewezen, had een binnenraam naar de grootste vergaderzaal, die ook als gymnastieklokaal dienstdeed. Zo goed en zo kwaad als het ging had

Alison de meubels zo neergezet dat het vertrek op een rechtszaal leek. Jenny keek met een stil genoegen naar de binnenkomende advocaten, die een groepje vormden en hun onorthodoxe omgeving met een ongelovig hoofdschudden opnamen. In de hal hingen briefjes die een quizavond à la de jaren zestig aankondigden en foto's van de recente dorpsmusical.

Toen ze aan de tafel voor in de ruimte ging zitten, was ze blij dat er maar een handjevol verslaggevers aanwezig was op de twee rijen stoelen die als perstribune fungeerden. Wanneer er te veel nieuwsmedia aanwezig zouden zijn, zou dat getuigen zo kunnen afschrikken – of tenminste zoveel opwinding veroorzaken – dat ze niet langer betrouwbaar waren. Rechts van hen zat een groep van vijftien juryleden, uit wie er acht zouden worden gekozen. Mevrouw Jamal zat onopvallend op de tweede rij naast een andere Aziatische vrouw, die zo te zien familie van haar was. Beiden waren gekleed in een zwarte *shalwar kameez* met hoofdsjaal. De tweede vrouw hield mevrouw Jamals hand stevig op haar schoot. Op de voorste rij zat een groepje getuigen, inclusief Anwar Ali en een mooie jonge vrouw, van wie Jenny aannam dat ze Dani James was. Helemaal in de rechterhoek van de ruimte zat Alun Rhys, de jonge MI5-agent, discreet weggestopt achter de verslaggevers.

Toen iedereen had plaatsgenomen, stelde Jenny zich voor en nodigde de advocaten uit hetzelfde te doen. Mevrouw Jamal werd vertegenwoordigd door Trevor Collins, een kalende doorsnee-advocaat die gekleed ging in een vormloos pak dat treurig om zijn smalle schouders hing. Hij stotterde zenuwachtig, en zo te zien zou hij die ochtend veel liever in zijn benauwde kantoor zitten om testamenten op te stellen. Een knappe en hoffelijke strafpleiter, Fraser Havilland, van wie Jenny wist dat hij in verschillende recente spraakmakende gerechtelijke onderzoeken in Londen had opgetreden, was geïnstrueerd om de politiecommissaris van de politiemacht van Bristol en Avon te vertegenwoordigen. En Martha Denton, advocate voor de Kroon, een stekelige, bitse vrouw, die normaal gesproken in Old Bailey te vinden was om terroristen te vervolgen, vertegenwoordigde de directeur-generaal van de veiligheidsdienst. Vlak achter iedere advocaat zat een rijtje adviserend juristen, gewapend met handboeken en een batterij laptops: twee zwaarwichtige juridisch teams die vastbesloten waren een staaltje van hun kunnen te laten zien. Jenny had alleen een beduimeld exemplaar van *Jervis on Coroners* bij zich, evenals een stapeltje nieuwe blocnotes en de vulpen die haar vader haar bij haar afstuderen cadeau had gedaan. Alison, die aan een klein bureau rechts van haar zat, bediende dezelfde cassetterecorder die in het Severn Vale-district al sinds het begin van de jaren tachtig van de vorige eeuw tijdens de gerechtelijke onderzoeken had dienstgedaan.

Met uitzondering van Havilland waren de advocaten onrustig en zenuwachtig toen Jenny, geassisteerd door Alison, de groep juryleden naar voren riep en ieder van hen vroeg of ze een reden konden aanvoeren waarom ze geen jurylid zouden kunnen zijn. Ze had medelijden met twee alleenstaande moeders en liet die gaan, en selecteerde vervolgens acht mensen uit de rest van de groep. Degenen die waren uitgekozen gingen links van Jenny zitten, in twee rijen van elk vier stoelen. De juryleden waren allemaal blank en zes van hen hadden grijs haar. De enige man onder de dertig droeg een groezelige spijkerbroek en een sweatshirt met capuchon, en maakte nu al de indruk dat hij zich dood verveelde. Het jongste lid, een meisje van negentien of twintig, had een geamuseerde, niet-begrijpende uitdrukking op haar gezicht die leek te zeggen: 'Waar ben ik?'

Jenny negeerde het ongeduldige gezucht van de advocaten en zei tegen de juryleden dat ze de rechtbankdrama's die ze op tv hadden gezien maar moesten vergeten en dienden te begrijpen dat dit geen strafzaak was. Ze zouden getuigenverklaringen aanhoren over de onverklaarbare verdwijning van Nazim Jamal en zijn vriend Rafi Hassan. Als, en slechts áls, uit de verklaringen duidelijk zou blijken dat Nazim Jamal dood was, was het hun taak om vast te stellen waar, wanneer en hoe zijn dood in zijn werk was gegaan. Na een halfuur zorgvuldige uitleg was ze ervan overtuigd dat ze de basisprincipes hadden begrepen. Ze vroeg of ze nog vragen hadden. Niemand stak een hand op.

Toen alles was uitgelegd en mevrouw Jamal op weg ging naar de getuigenbank voorin, zwaaiden de deuren achter in de ruimte open en stormde er een groep jonge Aziatische mannen naar binnen, gevolgd door een stuk of wat opgewonden journalisten. Ze hadden een vijandige, intimiderende uitstraling en waren niet van plan zich rustig te houden. Een aantal ging op de overgebleven lege plaatsen zitten, terwijl de rest zich langs de muur opstelde. De ruimte voelde plotseling benauwd en beklemmend aan. Er hing een broeierige, woedende atmosfeer.

Jenny zag dat Anwar Ali goedkeurend knikte naar een van de nieuwelingen. Alison wierp haar een angstige blik toe.

'Dit is een openbare hoorzitting,' zei Jenny, terwijl ze haar best deed redelijk te klinken, 'maar er is hier slechts beperkt ruimte. Iedereen die hier nu is mag voor de duur van deze sessie blijven, maar ik zal de situatie later wellicht in heroverweging moeten nemen.'

'Met uw welnemen, mevrouw, ik treed op namens de British Society for Islamic Change.' Een Pakistaanse man van begin dertig naderde de tafel waaraan de advocaten zaten, met onder zijn arm een blocnote en een paar handboeken geklemd. 'Yusuf Khan. Ik ben de wettelijk vertegenwoordiger van de society.' Hij legde zijn spullen neer en gaf Alison een visitekaartje. 'Als u me wilt aanhoren, mevrouw... mij is gevraagd gebruik te maken van het recht om tijdens dit gerechtelijk onderzoek getuigen te ondervragen.'

Jenny keek naar het kaartje dat Alison aan haar had doorgegeven. Khan was een jurist van een kantoor in Birmingham waarvan ze nog nooit had gehoord. 'Op welke gronden, meneer Khan?'

'Mevrouw, artikel twintig van de Coroner's Rules biedt de rechter van instructie een grote vrijheid van handelen om iedereen die daar naar uw mening belang bij heeft te laten vertegenwoordigen. In dit geval vraag ik u dat privilege uit te breiden naar meneer Khalid Miah, voorzitter van de vereniging die ik representeer. Zijn organisatie heeft vijfduizend leden in het Verenigd Koninkrijk, allemaal jonge moslimmannen en -vrouwen tussen de achttien en vijfendertig jaar. Ze is de belangrijkste pleitbezorger voor de gemeenschap en organiseert regelmatig vergaderingen op hoog niveau met politici van alle partijen. Ze voert overleg met het ministerie van Binnenlandse Zaken over zaken als strafrecht en heeft vertegenwoordigers in verschillende belangrijke denktanks.' Hij trok een glossy brochure tussen zijn boeken uit. Alison nam die van hem over en gaf hem met wantrouwig gefronste wenkbrauwen aan Jenny.

Jenny bladerde door de professioneel uitgevoerde bladzijden. De vereniging noemde zichzelf BRISIC en voerde een vrolijk logo van een in elkaar geslagen bruine en witte hand. Er stonden foto's in van jonge mannen die trots voor een nieuwe moskee stonden, andere van verschillende ontmoetingen met ministers van het kabinet in het parlementsgebouw, en een geruststellend katern met foto's van leden die van een heilzaam zomerkamp in de Yorkshire Dales genoten.

'U vertegenwoordigt duidelijk een respectabele en succesvolle organisatie, meneer Khan, maar het recht om iemand te verhoren kan alleen worden toegekend aan degenen die een wettig en goed gefundeerd belang hebben.'

'Mevrouw, als een van de leidende organisaties van jonge moslims in het Verenigd Koninkrijk zou ik ervoor willen pleiten dat we die hindernis nemen. Niet alleen de zaak van meneer Jamal gaat ons aan, maar sinds 2001 zijn er ook tientallen anderen verdwenen. De officiële verklaring is steevast dat ze per trein naar het buitenland zijn vertrokken of dat ze met extremistische rebellen strijden in Afghanistan of Irak, maar mijn cliënten zijn uitermate ontevreden over het weinige bewijs dat is geleverd. De onderzoeksrechter heeft voor een groot deel als doel om de doodsoorzaak vast te stellen, zodat soortgelijke sterfgevallen in de toekomst niet meer voorkomen. Ik vertegenwoordig een achterban die niet alleen lijdt onder onbewijsbare sterfgevallen, maar ook onder vele onverklaarbare en klaarblijkelijk permanente verdwijningen.' Er ging een goedkeurend gemompel door de zaal. 'De British Society for Islamic Change is hier niet met een politieke of religieuze agenda. We zijn hier uit bezorgdheid voor tientallen, zo niet honderden jonge Aziatische mannen. Waar gaan ze naartoe? Waar zijn ze gebleven? Als dat geen legitieme vragen zijn, dan weet ik het niet meer.'

Jenny merkte dat Alun Rhys zijn best deed haar aandacht te trekken. Ze meed opzettelijk zijn blik. Hij hoefde haar niet te vertellen wat hij dacht, dat kon ze zo ook wel raden: als je die mensen toelaat, riskeer je dat het gerechtelijk onderzoek in een politiek en mediacircus verandert. Zelfs als hun advocaat zich zou gedragen – en ze kon hem altijd laten verwijderen als hij dat niet deed –, kon BRISIC elk keerpunt als een publiekelijke belediging opvatten of uitbuiten. Maar wat was het alternatief? Als ze hem nu zou weigeren, zou er protest uitbreken, de moslims zouden in hun overtuigingen worden gesterkt en voor mevrouw Jamal zou het een teken zijn dat ze slachtoffer was van het zoveelste complot.

Rhys nam zijn toevlucht tot weinig subtiele gebaren om haar aandacht te trekken. Hij wilde haar vertellen dat ze een politiek front vormden dat het onderzoek wilde gijzelen en dat ze de publiciteit die ze daarmee zouden krijgen genadeloos zouden uitbuiten. Dat kon wel zo zijn, maar waarom zou ze bevelen van de veiligheidsdienst aannemen? Ze had een wettelijke taak om zelf haar besluiten te nemen. Ze besloot hem te negeren.

'Wacht eens even, meneer Khan,' zei Jenny. Ze richtte zich tot het hele gezelschap dat daar bijeen was: 'Als onderzoeksrechter ben ik van mening dat de toegang tot mijn gerechtelijke onderzoeking niet aan banden mag worden gelegd. In het belang van openheid en rechtvaardigheid geef ik elke wettige belanghebbende partij de gelegenheid om een kruisverhoor af te nemen, niet in de laatste plaats om elke beschuldiging dat belangrijke vragen niet zouden zijn gesteld te weerleggen. Om die reden ben ik in principe bereid om een vertegenwoordiger van de British Society for Islamic Change toe te laten aan de tafel van advocaten, maar als er bezwaren zijn, zal ik die aanhoren.'

Fraser Havilland keek naar zijn assistent-advocaat, die onverschillig zijn schouders ophaalde. De potige jongeman die Martha Denton bijstond was daarentegen woedend en zat met Alun Rhys te fluisteren, met de hoofden dicht bij elkaar. Jenny gaf hun even de gelegenheid om hun overleg af te maken, zodat de rood aangelopen advocaat een boodschap aan zijn raadsman kon doorgeven.

Onaangedaan door de stilte, maar begroet door een voelbare vijandigheid toen ze opstond, richtte Martha Denton zich op plichtmatige toon tot de rechtbank. 'Mevrouw, er is geen bewijs dat meneer Jamal of zijn achtergebleven familie iets met deze amorfe organisatie te maken heeft of heeft gehad. Ze kunnen wel beweren dat ze anderen vertegenwoordigen die om de een of andere reden vermist zijn geraakt, maar hier gaat het om een gerechtelijk onderzoek naar de verdwijning van slechts één man. Daarom is er geen reden waarom zij vertegenwoordigd zouden moeten worden. Maar het staat hun natuurlijk vrij om bij het onderzoek aanwezig te zijn.'

'Kunt u een aspect van hun activiteiten aanwijzen waardoor ze niet vertegenwoordigd zouden mogen worden?' vroeg Jenny.

'De vraag is, mevrouw, of ze überhaupt een wettelijk recht op vertegenwoordiging hebben.'

'De beslissing over die kwestie ligt geheel en al bij mij.'

'Alle besluiten moeten in alle redelijkheid worden genomen,' zei Martha Denton.

Jenny voelde Rhys' dreigende blik. Ze wendde zich tot de advocaat van BRISIC en nam een besluit. 'Op voorwaarde dat alle wettelijk vertegenwoordigers zich correct gedragen, geef ik u het recht om getuigen te ondervragen, meneer Khan.'

'Dank u, mevrouw,' zei Khan en hij maakte een eerbiedige buiging. Er verschenen verbaasde glimlachjes op het gezicht van de jonge mannen in de zaal.

Met de lippen getuit ging Martha Denton nadrukkelijk op haar stoel zitten. Alun Rhys sloeg zijn armen defensief over elkaar.

Jenny zei: 'Goed. U mag nu in de getuigenbank plaatsnemen, mevrouw Jamal.'

Mevrouw Jamal bedekte haar gezicht gedeeltelijk met haar sluier, liep naar de voorkant van de zaal en ging op een stoel zitten die midden tussen Jenny en de jury in stond. Er vlak naast stond een klein bureau waar net een Bijbel, een Koran en een kan water op pasten. Ze las haar eed voor met rustige, maar vaste stem, waar slechts een vaag spoortje nervositeit in doorklonk. Haar voorkomen was beheerst en waardig, wat een schril en verrassend contrast vormde met de vrouw die Jenny in haar kantoor had ontvangen.

Terwijl Jenny haar de gelegenheid gaf haar verhaal in haar eigen woorden te vertellen, leidde ze mevrouw Jamal door het jonge leven van Nazim, zijn opleiding op Clifton College, haar scheiding en zijn toetreding tot de Bristol-universiteit. Ze schilderde een plaatje van een toegewijde zoon en hardwerkende student. De eerste trilling van emotie sloop in haar stem toen ze beschreef hoe hij tijdens het tweede semester op de universiteit in traditionele kleding in haar flat was verschenen.

'Hebt u er met hem over gepraat waarom hij zich zo kleedde?' vroeg Jenny.

'Ja. Hij zei dat veel moslims van zijn leeftijd zulke kleren droegen.'

'Hebt u ook gevraagd waarom?'

Mevrouw Jamal aarzelde even. 'Ja... Hij wilde er niet over praten. Hij zei dat hij dit gewoon graag wilde.'

'Wat was uw reactie? Was u ongerust?'

'Natuurlijk. We weten allemaal wat er met onze zoons gebeurt, dat die extremisten in de moskeeën over jihad en dat soort onzin praten.'

'Hebt u dat dan helemaal niet ter sprake gebracht?'

Ze schudde haar hoofd. 'Dat wilde ik liever niet. Misschien begrijpt u dat niet, maar ik wilde hem niet van streek maken. En ik vertrouwde hem... Jonge mensen maken dat soort fases door. Dat hoort bij het opgroeien. Hij was een wetenschapper, hij was nooit zo godsdienstig geweest. Ik dacht dat het wel over zou gaan.'

'Was u ergens niet ook bang dat hij zich, als u hem er te direct op zou aanspreken, van u af zou keren?'

'Ja. Hij was alles wat ik had.' Ze wendde zich tot de jury. 'Ik was alleen. Hij was mijn enig kind.'

De gezichten die naar haar terugkeken stonden eerder sceptisch dan meevoelend.

Jenny gaf mevrouw Jamal even de tijd om weer tot zichzelf te komen en nam vervolgens haar laatste twee ontmoetingen met Nazim met haar door: de fijne verjaardag in mei 2002 en toen hij onverwacht, bleek en koortsachtig, op zaterdag 22 juni opdook.

'Toen Nazim die nacht in juni bij u bleef, vond u hem toen anders dan de keer dat u hem in mei had gezien?'

'Hij voelde zich niet goed...' Ze zweeg, alsof haar een andere gedachte te binnen schoot.

'Mevrouw Jamal?'

'Er was één verschil. Op mijn verjaardag ging hij twee keer naar de logeerkamer om zijn middag- en avondgebeden te doen. Hij bad vijf keer per dag, zoals het hoort... maar niet veel mensen doen dat.'

'En in juni?'

'Hij kwam tussen de middag en ging om ongeveer negen uur naar bed. Hij heeft toen niet gebeden. Hij had het over zijn werk, en tennis... Hij had een tijdje niet meer gespeeld en had het erover dat hij het weer wilde oppakken. We praatten over familie, zijn neven en nichten... maar ik geloof niet dat we het over godsdienst hebben gehad.'

'Hoe was hij die keer gekleed?'

'In normale kleren: een spijkerbroek, een shirt. Zijn haar en baard waren korter dan de keer daarvoor.' Ze keek ongerust de zaal rond, zich ervan bewust dat er aandachtig naar haar werd geluisterd. De meeste moslims in de zaal droegen westerse kleding, een paar waren traditioneel gekleed, en ze hadden bijna allemaal een baard. 'Ik weet nog dat ik daar blij om was. In onze familie geloofden we niet dat je, om dicht bij God te zijn, je hoefde uit te dossen alsof je in de woestijn woonde. Dat is alleen maar uiterlijk vertoon. Zo is het bij ons nooit geweest.'

De jonge mannen in de zaal wisselden afkeurende blikken met elkaar.

'Zei hij iets wat erop wees dat hij in een bepaald opzicht was veranderd?'

'Nee. Maar zoiets weet je als je naar je kind kijkt. Er was iets in hem veranderd. Hij wilde die dag bij me zijn. Hij wilde dat alles weer was zoals vroeger, toen hij nog een kind was.'

'Hebt u enig idee wat die "verandering" inhield, mevrouw Jamal? Waardoor die was veroorzaakt?'

Ze boog haar hoofd, keek naar de grond en zweeg lange tijd. 'Ik herinner me nog dat ik dacht: het is voorbij. Ik was opgelucht. En toen ik hem de volgende ochtend vroeg hoorde bidden, zoals dat hem als kind was geleerd, wist ik het zeker.'

'Wat was voorbij?'

'De ideeën die die mensen hem hadden aangepraat.' Ze knikte naar Anwar Ali. 'Mensen zoals hij. Extremisten!' Ze spuugde het woord uit. 'Mijn Nazim is nooit een van hen geweest.'

Anwar Ali keek haar met vaste blik en zonder met zijn ogen te knipperen aan. Zijn vrienden en kennissen in de zaal schoven onrustig heen en weer.

'Mevrouw Jamal,' zei Jenny, 'heeft uw zoon het ooit over Rafi Hassan gehad?'

'Nooit.'

'Heeft hij het überhaupt over vrienden op de universiteit gehad?'

'Niet met naam en toenaam.'

'Vindt u dat niet vreemd?'

'Ik had hem acht maanden lang, van oktober tot juni, nauwelijks gezien... Toen ik hem weer zag, was ik misschien wat zelfzuchtig. Ik wilde hem voor mezelf, ik wilde niet over vrienden praten.'

'Is het niet eerder zo dat u het niet wílde weten?'

'Misschien...'

'Omdat u wist dat groeperingen zoals Hizb ut-Tahrir jongens zonder gewetenswroeging bij hun familie weghalen?'

'Ja... Daar had ik van gehoord.'

Jenny maakte een notitie dat mevrouw Jamal van januari tot juni 2002 heel goed wist dat haar zoon was geradicaliseerd en dat ze haar hoofd daarvoor in het zand had gestoken. Ze had van haar eigen pijnlijke ervaring geleerd hoe gemakkelijk een moeder zichzelf een rad voor ogen kan draaien.

Mevrouw Jamal had weinig meer aan haar getuigenis toe te voegen, maar Jenny nam niettemin de gebeurtenissen met haar door die zich in de weken na de verdwijning van Nazim en Rafi hadden afgespeeld. Mevrouw Jamal beschreef de oppervlakkige ontmoetingen met politieagent Sarah Owens, die de familie door de politie van Bristol en Avon als contactpersoon toegewezen had gekregen, de gesprekken met David Skene en Ashok Singh, de agenten van MI5 met wie ze driemaal een ontmoeting had gehad voordat er in december een punt achter het onderzoek werd gezet. Mevrouw Jamal hield vol dat het laatste formele contact dat ze met de politie of de veiligheidsdienst had gehad, de brief was die agent Owens op 29 december 2002 aan haar had gestuurd, met daarin de absurde zin: 'Aangezien elk tastbaar bewijs aangaande de verblijfplaats van uw zoon of meneer Hassan ontbreekt, is besloten om het onderzoek op te schorten tot het moment dat nader bewijs zich aandient.' Een inspecteur, wiens naam ze zich niet kon herinneren, had haar een paar dagen eerder verteld dat de veiligheidsdienst informatie had ontvangen waaruit ze opmaakte dat de jonge mannen naar het buitenland waren gegaan. Maar niemand, zo beweerde ze, was ooit met één concreet bewijs daarvoor gekomen. In de daaropvolgende maanden en jaren schreef ze talloze brieven aan de politie en MI5, zowel persoonlijk als via een aantal advocaten, maar ze kreeg nooit antwoord, behalve dan niet bepaald beleefde ontvangstbevestigingen, en vaak kreeg ze helemaal geen reactie.

Ze was op een muur van stilte en onverschilligheid gestuit.

Voordat Jenny haar aan de wachtende advocaten overdroeg, bladerde ze door de gefotokopieerde documenten die mevrouw Jamal haar had gegeven en haalde er een verklaring tussenuit van inspecteur Angus Watkins, van 3 juli 2003. Ze gaf die aan Alison, zodat ze hem hardop aan de jury kon voorlezen. Watkins verklaarde dat hij de deurkozijnen van de kamer van zowel Nazim als Rafi had onderzocht en identieke indrukken van ruim een halve centimeter breed had aangetroffen, die overeenkwamen met die van een stomp voorwerp waarmee ingebroken kon worden. Hij had ook genoteerd dat de laptops en mobiele telefoons van de twee studenten uit hun kamers verdwenen waren, maar er waren geen aanwijzingen dat hun andere bezittingen waren doorzocht. Waardevolle voorwerpen als een mp3-speler lagen nog op hun plek.

'Is er voor zover u weet ooit iets mee gedaan dat er wellicht in beide kamers was ingebroken?' vroeg Jenny aan mevrouw Jamal.

'Dat weet ik niet. Ik heb deze verklaring niet eens onder ogen gehad totdat mijn advocaat ze het jaar daarop erover had aangeschreven.'

'Bent u zelf in de kamer van uw zoon geweest?'

'Ja.'

'Wat was uw indruk?'

'Al zijn kleren waren er nog, en zijn koffer. Zijn koran – die zijn vader en ik hem hadden gegeven toen hij zijn beurs kreeg – lag nog op de plank. Zijn gebedsmatje lag op de grond. Het enige wat kennelijk was verdwenen, waren zijn telefoon en computer.'

'En hoe was het in de kamer van meneer Hassan?'

'Ik heb zijn moeder kort gesproken. Daar was het net zo. Geen computer. Al het andere was precies zoals hij het zou hebben achtergelaten.'

'Is er geen onderzoek gedaan naar de inbraak? Heeft uw advocaat dit niet met de politie opgenomen en gevraagd of ze naar vingerafdrukken of DNA-monsters hebben gezocht?'

'Mijn advocaat...' Ze schudde geërgerd haar hoofd. 'Hij werkte aan de zaak toen hij werd gearresteerd en de gevangenis in ging. Hij beweert dat hij onschuldig was...'

'Gearresteerd... waarvoor?'

'Iets met bewijs in een andere zaak.' Ze schudde haar hoofd. 'Ik weet niet wat ik van hem moet geloven.'

'Hoe heette hij?'

'Meneer McAvoy,' zei ze alsof ze dat nooit zou vergeten. 'Meneer Alec McAvoy.'

Vanuit haar ooghoek zag Jenny dat Alison met een gefronst voorhoofd van herkenning opkeek. En toen wist ze het weer. McAvoy: de juridisch adviseur die ze in het lijkenhuis had ontmoet, wiens kaartje ze nog steeds in haar tas had. Ze wendde zich tot Alison. 'Kun je vragen of meneer McAvoy hierbij aanwezig wil zijn, parketwachter? Als het even kan vanmiddag nog.' Ze wilde graag zijn kant van het verhaal horen voordat ze de mensen van de politie naar de getuigenbank riep. Het werd gaandeweg duidelijk dat hun onderzoek lang niet zo grondig was uitgevoerd als normaal gebeurde en ze verwachtte een volledige en uitvoerige verklaring.

Fraser Havilland, raadsman voor de politiecommissaris, had slechts een paar onbeduidende vragen voor mevrouw Jamal. Kwam de politie snel in actie nadat ze alarm had geslagen? Kon ze het ermee eens zijn dat de politie de juiste stappen had ondernomen om haar zoon op te sporen? Was ze het ermee eens dat als haar zoon echt het land had verlaten, wellicht met valse papieren, de politie weinig meer kon doen? Hij kreeg niet de antwoorden die hij graag had gewild, maar mevrouw Jamal reageerde ook niet boos of emotioneel, waar Jenny bang voor was geweest. Toen Havilland op redelijke toon vroeg wat haar belangrijkste klacht tegen de politie was, antwoordde ze dat ze niet geloofde dat het aan de politie lag. Die werd door een hogere autoriteit aangestuurd, zei ze, en volgde alleen maar bevelen op. Waarom zouden ze het anders zo gemakkelijk hebben opgegeven?

Martha Denton, raadsvrouwe voor de veiligheidsdienst, waarvan nu duidelijk was dat het wantrouwen van mevrouw Jamal daartegen gericht was, behandelde haar totaal niet met het respect waarmee haar collega's haar hadden bejegend. Haar eerste vraag – eigenlijk meer een stelling – was een zorgvuldig gerichte pijl met het doel haar te kwetsen: 'U bent achterbaks geweest, hè mevrouw Jamal? U wist dat uw zoon een radicale islamist was geworden en u gebruikt deze gerechtelijke actie om uw schuldgevoel te sussen, omdat u niets hebt ondernomen om te voorkomen dat hij er zo ver in werd meegezogen.'

'Ik begrijp het niet. Waarom zou ik me schuldig voelen? Uw mensen hebben ervoor gezorgd dat de politie geen nader onderzoek kon doen naar wat er met hem was gebeurd.'

'En hoe komt u daarbij?'

'Van de inspecteur die me over de geheime dienst had verteld. Daar kwam het althans op neer.'

'Degene van wie u zich de naam niet meer herinnert?'

'Hij was een jaar of veertig. Slank.'

'Ik begrijp het.' Denton vervolgde op sarcastische toon: 'En heeft hij u ook uitgelegd waarom de veiligheidsdienst er zo op gebrand was om níét twee radicale islamisten te vinden, van wie bekend was dat ze banden hadden met leden van Hizb ut-Tahrir, een organisatie die, hoewel officieel geen aanhanger van terrorisme, bekende sympathisanten in haar gelederen heeft?'

Dertig paar onverzoenlijke ogen werden op Martha Denton gericht.

Ze bleef er stoïcijns onder. 'Heeft hij u dat uitgelegd, mevrouw Jamal?'
'Nee.'
'U hebt het gewoon verzonnen, hè? U wilt ontzettend graag iemand er de schuld van geven dat u niet hebt ontdekt wat er met uw zoon is gebeurd, en nu richt u uw pijlen op mijn cliënten.'
Jenny kwam met een berisping tussenbeide. 'Er is hier weliswaar een jury, maar dit is geen strafzaak, mevrouw Denton. Dit is een fatsoenlijk onderzoek en het zal ook als zodanig worden uitgevoerd. Matig uw toon, alstublieft.'
Martha Denton trok haar wenkbrauwen op naar haar assistent-advocaat en vervolgde op spottend beleefde toon: 'Mevrouw Jamal, heeft uw zoon het ooit met u gehad over zijn pasverworven godsdienstige overtuiging?'
'Nee.'
'Wist u dat hij regelmatig met leden van Hizb ut-Tahrir bijeenkwam, een organisatie die als doel heeft een internationale islamitische staat te stichten?'
'Dat zegt u. Ik heb geen idee.'
'Maar vermoedde u dat er zoiets aan de hand was?'
Jenny zei: 'Waar wilt u met deze vraag precies heen, mevrouw Denton?'
Martha Denton zuchtte ongeduldig. 'Wat ik aan deze getuige wil ontlokken, mevrouw, is wat ze feitelijk wist van de betrokkenheid van haar zoon bij radicalen en extremisten.'
Mevrouw Jamal ontplofte. 'Mijn zoon zou nooit iets slechts doen. Nooit! Iedereen die zegt van wel, liegt.' Haar woorden echoden door de stille ruimte.
'Zijn vader dacht daar wel anders over, hè?' zei Martha Denton. 'Hij legde zich heel snel bij de meest voor de hand liggende verklaring van de verdwijning van uw zoon neer, toch? Daarom is hij hier niet. Hij heeft geen vraag die beantwoord moet worden.'
'Ik kan niet voor hem spreken. Hij heeft me in geen zes jaar gebeld. Hoe moet ik weten wat hij ervan vindt?'
'En Rafi Hassans familie ook?'
'Ze zijn bang. Ze zijn allemaal bang voor jullie. Ik ben de enige die zich niet laat intimideren. Ik heb ze voor mijn huis op straat gezien, ze volgen me over straat...'
'Dank u wel, mevrouw Jamal,' zei Martha Denton met een geamuseerde uitdrukking op haar gezicht, en ze ging zitten.
Mevrouw Jamal keek haar nijdig aan. Al haar inspanningen om redelijk over te komen, waren door haar laatste uitbarsting onderuitgehaald.

Verschillende juryleden wisselden een twijfelachtige blik. Jenny krabbelde een rijtje vraagtekens op haar blocnote. Ook al deed ze nog zo haar best, ze kon mevrouw Jamal niet op haar woord geloven.

Yusuf Khan stond met een verzoenende glimlach op. 'Mevrouw Jamal, u zei dat uw zoon nooit iets verkeerds had gedaan. Gelooft u dat oprecht?'

'Hij zou nooit een ander mens kwaad doen. Dat zweer ik bij mijn leven.'

'Gelooft u dat hij naar het buitenland is gegaan om zich bij een jihadorganisatie aan te sluiten?'

'Als dat zo is, dan heeft hij dat niet uit vrije wil gedaan. Zo zat hij niet in elkaar.'

'Ik neem aan dat u dit destijds tegen de politie en de veiligheidsdienst hebt verteld, maar... ze wilden u niet geloven?'

Ze schudde haar hoofd. 'Ze geloven alleen wat hun uitkomt.'

Khan zei: 'Kreeg u de indruk dat zij geloofden dat uw zoon een extremist was, een jonge man die was verleid om geweld tegen het Westen te omarmen?'

'Dat hoefden ze niet. Hun gezicht sprak boekdelen... zelfs dat van die Indiase man, Singh.'

Jenny keek naar Alun Rhys. Hij ving haar blik en zijn gezichtsuitdrukking zei alleen maar: wacht nou maar af.

'En leken ze ook maar enigszins de mogelijkheid te overwegen dat uw zoon of meneer Hassan wellicht slachtoffer van een misdrijf was geworden, terwijl er op hun beider deuren toch sporen van braak te zien waren?'

'Nee. Nooit.'

Khan wendde zich tot de jury. 'Gaven ze u soms het gevoel, mevrouw Jamal, dat uw zoon een wolf in schaapskleren was?'

Jenny wierp hem een waarschuwende blik toe. Ze zou niet tolereren dat hij het publiek bespeelde.

Ze moest mevrouw Jamal nageven dat ze hem niet het citaat van de dag leverde waarop hij had gehoopt. 'Ze gaven me het gevoel dat het niemand iets kon schelen. Maar ik heb elke dag tot God gebeden en ik geloof nog steeds dat het recht zijn loop zal hebben.'

Khan snibde terug: 'Denkt u niet dat dit gerechtelijk onderzoek alleen maar is toegestaan om de reputatie van uw zoon als verrader en jihadstrijder kracht bij te zetten?'

'Meneer Khan,' zei Jenny, 'ik waarschuw u één keer en niet vaker... Dit is een gerechtelijk onderzoek, geen platform waar u politieke punten kunt scoren. De volgende keer kunt u vertrekken.'

Er steeg een golf van ontstemd gemompel op. Er werden beschuldigende blikken op haar gericht.

Khan zei: 'U hebt volkomen gelijk, mevrouw. Stel je voor dat een gerechtelijk onderzoek ooit voor politieke doeleinden gebruikt zou worden.'

En terwijl hij glimlachte, begon er iemand te gniffelen en daarna viel een ander in. Even later vulde de hele zaal zich met het geluid van spottend gelach. Jenny, van haar stuk gebracht, aarzelde zo lang dat ze volkomen afging. Ze voelde haar wangen rood worden en haar hart hamerde tegen haar ribben.

9

De halve bètablokker die Jenny naar binnen had geslokt nadat ze de rechtszaal had verlaten, werkte nog maar nauwelijks toen Alison op de deur klopte en zonder op antwoord te wachten binnenkwam.

'Meneer Rhys wil met u praten.'

'Zeg hem maar dat hij een briefje kan sturen.'

'Hij drong erg aan.'

'Tijdens het gerechtelijk onderzoek praat ik niet met belanghebbende partijen. Dat zou hij toch moeten weten.'

Alison knikte vertwijfeld, draaide zich half om naar de deur en keerde zich toen weer terug.

'Wat is er?' vroeg Jenny ongeduldig.

'Ik vind dat u de tribune moet ontruimen, mevrouw Cooper. Zij zijn geen belanghebbenden. Ze zijn alleen maar een stelletje oproerkraaiers met een paar aanvoerders. Ze staan buiten al in de nieuwscamera's te praten.'

'Hoe kan hier van een open en rechtvaardig onderzoek sprake zijn als ik het publiek erbuiten laat?'

'Denkt u dat het die mensen ook maar iets kan schelen? Wat zij denken verandert toch nooit.'

'En wat is dat dan?'

'Hun advocaat heeft het al bijna gezegd. Hij denkt dat dit puur theater is. U bent hier alleen maar om te bewijzen dat die twee jongens de benen hebben genomen om terrorist te worden, of hoe we ze ook zouden moeten noemen.'

'Ik kan best een stel lawaaischoppers aan. Zeg maar tegen Rhys dat hij kan opsodemieteren.' Ze nam een slok water uit het glas op haar bureau. Alison zag dat haar hand trilde, maar zei er niets van.

Jenny zei: 'Heb je McAvoy al te pakken gekregen?'

Alison grimaste. 'Op zijn kantoor zeggen ze dat hij in de rechtszaal zit, bij een slepend proces, maar hij probeert hier vanmiddag te zijn.'

'Ken je hem?'

'Iedereen bij de CID kende McAvoy.'

'O ja? Wat is het verhaal?'

'Wat hij ook beweert, het is niet waar.'
Ze liep de kamer uit.
Jenny ging achterover in haar stoel zitten, sloot haar ogen en probeerde zich te ontspannen. Ze had voor een voltallig publiek stressvolle ondervragingen verricht en zich erdoorheen geslagen – ternauwernood. Al die morbide, angstige en onwelkome gedachten die haar bestormden waren alleen maar een bijproduct van stress. Ze betekenden niets. Ze had het in de hand.
Haar ledematen begonnen eindelijk loom aan te voelen toen haar telefoon piepte dat er een sms'je was. Ze deed haar ogen open en pakte hem. Er stond: 'Zoek het dan maar uit ook. Je staadt er alleen voor.' Hij werkte voor MI5 en kon niet eens spellen.
De stemming was merkbaar ingetogener toen de zitting werd hervat en Anwar Ali nam plaats in de getuigenbank. Hij was beheerst en vol zelfvertrouwen, en leek respect af te dwingen bij de jonge moslimmannen. Jenny liet haar ogen over de gezichten op de publieke tribune glijden en zag Rhys niet. Ze voelde een vlaagje angst en realiseerde zich hoe snel zijn aanwezigheid een veiligheidsdeken was geworden. Ze merkte dat ze verschrikkelijk nieuwsgierig was naar wat hij gezegd zou hebben als ze hem een gesprek had toegestaan. Maar ze moest in haar achterhoofd houden dat een rechter van instructie altijd alleen optrad; een rechter van instructie was onafhankelijk en legde alleen verantwoording af aan de voorzitter van het Hogerhuis. Ze had verder niemand nodig.
Ze begon met oncontroversiële vragen en stelde vast dat Ali tweeëntwintig jaar was en voor een master in de politicologie en sociologie studeerde toen Nazim en Rafi verdwenen. Tegenwoordig werkte hij bij de Newport Borough Council, waar hij de leiding had over het vluchtelingencentrum waar Jenny hem had bezocht, en hij was parttimepromovendus aan de universiteit van Cardiff. De titel van zijn proefschrift luidde: *De Anglo-moslim-identiteit: integreren of samenleven?* Hij beweerde dat hij geen lid was van de British Society for Islamic Change, hoewel hij toegaf dat hij verscheidene artikelen voor hun website had geschreven. Hij beschreef zichzelf als 'een politiek geëngageerde Britse moslim die zich bezighoudt met het stimuleren van een vreedzame coexistentie van gemeenschappen'.
'Tijdens uw periode in Bristol, meneer Ali, bezocht u regelmatig de Al-Rahma-moskee, nietwaar?'
'Ja, ik ging daar elke vrijdag bidden.'
'En dat was een kleine moskee, gehuisvest in een voormalig woonhuis?'

'Ja.'
'Wat was de doelstelling ervan? Er waren toch andere moskeeën in de stad?'
'Hij was vooruitstrevend. Moellah Sayeed Faruq heeft hem halverwege de jaren negentig van de vorige eeuw gesticht om jonge mannen en vrouwen, die een andere visie hadden op hun plaats in de wereld van dienst te zijn.'
'Hoe zou u de religieuze leer van Sayeed Faruq willen beschrijven?'
'Als een heersende stroming.'
'Zijn politieke overtuiging?'
'Hij stelde vragen.'
'Zou u dat willen toelichten?'
Ali dacht zorgvuldig na voordat hij antwoord gaf. 'Hij vroeg zich af in hoeverre de moslimidentiteit door westerse invloeden en waarden werd uitgehold. Velen van ons wilden over een toekomst praten die niet op materialisme en geweld gebaseerd was. We wilden de essentie van onze religie herontdekken.'
'Ik heb begrepen dat de politie dacht dat hij er radicale en extremistische denkbeelden op nahield. Was dat zo?'
'Als u bedoelt dat hij persoonlijk geweld predikte – nee, dat deed hij niet. Overtuigen, met krachtige argumenten verdedigen dat de islamitische levenswijze beter was voor de spirituele gezondheid van de mensheid – ja, dat wel.'
'Was Sayeed Faruq lid van Hizb ut-Tahrir?'
'Ik geloof het wel,' zei Ali. 'Ik niet, en voor zover ik weet Nazim of Rafi ook niet. Maar u moet goed begrijpen, mevrouw, dat Hizb er bepaald geen voorstander van is om de islam met geweld te propageren. Dat wil ze met argumenteren en overtuigen doen. De organisatie heeft veel wantrouwen gewekt, maar in de meeste vrije landen is ze niet illegaal.' Hij wendde zich tot de jury. 'De naam betekent "partij van de verlossing".'
'Dank u, meneer Ali. Ik heb zelf wat onderzoek gedaan. Ik heb gelezen dat bij een van Hizbs overredingsmethoden jonge mensen op bijeenkomsten – halaqahs – worden uitgenodigd, zoals u in uw flat op Marlowes Road hield.'
'Dat waren discussieavonden, maar ik ben nooit lid van Hizb of een andere organisatie geweest.'
Hij was niet van zijn stuk te brengen: op alles had hij een vlot, goed ingestudeerd antwoord. Jenny duwde en prikte, maar hij week geen duimbreed en hield vol dat zowel in de moskee als tijdens zijn discussieavonden alleen vreedzame middelen waren besproken om de islami-

tische boodschap te verspreiden. Zowel hij als Sayeed Faruq had geloofd dat er moest worden toegewerkt naar de vestiging van een internationaal kalifaat, maar geweld en terrorisme werden als heiligschennis veroordeeld, tenzij in geval van zelfverdediging.

Hoe interessant hun gedachtewisseling ook was, Jenny merkte dat een aantal juryleden begon te gapen. De subtielere details van de islamitische godsdienstleer konden hen niet boeien. Het werd tijd dat ze zich op een wat controversiëler terrein ging begeven.

'Wanneer kwam Nazim Jamal voor het eerst naar de Al-Rahma-moskee?'

'In oktober 2001, meen ik. Ik weet het niet precies. Rafi kwam eerst, Nazim een paar weken later.'

'En wanneer ging hij met uw discussiegroepen meedoen?'

'Ergens in november.'

'Wie waren er behalve u en zij nog meer?'

'Het was een komen en gaan van verschillende mensen. Voor het merendeel studenten.' Hij dreunde een stuk of wat namen op, maar beweerde dat hij met de meesten van hen geen contact meer had. Jenny maakte een notitie. Ze zou hen zo nodig laten opsporen.

'Kunt u ons een indruk geven van een kenmerkende discussie, van welke onderwerpen zoal aan bod kwamen?'

Ali haalde zijn schouders op. 'We hadden het over Palestina, mogelijke oplossingen voor het conflict, de oorlog in Afghanistan en de Amerikaanse paranoia over de moslimreacties daarop.'

'Hoe zou u Nazims politiek willen beschrijven?'

Ali keek naar mevrouw Jamal. Die keek met een onderzoekende blik terug. Ze zag een man die van haar zoon een kant had gezien waar ze niets vanaf wist.

'In het begin was hij wat stil. Daarna kreeg hij meer zelfvertrouwen, raakte geïnspireerder. Ik weet nog dat hij een goede leerling was. Hij kende zijn Koran.'

'Geïnspireerd tot wat, precies?'

'Ideeën. Het idee van een samenleving die op religieuze principes is gebaseerd. Hij had het onbedorven enthousiasme van de jeugd, zou je kunnen zeggen.'

'Hoe stond hij tegenover de toepassing van politiek geweld?'

'Daar was hij tegen. Dat waren we allemaal.'

'En Rafi Hassan?'

'Die was wat stiller. Hij was meer een luisteraar dan Nazim. Hem kende ik niet zo goed, had ik het gevoel.'

'Hield hij er dezelfde denkbeelden op na?'

'Voor zover ik weet wel. Echt, u moet begrijpen dat, wat de politie of veiligheidsdienst ook gedacht mocht hebben, onze discussies niet radicaler waren dan in welke normale politieke studentenvereniging ook te beluisteren viel. We waren jonge mannen die met ideeën worstelden, dat is alles. Volgens mij werden we eenvoudigweg in de gaten gehouden omdat Sayeed Faruq op een lijst van Hizb-leden stond. Automatisch werd aangenomen dat hij onderdeel van een vijfde colonne was. In die tijd was er weinig bekend over Britse moslims, behalve dat ze hetzelfde geloof deelden met een paar beruchte terroristen.'

Tot dusverre had Jenny geen greintje nieuwe informatie gekregen van uitgerekend de getuige die meer met de twee vermiste jongens had opgetrokken dan wie ze ook naar de getuigenbank zou roepen. Ze pakte hem harder aan, zette Ali onder druk om toe te geven dat geweld voor de moslimzaak toch minstens onderwerp van gesprek moest zijn geweest, maar hij week geen duimbreed. Hij ontkende dat hij in contact was gekomen met iemand die mogelijke jihadstrijders rekruteerde om in het buitenland te vechten en bleef erbij dat geen van de vaste bezoekers van de halaqah op Marlowes Road ooit ook maar de minste neiging had vertoond om naar wapens te grijpen. Hij hield vol dat hij geen idee had waar Nazim en Rafi waren gebleven en ontkende zelfs maar het vermoeden dat ze extremistische sympathieën hadden. Ze draaide hem de duimschroeven aan met de vraag of hij zich nog kon herinneren of Nazim in het weekend voor zijn verdwijning in een andere stemming was geweest, zoals mevrouw Jamal had beschreven; hij beweerde van niet. Ali was vriendschappelijk met de leden van zijn halaqah omgegaan, maar ook weer niet zo vriendschappelijk dat hij bijzonderheden uit hun leven wist. Ze hielden spirituele, intellectuele bijeenkomsten, geen sociale.

Het was een meesterlijk optreden en Jenny geloofde er nog niet de helft van.

Ze raakte steeds gefrustreerder en zei: 'U moet toch enig idee hebben waar ze naartoe zijn gegaan. U moet toch ten minste geruchten hebben gehoord?'

'Nee. Ik denk dat ik destijds wel honderden uren bezig ben geweest om deze vragen te beantwoorden, en mijn antwoord is onveranderd. Ik zweer bij God, Allah de barmhartigste, dat ik niet weet waar ze naartoe zijn gegaan en wat er van hen is geworden.'

Zijn plechtige eed werd met een respectvolle en bedachtzame stilte begroet. Alle jonge mannen in de zaal waren stil en bedrukt. Zelfs Alison leek te zijn aangedaan door zijn oprechtheid.

Jenny zei: 'Wat is er met Sayeed Faruq gebeurd? Waar is hij gebleven?'

'Hij is naar Pakistan vertrokken. Hij wist wel dat hij in dit land altijd onder verdenking zou staan.'

'Weet u zeker dat hij niets te maken had met hun verdwijning?'

'Nogmaals: ik zweer het. Wat er met hen is gebeurd is voor mij net zo'n raadsel als voor u.' Hij wendde zich tot mevrouw Jamal. 'Ik zou oprecht willen dat het anders was, mevrouw.'

Fraser Havilland en Martha Denton zagen beiden af van een kruisverhoor. Omdat Jenny nog niet de kleinste bres had weten te slaan, kreeg ze het gevoel dat ze er genoegen mee namen niet het risico te lopen dat zij daar per ongeluk wel in zouden slagen. Het logenstrafte Gillian Golders bewering dat de veiligheidsdienst er net zo op gebrand was om achter de waarheid te komen als zij, maar dat verbaasde haar niet. Jenny was het er gaandeweg met Yusuf Khan over eens geworden dat haar gerechtelijk onderzoek alleen had mogen plaatsvinden omdat ze erop vertrouwden dat er geen ander gevaar in school dan dat het een weerspiegeling zou zijn van het toch al duivelse imago van jonge moslimmannen. Ze kon nog steeds geen wijs uit Rhys' sms'je, maar misschien bedoelde hij eenvoudigweg dat ze de gevolgen van een nonresultaat in haar eentje onder ogen moest zien: zij zou persoonlijk de schuld krijgen wanneer ze de waarheid niet boven tafel kon krijgen.

Ze schoof die zorgwekkende gedachten opzij en vroeg Yusuf Khan of hij een kruisverhoor wilde afnemen.

'Slechts kort, mevrouw.' Hij wendde zich tot de getuige. 'Meneer Ali, u moet toch net als ik geruchten hebben gehoord dat in de preventieve oorlog tegen het terrorisme onruststokers werden ingezet om mogelijk radicale jonge mannen naar het buitenland te lokken, naar een lot waar we alleen maar naar kunnen gissen?'

'Ja, die geruchten heb ik gehoord.'

'Heeft iemand u op die manier benaderd, of iemand die u kent?'

Ali wachtte zo lang voordat hij ontkennend antwoordde dat Jenny hem niet geloofde. En uit de blik die Yusuf Khan hem toewierp, maakte ze op dat hij dat ook niet deed.

Dani James was achtentwintig jaar en werkte nu bij een bloeiend advocatenkantoor in Bath, dat zich had gespecialiseerd in het beheer van onroerend goed van extreem welgestelden. Ze had een open, aantrekkelijk gezicht dat vertrouwen uitstraalde, en ze had een ontwapenend licht Manchester-accent. Ongecompliceerd, was Jenny's eerste indruk, rechtdoorzee. Dani had de hele ochtend geduldig zitten wachten en leek het niet erg te vinden dat ze haar drukke baan even in de steek had moeten laten.

Jenny stelde vast dat ze een jaargenoot rechten van Rafi en Nazim was geweest en een kamer op de eerste verdieping van Manor Hall had bewoond. Ze had niet veel met Rafi te maken gehad, zei ze, behalve dat ze in dezelfde werkgroepen zaten; hij was een rustige student en was nogal op zichzelf geweest. Ze had hem in de studentenruimte wel met andere Aziaten zien praten en had de indruk gekregen dat hij het liefst met zijn eigen soort mensen omging. Nazim was daarentegen socialer ingesteld. Ze herinnerde zich dat ze hem in het herfstsemester op een paar feestjes had gezien. Hij kon goed dansen en was een en al levenslust. Wat ze zo van hem zag, stond haar wel aan.

In het voorjaarssemester had ze hem niet herkend toen hij in de gang met een baard en gebedskapje langs haar heen liep. Ze deed een paar keer een poging om hem gedag te zeggen, maar daar reageerde hij nauwelijks op. Ze merkte dat Rafi en hij zich hetzelfde waren gaan kleden en dat hij zich uit het studentenleven had teruggetrokken. Ze gingen niet meer naar feestjes en hingen ook niet meer in de bar rond, wat ze in het eerste semester wel hadden gedaan, zelfs niet voor een glas sinaasappelsap. Ze wist nog dat ze het doodjammer had gevonden, maar dat dit met een aantal moslimstudenten was gebeurd. Ze leken prikkelbaar en vormden groepjes. Een meisje uit haar jaar, dat minirokjes droeg en elk weekend met een andere man naar bed ging, was aan het eind van het voorjaarssemester geheelonthouder en celibatair geworden en ging volledig gesluierd. Ieder zijn meug, vond Dani. Ze nam het hun niet kwalijk dat ze in de verdediging schoten als iedereen vond dat moslims terroristen waren.

'U hebt op 8 juli 2002 een verklaring aan de politie afgelegd,' zei Jenny. 'Hoe kwamen ze bij u terecht?'

'Ze gingen in de gangen de deuren langs en vroegen iedereen wat ze over Nazim en Rafi wisten. Wanneer we hen voor het laatst gezien hadden. Met wie ze omgingen.'

'Hebt u ze wijzer kunnen maken?'

'Niet echt. Ik weet alleen nog dat ik heb verteld dat ik een onbekende man uit Manor Hall naar buiten had zien lopen, op de vrijdag waarop ze klaarblijkelijk verdwenen waren.'

'Vrijdag 28 juni?'

'Ja. Ik kwam laat thuis. Het was rond middernacht. Ik nam de hoofdingang en was niet bepaald nuchter, en die lange man van in de veertig haastte zich de trap af en schoot langs me heen. Hij had echt haast en kennelijk kon het hem niets schelen dat hij me het halve vertrek door had gegooid.'

'Hoe zag hij eruit?'

'Nogal dun... pezig, min of meer. Hij had een baseballpet over zijn ogen getrokken, dus ik kon zijn gezicht niet zien. Hij droeg een blauwe, dikke anorak, wat nogal raar was, want het was midden in de zomer. Volgens mij had hij een rugzak over zijn schouder.'

'In uw verklaring had u het over "een grote rugzak of reistas".'

'Ik kan me niet meer alles in detail herinneren, alleen dat ik het vreemd vond. Ik weet nog wel ik hem een onbeschofte kerel vond omdat hij me omverduwde.'

'Hebt u enig idee wat de politie met die informatie heeft gedaan?'

'Nee. Ik heb een verklaring afgelegd, meer niet.'

'Weet u of iemand anders die man heeft gezien?'

'Niet dat ik weet. Het was laat.'

Jenny zei: 'Mijn kantoor heeft veel studenten uit uw jaar gesproken, en nagenoeg niemand heeft er iets over te zeggen. Hebt u enig idee hoe dat komt?'

'Omdat ze hem niet kenden, vermoed ik.'

Jenny knikte. Haar eigen korte excursie over het universiteitsterrein was voldoende geweest om haar ervan te overtuigen dat Dani waarschijnlijk gelijk had: vrome, gepolitiseerde moslims leefden in een gescheiden wereld.

Ze wilde de getuige net voor het kruisverhoor aan de advocaten overlaten toen ze zich de verklaring herinnerde die Sarah Levin, een getuige die pas voor de volgende dag op de lijst stond, aan de politie had afgelegd korte tijd nadat Dani met hen had gesproken. Ze pakte een dossier en sloeg de gemarkeerde pagina op. De tekst was kort, slechts twee alinea's, de eerste met haar persoonlijke gegevens en de melding dat ze uit hetzelfde jaar was en op dezelfde faculteit zat als Nazim, en de tweede gaf een gesprek weer dat ze ergens in mei 2002 had opgevangen.

'Herinnert u zich een studente uit uw jaar, ene Sarah Levin?' vroeg Jenny.

'Vaag. Volgens mij woonde ze in een ander studentenhuis.'

'Dat klopt... Goldney. Op 10 juli verklaarde ze tegenover de politie dat ze Nazim met een andere jonge Aziatische man had horen praten, in een kantine op de centrale campus.' Ze las hardop voor: '"Ik hoorde ze zeggen dat een aantal 'broeders' zich vrijwillig zou aanmelden om in Afghanistan tegen de Amerikanen te vechten. Dat is het enige wat ik hoorde, een flard van hun gesprek, maar ik kreeg de indruk dat ze vaak spraken over jonge moslims, die hun geloof zo toegewijd waren dat ze ervoor wilden strijden. Ik herinner me de uitdrukking op Nazims gezicht nog... Hij leek ontzag voor hen te hebben." Hebt u ooit zo'n soort gesprek opgevangen?'

Dani schudde vertwijfeld haar hoofd.

'Weet u het zeker?'

Ze keek van Jenny naar mevrouw Jamal en toen weer naar Jenny. 'Het verbaast me niets. Hij was nogal een macho, zoals hij zich gedroeg...' Opnieuw een snelle blik naar mevrouw Jamal. 'Die verandering in hem waar zijn moeder het over had...' Ze zweeg en slikte, en de kleur trok uit haar gezicht weg.

'Ja?'

Dani deed haar mond open om verder te gaan, maar stokte verschrikt toen achter in de zaal de deur openging en er een lange man, gekleed in een lange jas, binnenkwam. Jenny herkende McAvoy onmiddellijk. Hij pikte haar er met zijn kalme blauwe ogen uit en schonk haar een galant knikje alvorens hij een staanplaats vond tussen de jonge mannen langs de achterwand.

Jenny wendde haar blik van hem af. 'U wilde zeggen, mevrouw James?'

'Ik denk dat het meeste maar schijn was,' zei ze met trillende stem. 'Zo godsdienstig was hij helemaal niet... Eind juni in elk geval niet.'

'Waarom zegt u dat?'

Dani wendde haar blik van mevrouw Jamal af. 'Het was op de avond van 26 juni, een woensdag. Nazim kwam naar de bar en we raakten aan de praat. Hij dronk natuurlijk geen alcohol, maar hij was geestig en leek weer zijn oude zelf te zijn...' Ze zweeg even en sloeg toen haar ogen op. 'We zijn met elkaar naar bed geweest.'

Er ging een fluistering door de zaal. De journalisten bogen zich over hun aantekenboekjes. Jenny merkte dat McAvoy geamuseerd met zijn hoofd schudde. Mevrouw Jamal pinkte verbijsterd een traan weg. Jenny trappelde bijna van opwinding. Eindelijk, een onthulling.

'Bent u in de nacht van de zesentwintigste met Nazim naar bed geweest?'

'Ja.' Dani leek opgelucht dat ze in het openbaar een bekentenis had afgelegd. 'We hadden geen relatie of zo, het ging spontaan. Alleen die ene nacht. De volgende ochtend is hij vroeg uit mijn kamer vertrokken en dat vonden we allebei prima.'

'Hebben jullie gepraat?'

'Niet echt.'

'Kon u zijn stemming peilen?'

'Hij lachte, maakte grapjes... als iemand die blij was dat hij was afgezwaaid. En eerlijk gezegd was ik behoorlijk ver heen. Ik geloof niet dat ik erg geprotesteerd heb. Het ging min of meer vanzelf.'

'Hebt u hem daarna nog een keer gezien?'

'Nee. Nooit.'

'En u hebt geen idee waarom hij uitgerekend die nacht naar u toe kwam?'

'Ik was negentien en vierde feest. Het deed er te weinig toe om ernaar te vragen.'

'Wacht even, mevrouw James.'

Fraser Havilland en Martha Denton waren met hun hoofden dicht bij elkaar in een geanimeerd gesprek gewikkeld. Kennelijk waren ze het eens, want Havilland stond op en richtte zich tot de getuige.

Hij schonk haar een vleiende en gepolijste glimlach. 'Hebt u de politie destijds verteld over die nacht?'

Ze schudde haar hoofd.

'Want?'

'Het leek niet relevant.' Ze slaakte een zucht, haar gezicht vertrokken in een frons. 'En misschien voelde ik me op de een of andere manier schuldig... Dat hoefde helemaal niet, maar ik wist niet wat er in hem omging.'

Havilland keek naar zijn aantekeningen. 'U zei dat hij "blij was dat hij was afgezwaaid"?'

'Ja.'

'Hoezo afgezwaaid?'

'Dat weet ik niet. Zo was zijn stemming gewoon.'

'In de bar droeg hij geen traditionele kleding, neem ik aan?'

'Nee. Dat deed hij niet meer. Dat had ik een paar weken eerder al opgemerkt.'

Havilland trommelde bedachtzaam met zijn vingertoppen op de tafel terwijl hij naar een juiste formulering zocht. 'Is het bij u opgekomen dat zijn opgetogen stemming er misschien iets mee te maken had dat dit zijn laatste feestje zou zijn?'

'Destijds niet. Later, toen ik de geruchten hoorde...'

'Dank u wel, mevrouw James,' zei Havilland, haar onderbrekend, en hij ging zitten met het air van een man die tevreden was dat hij een punt had gescoord.

Martha Denton stond op. 'Vindt u het niet oneerlijk dat u dit destijds niet aan de politie hebt verteld?'

Dani keek naar Jenny. 'Mag ik alstublieft mijn zin afmaken?' zei ze.

'Ga u gang,' zei Jenny.

Martha Denton sloeg ongeduldig haar ogen ten hemel.

'Ik heb er veel over nagedacht, opnieuw en opnieuw... Ik geloof niet dat Nazim ergens heen ging. Ik had precies het tegenovergestelde gevoel... Het was juist alsof hij terugkwam.'

'Het is zonder meer misleidend dat u dat niet aan de politie hebt verteld,' kaatste Denton terug.
'Het is niet gemakkelijk om over zulke dingen te praten, vooral niet als je nog zo jong bent.'
'Zo te horen had u bepaald geen last van remmingen.'
Vinnig zei Dani: 'Neem maar van mij aan dat het makkelijker is om met iemand naar bed te gaan dan om met de politie te praten.'
'Mevrouw James, of u nu wel of niet met Nazim Jamal naar bed bent geweest, u hebt geen flauw idee waar hij naartoe is gegaan, wel?'
'Nee, ik ga op mijn gevoel af. Ik geloof niet dat hij ooit een godsdienstfanaat is geweest, niet echt.'
'U werkt in de juridische sector, u weet dat gevoel geen bewijs is.'
Dani's gezicht verhardde zich. 'Vrome moslims gaan niet met Jan en alleman naar bed. Ik heb chlamydia van Nazim opgelopen. Ik kreeg een zware infectie en belandde een maand later in het ziekenhuis. Ik heb er permanent letsel aan overgehouden en misschien kan ik geen kinderen meer krijgen.' Ze wendde zich tot Jenny. 'U kunt dat in mijn medisch dossier nakijken.'
Van haar stuk gebracht zei Martha Denton: 'Misschien vindt u het gewoon een vervelend idee dat hij u gebruikt heeft.'
Dani gaf geen antwoord en Jenny drong niet aan.
'Of misschien is uw verklaring wel helemaal niet betrouwbaar. U houdt dit acht jaar lang geheim en komt dan met een verhaal waarvan u heel goed weet dat dat nogal wat stof zal doen opwaaien...'
'Het is de waarheid.' Ze keek naar mevrouw Jamal. 'Het spijt me alleen dat ik die niet eerder heb verteld.'
Martha Denton keek sceptisch naar de jury. 'Dat geldt voor ons allemaal.'
Yusuf Khan, die in verlegenheid gebracht leek door de wending die Dani's getuigenis had genomen, nam geen kruisverhoor af en verzocht alleen om toestemming om haar medische gegevens tijdens de rechtszitting in te zien. Die gaf ze.
Voor ze haar liet gaan, vroeg Jenny aan Dani of ze vóór Nazim nog andere seksuele partners had gehad. Ze gaf toe dat er nog iemand was geweest, een jongen met wie ze in het eerste semester naar bed was geweest, maar ze zei er nadrukkelijk bij dat ze condooms hadden gebruikt. Met Nazim had ze een risico genomen. Ze twijfelde er geen moment aan dat hij haar had besmet.
Jenny vroeg tijdens de rechtszitting aan Alison of ze ervoor wilde zorgen dat de advocaten kopieën van het medisch dossier van zowel Nazim als van Rafi kregen en zei tegen de jury dat zij daarin geen aanwijzingen

had gevonden dat Nazim een soa of welk gezondheidsprobleem ook had. Volgens de gegevens van zijn huisarts was hij in geen drie jaar bij de dokter geweest.

Dani James verliet de getuigenbank en liep naar de gang, terwijl ze gemengde, bewonderende en wantrouwige blikken trok. Jenny was onder de indruk van haar. Ze was een succesvol advocaat en had een reputatie hoog te houden. Er was veel moed voor nodig geweest om zo'n getuigenis af te leggen.

Voor de lunch was er nog tijd voor één getuige. Ze besloot Simon Donovan op te roepen en in de pauze haar vragen voor McAvoy voor te bereiden. Haar lijst werd steeds langer.

Donovan was een drieënvijftigjarige registeraccountant bij een Forddealer. Hij was getrouwd en woonde in de voorstad Stoke Bishop. Een man die alleen al opmerkelijk was door zijn overweldigende onverstoorbaarheid en die de rechtbank vertelde dat hij een paar weken na de verdwijning van Nazim en Rafi hun foto's in de *Bristol Evening Post* had gezien. Hij had hen onmiddellijk herkend als de twee jonge Aziatische mannen die op zaterdag 29 juni aan de andere kant van het gangpad tegenover hem hadden gezeten in de trein van tien uur 's ochtends van Bristol Parkway naar London Paddington. Hij was op weg naar een voetbalwedstrijd, evenals veel van zijn medereizigers, en ze waren hem vooral opgevallen omdat ze zich ergerden aan de soms luidruchtige fans. Voor zover hij het zich kon herinneren waren ze allebei gekleed in elegante casual kleding en hadden ze alleen een kleine reistas bij zich.

Jenny zei: 'Kon u zich na die drie weken het gezicht van die twee vreemdelingen nog duidelijk herinneren?'

'Ze waren anders, vermoed ik,' zei Donovan. 'Misschien kwam het doordat het jonge knullen waren en doordat ze een baard droegen. En we waren destijds nogal nerveus als het om terroristen ging, hè? In een trein vallen zulke dingen je op.'

'Is dit een beleefde manier om te vertellen dat u bang was omdat ze daar waren?'

'Ik ben geen racist,' zei Donovan. 'Ik heb geen greintje racisme in mijn lijf. Maar onwillekeurig vraag je je dat af. Vooral omdat ze zo ernstig keken.'

Jenny zei: 'Ik begrijp het. Dank u, meneer Donovan.'

Havilland stelde alleen een paar slappe vragen, bedoeld om te benadrukken dat Donovan een oprecht betrouwbaar en bezorgd lid van de maatschappij was en geen bijbedoelingen had. Martha Denton groef een beetje dieper en wist uit hem te krijgen dat de twee jonge mannen er bezorgd of ongerust uit hadden gezien. Jenny wees hem erop dat dit detail ontbrak aan zijn verklaring die hij drie weken later had afgegeven. Donovan antwoordde dat de politieagent die zijn verklaring had opgenomen haast had gehad en kennelijk alleen op de naakte feiten uit was geweest. Jenny was door deze uitleg niet overtuigd.

Yusuf Khan keek Donovan lange tijd aan, terwijl hij zijn hoofd bedachtzaam schuin hield, voor hij vroeg hoeveel jonge Aziatische mannen met baard hij in die tijd elke dag tegenkwam. Heel weinig, moest Donovan toegeven.

'Maar de kranten stonden er toen toch bol van? We kunnen ons allemaal de hysterie herinneren. Elke keer als je een trein of vliegtuig nam, maakten de media je wijs dat je je leven op het spel zette.'

'Wat wilt u de getuige vragen, meneer Khan?' vroeg Jenny.

'Ik wil vragen, meneer Donovan, of u volgens uzelf de ene jonge man met baard en Aziatische gelaatstrekken kunt onderscheiden van de andere. Want dat is het enige wat u hebt herkend, nietwaar: hun baard en hun huidskleur?'

'Ik had de politie niet gebeld als ik er niet zeker van was dat zij het waren.'

'Waarom hebt u dat gedaan?'

'Ik vond dat dat juist was.'

'Maakt u er een gewoonte van om de politie te bellen?'

'Nee.'

'Dacht u dat ze misschien terroristische verdachten waren?'

'Nou, ik... Het zou kunnen dat dat door me heen is gegaan.'

Khan knikte bedaard. 'Toen u de politie voor het eerst belde, hebt u toen gezegd: "Ik weet zeker dat ik de twee vermiste mannen heb gezien", of hebt u gezegd: "Het zou kunnen dat ik die twee jonge Aziatische mannen heb gezien"?'

Donovan schoof onbehaaglijk op zijn stoel en zijn dikke nek werd rood. 'Ik heb gezegd dat ik die twee knapen heb gezien... Ze zijn daarop met foto's bij me langsgekomen. Toen ik er een paar had gezien, wist ik zeker dat zij het waren. Waarom zou ik dat uit mijn duim zuigen?'

Jenny hoorde een plotseling scherp spottende lach van achter uit de zaal. Ze keek verstoord op en zag dat het McAvoy was geweest.

10

Alison was als een dolle bezig om het probleem met de catering voor de jury op te lossen: de beloofde broodjes waren niet gebracht en nu organiseerde ze een konvooi naar het naburige vogelasielrestaurant aan het water. Voor de zaal buiten stonden groepjes boze jonge Aziatische mannen met de in de rustige dorpsstraat misplaatste verzamelde media te praten. Er waren twee televisienieuwswagens opgedoken en visagisten waren druk in de weer gezichten te poederen. De advocaten haastten zich door de menigte, weigerden vragen te beantwoorden en vertrokken in een batterij dure auto's. Een groep verbaasde dorpsbewoners sloeg van veilige afstand het chaotische tafereel gade, zich afvragend wat zo'n waanzin naar hun rustige uithoek op het platteland had kunnen brengen.

Plotseling uitgeput glipte Jenny door de achterdeur naar buiten en ze vond een vochtige plastic bank van waaraf ze over een veld kon uitkijken. Een tractor was aan het ploegen; een zwerm vogels vloog erachteraan, vechtend om de wormen die in de pas omgewoelde aarde naar boven kwamen. Ineengedoken in haar dunne regenjas at ze de chocoladereep die Alison voor haar had opgediept en nam uit een gebarsten mok een slokje koffie, die vagelijk naar afwasmiddel smaakte.

Ze probeerde de gebeurtenissen van die ochtend te verwerken en deed haar best de met elkaar rivaliserende agenda's van de verschillende partijen te ontrafelen. Ze begreep dat de politie zich vooral wilde indekken, en ze nam aan dat de veiligheidsdienst erop gebrand was de theorie te bewijzen dat Nazim en Rafi naar het buitenland waren vertrokken. Yusuf Khan en zijn vrienden, tot wie Anwar Ali ook leek te horen, waren moeilijker te doorgronden. Khans opmerking over onruststokers die jonge extremisten in hun netten strikten had haar aandacht getrokken, maar bij nader inzien kwam die haar toch voor als een zoveelste ongegronde complottheorie. Khan vertegenwoordigde een lobby die een positieve boodschap wilde uitdragen – dat jonge Britse moslims deugdelijke, verantwoordelijke burgers waren – en dat ging niet goed samen met het bewezen feit dat een paar van hen de wapens tegen hun land hadden opgenomen.

'Kunnen die krentenkakkers niets beters voor u doen?'

Ze keek op en zag dat McAvoy om de hoek van het gebouw naar haar toe liep. Het lawaai van de tractor had zijn voetstappen overstemd.

Geschrokken zei ze: 'U bent een getuige, meneer McAvoy. Ik mag niet met u praten voor u uw verklaring hebt afgelegd.'

Hij kreeg het voor elkaar om zijn gezicht in een glimlach te plooien die zowel jongensachtig als dreigend overkwam. Terwijl ze de blauwe, haar recht aanstarende ogen probeerde te vermijden, zag ze dat zijn haar aan de achterkant krulde en dat het geknipt moest worden, en dat hij onder de opstaande kraag van zijn jas een donkergroene zijden paisleysjaal droeg.

'Volgens mij kunt u het zich niet veroorloven om niet met me te praten.'

'Luister eens, dit is echt niet...'

'Ik had u eerder te pakken willen krijgen, maar u was er sneller vandoor dan ik verwachtte. Ik zit tot over mijn oren in een proces.' Hij haalde een beduimeld pakje Marlboro uit zijn zak en bood haar er een aan. 'Een opwarmertje.'

'U kent de regels...'

'Naar de hel ermee. Hoe dan ook, ik dacht dat het er hier anders aan toeging dan bij strafzaken. U bent een rechter van instructie, u kunt praten met wie u wilt.'

Hij tikte een sigaret uit het pakje, streek in gekromde handen een lucifer af en leunde tegen de muur naar achteren. Traag inhaleerde hij diep, ademde langzaam uit en liet de bries de rook van zijn lippen wegblazen.

'Heeft mevrouw Jamal u verteld dat ik vier maanden lang advocaat voor beide gezinnen ben geweest?'

Geërgerd zei Jenny: 'Ik heb liever dat u wat u te zeggen hebt voor de getuigenbank bewaart.'

Ze stond op en gooide haar half opgegeten chocoladereep in een roestige afvalbak. Door de vochtige bank was ze tot op haar huid doorweekt.

'Nee, dat hebt u niet. Dat zou het alleen maar bederven. Daarmee komen die klootzakken zo ver buiten bereik dat u nooit achter de waarheid komt.' Hij nam nog een trekje en keek haar loom aan. 'Misschien maakt het u allebei niet uit.'

'Over welke klootzakken hebben we het eigenlijk precies?'

'Dat weet ik niet. Ze hebben me opgeborgen voor ik de kans kreeg om dat uit te zoeken.' Hij schonk haar een vaag glimlachje. 'Wilt u het horen?'

'Wat dacht u ervan om een verklaring op te schrijven en die aan mijn medewerkster te geven? Dat is de normale gang van zaken.'

'Laat maar zitten. Deze zaak heeft me al één huwelijk en een perfecte, glanzende carrière gekost.' Hij kuierde over de met onkruid overwoekerde betonnen platen naar het draadhek dat langs het veld stond. 'Zijn dat zeemeeuwen? De zee is kilometers ver weg.'

'De riviermonding kun je al wel bijna de zee noemen.'

'Dat zal wel... Moet je kijken, ze slaan elkaar gewoon uit de weg.' Hij staarde uit over het veld. 'Ze hebben de ingewanden van dat arme meisje weggepikt, hè? Dat las ik in de krant.'

'Dan moet het wel waar zijn.'

'Zo ver omlaag durfde ik het lijk niet te bekijken... Al iets gehoord over waar het is gebleven?'

'Nog niet.'

'Krankzinnig. Wat moet iemand daar nou mee? Op tv zie je altijd dat de slechteriken een kuil in de bossen graven. Hebt u ooit geprobeerd een schep in de grond te zetten waar bomen staan? Een en al wortels. Dat gaat net zo makkelijk als beton scheppen.' Hij trok verwoed aan zijn sigaret en gooide de peuk in de greppel naast het veld. 'Niet dat ik geen schurken ken, maar dit is nieuw voor me... zo uit het lijkenhuis.'

Hij bleef naar de tractor staan kijken, die aan het eind van de voren was gestopt, schakelde en omkeerde. De wind draaide plotseling en blies het geluid van de vogels naar hen toe: een schorre, vibrerende, merkwaardig mooie kakofonie.

McAvoy glimlachte: '"De blauwe lucht zou ik willen beklimmen, ploegen zou ik door de hoge heuvels, o, in gebed zou ik de hele nacht kunnen knielen, als ik maar genezing vond voor je vele euvels... Mijn donkere Rosaleen..." Mijn god. Hoe kom ik daar nou weer op?' Hij lachte en schudde zijn hoofd. 'Mijn vader was onderwijzer, hij heeft er van alles bij me ingestampt.' Hij draaide zich om, liep een paar stappen naar Jenny toe en bleef toen staan. 'Ik dacht dat u niet met me wilde praten, mevrouw Cooper.'

'Mevrouw Jamal zei dat u in de gevangenis hebt gezeten.'

'Dat genoegen had ik inderdaad.'

'Waarom?'

'Omdat ik een lastpak ben. Op mijn strafblad staat dat ik de rechtsgang heb gecorrumpeerd. Agenten hebben me in de val gelokt met een undercover met afluisterapparatuur. Ze hebben de boel met knippen en plakken aan elkaar geflanst, zodat het net klonk alsof het alibi voor mijn cliënt helemaal uit mijn koker kwam.' Hij haalde zijn schouders op. 'Daar kon je natuurlijk op wachten. Als je ze maar vaak genoeg aan de kaak stelt, pinnen ze je uiteindelijk wel vast.'

'U was misdaadadvocaat, hè?'
'Strafpleiter. Ik zou geen enkele gewone advocaat het woord voor me laten doen. De meesten konden hun ogen niet openhouden.'
'En mevrouw Jamal kwam naar u toe nadat haar zoon was verdwenen?'
'Zij en de Hassans. In oktober 2002. De politie belde niet meer terug. Ze huurden mij in om de boel weer wat op te porren. Drie maanden later zat ik achter de tralies. Ik kreeg niet eens borgtocht.'
'En u wilt hier geen getuigenverklaring over afleggen?' vroeg Jenny.
'Luister eens, ik vind het geweldig dat u dit zo snel voor elkaar hebt gekregen, maar laten we even realistisch blijven. Je zou toch denken dat zij, met al hun beschikbare middelen, de waarheid inmiddels wel achterhaald zouden hebben, als ze dat hadden gewild. Begrijp me niet verkeerd, mevrouw Cooper, maar naar mijn nederige mening wordt er misbruik van u gemaakt. Een eerlijke vrouw als u zou dat toch zeker niet willen?'
'U kunt het charmant formuleren.'
'Moet u horen, waarom schorst u de zitting vanmiddag niet en gaat u niet in plaats daarvan met mij praten?'
Ze keek hem verbijsterd aan. Arrogante lulhannes, haar een beetje vertellen hoe zij haar onderzoek moest doen!
'Dat dacht ik niet. Ik zie u binnen wel.'
Ze liep naar de achterdeur van het gebouw.
'Dat zult u niet. En als u me dagvaardt, zeg ik geen woord. Ik heb verdomme alles te verliezen, en nu het weer aan de orde is, denk ik dat ik er meer belang bij heb om uit te zoeken wat er is gebeurd dan u.'
'O, echt waar?'
'Ja, echt waar. Ziet u, ik ben een man met niet weinig zonden uit het verleden, waar ik nog steeds voor moet boeten, mevrouw Cooper. Mijn zogenaamde overtreding valt daar trouwens niet onder. Dus ik zal onder geen beding mijn hand op de bijbel leggen en zweren dat ik u de hele waarheid zal vertellen, terwijl dit gerechtelijk onderzoek waar u de leiding over hebt een stomme schijnvertoning is.'
Ze drong de neiging om hem een harde klap te geven terug.
McAvoy zei: 'Ik heb honger. Ik zit verderop bij dat vogelgedoe. Daar heb ik mijn ex-vrouw een keer mee naartoe genomen, dat weet ik nog... Roze flamingo's.'

'U zorgt maar dat het de moeite waard is.'
Ze trof hem in een hoek van het restaurant bij een hoog raam dat uitkeek over een groot ondiep meer waarin een zwerm flamingo's bij

elkaar kroop tegen de kou. Op een mistroostige februarimiddag was de grote eetzaal bijna leeg.

McAvoy schoof zijn lege bord opzij en pakte zijn koffie. 'Wilt u ook iets?'

'Ik wil alleen maar weten waar dit verdomme over gaat.'

'Wat hebt u tegen de jury gezegd?'

'Dat ze de middag vrij hadden.'

'U wordt nog geliefd. Hoe gaat het met mevrouw Jamal?'

'Ze liep helemaal tot mijn auto achter me aan, terwijl ze volhield dat Dani James een hoer was die naar voren was geschoven om haar zoon zwart te maken.'

'Laat haar arresteren voor minachting voor de rechtbank. Kunt u zich voorstellen dat iemand een strafrechter zo uitscheldt?'

'Jawel.'

McAvoy zei: 'Ze was altijd al een lastige tante, het arme mens. Inmiddels zal ze wel kierewiet zijn geworden.'

'Ze heeft haar momenten.' Jenny liet haar ogen door de ruimte zwerven en keek om zich heen of iemand hen in de gaten hield. Door de spanning van een dag in de rechtszaal werkten haar medicijnen niet meer goed. Het was nog geen drie uur en ze voelde zich nu al schrikachtig en rauw.

'Ze zou dankbaar moeten zijn dat die kleine klootzak nog een beurt heeft gekregen voor hij wegging. Ze zou hem nog tot haar veertigste aan haar tiet hebben laten lurken.' Hij knikte naar het raam naar een groepje verkleumd uitziende flamingo's. 'Weet u dat ze nog steeds niet weten waarom die beesten op één poot staan? Een van de grote onopgeloste mysteries der wetenschap.'

'Ik heb gehoord dat ze dat doen omdat ze als ze door een krokodil worden gebeten dan nog één poot overhebben.' Ze haalde een blocnote uit haar koffertje. 'Kunnen we nu beginnen?'

'Ik leg geen verklaring af.'

'Prima, dan noemen we het aantekeningen.' Ze schroefde de dop van haar vulpen los. 'Maar dit was uw idee, weet u nog?'

Hij gromde, alsof hij dat liever wilde vergeten. 'We kunnen met Simon Donovan beginnen. Vanaf april 2002 kreeg hij de politie op zijn dak vanwege een fraudeonderzoek. Hij was destijds zelfstandig accountant; hij kocht met belastingcheques van klanten huurhuizen op en van de overwaarde betaalde hij dan de belastingen. In een stijgende markt werkte dat fantastisch, tot hij zes nog niet afgebouwde nieuwbouwflats kocht die maar niet in waarde stegen. Een van mijn compagnons verdedigde zijn medeverdachte, een hypotheekmakelaar. De zaak zou in augustus voor de rechter komen. Het volgende wat hij te horen krijgt is dat Donovan als getuige à charge optreedt tegen vier klanten van hem die van belastingontduiking werden beticht en dat hij zijn verklaring over de vermiste jongens had afgelegd. Alle aanklachten tegen hem en de makelaar werden geseponeerd.'

'Dus hij heeft een slimme deal voor zijn zaak weten te sluiten... Wat zou dat met de identificatie van de jongens te maken hebben?'

'Hebt u enig idee hoe lui smerissen zijn? Ik heb ze wel in een schenkkan zien pissen om een loopje naar de wc uit te sparen.'

'Dus Donovan was toevallig in de juiste gemoedstoestand op het station?'

'Hoogstwaarschijnlijk. Plus dat ze dit ontzettend graag van hun bordje af wilden krijgen. Met een verklaring die hen in Londen zou situeren, werd het iemand anders zijn probleem.'

'Hoe zit het dan met de veiligheidsdienst?'

'Daar heeft de politie een bloedhekel aan. Die zet ze aan het werk.'

'Denkt u echt dat ze een valse verklaring hebben afgegeven?'

McAvoy grinnikte. 'Wat is dit, wordt u soms elke week opnieuw geboren? Ik dacht dat u als advocaat uw knokkels wel tot bloedens toe had versleten.'

'Ik heb me vooral met jeugdzorgprocedures beziggehouden.'

'Dan moet u wel alles weten over de smerige kant van de menselijke natuur. Wat u van smerissen goed moet onthouden, mevrouw Cooper, is dat liegen een manier van leven wordt. Het begint ermee dat ze hun eerste arrestatieverslag moeten schrijven en dat mooier voorstellen dan het is, en uiteindelijk laten ze onschuldige advocaten in de val lopen.'

Jenny maakte een notitie, hoewel ze niet veel hoop had dat ze er iets mee opschoot. Het was niet waarschijnlijk dat Donovan of de politie zou toegeven dat ze met bewijs hadden geknoeid, en Donovans verklaring over de identiteit stond zo ver van de fraudebeschuldigingen af dat er geen duidelijk verband lag.

'Vertel me eens over uw rol in deze zaak,' zei Jenny.

McAvoy vertelde haar dat mevrouw Jamal en meneer en mevrouw Hassan, winkeliers uit Birmingham, begin oktober naar hem toe waren gekomen. In de eerste weken na de verdwijning van hun zoon hadden ze vrij regelmatig contact met de politie gehad, maar vroeg in de herfst kwam daar gaandeweg de klad in. Ze hadden naar parlementsleden en raadsleden geschreven om hulp, maar werden naar de politie terugverwezen, die nog niet eens voor een VERMIST-poster wilde betalen. Ze hadden zich ten einde raad tot hem gewend. Hij schreef naar de politie en vier weken later kreeg hij kopieën van de getuigenverklaringen die ze hadden afgenomen. Hij pikte de verklaring van Dani James over de mogelijke indringer eruit en schreef opnieuw om te vragen wat ze daaraan hadden gedaan. Daar had hij nooit antwoord op gekregen.

In december kregen beide gezinnen een brief van agent Owen met het bericht dat het onderzoek werd opgeschort. McAvoy schreef een protestbrief terug, zonder resultaat. Tijdens de kerstvakantie belde mevrouw Jamal hem elk uur, vierentwintig uur per dag; ze had duidelijk een soort zenuwinzinking. Aan het begin van het nieuwe jaar schreven de Hassans hem dat ze hadden besloten dat hij niet meer voor hen hoefde te werken.

'Enig idee waarom?' vroeg Jenny.

'Het waren conservatieve mensen. Hun zoon was een halfjaar weg. Zoals zij het zagen had hij zijn familie in de steek gelaten, of hij was iets van plan wat niet in de haak was.'

'En mevrouw Jamal?'

Ze bespeurde een vleugje schuldbesef op McAvoys gezicht. 'Om eerlijk te zijn ging ik haar het liefst uit de weg. Hoe graag ik hun ook het voordeel van de twijfel wilde geven, zelfs ik begon te denken dat ze naar een of ander trainingskamp waren afgetaaid.' Hij staarde uit het raam naar het meertje, alsof hij met een pijnlijke herinnering werd geconfronteerd. 'Dat heb ik ook tegen haar gezegd... Ze kreeg een zenuwtoeval en beschuldigde me ervan dat ik met alle duistere krachten samenspande, dus ik stelde voor om er een privédetective op te zetten. Ze had vijfhonderd pond. Daar konden we hem amper twee dagen voor inhuren, maar de vent die ik kende, die inmiddels is overleden, was langs een paar deuren in St. Pauls gegaan. Hij vond een oud dametje dat zei dat ze op de avond van de achtentwintigste een zwart personenbusje voor haar huis had zien staan. Het stond vlak naast de bushalte vanwaar de jongens altijd met de bus naar de universiteit teruggingen, op zo'n tweehonderd meter van het huis van Anwar Ali. Voorin zaten twee blanke mannen. Volgens haar beschrijving leek het op een Toyota. Het was laat op de avond en ze vond ze er verdacht uitzien. Ze wilde net de politie bellen toen ze hen weg hoorde wegrijden.'

'En dat is alles?'

'Min of meer. Ik belde de busremise om erachter te komen of de politie met een van hun chauffeurs had gesproken die hen die avond misschien had gezien. Mij werd verteld dat ze daar niets over konden zeggen. Ik deed mijn best redelijk te blijven en merkte op dat er geen wettige reden was waarom ze dat niet zouden mogen doen, maar het was alsof ik tegen een muur liep. Ik ging weer naar de politie om te vragen wat hun probleem nou eigenlijk was en kreeg hetzelfde antwoord. Een week later kwam er een mooi meisje bij me op kantoor. Ze zei dat zij me wellicht uit de brand kon helpen met een cliënt van me, die in die tijd tegen een aanklacht voor een gewapende roofoverval aankeek. Ze had een alibi voor hem en ik nam haar verklaring op. De volgende ochtend werd ik poedelnaakt van mijn bed gelicht en heb ik tweeënhalf jaar in een cel gezeten.'

'Gelooft u dat die twee zaken met elkaar verband houden?'

'Ik geef toe dat er veel redenen waren waarom de smerissen me uit de weg wilden hebben. Het feit dat ik twee kerels heb gered van een moordaanklacht en het jaar daarvoor een inspecteur op meineed heb betrapt, waren er maar twee van. Sterker nog: bijna een halfjaar lang heb ik gedacht dat het daar allemaal om te doen was.'

Nu was het McAvoys beurt om om zich heen te speuren. Pas toen hij zeker wist dat niemand van het oudere gezelschap een undercover inspecteur was, richtte hij zijn blik weer op Jenny.

'Door twee dingen ben ik van gedachten veranderd. Ten eerste herinnerde ik me iets. Een paar avonden voor ik werd gearresteerd was ik met een cliënt uit geweest, we waren allebei stomdronken. Ik werd op mijn mobiele telefoon gebeld – dat is mijn privénummer – en een Amerikaans klinkende stem zei: "Wat weet u?" Ik was zo zat dat ik hem nauwelijks kon verstaan. Hij zei het nogmaals: "Wat weet u, meneer McAvoy?" Geen bedreigingen, niets. Ik dacht dat hij gewoon een malloot was en verbrak de verbinding.'

'En wanneer herinnerde u zich dat?'

'Ergens halverwege 2003. Ik lag op mijn stapelbed te wachten tot mijn celgenoot klaar was op de wc.'

'Leuk. Wat was het tweede?'

'Dat telefoontje begint door mijn hoofd te malen... Dat heb je als je vastzit. De Orde van Advocaten had me geroyeerd, mijn vrouw deed het met iemand anders, dus ik wilde weten wat er verdomme aan de hand was. Ik belde die detective nog een keer – hij heette Billy Dean – en vroeg of hij niet nog wat kon rondneuzen om aanwijzingen te vinden over dat telefoontje of de Toyota. Prima. Hij probeerde eerst dat telefoontje te achterhalen, maar had geen succes: het nummer was van zo'n ongeregistreerd prepaid wegwerpding. Maar met de Toyota had hij meer geluk. Welbeschouwd zijn er maar een paar grote uitvalswegen vanuit Bristol. Twee daarvan gaan over de Severn. Billy praatte met wat jongens in de tolhuisjes en vond een kerel op het oude Severn-kruispunt die zich daadwerkelijk herinnerde een zwarte MPV te hebben gezien, met twee gedrongen blanke mannen voorin en twee Aziatische jongens achterin.'

'Een jáár later?'
'De man vond het maar vreemd. Er gaan niet veel donkere mensen naar Monmouthshire. Hij kwam uit Chepstow – één Chinees afhaalrestaurant en een Franse poetser.'
'Zijn daar geen camera's om de kentekenplaten te registreren?'
'Alle gegevens worden na vier weken gewist. De enige keer dat Big Brother zich misschien nuttig had kunnen maken.'
'Bent u daar nog verder achteraan gegaan?'
McAvoy schudde zijn hoofd. 'Ik heb het uit mijn hoofd gezet. Billy kreeg een beroerte, en de gezegende vader O'Riordan hielp me om me met mijn geloof te verzoenen. De geest leek zich ertegen te verzetten.'
'Mevrouw Jamal heeft me daar niets van verteld.'
'Ik heb haar er niet mee lastiggevallen. Wat had ze moeten doen, behalve nog gekker worden? Er was geen tastbaar bewijs. Om u de waarheid te zeggen, had ik mezelf er al bijna van overtuigd dat het niets voorstelde, tot ik van uw gerechtelijk onderzoek hoorde.'
'Waardoor bent u van gedachten veranderd?'
'Het is dat u het vraagt.' Hij dacht even na. 'Ik vermoed dat je zou kunnen zeggen dat de geest zich naar mijn gevoel de andere kant op bewoog. Mijn cliënt met de vermiste dochter, bijvoorbeeld, en toen ik er weer aan terugdacht, vroeg ik me af of die arme gezinnen misschien niet een beetje vrede hadden gevonden als ze niet met een heilloze klootzak zoals ik opgezadeld waren geweest.'
'Aha.' Ze bekeek haar aantekeningen, het waren er niet veel. 'Uw gooi naar verlossing bestaat uit een niet te traceren telefoontje – al dan niet relevant – en een vluchtige glimp van een auto, bijna acht jaar geleden, die werd opgevangen door een tolhuisbeambte.'
'Ik weet nog hoe die vent heette: Frank Madog.'
Jenny schreef het op. 'Eens kijken of we hem zover krijgen dat hij wil getuigen.'
'Ik vind dat niet zo'n goed idee. Waarom schorst u de zitting niet een paar dagen en gaat u zelf niet met hem praten, kijken of dat ergens toe leidt? Ik kan hem wel eerst benaderen, als u dat wilt.'
'Ik begrijp het.' Ze klapte haar blocnote dicht. 'Is er soms een speciale reden waarom u zich geroepen voelt mij te vertellen hoe ik mijn onderzoek moet doen?'
'Ja,' zei McAvoy. 'Ik kreeg dit weekend thuis een telefoontje. Gisterochtend, tien uur, ik was nog nuchter. Het klonk als een robot, via zo'n stemvervormer. Ik neem aan dat het een mannenstem was: "Zeg me wat je weet, McAvoy, anders ben je er geweest."'
'Wat weet?' zei Jenny met een vleugje scepsis.

'Dat vroeg ik ook. Hij zei – en dit zei de man letterlijk met zijn robotstem: "Ik zou in de goedkope doos waar jij in zult wegrotten nog niet eens willen schijten." "Doos", geen "kist". Wie zegt dat nou aan deze kant van de Atlantische Oceaan?'

'En toen?'

'Ik heb opgehangen.'

Ze knikte met naar ze hoopte een neutrale gelaatsuitdrukking, terwijl een nadrukkelijke stem in haar hoofd tegen haar zei dat ze nu zonder achterom te kijken moest weglopen.

McAvoy zei: 'Voordat u hiermee aan de gang gaat, moet u nog iets anders weten.'

'Vertel me nou maar alles ook.'

'Uw medewerkster, Alison Trent... Zij was degene van de CID die me heeft opgeborgen.' Hij haalde vergevensgezind zijn schouders op. 'Zo, zal ik u nog met Madog in contact brengen?'

Ze hoorde Alison met stemverheffing praten toen ze de deur naar haar kantoor opendeed. Zo te horen hing ze aan de telefoon.

'Natuurlijk is ze welkom, ze is mijn dochter, ik begrijp alleen niet waarom ze háár mee moet nemen.'

Jenny bleef buiten het secretariaat staan. Ze voelde zich schuldig dat ze stond af te luisteren, maar het voelde ook niet goed om Alison midden in het gesprek te storen. En ze was nieuwsgierig.

'Hoe vaak moet ik dit nog zeggen? Ik heb geen moeite met haar, het gaat om de toestand... Omdat ik niet geloof dat het echt waar is, dáárom. Ze heeft zat vriendjes gehad, godbetert.' Alison slaakte een diepe zucht. 'Prima. Jij gaat er op jouw manier mee om, ik op de mijne. Verwacht alleen niet van me dat ik haar met open armen zal ontvangen. Je kunt me van alles wat je maar wilt beschuldigen, maar van schijnheiligheid kun je me niet betichten.' Ze gooide de hoorn op de haak en beende naar het keukentje.

Overdonderd dacht Jenny na over wat ze had gehoord. Had Alisons dochter een relatie met een vrouw? Dat zou haar nukkigheid verklaren, en de New Dawn Church. De gelikte nieuwsbrief die Alison op de salontafel had neergelegd, stond vol verhalen over dronkaards, junks en homoseksuelen die door de kracht van het gebed weer op het rechte en smalle pad waren teruggekeerd. Een paar getuigenissen, moest ze toegeven, waren erg ontroerend.

'Hallo,' zei Jenny toen ze naar binnen liep. Ze liep naar Alisons bureau om haar postvakje te checken.

Er viel een humeurige stilte voor Alison de keukendeur door kwam.

'Mevrouw Jamal heeft gebeld – drie keer. Ze denkt dat er iemand in haar flat is geweest.'

'Ik moet haar toch spreken. Ik ga de zitting tot volgende week maandag schorsen.' Jenny bladerde door drie lijkschouwingsrapporten die haar onmiddellijke aandacht vroegen. Een gezonde man van tweeëndertig was tijdens het hardlopen op de Downs dood neergevallen, en een bestelbus was van een snelwegtalud gereden, waarbij twee inzittenden om het leven waren gekomen. Geen van hen had een gordel om gehad. Alison had de gemailde foto's van het wrak uitgeprint: op de voorruit zaten twee bloederige, sneeuwvlokachtige sterren waar hun hoofden tegenaan waren gebotst.

'O? Is daar een bepaalde reden voor?' vroeg Alison afkeurend.

'Alec McAvoy, die juridisch adviseur, heeft wat informatie doorgespeeld. Ik wil die natrekken voor ik nog meer levende getuigen oproep.'

'Ik ken die McAvoy wel. Hij is een van de meest corrupte advocaten die deze stad ooit heeft voortgebracht.'

'Hij had het erover dat jij deel uitmaakte van het team dat hem voor de rechter heeft gedaagd.'

'Ja, logisch dat hij het op zo'n manier brengt.' Alison keek nijdig. 'Hij had met bewijs geknoeid. Daar verdiende hij de kost mee. Ik hoorde het rechtstreeks van zijn voormalige cliënten. Alles wat hij u vanmiddag heeft verteld zou ik als ik u was maar met een flinke schep zout nemen, mevrouw Cooper.'

'Ik begrijp dat jullie een geschiedenis hebben. Ik zal je niet vragen om hierbij betrokken te raken.' Ze nam de rapporten onder haar arm. 'Als je nu zo vriendelijk wilt zijn om iedereen te laten weten dat we volgende week maandag weer bij elkaar komen...'

'Mag ik vragen waar die informatie over ging?'

Jenny vertelde slechts de halve waarheid. 'Over een verdacht voertuig dat in de buurt van de flat van Anwar Ali was gesignaleerd op de avond van de vermissing. Het komt me vreemd voor dat de politie daar niets mee heeft gedaan, temeer omdat er een observatieteam in de buurt zat.'

'Waarom vraagt u het Dave Pironi niet? Hij kan die vraag vast meteen beantwoorden.'

'Vertelde jij me niet dat de veiligheidsdienst de leiding had genomen?' zei Jenny. 'Daar wil hij zeker niet over praten, hè?'

Daar reageerde Alison niet op.

Jenny vroeg vriendelijk: 'Gaat het wel goed met je?'

'Uitstekend, dank u, mevrouw Cooper. Ik maak me alleen zorgen dat u zich door een professionele oplichter laat inpakken, dat is alles.' Alison draaide zich om toen ze het water aan de kook hoorde komen en haastte zich om thee te zetten.

Jenny trok zich in haar kantoor terug en deed de deur achter zich dicht. Een nieuwe stapel ongelezen postmortemrapporten lag op haar bureau naast de groeiende berg correspondentie die ze al een paar dagen links had laten liggen. Ze liet zich in haar stoel vallen en klikte op haar e-mailprogramma – alles liever dan aan het werk te gaan. Tussen de rommel en spam stond een vraag van agent Murphy om meer details over degenen die naar Jane Doe hadden gekeken; het laatste hoogdravende rondschrijven van het ministerie van Justitie, waarin onderzoeksrechters werd opgedragen om zich in de rechtszaal te onthouden van gevoelige taal of taal die mogelijk de krantenkoppen zou kunnen halen – hoe saaier en technischer, hoe beter; en een kort verzoekje van Gillian Golder om haar op haar rechtstreekse nummer te bellen.

Jenny zette haar kiezen op elkaar en belde.

Gillian Golder nam op bij de tweede keer overgaan. 'Jenny. Heel erg bedankt dat je me belt.' Ze klonk opgetogen.

'Graag gedaan. Wat kan ik voor je doen?'

'Luister eens, we willen natuurlijk niet tussenbeide komen, maar Alun vertelde me dat je de advocaat van de BRISIC tot de rechtbank hebt toegelaten.'

'Dat ligt binnen mijn bevoegdheid. Ik vond dat zijn cliënt een wettelijk belang heeft.'

'Uiteraard. Maar het is goed om te weten dat hun agenda verre van aangenaam is. Het is een politieke islamistische organisatie die verraderlijke complottheorieën verspreidt. Kijk maar eens op de berichtenfora van hun website: ze beschuldigen de Britse staat van van alles: van kwalijke propaganda tot en met moord op de eigen burgers. Ik ben bang dat ik het er niet mee eens ben dat hun belang wettelijk is.'

Jenny vertikte het om zich te laten koeioneren en zei: 'Ik weet zeker dat ik ze wel in toom kan houden.'

'Ik begrijp dat je de zitting nu al hebt geschorst. Een van onze mensen zou morgen een verklaring komen afleggen...'

'Er is niets sinisters aan, hoor.'

'Daar denken onze vrienden tijdens hun nieuwsinterviews anders over. Wat hen betreft ben je nu al bezig een doofpot op te bouwen.'

'En hoe zou ik volgens jou dan door die informatie beïnvloed worden?'

'Dat zeg ik helemaal niet,' zei Gillian Golder. 'Ik waarschuw je alleen maar van tevoren. Gevaarlijke onzin kan heel geloofwaardig overkomen, zelfs op een volkomen gezond en rationeel brein.' Ze legde nadruk op die laatste woorden, waarmee ze Jenny de boodschap meegaf die geen nadere uitleg behoefde: als je ons in verlegenheid brengt, maken we je af.

11

Laat op de avond begon het te waaien. Een koude noordenwind vond nieuwe gaten en kieren in de cottagemuren en drong zich daardoorheen. Bij vlagen rammelde de achterdeur in zijn scharnieren, waar Jenny van schrok. Ze verlangde naar een borrel om de kinderachtige angst die het krakende pand bij haar teweegbracht te dempen. Ross logeerde bij een vriend in Bristol en ze vond het te gênant om Steve te bellen en te zeggen dat ze in haar eigen huis bang was in haar eentje. Ze sloot zich de hele avond op in haar werkkamer, waar ze langzaam maar zeker steeds zenuwachtiger werd. In de namiddag had de politiefotograaf meer beelden van de binnenkant van het bestelbuswrak gemaild die ze maar niet van zich af kon zetten: twee mannen van begin twintig met uiteengereten voorhoofd; de een lag in een hoek over de bank terwijl de ander met zijn toegetakelde gezwollen gezicht omhoog op de grond lag. Op het dashboard lag een half opgegeten hamburger. Ze waren boomchirurgen, mannen die de kost verdienden door met een kettingzaag op rotte boomtakken te klimmen, maar iets triviaals als een defect bandenventiel had hen de vergetelheid in gestuurd. In haar werk werd ze er voortdurend aan herinnerd dat elke dag, zonder waarschuwing, zelfs de fitste en gezondste mens uit het leven kon worden weggerukt. En waar gingen ze naartoe, die arme zielen die met een mondvol gegrild vlees en uien het hiernamaals in werden gekatapulteerd? Het zou een troost zijn als je kon denken dat het zo simpel was als het licht uitdoen, maar dat geloofde ze geen moment.

Ze had aan twee pillen niet genoeg om in slaap te komen. Het werd inmiddels routine: ze lag in het donker, had het donzen dekbed tot aan haar oren opgetrokken terwijl ze bij elk geluid ineenkromp. Mevrouw Jamal, de vermiste jongens en de lijken in de bestelbus trokken aan haar geestesoog voorbij en drongen haar rusteloze dromen binnen: mevrouw Jamal en zij joegen door een labyrint van onbekende straten achter een vluchtende zwarte bestelbus aan, die met een lekke band voorthobbelde. Wanhopig, buiten adem en uitgeput sloegen ze uiteindelijk een hoek om en zagen hem in de kreukels tegen een boom liggen. Bloed drupte van de treeplanken op het asfalt. Terwijl mevrouw Jamal jammerde en aan haar kleren rukte, vermande Jenny zich met gerechtvaardigde woede en rukte de cabinedeur open. Binnenin zat een jong meisje dat opkeek van haar bebloede handen, die ze over haar gezicht had gehaald. Het kind verscheurde de lucht met een kreet en Jenny deinsde terug en vluchtte weg op benen die in steen veranderden. Terwijl ze worstelde om de ene voet voor de andere te zetten, kwam er een kille schaduw over haar; ze hoorde de lichaamloze stem van haar zoon zeggen: 'Je kent me niet. Je kunt me nooit kennen.' Ze wilde zijn naam roepen, hem uit zijn schuilplaats halen, maar het landschap om haar heen veranderde en werd de straat waar ze als kind had gewoond. Even was ze dolblij dat ze veilig was, maar vervolgens realiseerde ze zich dat de gebouwen lege hulzen waren. Er hingen geen gordijnen voor de ramen, daarbinnen waren geen mensen of meubels. Geheel en al alleen en in de steek gelaten barstte ze in huilen uit.

Jenny werd wakker van een natte plek op haar kussen en met een angst zo puur dat hij bijna verfijnd was. Ze ging rechtop zitten en knipte het licht aan, terwijl ze haar best deed het beeld van het meisje met het bloederige gezicht van zich af te schudden. Het was halfvijf in de ochtend. Ze zei tegen zichzelf dat het maar een nachtmerrie was, het product van een woelige, rusteloze geest die snel tot bedaren zou komen, maar dat gebeurde niet. Het meisjesgezicht, dat haar op de een of andere manier bekend voorkwam, joeg haar op, smeekte erom om gezien te worden.

Ze trok haar kamerjas aan en liep naar beneden, terwijl ze onderweg alle lampen aandeed. Ze diepte haar dagboek uit haar bureaula op en wilde gaan schrijven, maar begon toen als een uitzinnige het gezicht van het kind te schetsen...

Ze sloeg van de M48 af en reed het parkeerterrein op van het Severn View-benzinestation voor haar vroege ontmoeting met McAvoy. Hij stond tegen zijn oude zwarte Ford geleund een sigaret te roken. Ze zette de auto naast hem neer en stapte uit. De koude bries beet in haar wangen.

Hij glimlachte met vermoeide, rode ogen die eruitzagen alsof hij weinig geslapen had.

'Moet u uzelf nu eens zien, zo fris en prachtig op dit godvergeten uur.'

'Dat komt vast door de drie uur die ik aan mijn make-up heb besteed.'

'En nog bescheiden ook.' Hij gooide zijn sigarettenpeuk weg en trapte hem met zijn voet uit. 'U bent echt een van de onschuldigen der natuur.'

Met beide handen streek hij zijn haar naar achteren en hij rolde met zijn stijve schouders. Ze kon zijn kater voelen.

'Laat geworden gisteravond?'

'Het ligt aan de mensen met wie ik zakendoe. Die houden zich niet aan normale tijden.' Hij huiverde. 'De airco van deze ouwe brik is kaduuk. Is er kans dat ik met u mee kan rijden?'

'U had toch gezegd dat Madog ons hier zou ontmoeten?'

'Dat heb ik voorgesteld, ja. Hij leek een beetje terughoudend. Maar ik weet dat hij vanochtend vroege dienst heeft. Hij moet nu ongeveer aan zijn pauze toe zijn.'

McAvoy rook naar een aromatische mix van sigaretten, whisky en een vleug parfum. Met de verwarming op de hoogste stand ging haar kleine auto er helemaal naar ruiken, wat beelden bij haar opriep van goedkope casino's en topless hostesses.

'Draai de snelweg naar het noorden op; dan komen we vanzelf bij het kantinegebouw aan deze kant van de brede toltoegangsweg uit,' zei McAvoy en hij deed zijn raampje op een kiertje open. 'Mag ik?'

'Ik heb wel pijnstillers als u die soms nodig hebt.'

'Bedankt, maar ik ben bijgelovig als het gaat om de behandeling van pijn die ik mezelf heb aangedaan. Ik ben bang dat de duivel dan twee keer zo hard toeslaat.'

Ze glimlachte en reed een tijdje zwijgend verder. 'Meent u dat nou echt?'

'Lees het evangelie van Mattheüs er maar op na; daarin wordt de hel negen keer apart genoemd. Die passages zijn vast niet allemaal figuurlijk bedoeld geweest.'

'U lijkt mijn assistente wel. Zij gaat naar een evangelische kerk...'

'Wat een pech. Die mensen kennen geen poëzie of deemoed,' onderbrak McAvoy haar. 'Ga liever eens per twee weken biechten en stort al je zonden bij een celibatair priester uit. Daarmee word je weer op je plaats gezet.'

'Doet u dat?'

'Ik doe mijn best.'

Nieuwsgierig vroeg Jenny: 'Hoe kunt u dat rijmen met uw werk? Ik weet dat misdadigers verdedigd moeten worden...'

'Weet u wie er in de gevangenis bij me op bezoek kwamen en mijn vrouw geld gaven? Mijn cliënten. Van mijn respectabele collega's heb ik verdomme geen woord gehoord. Als het aan hen lag konden we allebei wegrotten.'

'Misschien wisten ze niet wat ze ermee aan moesten.'

'Het punt met schurken is dat zij met de gevolgen leven. Vergeet die sociologische bullshit van u maar. Niemand begrijpt goed en kwaad beter dan zij. Advocaten, politici en zakenlui, zij houden zich er verre van. Ze nippen van hun chablis terwijl in Afrika de benen onder arme meisjes vandaan worden geschoten. Het zijn niet de rovers en de dieven, maar die klootzakken in pak die het duister in deze wereld regeren.'

Ze keek opzij naar hem en zag een gespannen trek op zijn gezicht.

'Sorry,' zei ze.

'Let er maar niet op. Ik ga altijd nogal tekeer als ik een hoofdpijn heb.'

'Alleen dan?'

Hij schonk haar een pijnlijke glimlach. 'Kop dicht en rijden.'

Toen ze aan de Engelse kant van de brug aankwamen, zei McAvoy tegen haar dat ze de auto naast een één verdieping tellend gebouw moest neerzetten, aan de rand van de brede toegangsweg vlak bij de tolhuisjes. Het was spitsuur en in beide richtingen was er veel verkeer. Hij gebood haar te blijven zitten tot hij Madog had gevonden.

Ze zag hem op een jonge vrouw in het uniform van een tolbeambte toe lopen, die het gebouw uit kwam om een sigaret op te steken. Ze leek onzeker toen McAvoy zijn verhaal deed en keek wantrouwig naar Jenny, waarna ze naar een van de huisjes midden op het toegangsplein wees. McAvoy bedankte haar en vroeg om een vuurtje voor hij tussen de verkeersrijen door huppelde en zijn middelvinger opstak naar een bestuurder van een Range Rover die protesteerde omdat hij een halve seconde werd opgehouden.

Ze kon het niet goed zien, maar zag wel zoveel dat ze in de gaten had dat Madog zijn werk niet graag in de steek liet. Ze zag McAvoy op het glas tikken en gebaren maken, tot hij uiteindelijk op de rijbaan uitstapte en die met twee plastic verkeerszuiltjes blokkeerde. Door de woedende claxonnade die daarop volgde haastte een opzichter zich uit het gebouw naar buiten. Jenny sprong de auto uit om hem te onderscheppen.

'Neem me niet kwalijk, meneer. Ik ben Jenny Cooper, rechter van instructie van het Severn Vale-district. Mijn collega en ik moeten met een personeelslid van u spreken, meneer Frank Madog.'

'Wat?' Hij wees naar haar auto. 'Wie heeft gezegd dat u daar mag parkeren? Dat is een toegangsroute.' De opzichter was begin dertig en was te dik, en hij had wel zin in een potje ruzie.

Ze stak haar hand in haar jaszak en diepte er een visitekaartje uit. 'Ik doe hier officieel onderzoek. Meneer Madog is wettelijk verplicht mee te werken. Ik zou u dankbaar zijn als u ervoor kunt zorgen dat hij hierheen komt.'

McAvoys stem klonk boven het lawaai uit. Hij schold in bloemrijke taal een vrachtwagenchauffeur uit die agressief tot aan de verkeerszuiltjes optrok.

De opzichter negeerde de knakker en zei: 'Wie is die gek, verdomme?'

Jenny zei: 'Dat weet ik niet. Waarom noteert u zijn kenteken niet?'

Te oordelen naar de tatoeages op de rug van zijn hand had Frank Madog iets met Elvis. Hij had zijn dunne rossige haar in een soort kuif gekamd en er zat iets van franje op zijn te lange, met hoofdroos bezaaide jasje, dat te ruim om zijn schonkige schouders hing. In de portakabin, die als tijdelijke kantine voor het tolpersoneel diende, was geen plekje aan de muren waar geen VERBODEN TE ROKEN-vignet hing. Beroofd van zijn sigaretten frutselde Madog met zijn met nicotine bevlekte vingers aan het montuur van zijn vettige bril.

'Je kunt niet ontkennen dat het lang geleden was,' zei Madog. 'Meer dan acht jaar.'

'Weet je nog dat mijn partner, Billy Dean, in 2003 met je heeft gepraat? Kaal, rood gezicht. Lelijke vent.'

'Ik geloof het wel.' Hij was er helemaal niet zeker van.

'Kom op, meneer Madog, hoe vaak bent u tijdens het tol innen door een privédetective ondervraagd?'

Madog wreef over zijn voorhoofd en liet zijn gele tanden zien toen hij glimlachte. 'Zoals ik al zei: ik geloof dat ik me de man wel kan herinneren.'

Jenny keek McAvoy aan met een blik die hem maande rustig aan te doen. Dit was tenslotte geen officieel bezoek van de onderzoeksrechter.

Hij sloeg een redelijke toon aan, wat hem duidelijk niet makkelijk afging. 'Ik heb destijds met meneer Dean gesproken; hij heeft me uw gegevens doorgegeven. Hij zei dat u een zwarte Toyota MPV hebt gezien die hier op de avond van 28 juni 2002 langs is gekomen. Twee stevig uitziende blanke mannen voorin, twee Aziatische jongens achterin. U zei tegen hem dat u het een vreemd gezicht vond en dat u het zich daarom kon herinneren.'

Madog keek Jenny met een vage gezichtsuitdrukking aan, alsof die informatie slechts heel in de verte een belletje deed rinkelen. 'Hij heeft een beter geheugen dan ik.'

'Om eerlijk te zijn is hij dood,' zei McAvoy. 'Anders hadden we hem wel meegenomen. Zijn gezicht zou uw herinnering absoluut wakker hebben geschud.'

Jenny zei: 'Ik wil graag dat u uw best doet, meneer Madog. Ik wil u als getuige bij mijn gerechtelijk onderzoek oproepen.'

Madogs adamsappel ging op en neer in zijn gerimpelde keel. 'Hoor eens even, ik mag dan tegen uw vriend gezegd hebben dat ik een auto heb gezien, maar sinds die tijd heb ik daar heel wat nachten gezeten, als u begrijpt wat ik bedoel.' Hij tikte tegen zijn slaap. 'Het oude geheugen laat het zo nu en dan afweten.'

Jenny zuchtte. 'Bedoelt u dat u zich de vier mannen in de zwarte Toyota niet herinnert? Het is heel belangrijk dat u de waarheid spreekt, meneer Madog.'

Madog keek beurtelings van Jenny naar McAvoy en weer terug. Hij deed zijn mond open, maar er kwam geen geluid uit.

McAvoy bewonderde Madogs tatoeages en zei: 'Ik vind zijn gospels nog het mooist. "Peace in the Valley"... ken je dat?'

Madog knikte behoedzaam.

McAvoy zei: 'Weet je nog hoe die gaat? Ik ben het vergeten.'

Madog en Jenny wisselden een blik.

'Kom op, Frank,' zei McAvoy, 'die ken je heus wel. Laat eens kijken... *Well the morning's so bright and the lamb is the light, and the night is as black, as black as the sea.*'

Hij ging zingen, terwijl de woorden in een ononderbroken stroom bij hem terugkwamen. '*And the beasts of the wild will be led by a child, en I'll be changed, changed from this creature that I am, oh yes indeed...*' Hij glimlachte. 'Een prachtige, hoopgevende boodschap. We zullen allemaal veranderen, Frank, en als hij aan die hete plek heeft weten te ontkomen, dan zijn zelfs de wangen van mijn vriend meneer Dean zo zoet dat je ze nu wel zou zoenen.'

Jenny voelde dat ze bloosde van schaamte, maar McAvoy was nu helemaal op dreef en niet in de stemming om ermee op te houden.

'Je moet weten dat de King een diep religieus man was, Frank – de reden waarom ik geloof dat hij in de hemel is gekomen, ondanks alle drugs en vrouwen en wat al niet. En ik weet zeker dat je het ermee eens bent dat een waarachtige fan het verschrikkelijk zou vinden om zijn dierbare nagedachtenis met een leugen te bezoedelen, helemaal bij zo'n serieuze en belangrijke zaak.' Hij leunde over de tafel naar voren en legde zijn handen boven op die van Madog. 'Kun je je voorstellen dat je hem aan gene zijde tegenkomt en hem dan moet vertellen waarom je niet de hele waarheid hebt verteld? Het gaat hier wel om een moeder die om haar verdwenen zoon schreeuwt, Frank.'

Madog trok langzaam zijn handen onder die van McAvoy uit.

'Dus wat heb je ons te melden?' zei McAvoy.

'Wie waren ze?' vroeg Madog. 'Waar gaat dit allemaal om?'

Jenny zei: 'Voor zover we weten, waren ze gewoon twee jonge studenten. Ze raakten vermist, de politie wist ze niet op te sporen en het is mijn taak om erachter te komen of ze nog leven of dood zijn. En als ze dood zijn, hoe ze dan aan hun eind zijn gekomen.'

'O. Oké.' Madog wreef over zijn slapen.

McAvoy gaf hem even de tijd, keek naar Jenny en zei toen: 'Iemand anders heeft hier met je over gepraat, hè? Je bent nu onder vrienden, Frank, zullen we daarmee beginnen?'

Madog keek naar Jenny. 'Wat gebeurt er met die informatie?'

'Die helpt me om achter de waarheid te komen. En als er sprake is van een misdaad, kan hij bij een gerechtelijke vervolging gebruikt worden.'

'Bent u de rechter van instructie?'

'Je hebt mevrouw Coopers foto in de *Post* gezien, Frank. Kijk maar op haar website... Ze heeft zichzelf niet eens geretoucheerd.'

Madog knikte. 'Oké. Uw vriend vertelde me alleen dat hij een detective was. Dat is de enige reden waarom ik met hem heb gepraat. Hij dreigde me aan te klagen als ik het niet deed.'

McAvoy zei: 'Dan bied ik je namens hem postuum mijn verontschuldigingen aan. Hij was goed voor zijn vrouw en kinderen.'

Jenny klapte de blocnote open die voor haar had liggen wachten: 'Oké, meneer Madog, als u dan nu zover bent...'

'Het was zoals ik uw vriend destijds heb verteld: ik zag een zwarte Toyota, twee blanke kerels voorin, om ongeveer elf uur 's avonds. Een van hen, de bestuurder, was nogal gedrongen en had een geschoren schedel. De passagier had een paardenstaart.'

'Hoe oud waren ze?' vroeg Jenny.

'Dertigers... En de twee knapen achterin waren allebei Aziaten. Met baard, maar ze zagen er jong uit... Haast nog pubers.'

'Waarom vielen ze u op?'

'Ik denk omdat ze er zo bang uitzagen. Een van hen keek me met die grote bruine ogen aan bijna alsof hij me iets probeerde te vertellen.'

'Heeft iemand in de auto iets tegen u gezegd?'

'Niets. Geen woord. Dat was ook zoiets... Meestal zeggen ze wel bedankt. Ik doe mijn best om opgewekt tegen de klanten te zijn...' Hij zocht even in zijn geheugen. 'Nee, deze kerel had een gezicht als een donderwolk. Echt een zware jongen.' Hij slikte angstig. 'Maar het was de andere die achter me aan kwam.'

Jenny keek op. 'Wat?!'

'Ongeveer een week later. Ik liep net met mijn kleindochter het huis uit. Ze was toen zes. Ik bracht haar op een zaterdagmiddag naar haar moeder. We stapten in de auto voor het huis en die vent met die paardenstaart klopte op het bestuurdersraampje. Ik draaide het omlaag en hij boog zich er glimlachend doorheen en zei: "Als iemand ernaar vraagt, dan heb je ons nooit gezien." Toen haalde hij een spuitbus met oranje verf tevoorschijn en spoot het haar van mijn kleindochter helemaal onder. Ze gilde het uit. Hij hield maar niet op...' Madog schudde zijn hoofd. 'Ik moest het er met terpentine uit wassen. Dat heeft me de hele ochtend gekost.'

'En dat hebt u niet aan de politie verteld?' vroeg Jenny.

Madog zei: 'Als u erbij was geweest, zou u dat niet vragen. Geloof me, hij spoot lachend met die verf rond.'

'Maar u hebt dit allemaal wel aan meneer Dean verteld?'

'Niet dat gedeelte over de verf. Ik zweer bij God dat zelfs mijn dochter het tot op de dag vandaag nog niet weet.'

'Die man moet u behoorlijk bang hebben gemaakt,' zei Jenny.

'Ja, hij was als een... als...'

'De duivel in eigen persoon?' zei McAvoy.

'U hoeft dat soort gelul niet van mensen te pikken,' zei McAvoy. 'U bent de rechter van instructie, godbetert, u hebt meer macht dan het hooggerechtshof.'

'Amper.'

'Zoek ze op. Als u het lef hebt, zou u die macht gebruiken.'

Jenny keek opzij naar hem terwijl ze met de Golf weer de afslag van het benzinestation op draaide. Hij was op een shabby manier knap om te zien, maar geen man om je handtas aan toe te vertrouwen. Hij had iets van een nepartiest: het pak klopte, maar je wist nooit zeker of het daarbij bleef.

'Zo, wat gaat u nu doen? Die kerel met de paardenstaart lijkt me een kwaaie. Een echte professional, hij had de hele psychologie doordacht. Verf spuiten op het hoofd van een kindje... lieve hemel.'

'Ik laat mijn medewerkster Madogs verklaring opnemen en roep hem als getuige op.'

'En wat gaat de jury daar dan mee doen? U moet absoluut die Toyota zien te vinden, en die kerel met de paardenstaart.'

'Een zwarte Toyota? Daar zijn er vast duizenden van.'

'Daar zou u nog raar van opkijken. Waarschijnlijk zijn er maar een paar honderd van hetzelfde model. U kunt ze geografisch afvinken. Als je de oude Severn Bridge neemt, zijn er niet veel plekken waar je heen kunt. Alle wegen komen bij de provinciegrens uit.' Hij sloeg op het dashboard om zijn woorden kracht bij te zetten. 'U moet zien uit te vinden wie die mensen zijn, u mag ze geen kans geven de benen te nemen door Madog voordat u ze hebt opgespoord voor de rechtbank te slepen. Ik zal u helpen, mijn bloed kookt alweer.'

Jenny dacht erover na. Zijn geestdrift was aanstekelijk. 'Misschien kan het geen kwaad. De meeste juryleden zagen er niet uit alsof ze haast hadden om weer naar hun dagelijks werk te gaan.'

'Zo mag ik het horen.' Hij grinnikte. 'Brave meid.'

Jenny draaide het bijna lege parkeerterrein op. Haar hoofd tolde van de vragen over wie de mannen op de voorbank van de Toyota geweest konden zijn. Maar kon ze er wel zeker van zijn dat Madog de waarheid had gesproken? Ze keek opnieuw naar McAvoy en besefte dat ze niet wist wat ze in zijn bijzijn moest geloven; hij leek de werkelijkheid om hem heen te veranderen. Ze zou niet goed kunnen nadenken voordat ze daar weg was. Ze zette haar auto stil naast de zijne.

'Nog een kop koffie?' vroeg hij.

'Beter van niet. Werk, u weet wel...'

'Ik dacht dat u een vrije geest had, mevrouw Cooper.'

Er hing plotseling een bepaalde sfeer tussen hen. De manier waarop hij haar met glimlachende, oplettende ogen bekeek... Hij leek haar te kennen, had vat op haar. Ze kreeg het warm en raakte lichtelijk in paniek.

'Een ander keertje. Ik hou contact... En bedankt.'

McAvoy knikte, alsof hij de vele redenen voor haar terughoudendheid volkomen begreep. Hij pakte de portiergreep vast en wachtte toen. 'O, dat ben ik nog vergeten te vertellen... Tijdens het gerechtelijk onderzoek gisteren herinnerde ik me dat mevrouw Jamal een keer heeft gezegd dat ze vermoedde dat Nazim een vriendinnetje had.'

'Wist ze het dan van Dani James?'

'Nee, ik geloof dat ze het er eerder over had, maanden daarvoor al.'

'Tegen mij heeft ze er niets over gezegd.'

'Vraag het haar maar.' Hij glimlachte en zei: 'God zegene u,' en stapte de ijskoude wind in.

Alison liep nog steeds te foeteren over de ontijdige schorsing van het gerechtelijk onderzoek. Jenny vermoedde dat ze Pironi aan de lijn had gehad met de vraag wat er in godsnaam aan de hand was, en dat Pironi in de strijd om haar loyaliteit aan het langste eind had getrokken. Ze was de eerste twee uur duidelijk aan het opruimen geweest: haar kantoor zag er onberispelijk uit, afgezien van het overvolle bakje op de hoek van haar bureau dat voor Jenny's berichten en post bestemd was.

Jenny scheidde de cruciale van de min of meer urgente zaken, sloeg geen acht op de kille houding van haar medewerkster en vertelde haar over haar uitstapje met McAvoy naar het tolterrein. Alison was niet onder de indruk toen Jenny aankondigde dat ze had besloten dat de opsporing van de Toyota en inzittenden prioriteit had voordat ze het gerechtelijk onderzoek zou hervatten.

'En wanneer is het dan zover?' vroeg Alison.

'Ik dacht dat we maandag hadden afgesproken.'

'Hebt u enig idee hoe lang het duurt om ook maar enig succes te boeken bij de mensen van de kentekenregistratie in Swansea? Daar lijkt het wel Stalins Kremlin.'

'Ik bedacht dat we het misschien via de politie konden spelen – zij staan toch in verbinding met de computers in Swansea?'

'Ze zitten al tot hun nek in het werk. Neem maar van mij aan dat ik al mijn gunsten heb opgebruikt, mevrouw Cooper, en wel meer ook. Het is nu zover dat zelfs mijn ex-collega's mijn telefoontjes wegdrukken.'

'Het is waarschijnlijk het best als de CID in Bristol hier niets vanaf weet, aangezien zij nauw betrokken waren bij het oorspronkelijke onderzoek.' Ze voelde dat Alisons stekels overeind gingen staan. 'Ik bel inspecteur Williams in Chepstow wel, eens kijken of ik hem kan overhalen om ons een handje te helpen.'

'Dat wil hij vast,' zei Alison vol vuur. 'Hij grijpt elke kans aan om de Engelse politie onderuit te halen.'

'Wie had het hier over onderuithalen?'

Alison keek op van haar computerscherm. 'Ik heb u al verteld wat ik van Alec McAvoy vind. Hij is de bak ingegaan omdat hij met getuigenverklaringen heeft geknoeid... Daar heeft hij carrière mee gemaakt. U kunt niet van me verwachten dat ik iemand geloof die hij plotseling uit zijn hoed tovert.'

'Madog kwam op mij anders heel oprecht over.'

'Gelooft u nou echt dat hij niet naar de politie was gegaan als het waar is wat hij u heeft verteld?'

'Waarom zou McAvoy zich nou met dit onderzoek willen bemoeien?'

'Wilt u mijn eerlijke mening, mevrouw Cooper?'

'Ga je gang maar.'

Alison barstte uit. 'Voor hij werd geroyeerd was hij haantje-de-voorste, de meest flitsende, rijkste strafpleiter van de stad. Hij dacht niet alleen dat hij boven de wet stond, hij dacht dat hij de wet wás. Toen we hem betrapten, trad hij toevallig op namens de gezinnen van de vermiste jongens. Het kwam hem maar wat goed uit om te zeggen dat zijn arrestatie een politiek tintje had... Zij waren zijn enige cliënten die geen geharde schurken waren met een langer strafblad dan de lul van een ezel, zoals wij het uitdrukten. Nu gebruikt hij dit gerechtelijk onderzoek. Ga maar na: hij dregt allemaal bewijzen op om zijn bewering te ondersteunen dat hij het slachtoffer van een complot is geweest, krijgt vervolgens de media achter zich, en voor u het weet wordt de Orde van Advocaten onder druk gezet om hem weer terug te nemen.' Alison keek haar smekend aan. 'Hij is een slimme man, mevrouw Cooper, maar door en door verrot. Het kan hem geen barst schelen wat er met die jongens is gebeurd. Hij is iemand die zijn reputatie heeft opgebouwd door gangsters, verkrachters en moordenaars te verdedigen.'

'Oke,' zei Jenny. 'Duidelijk. Maar ik moet dat verhaal met die auto natrekken. En ik wil dat jij een formele verklaring van Madog afneemt.'

Ze trok zich in haar kantoor terug met hernieuwde twijfels jegens McAvoy. Alisons uitbarsting verklaarde iets van het onbehagen dat ze in zijn gezelschap had gevoeld. Iets in de kracht die hij uitstraalde joeg haar angst aan. Het was niet alleen de ongemakkelijke broosheid van een in ongenade gevallen man die zich aan de rafelige randen van waardigheid vastklampte, het was ook zijn geestesgesteldheid, het verontrustende idee dat hij een deel van zijn menselijkheid miste. Die toestand met de verkeerszuiltjes en de vrachtwagen: hij was roekeloos, vroeg om moeilijkheden en maalde niet om de gevolgen. Maar toen hij naar haar had gekeken, was er een uitbarsting van hitte in haar borst geweest en een sensatie die regelrecht tot tussen haar benen was doorgeschoten. Ze schaamde zich bijna om het toe te geven.

Ze zette die gedachten van zich af, pakte haar agenda en zocht het nummer van inspecteur Owen Williams op, haar contact aan de andere kant van de grens. Hij had koffiepauze toen ze hem te pakken kreeg. Sinds de Danny Wills-zaak had ze hem drie of vier keer gesproken en elke keer was hij opgetogen geweest als ze iets van zich liet horen. Hij luisterde nauwlettend terwijl ze uitlegde dat er een getuige 'boven water was gekomen'; ze noemde McAvoys naam niet en vroeg of hij kon helpen bij het opsporen van alle zwarte Toyota-MPV's die acht jaar geleden op een avond in juni in de omgeving van de Severn Bridge waren geweest.

'Ik zou het ab-so-luut geweldig vinden,' zei Williams met zijn overdreven zangerige Welshe accent. 'Alles om mijn favoriete onderzoeksrechter te helpen, vooral – mag ik aannemen, omdat je met de politie in Bristol nooit weet of ze wel eerlijk spel zullen spelen.'

‘Een paar van de agenten die bij het eerste onderzoek betrokken zijn geweest zitten er nog steeds.’

‘U hoeft me niets meer te vertellen, mevrouw Cooper. U weet dat ik een pooier uit Bangkok nog eerder vertrouw dan wie van die Engelse klootzakken ook.’

Jenny had nog maar nauwelijks de hoorn op de haak gelegd of de telefoon ging alweer over en Alison deelde haar mee dat mevrouw Jamal in de wacht stond.

‘Oké, verbind haar maar door.’

Jenny zette zich schrap. Ze werd begroet door het geluid van ontroostbaar gesnik.

‘Mevrouw Jamal? Met mevrouw Cooper. Wat kan ik voor u doen?’

Het snikken ging door. Mevrouw Jamal was niet in staat iets uit te brengen behalve een gemompel dat ongeveer klonk als: ‘Ik weet het niet... Ik weet het niet.’

Jenny wilde haar vragen naar de opmerking van McAvoy dat ze het over een vriendin had gehad, maar dit was niet het juiste moment. Kennelijk had ze het eenvoudigweg nodig dat iemand haar verdriet aanhoorde en erkende.

Jenny zei een paar troostende woorden tegen haar en hoorde zichzelf zeggen: ‘Ik beloof het, ik rust niet voordat we de onderste steen boven hebben gehaald om erachter te komen wat er met uw zoon is gebeurd.’

Nu in de afgelopen paar dagen haar symptomen zich scherper lieten voelen, begon Jenny de lange uren tussen kantoor en slaap te vrezen, zonder alcohol of kalmerende middelen om haar geestelijke nood te lenigen. Wanneer de adrenaline wegebde, daalde de ongrijpbare angst net zo zeker neer alsof die twee op een ouderwetse weegschaal balanceerden. Doordat ze Ross niet wilde laten merken hoe ze eraan toe was, werd de pijn nog erger. Ze had op haar relatie met hem ingezet met de belofte dat ze het aankon; ze wilde liever dan wat ook dat hij tot het moment dat hij naar de universiteit ging bij haar bleef wonen. Het was voor hem niet makkelijk geweest om uit zijn vaders huis te verhuizen – David had zijn afkeuring daarover voornamelijk via stilzwijgen geventileerd, maar daarmee was die des te verpletterender – en zijn beslissing om haar te vertrouwen gaf haar het gevoel dat hun samenwonen een aanhoudende test was om te kijken of ze in staat was om moeder te zijn en inderdaad was hersteld van haar emotionele inzinking.

Ze zette de auto buiten Melin Bach stil en bleef in het donker zitten om kracht te verzamelen. Ze wist dat ze zich als het echt moest kon beheersen, maar had dan niet de energie om opgewekt of vrolijk te zijn. Ze werd razend om haar eigen zwakte. Met kalmerende middelen was ze beter af geweest; daarmee had ze tenminste nog de illusie gehad dat ze alles onder controle had. Iets in haar wilde gewoon naar binnen en regelrecht naar bed gaan, erdoorheen slapen en de volgende ochtend wakker worden zodat ze haar pillen kon nemen, maar ze moest eten koken en gesprekken voeren. Plotseling had ze het gevoel dat ze een onmogelijke berg moest beklimmen. Ze pakte haar bètablokkers, beet er een met haar tanden doormidden en slikte hem door.

Godzijdank zijn er medicijnen. Godzijdank.

De knoop in haar borst werd al wat losser toen ze het huis in ging. Ze opende de woonkamerdeur en zag Ross en Steve naast elkaar op de bank boterhammen zitten eten.

'O, hallo.' Steve kwam overeind. 'Ik kwam even langs op weg naar de pub en ben blijven hangen.

Jenny wendde zich tot Ross, wiens ogen aan de buis gekluisterd waren. 'Ik neem aan dat jullie geen avondeten meer willen?'

'Nee, bedankt. Ik ga naar Karen.'

'Op een dinsdag?'

'Waarom niet?'

Ze kon geen reden bedenken waardoor ze niet zou klinken als het soort moeder waarvan ze hem al had bezworen dat ze dat niet was. Ze stelde een compromis voor. 'Oké, zorg alleen dat je om elf uur thuis bent. Je wilt morgen vast niet uitgeput zijn.' Ze liep naar de keuken.

Steve zei: 'Kan ik iets doen?'

Jenny zei: 'Nee hoor, het gaat prima.'

Ze zocht tussen de restjes in de koelkast – zodra ze hem had gevuld leek hij alweer leeg – toen ze Steve achter zich hoorde binnenkomen. Hij zette zijn lege bord op het buffet en legde een arm om haar middel.

'Zware dag gehad?'

Ze wilde dat hij haar niet meer aanraakte. Dat was ook weer zoiets waar ze mee om moest gaan. 'Niet zwaarder dan anders.'

Ross riep vanuit de woonkamer: 'Tot later!'

Steve zweeg even, terwijl hij zijn hand op haar onderrug hield en zij een drie dagen oude krop sla, een tomaat en een stukje kaas pakte. De voordeur ging open en weer dicht. Ze waren alleen.

'Je bent gespannen,' zei Steve.

'Alleen moe.'

Ze glipte bij hem vandaan en griste een bord uit de kast, zich van zichzelf bewust terwijl hij toekeek hoe ze haar karige maaltijd klaarmaakte.

'Ross had het erover dat je de laatste tijd nogal loopt te tobben.'
'O ja?'
'Het valt niet mee in je eentje.'
Daar had ze geen antwoord op. Ze perste de laatste druppels uit een fles Franse dressing op haar bord en keek zonder enthousiasme naar de half verlepte salade. Ze had niet eens trek.
Steve ging vlak achter haar staan, sloeg zijn handen om haar middel en hield haar net zo lang vast tot ze zich ontspande en tegen hem aan leunde. Ze voelde de stevige contouren van zijn lijf door haar kleren heen.
'Je vraagt me nooit iets,' zei hij zachtjes. 'Je bent niet in je eentje, Jenny...' Hij kuste haar in de nek. 'Ik ben er.'
Ze draaide zich om om hem aan te kijken en liet hem haar gezicht, ogen en mond kussen, terwijl ze haar best deed om zich aan het moment over te geven, om zich erdoor te laten overweldigen dat ze zo dicht bij elkaar waren en dat ze de binnendringende chaotische gedachten uit haar geest weg kon laten duwen. Ze liet toe dat hij haar hand pakte en haar naar boven leidde. Zonder een woord te zeggen ging ze met hem naar bed en even kon ze zich laten gaan.

Daarna kroop ze dicht tegen hem aan. De slaapkamerradiator wist nooit meer dan een lauwe warmte uit te stralen en die avond was het snijdend koud. Hun adem was bijna zichtbaar in de ijskoude lucht. Ze glipte in en uit een rusteloze sluimering; een carrousel van gezichten trok aan haar geestesoog voorbij.
Ze hoorde Steve vaag zeggen: 'Ben je wakker?'
Ze deed met moeite haar ogen open. 'Sorry...'
Hij streek zacht haar haar uit haar gezicht. 'Je lag te mompelen.'
'Iets interessants?'
'Ik kon het niet verstaan.'
In zijn bezorgde glimlach zag Jenny een andere man dan degene die ze vorig jaar juni had ontmoet. Hij was liever, directer en minder raadselachtig. Ze werd er merkwaardig verdrietig van dat hij zo vertrouwd was: hun opgewonden uitbarstingen samen waren nog altijd intens, maar korter. Zijn aanraking zinderde niet meer zoals toen; de opperste vervoering was verdwenen. En hij wilde haar leren kennen, terwijl ze zichzelf niet eens kende.
Steve zei: 'Volgens mij moet jij eens een nacht goed slapen.' Hij kuste haar op haar voorhoofd, glipte onder het dekbed vandaan en trok zijn kleren aan.
'Ik bel je,' zei hij, en hij liet zichzelf zachtjes uit.

Jenny luisterde schuldbewust naar de voetstappen op de trap. Hij was een prima vent en ze was dol op hem, maar, toen ze met elkaar vrijden had ze toch even gefantaseerd dat ze met iemand anders was. En daar raakte ze door van streek: het was alsof de voortdurende strijd, die voor haar gevoel tot in de donkere hoeken van haar onderbewuste doordrong, een andere zwakheid had gevonden om te bewerken. Het enige pure wat ze had werd bedorven.

Bang voor de plekken waar haar verbeelding haar mee naartoe wilde nemen, wist ze de wil op te brengen om zich het bed uit te slepen en haar dagboek op te zoeken. Ze wilde de gedachten opschrijven die het op haar voorzien hadden, in de hoop dat ze wanneer ze ze eenmaal naar boven had gebracht werden uitgebannen. Maar toen ze schreef: *Zodra hij mijn buik aanraakte, deed ik mijn ogen dicht en deed ik alsof hij Alec McAvoy was*, sloeg er een golf van opwinding door haar heen.

Het was dezelfde sensatie die ze had gevoeld toen ze Steve voor het eerst had gezien: ze had geweten, diep vanbinnen en zonder twijfel, wat er daarna ging gebeuren.

12

Inspecteur Williams had er geen gras over laten groeien. Toen Jenny op kantoor kwam, zat er bij haar e-mail een lijst van bijna vijfhonderd zwarte Toyota's MPV die in 2002 in het Verenigd Koninkrijk geregistreerd stonden, samen met de adressen van de eigenaars. Ze gaf de lijst aan Alison en vroeg haar de auto's eruit te pikken die ofwel in Bristol en omgeving geregistreerd stonden, ofwel vijfenzeventig kilometer ten noorden daarvan. Het was nattevingerwerk, maar ze moest toch ergens beginnen. In haar mailbox zat ook nog een bericht van een andere inspecteur, Sean Murphy, om haar te laten weten dat de onderzoeken naar Jane Doe en de brand in het Meditect-laboratorium nu als een en hetzelfde onderzoek werden behandeld. Alison zei dat binnen de politie het gerucht ging dat er nog geen aanwijzingen waren, maar dat de CID werkte aan de theorie dat het dode meisje op het punt had gestaan om uit de school te klappen over een georganiseerde misdaadbende, mogelijk mensensmokkelaars.

Er kwam nog een bericht binnen toen ze Murphy's bericht afsloot. Dat was van Gillian Golder, met een gekopieerde link naar een artikel op de website van de BRISIC. Ze tekende met: 'Het beste, Gillian.' Het stuk droeg de kop: RECHTER VAN INSTRUCTIE SCHORST GERECHTELIJK ONDERZOEK NAAR VERMISTEN. De niet nader genoemde schrijver speculeerde dat overheidsinstanties in paniek waren geraakt doordat het onderzoek zo snel van start was gegaan en dat ze hadden ingegrepen om de voortgang ervan tot staan te brengen voor er compromitterend bewijs aan het licht zou komen. De auteur citeerde zonder bronvermelding geruchten dat er schimmige infiltranten zouden bestaan die naar verluidt jonge Brits-Aziatische mannen hadden overgehaald om naar het buitenland te vertrekken, waar ze in het geheim waren gearresteerd en gevangengezet. De laatste alinea eindigde met:

Verwacht maar niet dat het gerechtelijk onderzoek van de rechter van instructie ons iets zal vertellen wat we niet al weten. Het kleine venster op die kans is gesloten. Mevrouw Cooper is onder druk bezweken en ontneemt de rouwende gezinnen en hun achterban hun enige mogelijkheid om de waarheid te ontdekken.

Even speelde Jenny met het idee om Gillian Golder in vertrouwen te nemen, haar zelfs om hulp te vragen bij het opsporen van de Toyota en zijn passagiers. De vertrouwelijke toon waarop de mail was gesteld ontwapende haar, zodat ze ging geloven dat ze aan dezelfde kant stonden, dat ze helemaal niet in haar eentje was. Ze dacht daar nog een keer over na. In godsnaam, Golder was een spion, een beroepsleugenaar. Het was haar werk om valse vriendschappen te smeden en ervoor te zorgen dat degenen die geïsoleerd waren zich bemind voelden.

Ze antwoordde zakelijk: 'Dankjewel. Inhoud voor kennisgeving aangenomen.'

Ze moest nu eerst het bewijs bekijken en besluiten waar ze haar beperkte energie op zou gaan richten. Ze haalde de blocnote tevoorschijn met de aantekeningen van de getuigenissen die ze op de eerste dag van haar onderzoek had gehoord, en las ze door. Ze had een onbehaaglijk gevoel over Anwar Ali. Hij had nauwe banden met de BRISIC en iets in zijn voorkomen had gesuggereerd dat hij, ondanks wat hij op het oog leek, nog steeds de islamist was die hij acht jaar eerder was geweest. Totdat ze Madogs verhaal had gehoord, had ze verondersteld dat het Ali's rol was geweest om Nazim en Rafi met een derde partij in contact te brengen, die hen vervolgens het land uit had geholpen. Nog meer merkwaardige mogelijkheden kwamen nu naar voren. Een ervan was dat Ali voor de overheid werkte, om mogelijke extremisten eruit te pikken en ze daarover te informeren. Het leek niet waarschijnlijk, maar ze was zich ervan bewust dat ze een wereld betrad waar normale regels niet golden.

Dani James was minder raadselachtig, maar haar getuigenis bracht lastige vragen naar boven. Het feit dat ze een paar dagen voor zijn verdwijning met Nazim naar bed was geweest, klopte met mevrouw Jamals opmerking dat ze haar zoon had zien veranderen. Wat niet klopte was dat McAvoy zich herinnerde dat mevrouw Jamal had gezegd dat ze dacht dat hij daarvoor een relatie had gehad. Alles wat mevrouw Jamal haar tot nu toe had verteld, wees erop dat Nazim in het eerste semester in Bristol gelovig was geworden en zijn geloof ook publiekelijk tot uitdrukking had gebracht. Maar eind juni in het jaar daarop gedroeg hij zich als een jonge man die zich zojuist van zijn dogmatische banden had bevrijd.

Ze moest opnieuw met mevrouw Jamal gaan praten. Strikt genomen was het de juiste procedure om haar nogmaals naar de getuigenbank te roepen om haar te confronteren met McAvoys herinnering. In de praktijk wist Jenny dat het heel wat waarschijnlijker was dat ze onder privéomstandigheden opener zou zijn. Ze kon zich gemakkelijk achter de regels verschuilen en het recht zijn loop laten, maar hetzelfde instinct waarmee ze de zaak destijds had aangenomen stond dat niet toe. Dit was zo'n situatie waarin de wet op de tweede plaats kwam, achter wat in haar beleving klopte.

Amira Jamal woonde in een modern gebouw van vijf verdiepingen in een lommerrijke, prettige straat ten noorden van het stadscentrum. Ze drukte op de zoemer om Jenny door de hoofdingang binnen te laten en trof haar bij de lift op de derde verdieping, ingetogen gekleed in een donker mantelpak met een lange batiksjaal. Ze leidde haar een klein, keurig appartement binnen, waar ze in de woonkamer gingen zitten, omringd door aandenkens aan Nazims korte leven. In haar korte carrière als rechter van instructie was Jenny nu al de tel kwijt van het aantal huizen waar ze op bezoek was geweest die waren ingericht als privéaltaar voor verdwenen dierbaren. Het enige wat uit de toon viel, was een plank aan de muur waarop netjes gelabelde archiefdozen stonden, die allemaal iets te maken hadden met Nazims verdwijning, met in het kielzog daarvan de lange martelgang van briefwisselingen die waren gevoerd. Eronder stond een klein bureau. Daarop bevonden zich een laptop, een stapeltje papieren en een boek getiteld *A Family's Guide to Coronors' Inquests.*

Mevrouw Jamal had thee gezet en haar mooiste servies tevoorschijn gehaald. Met trillende hand schonk ze een kop voor Jenny in. 'Neem me niet kwalijk dat ik zo deed aan de telefoon, mevrouw Cooper. Soms heb ik mezelf gewoon niet in de hand.'

'Ik begrijp het wel.'

'Ik zie zijn gezicht voor me van toen hij nog een jongetje was. Het is alsof ik hem nog steeds vasthoud...'

'Het lijkt vandaag beter met u te gaan.'

'Ik heb gedaan wat u zei, ik ben naar de dokter gegaan. Ze heeft me pillen gegeven.' Ze schudde haar hoofd. 'Ik heb van mijn leven nog nooit medicijnen geslikt.'

Jenny pakte haar theekopje en zette het weer neer, terwijl ze de situatie nog ongemakkelijker vond dan ze had verwacht. 'Mevrouw Jamal, ik moet u een paar vragen stellen...'

'Ik heb er eerst een voor u, mevrouw Cooper. Waarom bent u met het gerechtelijk onderzoek opgehouden – de echte reden?'

'Ik ben er niet mee opgehouden, het is alleen tot maandag verdaagd. Uw vorige advocaat, meneer McAvoy, heeft me iets verteld wat ik moet onderzoeken.'

Een gealarmeerde, bijna bange uitdrukking verspreidde zich over mevrouw Jamals gezicht. 'Wat dan?'

'Ik vertel u dit met de strikte afspraak dat dit binnen deze kamer blijft. Wilt u me dat beloven?'

'Ja...'

'U herinnert u zich nog wel dat hij voor hij de gevangenis in ging een privédetective had ingehuurd die een oude dame had gevonden, die beweerde dat ze een zwarte Toyota voor haar huis had gezien, in de straat van de halaqah?'

'Ik heb met die man gesproken, meneer Dean. Hij zei dat ze in de war was. Ze heeft zich misschien zelfs in de avond vergist.'

'Dat was niet zo. Meneer Dean wilde u waarschijnlijk niet al te veel hoop geven... Ongeveer een halfjaar later vroeg McAvoy hem om er werk van te maken. Hij vond een tolbeambte op de oude Severn Bridge. Die heb ik gisteren gesproken. Op de avond van 28 juni 2002 is er een zwarte Toyota langs zijn tolhuisje gekomen. Hij herinnert zich twee blanke mannen voorin en twee jonge Aziaten achterin. Hij zei dat ze er angstig uitzagen.'

'Wie is die man? Waarom heeft hij dat niet eerder verteld?' vroeg mevrouw Jamal, ademloos van schrik.

'Het blijkt dat hij geïntimideerd werd. Ik weet niet zeker of het waar is wat hij zegt, maar hij beweert dat een van de mannen die voor in de auto zaten hem de week daarna opzocht en zijn kleindochtertje heeft aangevallen; hij heeft verf over haar heen gespoten.'

Mevrouw Jamal nam haar hoofd tussen haar handen. 'Ik begrijp het niet... Waarom nu? Wie bestuurde die auto?'

'Daar probeer ik juist achter te komen.'

'U zegt dat meneer McAvoy het wist? Ik heb die man nooit vertrouwd.'

'Een gedeelte maar. Meneer Dean is gestorven toen meneer McAvoy in de gevangenis zat.'

Mevrouw Jamal reikte naar een doos tissues.

'Ik weet dat dit voor u veel is om te verwerken,' zei Jenny, 'maar meneer McAvoy herinnert zich ook dat u had opgemerkt dat Nazim wellicht vóór Dani James een vriendin heeft gehad.'

'Mijn zoon heeft haar nooit met een vinger aangeraakt. Ze is een hoer. Ze bezoedelt zijn nagedachtenis.'

'Waarom zegt u dat?'

'U hebt gehoord wat ze zei... Ze had een ziekte!'

'Dat kan van belang zijn. Hebt u meneer McAvoy van dat andere meisje verteld?'

Ze zweeg en drukte een tissue tegen haar ogen.

'Het is geen schande, echt niet. Dat doen jonge mensen gewoon.'

'Niet mijn soort mensen.'

'Mevrouw Jamal, ik kan geen gerechtelijk onderzoek uitvoeren zonder dat ik alle informatie krijg. U hebt de wettelijke plicht om me te helpen.'

'Bent u hier om me te bedreigen?'

'Natuurlijk niet.'

Mevrouw Jamal snoot luidruchtig haar neus. 'Al die vragen, wat hebben ze voor zin? U weet niet wie wel of niet liegt. Niemand van ons weet dat.' Ze sloeg haar ogen op naar een portretfoto van Nazim waarop hij een jaar of zestien was: een jongen die poseerde als een man. Hij had wijd uit elkaar geplaatste, gevoelvolle ogen en een gladde, donkere, smetteloze huid. Hij was bijna engelachtig.

'Ik zou op hem gevallen zijn, dus dat is andere vrouwen vast ook overkomen,' zei Jenny.

Ze wachtte tot mevrouw Jamal zich had hersteld.

Er viel een lange stilte alvorens mevrouw Jamal zei: 'Ik weet niet wat ze voor Nazim betekende. Het was bijna aan het eind van het eerste semester. Hij had zijn telefoon hier laten liggen. Er belde een meisje en ze vroeg naar hem.'

'Heeft ze haar naam gezegd?'

'Nee.'

'Hoe klonk ze?'

'Ongeveer van zijn leeftijd. Welbespraakt. Blank.'

'Kon u horen dat ze blank was?'

'Natuurlijk.'

'Hoe weet u dat ze geen gewone vriendin was?'

'Toen ze mijn stem hoorde, klonk ze schuldig, alsof ik haar had betrapt. Ze maakte snel een eind aan het gesprek.'

'Hebt u het hierover ooit met Nazim gehad?'

Mevrouw Jamal schudde haar hoofd. Jenny zag in haar gezicht iets zwaarmoedigers dan verdriet: de gedachte dat haar zoon meer van een andere vrouw hield dan van haar.

'Ik moet meer over Nazims leven in die tijd te weten zien te komen. Denkt u dat Rafi Hassan zijn familie iets heeft verteld?'

'Die zullen u vast niet helpen. Zij geven Nazim de schuld. Dat weet ik gewoon. Zoals zijn moeder naar me keek... Ze had net zo goed in mijn gezicht kunnen spugen.'

'Ik denk dat ik daar vanmiddag naartoe ga. Ik laat het u nog wel weten of ze iets te zeggen hadden.'

Mevrouw Jamal haalde haar schouders op.

Jenny voelde dat de bijeenkomst ten einde was. De sfeer werd met de seconde emotioneler. Maar er was nog één vraag. Die mocht misschien belachelijk klinken, maar ze voelde zich verplicht hem te stellen. 'In uw getuigenis beweerde u dat u op straat werd gevolgd...'

'Gelooft u me niet?'

'Vertelt u me wat er is gebeurd.' Jenny glimlachte haar geruststellend toe. 'Alstublieft.'

'Het begon ongeveer twee maanden geleden, toen ik bij de rechtbank het verzoek indiende om Nazim dood te laten verklaren. Daarna stond er een auto aan de overkant van de straat. Er zaten twee mannen in, soms maar eentje. Jonge mannen in pak. Van daaruit kon ik hun gezicht zien.' Ze wees over haar schouder naar de openslaande deuren die uitkwamen op een klein balkon aan de zijkant van het gebouw. 'Ze waren er als ik van huis ging. Soms volgden ze me met de auto, soms te voet.'

Jenny verborg haar scepsis en zei: 'Hoe zagen ze eruit?'

'Tussen de vijfentwintig en dertig jaar. Blank. Allebei lang met kort, opgeschoren haar, zoals in het leger.'

'Kon u ze uit elkaar houden?'

'Niet echt.'

'Hebt u ze de laatste tijd nog gezien?'

Mevrouw Jamal schudde haar hoofd. 'Deze week niet. Maar ik krijg 's nachts nog steeds telefoontjes. Het toestel gaat vier, vijf keer over en dan houdt het weer op. Als ik opneem, hoor ik niets... Wie zijn ze, denkt u, mevrouw Cooper?'

Denkbeeldige demonen, dacht Jenny. Blanke duivels in de gedaante van soldaten.

In plaats van de gebruikelijke strijd die ze met de opkomende claustrofobische angst moest uitvechten wanneer ze over de snelweg reed, voelde ze zich plotseling ver van zichzelf verwijderd. Afstandelijk. Het kwam niet alleen door het chemische waas van haar medicijnen dat halverwege de dag nog steeds zwaar over haar heen lag, maar het was een gevoel van een toenemende onwerkelijkheid. Er waren zoveel onbeantwoorde vragen, zoveel bizarre en schrikbarende mogelijkheden, dat ze er niet goed wijs uit kon worden. Waarom zou Nazim op het toppunt van zijn religieuze enthousiasme met een blank meisje naar bed zijn geweest? Wie was de man met de paardenstaart? Bestond hij eigenlijk wel? Was mevrouw Jamal een fantaste? Was McAvoy dat? En waarom had hij zoveel vat op haar en zweefde zijn gezicht voortdurend in haar achterhoofd?

Wat wilde hij eigenlijk tegen haar zeggen?

Ze had nergens een antwoord op. Het was alsof ze op een bewegende wandelweg was gestapt waar ze niet vanaf kon – slechts een bestemming die een schimmige speldenprik in de verte bleef. Ze had de geest gekregen, zoals McAvoy het zou hebben uitgedrukt, en ze had geen enkele keus.

Hassans kruidenierswinkel en slijterij was uitgegroeid tot een in Aziatisch en West-Indisch voedsel gespecialiseerde kleine supermarkt. Die was gevestigd in wat ooit een benzinestation was geweest, waarvan het voorerf nu een parkeerplaats voor klanten was. De sjofele buurt Kings Heath, met zijn verzameling verspreid staande gelijksoortige en enigszins groezelige victoriaanse rijtjeshuizen, vertoonde tekenen van een aantrekkende markt. Jenny parkeerde naast een glanzende Mercedes, waar een Aziatisch stel in identieke leren jasjes uit stapte. Hun dochtertje droeg een roze exemplaar in dezelfde stijl.

Jenny liep op een werknemer van nog geen twintig af die kratten goedkoop bier aan het verplaatsen was en vroeg hem waar ze meneer Hassan kon vinden. Pas toen ze de jongen ervan had overtuigd dat ze geen belastinginspecteur was, ging hij op zoek naar zijn baas. Even later kwam hij weer tevoorschijn met de weinig overtuigende verklaring dat meneer Hassan naar een vergadering was en pas veel later terug zou zijn. Jenny keek door de steeg naar een kantoor aan de achterkant, dat door een eenrichtingsspiegel van de winkel was afgescheiden, en zei tegen de assistent dat dat prima was, maar dat ze erop stond dat hij haar kaartje op meneer Hassans bureau zou achterlaten met de opdracht dat hij haar zodra hij terug was moest bellen. In de tussentijd zou ze eens kijken of ze met mevrouw Hassan thuis kon praten.

De gelaatstrekken van de jonge man werden scherper. 'Waar gaat dit precies over?'

'Over iets wat acht jaar geleden is gebeurd, toen zijn zoon vermist raakte.'

'Bedoelt u Rafi?'

'Heb je hem dan gekend?'

'Ik zal de boodschap aan meneer Hassan doorgeven,' zei hij, en hij voegde er snel aan toe: 'Zodra hij terug is.'

Ze had de sleutel nog niet in het contactslot omgedraaid of haar telefoon ging. Ze wachtte een paar seconden voor ze opnam en liet hem even zweten.

'Hallo, met Jenny Cooper.'

'Imran Hassan. Wat kan ik voor u doen?'

'Misschien wilt u liever niet in het bijzijn van uw personeel praten? Als het even kan, wil ik ook uw vrouw spreken.'

De Hassans hadden goed geboerd. Ze hadden een groot, vrijstaand huis in de welvarende voorstad van Solihull, met een oprijlaan van asfalt en elektrische hekken geflankeerd door een paar stenen leeuwen. Meneer Hassan, een man van halverwege de zestig, reed in een Jaguar. Kalm, welbespraakt en onberispelijk beleefd leidde hij haar naar binnen, waar ze met zijn echtgenote kennismaakte, een nog altijd knappe vrouw, gekleed in een elegant zwart en met gouden borduursel afgezet Indisch gewaad. Na de formele kennismaking gingen ze in een warme serre zitten die werd omringd door een professioneel aangelegde tuin van tweeduizend vierkante meter, waar in het midden een sierlijke, door palmen omzoomde fontein stond: een gouden karper spuwde water in een poel met kleurige lichtjes.

Mevrouw Hassan zei: 'We hebben dit zien aankomen, mevrouw Cooper, maar we hebben u niets belangwekkends te zeggen. Lang geleden hebben we er al in berust dat we nooit te weten zullen komen wat er van onze zoon geworden is.'

Haar echtgenoot knikte weifelend.

'Ik wil niet zonder goede reden pijnlijke herinneringen oprakelen,' zei Jenny, 'en ik weet dat ik niet de verdwijning van uw zoon onderzoek, maar ik zou u dankbaar zijn als u mij een paar vragen zou willen toestaan.'

'Natuurlijk,' zei meneer Hassan, voordat zijn vrouw er iets tegenin kon brengen.

Mevrouw Hassan keek nijdig. 'De politie zei dat Rafi naar het buitenland was vertrokken. Dat neem ik graag van ze aan. Maar het was niet zijn idee. Hij was een prima student en een loyale zoon.'

Jenny zei: 'Hebt u hem zien veranderen toen hij naar de universiteit ging? In zijn religieuze overtuigingen, zijn uiterlijk?'

'Mevrouw Jamal moet u dat vast al hebben verteld. Haar zoon heeft hem naar die moskee meegetroond. Wij hangen het soefisme aan. Politiek hoort niet in religie thuis... Met die overtuiging is hij opgevoed.'

Meneer Hassan knikte. Hij was gekleed in een donker pak en zijn kin was gladgeschoren, en hij vertoonde geen uiterlijke tekenen van zijn geloof. Hij verkocht alcohol in zijn winkel, ze woonden in een blanke buurt.

'Wanneer begon hij te veranderen?' zei Jenny. 'Was dat tijdens zijn eerste semester in Bristol?'

'Ze hadden hem ideeën aangepraat,' zei mevrouw Hassan op scherpe toon. 'Hij zou advocaat worden...'

'Ja,' onderbrak haar man haar, 'dat was in het eerste semester. Wij dachten dat het alleen maar een fase in zijn leven was. Alle jonge mannen hebben idealen nodig. Zo wilde ik een eigen zaak opbouwen. We hoopten dat het wel zou overwaaien.'

'Maar dat gebeurde niet?'

'Wie die mensen bij wie hij betrokken raakte ook waren, mevrouw Cooper, ze zetten hen tegen hun familie op,' zei mevrouw Hassan. 'Ze overtuigden hem ervan dat onze normen en waarden niet deugden. Voor de kerst is hij een week thuis geweest, en dat was het. De rest van de tijd bleef hij op de campus.'

'Waar? Waren de studentenhuizen tijdens de vakanties dan niet gesloten?'

'Het enige wat hij tegen ons zei was dat hij bij vrienden logeerde.'

'Dan moet u wel ongerust zijn geweest.'

'We hebben zes kinderen,' zei meneer Hassan. 'We maken ons over hen allemaal zorgen.'

Jenny zag dat het echtpaar een blik met elkaar wisselde, waaruit ze begreep dat meneer Hassan zijn vrouw maande zich niet door emoties te laten overmannen. Er stond woede op haar gezicht te lezen, een behoefte om iemand de schuld te geven.

'Wat zei uw zoon over Nazim?' vroeg Jenny.

'Tot ze verdwenen, had ik zelfs zijn naam nog nooit gehoord,' zei meneer Hassan.

De volgende vraag richtte ze rechtstreeks tot zijn vrouw: 'Dus waarom zegt u dan dat hij degene was die uw zoon van het rechte pad af heeft gebracht?'

'Ze waren vrienden. Daar is de politie achter gekomen. Ze gingen samen naar de moskee en naar die bijeenkomsten.'

Jenny drong bij mevrouw Hassan aan op meer uitleg, maar die had ze niet. Ze had het in haar hoofd gezet dat Rafi zich tot een medemoslim aangetrokken had gevoeld en voor zijn verwerpelijke bezwering was bezweken. Jenny vroeg naar meer details over Rafi's gedrag in zijn studententijd, maar stuitte slechts op schouderophalen en hoofdschudden. Er had in het begin van de kerstvakantie duidelijk een confrontatie plaatsgevonden, die pijnlijk genoeg nooit was uitgepraat.

'Hoe vaak hebt u uw zoon tussen januari en juni gesproken?' vroeg Jenny aan hen beiden.

Meneer Hassan staarde naar het tafelblad en liet het antwoord aan zijn vrouw over.

'Ik heb hem een paar keer gebeld,' zei ze. 'Om de paar weken, om hem te vertellen dat we van hem hielden, dat we er nog altijd voor hem waren.'

'Het klinkt bijna alsof hij u niet meer wilde kennen.'

'Hij was eenvoudigweg rebels. Zo zijn jongeren in dit land, toch? Dat

is het gevolg van de luxe dat je niet elke dag hoeft te werken.'
Haar man stemde daar ernstig knikkend mee in.
'Dit was nieuw voor ons, mevrouw Cooper,' vervolgde mevrouw Hassan. 'We wisten dat hij vanbinnen de juiste waarden voelde... die hadden we er achttien jaar lang ingepompt.' Voor het eerst brak haar stem. 'We namen aan dat we gewoon moesten wachten tot hij weer terugkwam...'
'Hebt u nergens om raad gevraagd?'
Beiden schudden het hoofd.
'Heeft Rafi ooit andere vrienden of kennissen bij naam genoemd – iemand uit de moskee, misschien?'
'Nee,' zei mevrouw Hassan. 'Hij deed daar heel geheimzinnig over. Hij praatte bijna niet over zijn studie en hij had een studiebegeleider, Tariq Miah; die heeft hij een paar keer ter sprake gebracht.'
Jenny schreef de naam op.
'Is er verder nog iets wat ik over uw zoon moet weten – zijn hobby's, interesses? Deed hij aan sport?'
Mevrouw Hassan keek naar haar man, stond toen van tafel op en liep naar de kamer ernaast. Ze kwam terug met een envelop, die ze aan Jenny gaf. Die maakte hem open en ze trof een verzameling examencertificaten aan: Latijn, Grieks, Arabisch en geschiedenis.
'Hij was een begaafd student,' zei mevrouw Hassan. 'Sinds zijn achtste jaar besteedde hij al zijn vrije tijd aan studeren en lezen. Hij speelde cricket, maar niet zoals zijn broers. Nee, niet zoals zij. Rafi was een intellectueel.'
'Dus was de schok des te groter toen hij zo veranderde?' vroeg Jenny.
Geen van de ouders gaf antwoord.

Toen ze wegging, hoorde Jenny dat meneer Hassan troostend tegen zijn vrouw fluisterde dat hij de rest van de middag thuis zou blijven. Nadat ze de stenen leeuwen was gepasseerd, sloeg Jenny links af voor de terugweg naar Kings Heath.
Voor de tweede keer die dag zette ze de auto op het parkeerterrein van meneer Hassans winkel, waar ze zag dat de jonge assistent een zware lading boodschappen naar de auto van een oudere klant bracht. Haar geheugen klopte; hij leek op Rafi's foto uit haar dossier. Ze onderschepte hem toen hij naar de winkel terugliep.
'Neem me niet kwalijk.' Hij draaide zich met een beleefde glimlach om. 'Daar ben ik weer. Kunnen we even praten?'
Hij wees naar binnen. 'Ik was net op weg naar de kassa.'
'Het duurt niet lang.'

'Maar ik kan niet...'

'Weet je wat een rechter van instructie is?' vroeg Jenny. 'Je kunt nu met me praten of via een dagvaarding in de rechtszaal. Aan jou de keus.'

De assistent keek nerveus door de etalageruit naar een collega die druk met een klant bezig was. 'Ik kan hier niet praten.'

'Geen probleem. Dan gaan we naar mijn auto.'

Hij heette Fazad en was een van meneer Hassans vele neven. Hij was elf toen Rafi vermist raakte en zei dat de familie het daarna nauwelijks meer over hem had gehad. Hij had nooit iets anders over de verdwijning van zijn neef gehoord dan de officiële verklaring dat hij naar het buitenland was vertrokken, en evenmin had hij ooit gemerkt dat iemand uit de familie erover had gespeculeerd waar hij naartoe was gegaan of met wie. Het onderwerp was taboe, zei hij, alsof het iets was om je voor te schamen. Hij wist nog dat toen hij klein was Rafi hem altijd werd voorgespiegeld als de modelstudent, een jongeman van het soort dat hij en zijn andere neven ook moesten nastreven.

Jenny vroeg of hij wist wat er in de kerstvakantie was gebeurd.

Fazads gezicht drukte walging uit. 'Ik wil niet onbeleefd zijn tegenover mijn oom. Hij is ook mijn baas.'

'Het blijft tussen ons,' zei Jenny. 'Ik zal het er met niemand over hebben.'

Na nog een nerveuze blik op de winkel zei Fazad: 'Rafi gaf me een lift toen hij van de universiteit kwam; hij reed in een kleine Audi A3. Een paar jaar oud, maar netjes. Ik vroeg of zijn vader die voor hem had gekocht. Hij zei van niet, dat hij hem zelf van zijn spaargeld had gekocht, maar dat hij niet voor de verzekering betaalde en dat de wagen ook niet op zijn naam stond, omdat dat allemaal *kafir*-regels waren die niet voor moslims golden.'

'Kafirs zijn ongelovigen, toch?'

'Ja... ik vond het wel cool klinken, maar achteraf is het vreemd. Hij had de baard en het gebedskapje, maar hij reed als een dolle om te kijken hoe vaak hij door een camera werd geflitst, want hij kreeg toch geen boete.'

'Wat zei zijn vader daarvan?'

'Daar ging de ruzie over.'

'Ruzie?'

'Dat heb ik van mijn neven gehoord... Zijn rijstijl stond zijn vader niet aan en hij pakte de autosleutels af. Rafi heeft hem toen zo erg in elkaar geslagen dat hij zijn kaak heeft gebroken en drie ribben heeft gekneusd. Zijn twee oudere broers hebben die middag de wagen meegenomen en hem in brand gestoken... Dat was het einde van Rafi's auto.'

13

Anna Rose Crosby was officieel een vermist persoon. Haar foto was afgebeeld op pagina 2 van de *Post*, samen met een artikel waarin stond dat de 'briljante jonge kernwetenschapper' ruim twee weken verdwenen was. Volgens het verslag deed haar moeder snikkend en wanhopig een ontroerende smeekbede vanaf het bordes voor haar exclusieve huis in Cheltenham. Jenny merkte dat ze onbewust werd meegezogen in de duistere en toch op de een of andere manier aangrijpende fantasie die de fotoredacteur had gecreëerd. De kleurenfoto toonde een stralende, blonde en onschuldige Anna Rose: de volmaakte, nietsvermoedende prooi voor een seksueel roofdier.

Er belandde een document op haar bureau. 'De Toyota's,' zei Alison. 'Drieënveertig stonden er geregistreerd in de gebieden waar u in geïnteresseerd was. Wat wilt u ermee doen?'

'Ik kijk ze door en degene die jij van me moet natrekken vink ik aan.'

'De politie is nog geen stap verder met die arme Afrikanen uit de koelwagen. Die zaak komt hier morgen terug en vergt een volledig gerechtelijk onderzoek. Ik weet niet hoe ik dat allemaal voor elkaar moet boksen. Al die getuigen uit Nigeria, of waar ze ook vandaan kwamen.'

'We redden het wel. Heb je al een verklaring van Madog?'

Alison trok haar wenkbrauwen op.

'Nou, kun je dat vandaag dan doen?' zei Jenny, die met moeite haar kalmte bewaarde.

'Ik kan het proberen, maar ik weet niet of u het nog weet, ik heb vandaag een bijeenkomst. Dat heb ik u verteld.'

'O ja?'

'Vorige week. Van de kerk.'

'O...'

Alison zei: 'Maakt u zich maar geen zorgen, ik laat u niet in de steek. Ik ben om twee uur weer terug.'

Haar nieuwsgierigheid werd haar te machtig. Toen Alison de kamer uit was, klikte Jenny op de zoekmachine en typte 'New Dawn Evangelical Church, Bristol' in. Ze volgde de link en kwam op een duur uitgevoerde website compleet met nieuwsbanner terecht: 'Ruim vierhonderd mensen bezochten gezinseucharistieviering... een nieuw record!' De kerk verklaarde dat de Heilige Geest had bevolen aan de mensen in Bristol Gods woord te verkondigen. Onder zijn grijnzende foto schreef dominee Matt Mitchell dat de New Dawn onlangs tot een gebedsgenezende gemeente was gezalfd. In de afgelopen maanden had er een aantal wonderen plaatsgevonden: een heroïneverslaafde was clean geworden, een vrouw met multiple sclerose was uit haar rolstoel opgestaan, een kind met leukemie had geen ziekteverschijnselen meer, en een schizofrene tiener was volledig genezen. Elke zondagavond en elke donderdag tusen de middag werden er gewijde gebedsgeneesdiensten gehouden.

Onder aan dominee Matts inspirerende boodschap stond een link naar een pagina waarop kerkleden werden uitgenodigd om hun gebedsverzoeken achter te laten. Jenny klikte erop. Zodra de pagina verscheen, sprong een van de berichten haar onmiddellijk in het oog. Er stond: 'Bid alstublieft voor mijn dochter, die is vervallen tot een "relatie" met een vrouw. Haar vader en ik houden heel veel van haar.'

Ze hoorde Alisons voetstappen aan de andere kant van de deur en klikte de pagina weg. Haar wangen waren rood van schaamte toen haar medewerkster in de deuropening verscheen.

'De studiebegeleider van Rafi Hassan heeft teruggemaild,' zei Alison. 'Hij is met studieverlof. Hij kan u om één uur spreken.'

Jenny trok haar jas aan en ging op weg naar haar afspraak op de campus toen de telefoon op Alisons bureau overging. Ze reikhalsde om naar de nummerdisplay op het gladde, nieuwe toestel te kijken: mevrouw Jamal. Jenny weifelde even terwijl ze met haar geweten worstelde. Alison was al naar de kerk vertrokken, dus het kwam op haar neer. Met het vaste voornemen om het kort te houden stak ze haar hand uit naar de hoorn, toen haar mobieltje rinkelde. In een reflex beantwoordde ze dat het eerst.

'Hallo?'

'Mevrouw Cooper,' zei een bekende stem. 'Ik vroeg me af of u al opschoot met die auto.' Het was McAvoy.

'O, hallo,' zei Jenny, verbaasd dat ze moest blozen toen ze zijn stem hoorde.

De vaste lijn belde niet meer. Opgelucht liep Jenny de gang in, deed de deur achter zich dicht en handelde het telefoontje lopend af. Mevrouw Jamal kon een bericht achterlaten.

'We hebben een lijst van mogelijkheden verzameld,' zei ze.

'Goed gedaan. Ik maakte me al zorgen dat de politie u in de weg zou zitten.'

'Ik weet hoe ik die moet omzeilen.'
'Dat wil ik dan weleens horen.'
'Beroepsgeheim, vrees ik.' God, hoe klonk ze wel niet?
Toen ze het asfalt op stapte, hoorde ze in de verte de kantoortelefoon weer overgaan: mevrouw Jamal vertikte het om met nee genoegen te nemen.
McAvoy zei: 'Ik vroeg me af of u later misschien iets met me wilde drinken, om een paar ideeën uit te wisselen.'
'O? Wat drinken we dan?' Ze kon er niets aan doen. Ze flirtte met hem als een onnozel schoolmeisje.
'De koffie waar u geen tijd voor had, maar tegen de avond zou het me niets verbazen als het een glaasje van het een of ander werd.'
Ze kreeg zichzelf weer in de hand. 'Bedankt, maar dat kan ik beter niet doen voordat u uw getuigenverklaring hebt afgelegd.'
'Het is een beetje laat om nog aan die regel vast te houden, hè?'
'Alec, je weet waar het om gaat...'
'Ik heb mijn studieboeken erop nageslagen en een paar ideeën voor je gevonden zoals hoe je die klootzakken van MI5 hun dossiers kunt laten ophoesten. Als je het voor de juiste rechter van het hooggerechtshof brengt, zou dat weleens kunnen lukken. Er zijn nog steeds een paar goede over.'
'Vrienden van je, zeker?'
'Ik heb ook zo mijn methoden.'
Jenny stelde zich de bruine papieren zak voor die aan een lagere ambtenaar van de rechtbank zou worden gegeven in ruil voor een gunstig plekje op de lijst. McAvoy zou de eer opstrijken en ongetwijfeld een gunst terugvragen. En wat zou hij ervoor terug willen, vroeg ze zich af.
Ze wist dat ze hem moest afpoeieren, dat ze tot na het onderzoek niets met hem te maken mocht hebben, maar kon niets bedenken om hem af te wijzen. Ze negeerde het koor van waarschuwende stemmen in haar hoofd en stemde ermee in om hem om halfzes te ontmoeten, in een wijnbar in de buurt van de rechtbankgebouwen.
'Ik beloof dat ik me zal gedragen,' zei hij.

Tariq Miah ontmoette Jenny buiten de rechtenfaculteit en nam haar mee naar een zorgvuldig aangelegde tuin – vroeg in februari was die verlaten en kaal, terwijl er nog altijd een vleugje vorst in de lucht hing – zonder pottenkijkers. Hij was achter in de dertig. De eerste spoortjes grijs schemerden door zijn zwarte haar en kortgeknipte baard heen. Hij had Midden-Oosterse gelaatstrekken, een koperkleurige huid en donkere ogen. Uit een korte blik op de faculteitswebsite had Jenny opgemaakt dat hij zich gestaag een weg door de hiërarchie omhoog baande. Hij was gespecialiseerd in constitutioneel recht en was eind jaren negentig van de vorige eeuw als junior onderzoeker bij de universiteit gaan werken.

Terwijl ze over de smalle grindpaden wandelden, legde ze uit dat ze op zoek was naar meer inzicht – alles wat licht kon werpen op degenen bij wie of datgene waarbij Rafi Hassan en Nazim Jamal maar betrokken waren geraakt. Ze noemde Anwar Ali en de ongrijpbare moellah van de Al-Rahma-moskee, Sayeed Faruq, en vroeg of hij die kende.

'Alleen van naam,' zei hij, overdreven articulerend, iets waarmee universitair geschoolde advocaten zich tegen de dagelijkse stress in de praktijk afschermden.

'En hoe was die?'

'Naar verluidt was de moskee een bron van rekruten voor Hizb ut-Tahrir. Kent u die organisatie?'

'Ik heb erover gelezen, maar ik begrijp het nog steeds niet. De veiligheidsdienst lijkt die groepering in verband te brengen met terrorisme, maar ze beweren zelf dat ze vreedzaam opereren,' zei Jenny.

'Ze prediken geen geweld, maar er zijn figuren bij die daar duidelijk wel voorstander van zijn.'

'Denkt u dan aan iemand in het bijzonder?'

'Nee. Ik wil alleen maar zeggen dat het me niet zou verbazen als de Al-Rahma-moskee een doorgeefluik was naar anderen achter de schermen.'

'Denkt u dat het een rekruteringsbasis was?'

'Wellicht.' Hij bleef staan om een perkje sneeuwklokjes te bewonderen. 'Maar het verbaast me dat Jamal en Hassan daar zo snel in werden opgenomen. Hizb heeft de gewoonte om nieuwe leden eerst een paar jaar te beïnvloeden voordat ze hen een eed van trouw laten afleggen.'

'Trouw aan wat precies?'

'De organisatie. Het doel om wereldwijd een kalifaat te stichten. Het is geen conventionele politieke partij die zich op de korte termijn toelegt; ze vinden dat ze Gods wil uitvoeren, hoeveel generaties daar ook voor nodig zijn. Het is een driefasenplan: cellen en netwerken met leden vestigen, bij de moslimbevolking een gunstig beeld van een islamitische staat opbouwen, en ten slotte infiltreren in instellingen en overheden om in de beoogde landen van binnenuit een revolutie te ontketenen.'

Jenny zei: 'Ik vind één ding raadselachtig, en dat is waaróm jonge mannen – laat staan jonge vrouwen – zich tot die ideeën aangetrokken voelen. Ik bedoel, wie wil er nou in Iran wonen?'

'We fantaseren allemaal dat we de puinhopen uit ons leven opruimen, dat we flink tekeergaan tegen de chaos en daarvoor zekerheden in de plaats stellen,' zei Miah. 'Welke periode in het leven is angstiger dan de drempel naar volwassenheid? Als iemand je vrije toegang tot status en zekerheid biedt en je het gevoel geeft dat je binnen die afspraak moreel superieur bent, dan is dat moeilijk te weerstaan, vindt u niet? En als je toch al denkt dat je een vreemdeling in je eigen land bent, kun je bijna onmogelijk níét in de verleiding komen. Alle mannen zijn geboren veroveraars, dat zit in ons DNA. Het eigen zaad moet zegevieren. Al onze complexe westerse politieke instituties zijn ontstaan vanuit de behoefte om zulke impulsen in toom te houden.'

'Die twee jongens komen uit gegoede gezinnen. Geïntegreerd, gevestigd, Engelssprekend...'

'De ouders hadden geen illusie over wat ze waren: outsiders. Het gaat om hun afkomst: geen outsiders of insiders die voor hun identiteit moeten knokken.'

'Zag u dat bij Rafi Hassan?'

Miah had genoeg van de sneeuwklokjes en kuierde weer verder. 'Ik had heel weinig met hem te maken. Ik maak de Aziatische studenten duidelijk dat ik er voor ze ben als ze me nodig hebben, maar hij heeft me op persoonlijk vlak nooit benaderd.'

Jenny probeerde hem te begrijpen. Er was een soort code in zijn zorgvuldige optreden, een vaag gevoel dat hij wilde dat zij een bepaalde conclusie trok die hij niet wilde uitspreken.

'Ik weet niet of u over mijn gerechtelijk onderzoek hebt gelezen,' zei Jenny. 'Ik heb hoorrecht verleend aan een groep die zich de British Society for Islamic Change noemt. Ik geloof dat Anwar Ali daarbij betrokken is.'

Miah knikte. 'In essentie is het dezelfde organisatie als Hizb ut-Tahrir, of een aftakking ervan. Ze zijn heel slim. Ze laten de overheid geloven dat ze gematigde moslims zijn die in de behoeften van vervreemd geraakte Aziatische jongeren voorzien, en dringen zich vervolgens in het establishment in. Wanneer je daar vraagtekens bij zet, ben je een racist. Maar de filosofie blijft hetzelfde: de islam is de enige waarheid en die moet zegevieren.' Hij schudde even met zijn hoofd en zijn ogen leken plotseling die van een oude man die het verhaal van een jarenlange vruchteloze strijd vertelde. 'We bevinden ons in een slecht tijdsgewricht van de geschiedenis, mevrouw Cooper. Het leven is voor de meesten van ons zo beladen en ingewikkeld geworden dat we onze plaats erin niet meer begrijpen. De krachtige, open vooruitgang levert alleen nog maar meer onzekerheid op, meer rivaliteit, meer slachtoffers. Is het dan een wonder dat er fundamentalisten opstaan die zeggen dat we het anker moeten uitgooien en het schip moeten keren voordat het op de rotsen te pletter slaat?'

'Volgens mij probeert u me te vertellen dat u denkt dat die jongens in het buitenland zijn gaan vechten.'

Miah ademde uit, met een luchtstroom als een zware wolk waterdamp. Hij bleef staan, wendde zijn gezicht naar haar toe en keek haar aan met een blik die zowel pijnlijk als bijzonder ernstig was. 'Toen ze verdwenen, begon ik nog maar net de aard van het probleem te begrijpen. Maar nu kan ik u vertellen dat als ik een model van de ideale rekruut voor de extremistische zaak zou schetsen, zij daar allebei prima in zouden passen: middenklasse, zeer intelligent, ambitieus, cultureel niet op hun plek en emotioneel net zo kwetsbaar als iedere andere jongere. Ze lagen voor het grijpen. Acht jaar later hebben we het niet meer over slechts twee of zelfs tientallen; het zijn er honderden en duizenden.' Er flakkerde nu iets van gekweldheid bij hem op. 'We wonen in een land dat zichzelf niet kent, mevrouw Cooper. We gaan maar door, maar afgezien van de fundamentele strijd om te overleven, hebben we geen idee waarom.'

Nadat hij dit gezegd had, trok Miah zich in zijn academische cocon terug. Hij zei tegen Jenny dat zowel MI5 als de politie hem destijds stevig aan de tand had gevoeld, maar dat er weinig belangwekkends uitgekomen was. Hij ontkende dat hij onlangs nog contact met ze had gehad. Elk vertrouwen dat hij ooit had bezeten dat de overheid in staat zou zijn om deze problemen het hoofd te bieden, zei hij, was al lang geleden verdwenen. Hij zat niet langer in beleidscommissies en schreef ook geen verhandelingen om ministeries te informeren; hij schreef boeken en artikelen, en deed zijn uiterste best om de studenten die zijn colleges bijwoonden tot normen en waarden te inspireren waardoor ze tegen extremisme bestand zouden zijn.

'Maar de fundamentalisten hebben wel een punt,' zei hij terwijl ze de tuinhekken en het einde van hun ontmoeting naderden. 'Zonder een verhaal waarmee we onszelf kunnen verklaren, zijn we niets.'

Miahs woorden boorden zich diep in haar gedachten toen ze door de miezerregen naar kantoor terugliep. Ze waren door haar verdediging heen gedrongen en hadden de wateren in beroering gebracht die ze door middel van haar medicijnen uit alle macht tot bedaren probeerde te brengen. Zijzelf had geen verhaal; ze was op zoek naar gedeelten uit haar jeugd die wellicht de dreigingen in haar binnenste verklaarden, nog altijd onverkende hoekjes, en hij had haar greep op een solide werkelijkheid een beetje losser gemaakt. Elk gezicht op straat, gerimpeld of jong, opgewekt of somber, leek overtuigd van zijn geschiedenis, geworteld in een zekerheid die zij al lang geleden was kwijtgeraakt.

Ze liep langs een bloemenwinkel, keek naar haar reflectie in de etalage en even herkende ze zichzelf niet. Ze zag een spookachtig, doorzichtig halfwezen naar haar terugkijken. Een golf van paniek greep haar bij de keel. Ze versnelde haar pas, concentreerde zich op de kracht van haar ledematen, de adem in haar longen, het leven binnen in haar. Ze was nu zover, realiseerde ze zich, dat ze op het punt stond zich bewust te worden van het ontbrekende gedeelte. Zo was het met Rafi en Nazim niet geweest. Hún leegten waren al ingevuld voordat ze zich daar zelfs maar bewust van waren. Terwijl ze, het verkeer omzeilend, de weg over schoot, kwam er een zinsnede uit haar lang vervlogen schooltijd naar boven: *de afschuw der natuur van het ledige*. Als de natuur leegheid afwijst, moesten het, zoals ze altijd al had gedacht, wel verdorven en onnatuurlijke krachten zijn die scheuren in het weefsel van de werkelijkheid trokken en ontluikende zielen van hun ankers sloegen.

Ze haastte zich langs een rij groezelige winkels, wendde haar hoofd van de etalageruiten af, terwijl haar rondwervelende gedachten nog een besef uitspuwden: dat het kwaad dat zij in haar dromen aanraakte net zo'n leegheid was: een niets waarin de onschuld gemakkelijk verleid kon worden.

Nazim en Rafi waren door de maalstroom meegevoerd en in rook opgegaan, en het was aan haar, uitgerekend aan haar, om hen te volgen.

Jenny duwde krachtig tegen de geruststellend sterke en zware voordeur en zocht haar toevlucht in haar kantoor. Haar korte gesprek met Miah had haar zozeer verontrust dat alle proporties zoek waren. Hier kon ze weer wijs uit de dingen, was ze omringd door haar boeken en kantoorspulletjes, de voorwerpen die haar vertelden wie ze was en alles waar ze voor stond.

Alison keek verschrikt op toen ze binnenliep. Ze zat met haar jas aan achter haar bureau en alle kleur was uit haar gezicht verdwenen. Op het antwoordapparaat werd een bericht afgespeeld: het was mevrouw Jamal die met veel vertoon smeekte of er iemand wilde opnemen – alstublieft! Ze was bang, zei ze. Er waren die nacht nog meer telefoontjes geweest. Kon iemand haar alsjeblieft helpen? Ze barstte in huilen uit.

'Ik dacht dat ze daarmee zou ophouden.'

'Ze heeft er drie ingesproken. Ze beweerde dat ze in de gaten werd gehouden...'

'Ik bel haar wel,' zei Jenny en ze ging op weg naar haar kantoor.

'Ze is dood, mevrouw Cooper.'

Jenny bleef abrupt halverwege de kamer staan. 'Wat?!'

'Ik heb haar teruggebeld,' zei Alison, 'net nog. Een jonge politieagent nam op. Een buurvrouw heeft ongeveer een kwartier geleden haar lichaam in de voortuin gevonden. Ze is van haar balkon gevallen.'

Verdoofd keek Jenny op haar horloge. Het was kwart over twee. Ze was anderhalf uur geleden van kantoor vertrokken.

'Wanneer heeft ze voor het laatst gebeld?'

'Even na enen,' zei Alison. 'Ik voel me vreselijk... Je kunt het nooit zien aankomen, hè?'

Jenny liet een bericht achter op McAvoys telefoon waarin ze hem meedeelde dat ze niet naar hun afspraak kon komen omdat er iets – ze zei niet wat – tussen was gekomen. Ze legde de hoorn neer en pakte haar pillen, schudde er van elk eentje uit het potje en slikte ze door. Ze zat geagiteerd op haar blocnote te krassen terwijl ze wachtte tot de uitzinnige gedachten die haar geest overspoelden tot zwijgen kwamen. Ze was misselijk van schuldgevoel omdat ze het telefoontje van mevrouw Jamal niet had opgenomen. Een onredelijk deel van haar gaf McAvoy de schuld, omdat hij net op dat moment had gebeld. Een tel later en ze had mevrouw Jamals telefoontje kunnen aannemen, en misschien... Ze moest er niet aan denken.

14

De politie had de straat afgezet, wat een kleine menigte toeschouwers had aangetrokken die gretig een glimp van het lijk probeerden op te vangen. Jenny drong zich ertussendoor en kreeg inspecteur Pironi in het oog, die door de voordeur van het gebouw kwam. Dit was zijn district. Het politiebureau van New Bridewell bevond zich op nog geen kilometer afstand. Ze haalde hem in toen hij op de stoep zijn latex handschoenen uittrok, evenals de plastic zakken die om zijn schoenen zaten.

'David...'

'Jenny.' Hij leek niet blij haar te zien. 'Je mag niet naar binnen, ben ik bang. De technische recherche moet er eerst nog doorheen.'

'Wat is er gebeurd?'

'Het lijkt erop dat ze van het balkon is gevallen.'

Ze keek naar het gebouw omhoog. 'Hoe heeft ze kunnen vallen? Die balustrade komt tot haar middel.'

Hij verfrommelde de plastic zakken en handschoenen tot een prop en gooide ze in de goot. 'Misschien is ze gesprongen.'

'Waarom zou ze dat doen?'

'Geen idee. Je kunt wel even naar haar kijken, als je wilt. Ze ligt er nog.' Hij gebaarde naar een politieagente die er zo jong uitzag dat ze nog op school had kunnen zitten. 'Laat de rechter van instructie het lijk zien, wil je? Kom er niet te dichtbij.' Hij wees met een sleutelafstandsbediening naar een burgerauto die op straat dubbel geparkeerd stond. 'In de voormiddag wordt er een post mortem uitgevoerd. Ik dacht dat je een snelle afwikkeling wel zou waarderen, met het gerechtelijk onderzoek en zo. Dan kunnen we morgen praten, vermoed ik.' Hij schonk haar een effen glimlachje en vertrok.

Jenny liep achter de agente aan, stapte over het afzetlint en stak een vochtig grasveld over langs de zijkant van het gebouw. Nog eens twee agenten in uniform stonden op wacht voor een zwart plastic scherm dat tijdelijk tussen twee palen was gespannen. De agente zei dat ze om het hoekje mocht kijken, maar niet over de versperring heen mocht. Jenny liep erheen, bracht zichzelf in herinnering dat daar gewoon een dood lichaam lag, een lege huls, en deed nog een stap naar voren.

Het lijk was naakt en de benen waren besmeurd. Het lag in een verwrongen hoop: in het midden in een bocht, gedeeltelijk geknield. Een ontwrichte arm lag geknakt onder haar romp, haar gezicht lag in het gras. Jenny was verbaasd dat ze niet heel erg schrok.

'Heeft iemand het zien gebeuren?' vroeg ze.

De agente zei: 'Er heeft zich nog niemand gemeld. Een buurman denkt dat hij misschien een schreeuw heeft gehoord.'

'Wat is er met haar kleren gebeurd?'

'In een hoopje op de grond van de woonkamer... naast een fles whisky.'

'Whisky? Ze is moslim.'

'De man die haar vond zei dat ze ernaar stonk.'

Met een besef van loyaliteit en een reusachtig schuldgevoel haastte Jenny zich naar het lijkenhuis. Naaste familieleden – haar ex-man en een zus in Leicester – waren al op de hoogte gesteld. Volgens de brigadier met wie ze had gesproken, had geen van hen aangegeven erbij betrokken te willen raken. Ze hadden kennelijk allebei zwijgend naar het nieuws geluisterd en de agent alleen bedankt dat hij het ze was komen vertellen. Hij had de indruk gekregen dat mevrouw Jamals kennelijke zelfmoord voor geen van beiden een schok was.

Jenny ging zitten wachten bij de defecte automaten in de lege receptieruimte. Het was bijna zes uur en op een van de technici na was iedereen al naar huis gegaan. Het enige geluid in het gebouw was het gejank van de chirurgische cirkelzaag. Ze zag voor zich hoe dr. Kerr er angstvallig mee om mevrouw Jamals schedel heen ging en de kleine V-vormige uitsparing achterop niet vergat, zodat het weggesneden gedeelte niet zou wegglijden als het weer zou worden teruggeplaatst.

In het stille halfuur dat daarop volgde kon Jenny er niets aan doen dat ze zich de procedure voorstelde die zich aan de andere kant van de muur voltrok. De hersenen zouden uit de schedel worden gelicht en op het roestvrijstalen aanrecht in plakjes worden gesneden. Een klein monster zou geanalyseerd worden en het restant zou samen met de rest van de uitgesneden organen zonder pardon in een plastic zak worden gedeponeerd en in de buikholte worden teruggestopt. Ze kon er wel tegen dat de lever en nieren werden weggesneden, en zelfs het hart en de longen, maar de behandeling die de hersenen moesten ondergaan had iets onterends.

Andy Kerr had zich al gewassen en geschrobd toen hij haar buiten trof. De geur van zeep maskeerde slechts gedeeltelijk die van de weeige desinfecteermiddelen die na een dag in de autopsieruimte tot diep in de poriën van de patholoog waren doorgedrongen.

'Het komt min of meer overeen met het politierapport,' zei hij snel, omdat hij graag naar huis wilde. 'Eén schouder was ontwricht, er was een nekfractuur en een paar ribben waren gebroken. Dat was op zichzelf niet dodelijk. De doodsoorzaak was een hartstilstand, waarschijnlijk veroorzaakt door de schok van de val. Te oordelen naar de foto's van het lichaam ter plaatse zou ik zeggen dat het bliksemsnel is gegaan. Het lijkt er niet op dat ze zich na de val nog heeft bewogen.'

'En hoe zit het met de alcohol?'

'Dat weten we morgenochtend, maar in haar maag leek een grote hoeveelheid te zitten van iets wat naar whisky rook.'

'Kun je erachter komen of ze regelmatig dronk?' vroeg Jenny.

'Haar lever was volkomen gezond. Er zit geen smetje op. Ik heb om tests gevraagd waarmee we kunnen zien of de aangetroffen hoeveelheid al of niet abnormaal was. Iedereen die regelmatig alcohol drinkt ontwikkelt bepaalde enzymen om die te kunnen verteren.'

'Was er nog iets anders in haar maag? Had ze pillen genomen?'

'Nee. Los van de alcohol was hij nagenoeg leeg.'

Jenny knikte, en het onbehaaglijke gevoel dat zij persoonlijk verantwoordelijk was voor de dood van mevrouw Jamal werd sterker. Hoeveel had mevrouw Jamal gedronken nadat ze haar telefoontje had genegeerd? Zou iets van wat zij gezegd zou hebben haar ervan hebben kunnen weerhouden, of zou ze haar hebben toegebeten dat ze kalm moest worden en daarmee het einde alleen maar hebben versneld?

'Gaat het wel?' vroeg Andy. 'U ziet er...'

'Ik kende haar. Haar zoon...'

'De politie heeft het me verteld. Wat akelig. Maar ik hoef u niet te zeggen dat we met veel van zulke zelfmoorden te maken hebben. Dronken, naakt. Er is altijd wel iets wat ze over het randje drijft. Ik vermoed dat het het gerechtelijk onderzoek was.'

'Daar heeft ze acht jaar voor gevochten,' zei Jenny.

Andy haalde zijn schouders op. 'Misschien was die strijd het enige wat haar nog gaande hield.'

'Ze zou toch zeker wel op de uitspraak hebben gewacht?'

'Stel dat die verkeerd zou uitpakken?'

Volgens de Coroner's Rules was de rechter van instructie verplicht plaats te maken terwijl de politie een verdachte dood onderzocht, maar Jenny was niet in de stemming om te wachten. Ze wist dat haar motieven voor een deel uit egoïsme voortkwamen, maar er was ook nog iets anders: een zeurende angst dat de emotionele telefoontjes van mevrouw

Jamal toch niet helemaal uit een hersenschim waren voortgekomen. Pijnlijke ervaring had haar geleerd hoe gemakkelijk irrationele gedachten konden postvatten, maar stel dat ze veel evenwichtiger was geweest dan ze had geleken? Stel dat iemand haar wél in de gaten had gehouden? Of stel dat ze had gelogen en al die tijd cruciaal bewijs voor het onderzoek had achtergehouden?

Tegen de tijd dat ze het parkeerterrein van het ziekenhuis had overgestoken, had Jenny zichzelf ervan overtuigd dat ze zich wederrechtelijk toegang op het politieterrein moest verschaffen. Ze stelde zich Pironi's voetsoldaten voor, die als een stel onbenullen rondddenderden en niets wisten van mevrouw Jamals gemoedstoestand. Wat zij konden, kon zij beter – en sneller.

Ze voerde het toerental van de motor op om de trage verwarming op gang te krijgen en pleegde een paar telefoontjes. Ze belde naar Ross om te zeggen dat ze laat thuiskwam. Ze kreeg Alison nog te pakken toen die van kantoor wilde weggaan en zei tegen haar dat ze een kopie van de laatste telefoonberichten van mevrouw Jamal moest maken en aan de politie moest geven. Dat had ze al gedaan. Als laatste belde ze inlichtingen om het nummer van Zachariah Jamal te achterhalen. Ze kreeg het nummer van zijn tandartspraktijk: een antwoordapparaat. Ze probeerde het noodnummer dat daarop werd gegeven en kreeg de receptioniste, die geen dienst had en met een huilende baby zat. De vrouw weigerde het privénummer van meneer Jamal te geven en wilde alleen haar gegevens aan hem doorgeven.

Terwijl ze op zijn telefoontje zat te wachten, luisterde Jenny haar eigen berichten af. Er waren er twee van specialisten uit de Vale die haar vroegen of er al overlijdensakten waren uitgegeven voor hun respectievelijke overleden patiënten – alleen maar om niet gedagvaard te hoeven worden; het idee dat tijdens een openbaar gerechtelijk onderzoek hun vakkennis onder de loep zou worden genomen, was het meest angstaanjagende vooruitzicht waarmee een arts geconfronteerd kon worden – en een van McAvoy. Op verontschuldigende toon zei hij: 'Jammer dat je het niet redt... Je houdt het van me tegoed. Je weet me te vinden als je van gedachten verandert.' Ze vocht tegen de verleiding om hem terug te bellen – wat moest ze zeggen? – toen een piepje aangaf dat ze gebeld werd.

Het klonk alsof Zachariah Jamal buiten zijn huis stond te bellen, want op de achtergrond hoorde ze verkeerslawaai. Zijn stem klonk bits en onzeker. Ze vroeg zich af of hij de nieuwe mevrouw Jamal en kinderen eigenlijk wel het nieuws van de dood van zijn eerste vrouw had verteld. Dronken, naakt en heel erg publiekelijk dood als ze was, zouden ze het gauw genoeg te weten komen.

'Wat kan ik voor u doen?' zei hij. 'Ik heb de laatste jaren maar heel weinig contact met Amira gehad.'

Jenny zei: 'Het lijkt erop dat ze zelfmoord heeft gepleegd. Verbaast dat u?'

Hij zuchtte. 'Ik weet het niet. Ze was een uitermate gecompliceerde vrouw. Emotioneel, maar...'

Ze wachtte tot hij zijn gedachten kon formuleren.

'... vastbesloten. Toen ik me er allang bij had neergelegd dat Nazim dood was, ging zij nog steeds door.'

'Waarom zegt u "dood"?'

'Natuurlijk is hij omgekomen. Waarschijnlijk in Afghanistan. Ik ken mijn eigen zoon. Als hij nog leefde, had hij wel contact met ons opgenomen.'

'Maar uw vrouw – uw ex-vrouw – wilde dat niet geloven?'

Hij zweeg even. Ze voelde de kracht van zijn onderdrukte gevoelens. 'Nee. Dat wilde ze niet geloven.'

'Ik vermoed dat het gerechtelijk onderzoek naar de verdwijning van uw zoon haar wellicht met het feit zou confronteren dat ze dat toch zou moeten accepteren.'

'Ja...'

'Volgens mij denken we aan hetzelfde, meneer Jamal. Zou u misschien uw kant van het verhaal willen vertellen?'

'Ons contact was puur zakelijk. Ik weet niet wat er in haar omging.'

Je wilt er niet bij betrokken raken, dacht Jenny. Te veel pijnlijke herinneringen, schuld was op schuld gestapeld. Sluit de deur en vergrendel hem. Vergeet dat zij of Nazim ooit heeft bestaan.

Jenny zei: 'In de afgelopen twee weken heb ik haar een paar keer ontmoet. Ze was emotioneel, misschien zelfs een beetje paranoïde, maar volgens mij niet depressief. Depressieve mensen trekken zich in zichzelf terug, sluiten zich van de wereld af. Zij heeft een gerechtelijk onderzoek afgedwongen, ze was energiek. Zou ze de uitspraak van de jury niet hebben willen afwachten?'

'Ik zou het echt niet weten.'

'Ik kan me voorstellen dat een getroffen moeder zichzelf doodt in de overtuiging dat ze dan wellicht met haar zoon herenigd wordt. Zou dat kunnen?'

Meneer Jamal gaf geen antwoord.

'Was uw ex-vrouw gelovig?'

'Heel erg.'

'Vergeeft u mij mijn onwetendheid, maar wordt zelfmoord binnen de islam niet als een grote zonde beschouwd?'

'Inderdaad,' zei hij zachtjes.

'Ik verwacht niet dat iemand die zelfmoordneigingen heeft logisch nadenkt...'

'Ze moet ziek zijn geweest,' zei hij, en daarna, met haperende stem: 'Ze moet heel ziek zijn geweest...'

'Bij de lijkschouwing werd duidelijk dat ze vlak voor haar dood whisky had gedronken. Behoorlijk wat, eerlijk gezegd.'

Daarop verviel meneer Jamal in volslagen stilzwijgen. Jenny hoorde de wind door de telefoon blazen en er reed een auto langs.

'Ik probeer alleen maar een beeld te krijgen van wat dit zou betekenen. Alcohol, zelfmoord... zelfs als ze ziek was, kunnen bepaalde taboes sterker zijn dan de ziekte. Ik was gisteren nog bij haar en toen was ze niet psychotisch.'

Vagelijk zei meneer Jamal: 'Dat ben ik met u eens, mevrouw Cooper. Ik weet niet wat ik moet zeggen. Het slaat nergens op.'

'Ik ga zo ophangen,' zei Jenny, 'maar er is nog één ding. Heeft uw vrouw ooit iets tegen u gezegd over Nazims verdwijning, over zijn vrienden, iets wat ze liever niet in het openbaar wilde hebben?'

'Nee. Niets. Dat is wat haar dreef... Ze moest het weten.'

De laatste mensen van het technisch rechercheteam druppelden het gebouw uit en stapten in hun minibus. Een agent wond het plastic afzetlint op. Het zat er kennelijk op voor die dag. De voordeur werd opengehouden door een rechtopstaande bezem. Jenny liep naar binnen en nam de lift naar de etage van mevrouw Jamal. Inspecteur Pironi en een jongere agent in burger met een vlekkerig stoppelbaardje en vlechtjes in zijn haar waren bezig het appartement af te sluiten toen zij de overloop op liep.

Jenny zei: 'Hallo. Bezwaar als nog ik wat rondkijk?'

De inspecteurs wisselden een blik. 'Mevrouw Cooper, de rechter van instructie,' zei Pironi tegen zijn ondergeschikte. 'Ik vind dat we haar maar "mevrouw Snooper" moeten dopen.'

De jonge vent glimlachte en nam haar van top tot teen op, terwijl hij dacht – ze kon lezen wat hij dacht: *kan ermee door.*

Jenny snauwde boos: 'Heb je daar een probleem mee of hoe zit het?'

Pironi keek op zijn luxe horloge en zuchtte. 'Als je snel bent.'

'Vindt u het erg als ik een peuk ga roken, baas?' zei de jonge man. Pironi wuifde hem weg en haalde een sleutelbos tevoorschijn, waar hij omslachtig in zocht, alsof ze een reusachtige en onredelijke gunst van hem vroeg.

'Heb je iets meegenomen?' vroeg Jenny.

'Wat papieren, een stapel kleren en een whiskyfles. Zo te zien had ze daar de helft van op... genoeg om wie dan ook uit dat stomme raam te laten springen.' Hij vond de sleutel, deed de deur van het slot en hield die voor haar open. Hij had net zo goed kunnen zeggen: Na u, mevrouw.

Jenny stapte naar binnen. Het zag er net zo uit en rook ook precies als de vorige dag. Er hing een vaag exotische geur in de lucht van kruiden en specerijen. Ze duwde de deur van de badkamer en slaapkamer open. Die waren allebei vlekkeloos en keurig opgeruimd. De sprei was strak om het eenpersoonsbed getrokken, chintz kussens lagen tegen het hoofdeinde gerangschikt. Ook de keuken was prima in orde. Er stond een enkel vuil kopje in de gootsteen, het ontbijtservies was schoon op het afdruiprek gezet. Op de koelkast was met een originele bloemetjesmagneet een boodschappenlijstje bevestigd.

'Mag ik in de laden kijken?' vroeg ze aan Pironi, die ongeduldig in de deuropening stond.

'Ga je gang.'

Ze trok er een paar open: bestek, theedoeken, keukengerei. Alles schoon en op zijn plaats.

'Enig spoor van recepten voor medicijnen?'

'Nee.'

Ze opende een bovenkastje en vond de bron van de geur: bundeltjes gedroogde tijm en grote potten specerijen. 'Afgezien van de whisky verder geen sterkedrank in huis?'

'Geen druppel.'

'Geen briefje?'

Pironi schudde zijn hoofd.

Jenny liep langs hem heen en ging de woonkamer in, waar ze de vorige ochtend had gezeten. Het was er precies zoals ze zich het herinnerde, alleen stiller. Er hing een soort inertie in de kamers van pasgestorven mensen, alsof de lucht niet langer bewoog. Ze rook het tapijt en het materiaal van de meubels; het rook naar de plek, niet naar degene die er had gewoond. Ze liet haar ogen een tweede maal door de kamer gaan. Er was iets veranderd.

'Is er hier iets verplaatst?' vroeg ze.

'Alleen die stoel.' Hij wees naar de houten rechte stoel die de vorige dag voor het bureau in de hoek had gestaan. Die stond nu aan de andere kant van de kamer naast de openslaande balkondeuren. 'Hij stond waar jij nu staat. Haar kleren lagen er op een hoop naast, samen met de fles.'

'Was de dop erop geschroefd?'

'Wie probeer je eigenlijk na te doen, die verdomde Miss Marple?'
Jenny gaf daar geen commentaar op. 'Waren de gordijnen open? Hoe zit het met de openslaande deuren?'
Pironi sloeg zijn ogen ten hemel. 'De gordijnen waren dicht en er brandde een lamp in de hoek. Ze heeft daar zitten drinken, haar kleren uitgetrokken en is uit het raam gesprongen.'
'Het is maar drie verdiepingen hoog.'
'Als je een zenuwinzinking hebt, haal je geen loodlijn en meetlint tevoorschijn,' zei Pironi. 'Genoeg gezien? Ik verwacht een telefoontje van mijn maat uit Helmand.'
'Het duurt niet lang meer.' Ze liep naar de openslaande deuren en probeerde zich voor te stellen hoe de naakte mevrouw Jamal over de balustrade klom. Ze was er bepaald niet elegant uit gestapt. Ze draaide zich om en keek nog eenmaal de kamer rond. De foto's van Nazim stonden allemaal nog net zoals ze zich die herinnerde, evenals de decoraties op de plankenkast: kitscherige porseleinen beeldjes en een paar glanzende sporttrofeeën.
Ze liep terug naar de deur en toen zag ze het: de twee planken boven het bureau. De vorige dag hadden daar een stuk of wat grijze archiefdozen gestaan. Nu lag er een stapel tijdschriften op de bovenste plank en stonden er een paar paperbacks op de onderste.
'Heb je soms dossiers meegenomen?' vroeg Jenny. 'Toen ik hier gisteren was, stond daar een hele rij op die plank. Alle papieren over haar zoon.'
'We hebben niets meegenomen.'
'Is hier nog iemand anders geweest? Je weet wel wie ik bedoel.'
'Luid en duidelijk. Er waren geen dossiers.' Hij krabde zich op het hoofd. 'Ik weet het niet... Misschien heeft ze die bij de vuilnis gezet?'
Pironi liet de conciërge aan Jenny over, meneer Aldis, een opvliegende oude man die geërgerd was omdat hij van de voetbalwedstrijd werd weggesleurd waarnaar hij op tv aan het kijken was. De gemeenschappelijke vuilnisbakken stonden in een afgesloten kast buiten het gebouw. Ze waren in geen vijf dagen geleegd en hij bezwoer haar dat de politie niet gevraagd had om erin te kijken. Jenny leende een paar rubberhandschoenen en bracht een koud en onplezierig uurtje door met het doorzoeken van de vuilnis. Er was geen spoor van een archiefdoos.

'Waarom heb je me het niet verteld?' zei McAvoy. 'Een agent daar heeft me een seintje gegeven. Lieve god. Dóód...' Glazen tinkelden op de achtergrond. Hij klonk alsof hij er al een avondje stappen op had zitten.

De handsfreehouder in haar auto was afgebroken en ze liet de telefoon tussen haar hoofd en schouder balanceren terwijl ze naar huis reed, biddend dat ze geen politieauto tegen zou komen.

'De politie denkt dat ze is gesprongen,' zei Jenny.

'Dan zou ze regelrecht naar de hel gaan,' zei McAvoy. 'Net als mijn team... zonder pardon. Zelfmoordenaars worden in het vuur geroosterd – "voor Allah wel zo gemakkelijk", zo staat het in de Koran. Een vent in de gevangenis heeft me die een keer geleend.'

'Haar archiefdozen waren weg. Alle paperassen die met de zaak te maken hebben.'

'Die zijn vast bij de politie, dat is niet erg.'

'Pironi ontkent dat.'

'Petrus heeft Onze-Lieve-Heer drie keer verloochend en is toch bisschop van Rome geworden.'

'Hij keek me in de ogen. Ik geloofde hem.'

'Dat komt doordat je een onbezoedelde ziel hebt, mevrouw Cooper... Dóód, verdomme! Waarom?'

'Ze had gedronken. Een halve fles whisky.'

'Arme stakker... Arme, ellendige stakker.'

Ze was de brug over en reed nu langs de buitenrand van Chepstow. Het zou niet lang meer duren voor ze de renbaan zou passeren en de kloof van het dal in zou rijden, waar ze geen bereik had.

'Ik heb zo meteen geen ontvangst meer. Ik praat je bij zodra ik iets hoor.'

McAvoy zei: 'Ik weet wat je aan het doen bent, Jenny. Ik begrijp dat je het eerlijk wilt blijven spelen, maar ik kan je helpen. Als je echt in deze shit verder wilt graven, heb je iemand nodig zoals ik.'

Het waren negen steile, bochtige kilometers door donkere bossen tussen St. Arvans en Tintern, het oude dorpje met zijn vervallen abdij, waar ze de smalle laan op zou draaien en de heuvel naar Melin Bach zou beklimmen. Sinds die avond in juni – ze zat toen midden in de Danny Wills-zaak en leed aan acute angstaanvallen –, toen ze de auto op de parkeerplaats in het bos had stilgezet en met wanhopige impulsen had geworsteld, was ze doodsbang voor dit stuk van de rit. Zo laat op de avond was er nauwelijks tot geen verkeer. Doordat er een laagje water op het wegoppervlak en in de bochten lag, die altijd scherper en langer waren dan ze leken als ze eropaf reed, moest ze wel stapvoets gaan rijden, tenzij ze een duikeling langs de steile dijk wilde riskeren. Elk jaar eiste die een aantal levens op.

Ze zette de radio aan om haar fantasieën van de in trage spoken veranderende schaduwen af te leiden, en probeerde op te gaan in zachte klassieke muziek. Ze haalde zich een pastoraal tafereel van velden en wilde bloemen voor de geest, en deed haar best daar al haar zintuigen bij te betrekken, zoals dr. Allen haar had aangeraden. Maar hoe zuiverder ze zich het beeld voorstelde, hoe scherper haar ongevraagde angst prikte. Het was een kille, dreigende, tastbare aanwezigheid, een entiteit die zich aan haar vastklampte.

Ga weg, ga weg, herhaalde ze in gedachten, terwijl ze naar haar idylle probeerde terug te keren. Toen, hardop: 'Je bent niet echt. Laat me met rust... Laat me met rust.'

Plotseling klonk er een geluid: gesnif, een ingehouden, afkeurende snik. Jenny's ogen schoten naar de passagiersstoel. De grote, zwarte, wanhopige ogen van mevrouw Jamal keken even naar haar terug en verdwenen toen weer. Jenny dwong zichzelf diep adem te halen, tegen haar tekeergaande hart in, en trapte het gaspedaal zo ver in als ze durfde. Ze was door allerlei symptomen gekweld, maar ze had nog nooit dingen gezíén.

Ze haastte zich de auto uit naar het huis, terwijl ze bij zichzelf beredeneerde dat haar verbeelding een spelletje met haar had gespeeld. De ogen waren opflakkeringen van weerspiegelend licht, het gezicht was een vluchtige schaduw geweest. Het was heel normaal dat je geest in het donker beelden ging zien.

Ze deed de voordeur op slot en vergrendelde die.

Vijandige rapmuziek met een bas waarvan de ramen trilden dreunde uit Ross' kamer. Ze riep een groet naar boven, maar er kwam geen antwoord. Het was bijna elf uur, te laat om te eten. Ze moest kalm worden. Ze zou nu heel wat overhebben voor een borrel. Ze liep haar werkkamer in, vastbesloten om haar spanning op papier af te reageren.

Ze deed het licht aan en zag dat de papieren op haar bureau verschoven waren en dat de la waarin ze haar dagboek bewaarde niet helemaal dicht was. Ze rukte hem open. Het lag er nog, onder de warboel van enveloppen en schrijfpapier – de zwarte kaft met een elastiekje dichtgebonden, maar had ze het zo achtergelaten, met de rug naar links?

'Hoi. Je bent laat.'

Ze draaide zich met een ruk om en zag Ross in de deuropening staan, gekleed in een sweatshirt met capuchon en een Indiase slobberbroek.

'Heb je aan mijn spullen gezeten?'

'Nee...'

'Lieg niet tegen me.'

'Er was geen eten in huis. Ik zocht of er geld was, zodat ik wat kon gaan halen bij de pub.'

'Lieg niet!'

'Ik ben nergens aan geweest.'

'Je mag nooit in mijn bureau komen. Daar liggen mijn persoonlijke spullen.'

'Ja, een hoop rotzooi.' Hij draaide zich om en liep de trap op.

Ze rende achter hem aan. 'Ross, het spijt me...'

'Je bent helemaal de weg kwijt,' zei hij, eerder medelijdend dan boos.

'Ross, alsjeblieft...'

Hij dook zijn slaapkamer in en sloeg de deur achter zich dicht.

15

Ze werd om vijf uur wakker, uitgeput door de rusteloze dromen die haar lichte slaap hadden verstoord. Haar lichaam kon niet meer, maar haar hersenen werkten op volle toeren, maakten wilde associaties en vlogen van de ene krankzinnige bespiegeling naar de andere: een wirwar van politie- en overheidsagenten, geheime deals en achtergehouden bewijs. En, rondhangend in de schaduwen, de vage, glimlachende gedaante van McAvoy. Hoe paste hij erin? Was hij oprecht of maakte hij, zoals Alison vreesde, misbruik van haar? Bij wijze van antwoord doken er onmiddellijk twee beelden op: een engel en een demon. Hij was de een of de ander, dat wist ze zeker, maar welke wist ze niet. Misschien was hij wel allebei.

De eerste schok van de plotselinge dood van mevrouw Jamal was afgenomen tot een zacht schrijnen, waarin zich verschillende andere bronnen van pijn ophielden. Er waren schuldgevoel en medelijden, maar daaronder een schuldbesef dat ze al met zich moest hebben meegedragen in de ogenblikken vlak voor haar dodelijke sprong. Jenny kon nog altijd niet de goed geklede vrouw die haar kantoor was binnengelopen, en evenmin degene die met zo'n kalme waardigheid in de rechtszaal had gezeten, in verband brengen met de geknakte stoffelijke resten die ze de vorige middag op het gras had zien liggen. Ze stapte uit bed, trok een trui over haar pyjama aan en ging naar beneden om koffie te zetten, die ze meenam naar haar werkkamer. Ze bladerde door de aantekeningen en papieren die ze mee naar huis had genomen, nu op zoek naar een ander stuk van de puzzel: wat mevrouw Jamal niet had verteld, datgene waardoor ze over de rand was geduwd.

Ze las en herlas de oorspronkelijke politieverklaringen, en vervolgens spelde ze elk woord dat in de rechtszaal was gezegd. Afgezien van het feit dat mevrouw Jamal heftig op Dani James' verklaring had gereageerd, was er geen enkele aanwijzing. Ze dacht terug aan het gesprek dat ze in haar flat met haar had gevoerd, terwijl ze nu wenste dat ze daar aantekeningen van had gemaakt. Mevrouw Jamal was overstuur geweest toen ze van Madogs verklaring hoorde, maar wantrouwde zowel McAvoy als zijn vriend de detective. Ze had gehuild, maar bij Madogs verhaal had ze het gevoel gekregen dat er alleen maar meer modder in hetzelfde water werd gegooid. Pas toen Jenny haar had gevraagd of er nog een ander meisje was geweest, had ze anders gereageerd en haar tranen achterwege gelaten. Ze had zich de stem van het meisje dat had gebeld herinnerd alsof het gisteren was; ze was van Nazims leeftijd geweest, welbespraakt en blank. Het kon Dani James niet geweest zijn. Mevrouw Jamal zou haar Manchester-accent hebben herkend. Ze hadden maar kort gepraat; toch had het haar diep geraakt. Jenny zocht naar mogelijke verklaringen. Het was meer dan alleen maar afkeuring. Was er sprake van een schandaal, was het meisje zwanger geweest? Had mevrouw Jamal hen misschien samen in haar appartement betrapt? Had ze het meisje soms weggejaagd en zo'n ruzie met haar zoon gehad dat hij het haar nooit had vergeven? En als dat zo was, waarom had het meisje zich dan nooit gemeld?

Los van Dani James was Sarah Levin, inmiddels dr. Levin van de faculteit natuurwetenschappen, de enige jonge vrouw geweest die een formele verklaring bij de politie had afgelegd. Zij zou ook een getuigenverklaring moeten afleggen, en met haar mocht Jenny geen contact opnemen voordat de zitting was hervat. Instinctief wist ze dat dit weer zo'n moment was waarop de regels wat soepeler gehanteerd moesten worden. Bovendien had ze ontzettende behoefte aan een aanwijzing, alles wat het verleden maar kon openbreken.

Onder luid gesputter en tegenstribbelen sleurde Jenny Ross om zeven uur uit zijn bed en zette hem, nog altijd tegensputterend, voor achten af bij een café in de buurt van de middelbare school. Ze was van plan geweest om zich voor haar uitbarsting van de vorige avond te verontschuldigen, maar hij wilde per se de hele drie kwartier durende rit doorslapen. Het begon een patroon te worden: tijdens de steeds zeldzamer wordende momenten dat ze samen waren, wilde hij allesbehalve met haar communiceren.

Sarah Levins privéadres, opgedaan via een reeks vroege telefoontjes naar dwarsliggende universiteitsmedewerkers, was een appartement op de tweede verdieping van een groot victoriaans rijtjeshuis dicht bij Bristol Downs: een duur stukje onroerend goed voor een jonge vrouw. Op het bordje naast de deurbel stond SPENCER-LEVIN, en er klonk een mannenstem door de intercom.

Jenny stelde zich voor en zei dat ze onmiddellijk met dr. Levin moest spreken.

'Ze staat onder de douche. En om negen uur moet ze college geven,' zei hij, op de opgeblazen toon die ze associeerde met bedrijfsjuristen en investeringsbankiers.

Geïrriteerd als gevolg van een slechte nachtrust, zei Jenny: 'Ben ik niet duidelijk genoeg geweest? Ik ben een rechter van instructie die een officieel onderzoek uitvoert.'

Er viel een korte stilte.

'Moet u daar geen gerechtelijk bevel of zo voor hebben?'

'Nee. Gaat u me nog helpen of wilt u het me moeilijk maken?'

Ze hoorde hem vloeken. De deuropener zoemde kwaad.

Hij zag er niet uit als een advocaat – helemaal niet als een professional, trouwens. Hij droeg een canvas jasje over een T-shirt en liep op sportschoenen. Zijn schouderlange haar was met gel in model geduwd en zijn spijkerbroek hing zo laag op zijn heupen dat die er bijna uitstaken. Reclame of tv, raadde Jenny, een vrij beroep dat een goed idee lijkt als je eenentwintig bent, maar op je veertigste gênant wordt. Spencer – ze nam aan dat dat zijn achternaam was en hij niet het fatsoen had om zich voor te stellen – liet haar binnen in een kamer met open keuken. Het was een zelfbewuste, strakke bedoening: een gewreven houten vloer, alles wit met een enkele abstracte afbeelding aan de muur.

'Ik moet ervandoor. Ze komt er zo aan.'

Hij pakte een designerschoudertas en ging op weg om zich aan zijn ongewisse baan te wijden.

Sarah Levin kwam binnen terwijl ze haar lange blonde haar afdroogde. Ze was lang en slank, moeiteloos aantrekkelijk op een manier die Jenny alleen maar als elegant kon beschrijven. Spencer had uitermate veel geluk gehad.

'Hallo. Wat kan ik voor u doen?' vroeg ze behoedzaam. 'Mevrouw Cooper, hè?'

'Sorry dat ik u thuis lastigval,' zei Jenny, zich ervan bewust dat ze even werd afgeleid door Sarah Levins verbazingwekkende schoonheid. 'Ik wil u graag een paar vragen stellen.'

'Uw kantoor belde van de week. Mij was verteld dat het gerechtelijk onderzoek was uitgesteld.'

'Tot volgende week maar. Ik probeer wat details in te vullen tijdens het eerste semester van Nazim Jamal in Bristol. Ik begrijp dat hij en u allebei natuurkunde studeerden?'

'Inderdaad.' Ze legde de handdoek op het buffet en streek haar haar uit haar gezicht. Het kwam bijna tot haar middel.

'Hebben jullie met elkaar gepraat? Waren jullie bevriend?'

'Niet echt. Wilt u misschien een kop koffie?'

'Nee, dank u. Maar ga gerust uw gang.'

Sarah drukte op de knop van een espressoapparaat en pakte een stijlvolle witte kop-en-schotel uit een kast met glazen deuren. Jenny sloeg haar even gade en voelde haar spanning. *Niet echt.* Wat bedoelde ze daarmee?

Jenny zei: 'Zijn moeder is gisteren gestorven.'

'O...' Sarah draaide zich om terwijl ze een pot koffie opendraaide. 'Wat akelig.'

'U hebt haar zeker nooit ontmoet?'

'Nee.'

'Ze zei tegen mij dat ze vermoedde dat Nazim aan het eind van dat eerste semester iets met een meisje had.'

'Ik geloof niet dat ik me dat herinner.'

'Dus u stond wel zo dicht bij hem dat u dat zou hebben gemerkt?'

'Niet bepaald... Het moge duidelijk zijn dat ik sinds die tijd vaker aan hem heb gedacht dan destijds.' Ze leunde tegen het buffet terwijl ze wachtte tot het koffieapparaat was opgewarmd. Ze leek niet op haar gemak, geïrriteerd.

'Hebt u Nazim ooit op zijn mobiele telefoon gebeld?'

Ze schudde haar hoofd. 'Ik dacht het niet.'

'Mevrouw Jamal heeft in december van dat jaar een gesprek op zijn telefoon opgenomen. Het was een meisje – welbespraakt, Engels. Ze gedroeg zich alsof ze betrapt was, alsof ze wist dat Nazims moeder het niet zou goedkeuren. Enig idee wie dat geweest zou kunnen zijn?'

'Zo te horen de helft van de meisjes in Bristol. Sorry. Ik heb geen idee.'

'Hoe na stond u hem?'

'We volgden dezelfde colleges en seminars. We hebben een paar keer samen aan een practicum gewerkt. Hij was gewoon een van de velen, geen vriend in het bijzonder... of van wie dan ook, trouwens. Hij zonderde zich nogal graag af, voor zover ik me kan herinneren.'

'Vanwege zijn geloof?'

'De moslimjongens trokken meestal met elkaar op. Dat doen ze nog steeds.' Ze draaide zich om om het apparaat te controleren.

Jenny zei: 'Dus hij zat in uw jaar, hij afficheerde zich als religieus, zonderde zich van anderen af... Zou u het dan niet vreemd vinden als hij een blanke vriendin had?'

'Heeft zijn moeder haar dan gezien? Er zijn genoeg moslimmeisjes die zonder Aziatisch accent spreken.' Ze drukte op een knop, waarna haar kopje luidruchtig volliep. 'Ik kende hem nauwelijks, maar mensen als ik vielen niet zo snel op een jongen met baard en in die kleren, hoe je ze ook moet noemen.'

Jenny keek toe hoe ze de gebruikte koffie in de vuilnisbak klopte en de druppels van het buffet veegde, terwijl ze bedacht dat ze er helemaal niet als een natuurwetenschapper uitzag. In haar studententijd waren de exacte wetenschappers vooral jongens met futloos haar en een slechte huid geweest. De paar vrouwen die ertussen zaten, waren van het soort dat eruitzag alsof ze op het punt stonden een stevige wandeling te maken.

Jenny zei: 'Waarin bent u gespecialiseerd, als ik zo vrij mag zijn?'

'Elementaire-deeltjesfysica, theoretisch spul. Op zoek naar nieuwe energievormen... Dat is de heilige graal.'

'Dat zal wel een behoorlijke mannenwereld zijn.'

'In mijn familie waren ze allemaal exact wetenschapper. Zo heb ik er nooit naar gekeken.'

Maar ik durf te wedden dat je de aandacht wel leuk vindt, dacht Jenny onaardig.

'U hebt een verklaring bij de politie afgelegd nadat Nazim en de andere jongen waren verdwenen,' zei Jenny vlug. 'U zei dat u hem in de kantine een keer had horen praten over "broeders" die naar Afghanistan gingen.'

'Dat klopt... Hij stond bij een groepje vrienden. Destijds leek het eerder op grootspraak. Ik hoorde alleen wat flarden: jongens die praatten over hoe cool het zou zijn om met wapens te schieten en mensen te doden, dat soort dingen. Ze stonden te lachen, schepten tegen elkaar op.'

'U weet niet meer of ze iets specifieks zeiden?'

'Als dat zo was, had ik het de politie wel verteld.' Ze nipte met vaste hand van haar koffie. 'Het is ook zo allemachtig lang geleden.'

'Geen roddels op de faculteit? Geruchten, speculaties?'

'Nee.' Sarah Levin fronste haar voorhoofd en schudde haar knappe hoofdje. 'Het komt me nu net zo raar voor als toen. Hij is gewoon... verdwenen.'

Alison was in een van haar gespannen, kille buien, die in de afgelopen weken steeds vaker voorkwamen. Geërgerd en zonder te willen vertellen waarom stampte ze lawaaiig door haar kantoor en smeet met de kastdeurtjes in het keukentje. Jenny had de stemmingswisselingen toegeschreven aan de menopauze of de gebruikelijke herrie met haar echtgenoot – en ongetwijfeld droeg de kwestie rond haar dochter er ook aan bij –, maar vanochtend was de sfeer ongebruikelijk gespannen. Hoe meer Jenny haar best deed om haar te negeren, hoe harder Alison rondstampte. Terwijl ze de laatste stapel postmortemverslagen doorlas, verdroeg ze het bijna een uur. Ze wilde net haar aandacht naar de lijst met zwarte Toyota's verplaatsen toen Alison zonder te kloppen binnenkwam en een stapel post neergooide boven op het document dat ze aan het lezen was.

'Uw post. En ook nog wat van gisteren.'

Jenny beheerste zich en zei: 'Is er soms iets aan de hand?'

'Sorry, mevrouw Cooper?'

'Je lijkt wat van streek.'

Alison dwong zichzelf tot een strak, geduldig glimlachje. 'U bent zo van me af. Ik heb een afspraak om een verklaring van meneer Madog af te nemen.'

Het spel volgde zijn gebruikelijke patroon: Alison zou blijven ontkennen dat er ook maar iets aan de hand was, tot ze ten slotte, alsof ze aan een onredelijke behoefte van Jenny toegaf, zou vertellen wat het was.

'Ik zal alle achterstallige dossiers dit weekend doornemen,' zei Jenny. 'Als specialisten uit het Vale je vanwege een beslissing achter de broek zitten, kun je ze vertellen dat ze die op z'n laatst maandag krijgen.'

'De laatste keer dat ik heb gekeken, was onze achterstand niet groter dan anders.'

'Heb ik dan iets over het hoofd gezien?'

'Dat geloof ik niet.'

'Heb ik iets gedaan?'

Alisons frons verdiepte zich.

Jenny zei: 'Volgens mij kom ik in de buurt.'

Alison zuchtte. 'Het is niet aan mij om u te vertellen hoe u uw werk moet doen, mevrouw Cooper, maar soms word ik er een beetje moe van om tussen twee vuren in te zitten.'

'Tussen welke vuren dan precies?' vroeg Jenny.

'Dave Pironi belde me gisteravond thuis op met de vraag waarom een rechter van instructie zich met een politieonderzoek bemoeide.'

'De dood van mevrouw Jamal is van invloed op mijn onderzoek.'

'Hij is niet de enige. Gillian Golder heeft deze week ook een paar keer gebeld en wilde weten wat er in 's hemelsnaam tijdens deze schorsing gebeurde.'

'Dat gaat haar niets aan. Waarom heb je haar niet gewoon naar mij doorverbonden?'

Alison wierp haar een blik toe waaruit sprak: is dat niet overduidelijk? 'Heeft ze je soms gevraagd om mij te bespioneren?'

'Zo werd het bepaald niet geformuleerd.'

'Ik handel het wel met haar af,' zei Jenny.

'Daarmee kom ik in een nogal lastig parket.'

'Ik zal je naam heus niet noemen, hoor.'

Alison keek vertwijfeld.
'Echt. Vertrouw me maar. Nog iets anders?'
Alison zoog haar wangen naar binnen en streek een ingebeeld stofje van haar revers. 'U weet dat ik zoiets normaal gesproken niet zou zeggen...'
'Hallo? Iemand thuis?' De onmiskenbare stem van McAvoy riep vanuit het secretariaat.
Alison vuurde een beschuldigende blik op Jenny af. 'Wat doet hij hier?'
Jenny haalde haar schouders op. 'Geen idee.' Ze stond op van haar bureau.
Alison ging tussen haar en de deur in staan. 'Alstublieft, mevrouw Cooper, laat mij dit afhandelen. Ik zei toch dat u niets met die man te maken moet hebben?'
'Hij is met de enige nieuwe aanwijzing gekomen die we hebben.'
'Hij is niet te vertrouwen. Hij is een stuk addergebroed. Hij was toehoorder bij de ondervragingen.'
Er werd op de kantoordeur geklopt.
'Mevrouw Cooper?'
Jenny zei: 'Een ogenblik.' Ze wendde zich tot Alison. 'Ik kan ten minste horen wat hij wil.'
Ze liep langs haar heen naar de receptie. McAvoy stond in de wachtruimte afwezig door Alisons nieuwsbrief te bladeren.
'Meneer McAvoy...'
'Sorry dat ik onaangekondigd binnenval,' zei hij, spottend haar formele toon imiterend. 'Misschien kunnen we het even over mevrouw Jamal hebben.'
Alison ging naast Jenny staan. 'Ik raad het u ten sterkste af, mevrouw Cooper. Meneer McAvoy is een getuige. U wilt niet het risico lopen uw onderzoek te corrumperen.'
'Fijn u weer eens te zien, mevrouw Trent,' zei McAvoy met meer dan een vleug ironie. 'Dat is alweer een aardig tijdje geleden.'
Alison deed een stap naar voren en maakte zich zo groot als de politieagente die ze ooit was geweest. 'U moet weten dat meneer McAvoy in het gevang heeft gezeten omdat hij de rechtsgang heeft belemmerd. Hij heeft bij een gewelddadige gewapende roofoverval een vals alibi in elkaar gezet... en dat was alleen nog maar de keer dat hij werd betrapt.'
McAvoy glimlachte en gooide de nieuwsbrief weer op de tafel. 'Ik heb gehoord dat je oude baas Dave Pironi beweert Jezus te hebben gevonden. Naar mijn nederige mening kon dat weleens te laat zijn. Hij was een van de smerigste, corruptste politiemannen die ik ooit heb ont-

moet. Hij heeft dat arme meisje naar me toe gestuurd, en volgens mij weet u dat best.'

Alison zei: 'Ziet u nou waar u mee te maken hebt?'

McAvoy zei: 'Hebt u uzelf ooit afgevraagd waarom mijn kantoor toevallig op die dag werd afgeluisterd? Of waarom, wanneer geen verstandig mens de CID nog met een strontstok zou willen aanraken, die getuige niet genoeg kon doen om hen te helpen?'

Jenny zei: 'Kunnen we hier alsjeblieft mee ophouden?' Ze wendde zich tot McAvoy. 'Hoor je hier eigenlijk wel te zijn?'

McAvoy zei: 'Deze zaak heeft me mijn vrijheid en carrière gekost...'

Alison liet een minachtend gegrom horen.

Hij negeerde haar en vervolgde: 'En wellicht weet je dat nog, maar vlak nadat ik acht jaar geleden de Toyota op het spoor was gekomen, werd ik door jouw medewerkster en haar collega's in de kraag gevat.'

'Dat had daar niets mee te maken,' zei Alison.

'Met alle respect,' antwoordde McAvoy met stemverheffing, 'als inspecteur had je verdomme geen enkel benul, mevrouw Trent. Pironi en degene die hem heeft bewerkt hebben me opgeborgen, zodat die auto nooit geïdentificeerd zou worden. En dan dat telefoontje van laatst... die kerel die me vroeg wat ik wist en me in een dóós dreigde te stoppen. En toen ik werd gebeld vlak voor ik in de val liep, die Amerikaan met dezelfde vraag: wat wíst ik?' Hij keek naar Alison. 'U denkt zeker dat ik die onzin verzin om er geld aan te verdienen. Maar hoe zit het met mevrouw Jamal? En kijk eens wie er opnieuw de leiding heeft?'

'Haar flat valt onder zijn district,' zei Alison.

'En hoe lang zit hij daar al? Drie maanden, heb ik gehoord. Overgeplaatst rondom dezelfde tijd dat zij haar verzoek indiende om haar zoon dood te laten verklaren. Nou, ik beschuldig een medegelovige niet graag van een doodzonde, maar je begint het je wel af te vragen.'

'Hij had niets met mevrouw Jamals dood te maken,' snauwde Alison.

'Ik weet zeker dat je een intelligente vrouw bent, mevrouw Trent, maar zelfs een voormalige smeris zou nu wel moeten weten dat gemene klootzakken niet altijd met een zwarte hoed op rondlopen.' Hij knikte naar de nieuwsbrief die hij op de tafel had gegooid. 'Onwillekeurig zag ik dat u en hij in het kerknieuws worden genoemd...'

Alison beende de kamer door, griste haar jas van de haak en stampte het kantoor uit.

McAvoy pakte de nieuwsbrief op, sloeg die bij de binnenpagina open en gaf hem aan Jenny. 'Als volwassene gedoopt worden is iets prachtigs, maar dit haalt een beetje de glans ervanaf...'

Hij wees naar de mededelingen. Mevrouw Alison Trent stond vermeld als een van de vijf nieuwe leden die de komende zondag gedoopt zouden worden. Ze had twee peters – het volwassen equivalent van peetouders –, van wie meneer David Pironi er één was.

McAvoy zei: 'Wat een minne streek, zelfs naar zijn maatstaven. Hoe heeft hij dat voor elkaar gekregen? Ze ligt toch niet op sterven, of zo?'

'Nee,' zei Jenny, 'ze heeft alleen wat problemen thuis.'

Ze praatten in Jenny's kantoor. McAvoy zei dat een langlopende rechtszaak waar hij bij betrokken was, was verdaagd, omdat de rechter de hele dag hoorzitting hield voor de strafbepaling: acht leden van een pedofiele groep beweerden stuk voor stuk dat ze er door de anderen in waren geluisd. Hij had het grootste deel van de nacht wakker gelegen omdat hij aan mevrouw Jamal had moeten denken. Pas ver in de kleine uurtjes, toen zijn sigaretten bijna op waren, was hij de stukjes in elkaar gaan passen. Hij had een oud contact binnen de politie gebeld die hem over Pironi's recente overplaatsing naar New Bridewell had verteld. Diezelfde inspecteur die hem had getipt over het feit dat Pironi naar de kerk ging, wat hij kennelijk sinds de dood van zijn vrouw was gaan doen: doordeweeks mensen vals beschuldigen en onrecht plegen, zoals hij altijd al had gedaan, maar elke zondag weer als nieuw herboren worden.

Terwijl ze zo met McAvoy zat te praten, zakelijk, aan een bureau, ebden Jenny's twijfels weg. Hij sprak weloverwogen en logisch, en schonk haar telkens een zelfbewust glimlachje als hij begon te overdrijven. Ze had niet het gevoel dat hij complotten uit zijn duim zoog; net als zij probeerde hij eenvoudigweg de stukken zo te rangschikken dat ze er wijs uit konden worden. Nadat ze met hem bij Madog was geweest, had Alison Jenny bijna overtuigd, doordat ze zo volhield dat hij bewijs bedacht om zijn eigen agenda verder op weg te helpen en zich een weg terug in het advocatenvak te vechten. Ze keek hem in de ogen en kon het niet geloven. Hoe paste Alisons theorie in de dood van mevrouw Jamal? Zou ze aanvoeren dat McAvoy erbij betrokken was, dat hij haar met nachtelijke telefoontjes had achtervolgd? En waarom – alleen maar om Pironi in diskrediet te brengen?

Nee. De man die zich nu naar haar open raam boog om een sigaret te roken was geen monster. Hij was te scherp, te beschadigd en gepokt en gemazeld door het leven, te overduidelijk iemand met een geweten om het soort psychopaat te zijn waar Alison hem voor hield. Meedogenloze mensen hadden charme; McAvoy bezat warmte. Die was van een grillig en enigszins hachelijke soort, een naakte vlam die aarzelde en weer opflakkerde, maar ze voelde die niettemin in hem branden. Ze was ervan overtuigd dat zijn passie voor rechtvaardigheid, of althans voor zijn vak, oprecht en diepgevoeld was.

Jenny liet hem de door Alison samengestelde lijst met Toyota's zien waarvan ze er diverse had omcirkeld. Hij liep er met het oog van de strafpleiter doorheen. Als je iemand stilletjes wilt laten verdwijnen, doe je dat niet met een geregistreerde privéauto, zei hij. Je zou eerder met valse papieren een auto huren om je sporen uit te wissen. Op de lijst stonden slechts twee auto's op naam van een autoverhuurbedrijf geregistreerd. Het ene was in Cwmbran Zuid-Wales; het andere was vijfenveertig kilometer noordwaarts, in het stadje Hereford aan de Engelse kant van de grens.

Jenny wilde de telefoon pakken om ze te bellen.

McAvoy zei: 'Is dat een goed idee, denk je? Je weet nooit wie er meeluistert.'

Jenny zei: 'Je hebt gelijk. Ik ga er wel langs.'

Het werd tijd om een punt achter de bijeenkomst te zetten. McAvoy ontmoette haar blik terwijl ze naar een manier zocht om dat tactvol te brengen.

Voor ze het woord nam zei hij: 'Ik wil je medewerkster niet nog meer van streek maken, maar anders zou ik je vragen of ik met je mee mocht.'

'Denk je dat iemand mijn hand moet vasthouden?'

'Mevrouw Jamal had dat anders wel kunnen gebruiken.'

Jenny deed haar best niet te laten blijken dat ze huiverde.

16

McAvoy rookte en doezelde wat tijdens de rit naar het voormalige mijnbouwstadje Cwmbran. Een paar keer wilde Jenny een gesprek aanknopen, maar hij reageerde nauwelijks. Met halfdichte ogen staarde hij naar het grijze landschap. De altijd vallende motregen ging over in natte sneeuw toen ze dieper in Zuid-Wales kwamen.

Ze vroeg of hij iets op zijn hart had. Hij antwoordde met een knorrig en verontrustend 'mm-mm'. Ze kwam er niet doorheen.

Het autoverhuurbedrijf bevond zich aan de rand van de stad, op een industrieterrein met uitzicht op gelijkmatig glooiende heuvels die waren ontstaan uit de slakkenhopen in de tijd dat de aarde door de vroegere mijnbouw binnenstebuiten werd gekeerd. McAvoy werd wakker toen ze de auto parkeerde en liep achter haar aan naar binnen. Er waren geen klanten, alleen een dikke baliemedewerker die een broodje zat te eten. Hij veegde de kruimels van zijn mond toen ze binnenkwamen. McAvoy negeerde zijn plichtmatige groet en schonk zichzelf een gratis kop koffie uit de automaat in terwijl Jenny het woord nam.

Ze haalde een visitekaartje tevoorschijn en zei tegen de baliemedewerker dat ze moest weten wie eventueel de Toyota had gehuurd op de avond van 28 juni 2002. De medewerker zei dat hij geen toegang had tot dat soort gegevens. Dat was iets voor het hoofdkantoor in Cardiff. Hij zocht in zijn computer naar het juiste telefoonnummer en zei dat hij er weinig hoop op had: het bedrijf hield zijn voertuigen een jaar in gebruik, op z'n hoogst twee.

Jenny hoorde McAvoy achter zich zeggen: 'Wat heeft dat er verdomme mee te maken?'

'Sorry, meneer?'

'Wat heeft de periode waarin jullie de auto's gebruiken te maken met jullie gegevens? Die moet je voor de belasting bijhouden. Waar zijn ze?'

Jenny zag de klerk twijfelen terwijl hij McAvoy taxeerde.

'U hoeft niet zo te vloeken.'

McAvoy beende naar de balie, zette zijn koffie neer en keek hem met rode, gezwollen ogen aan. Jenny voelde haar maag omdraaien.

'Neem me niet kwalijk,' zei McAvoy. 'In mijn beroep verkeer ik soms in bepaald gezelschap waardoor ik onfatsoenlijke en grove taal gebruik. Negeer alstublieft die uitbarsting van daarnet.'

Jenny kromp in elkaar en sloeg haar ogen gegeneerd neer. De medewerker wendde zich vermoeid naar het scherm. McAvoy nipte van zijn koffie en wierp hem een kwaadaardige blik toe.

'Hier is het nummer, mevrouw,' zei de medewerker omzichtig. Nul-een-twee-nul...'

McAvoy onderbrak hem. 'De papieren gegevens, de formulieren die je tekent als je een auto huurt, waar worden die bewaard?'

De medewerker keek naar Jenny, die zei: 'Laat maar, ik bel het nummer wel.'

'Wat is daar?' zei McAvoy terwijl hij naar de deur achter in het kantoor wees. 'Daar worden de gegevens bewaard, hè? Als de omzetbelasting langskomt, controleren ze daar of jullie je administratie op orde hebben.'

'Ik mag die documenten niet vrijgeven, meneer.'

'Je zei dat je er geen toegang toe had,' zei McAvoy kalm, maar met een moorddadige dreiging. 'Dat is niet helemaal waar, hè, vriend?'

De medewerker veegde een druppel zweet van zijn bovenlip en zijn ogen schoten naar de telefoon op de balie.

McAvoy zei tegen Jenny: 'Zo zie je maar weer. Hier hoef je niet veel tijd aan te verspillen,' en hij pakte zijn koffie op en beende naar buiten.

Jenny en de medewerker keken elkaar aan. Hij wachtte tot zij iets zou zeggen.

Jenny zei: 'Het lijkt me gemakkelijker als u me de papieren van die datum laat zien.'

Hij griste een sleutel uit een la en verdween naar het privékantoor. Terwijl hij door de archiefkasten rommelde, keek ze achter zich en zag McAvoy buiten naar de outlet met aquarium- en vijverbenodigdheden aan de overkant lopen. Hij bleef staan om een jonge vrouw te helpen die zich met een baby in een buggy en een onhandige boodschappentas door de deur worstelde. Hij zei iets tegen haar waar ze om moest lachen, boog zich toen voorover en kietelde de wang van het kind.

De medewerker kwam terug met een paar vellen papier. Hij zei: 'Als u wilt, kan ik ze voor u kopiëren. Hij is op de vierentwintigste voor twee weken verhuurd aan het Fairleas-verpleeghuis, met een getekend contract en creditcardbonnetje. Wilt u nog iets anders zien?'

Jenny bladerde door de vergeelde documenten. 'Nee. Dit is prima.'

Ze reed met piepende banden het terrein af in de richting van de stad. McAvoy zat onaandoenlijk op de passagiersstoel het uitzicht in zich op te nemen. Er vielen nu gaten in het wolkendek en achter de rijen identieke, moderne huizen waren de heuveltoppen met sneeuw bestoven.

Jenny trok de Golf na een rotonde boos in z'n drie naar honderd kilometer per uur en gooide hem in één keer door naar z'n vijf. De auto bokte toen de versnelling haperde. McAvoy schoot op zijn stoel naar voren, maar zei niets.

'Gedraag je je altijd zo?' zei Jenny.

'Jij zou je met een of andere hopeloze klootzak van de klantenservice hebben laten afschepen.'

'Hoe heeft dit kunnen gebeuren? Je hoort hier niet eens te zijn.'

'Wat is belangrijker?' zei McAvoy. 'De waarheid hierover boven tafel krijgen of een of andere vent van zijn stuk brengen die het geen bal interesseert?'

'Ik ben een rechter van instructie, ik kan me niet zo gedragen.'

'Denk je dat hij nog nooit iemand heeft horen vloeken en tieren?'

'In 's hemelsnaam... je maakte hem bang. En ondermijnde mij.'

'Daar ben je anders zelf heel goed in.'

'Je hebt je niet met mijn onderzoek te bemoeien. Als je dat niet begrijpt, stap je nu maar uit.'

'Laat je me naar huis lopen?'

'Wat mij betreft vries je dood.'

McAvoy haalde zijn schouders op en gluurde haar van opzij aan alsof hij tot een oordeel was gekomen.

'Wat is er?' blafte ze.

'Je moet kalm worden, Jenny. Je bent één bonk zenuwen.'

'O, echt waar?'

'Dat zag ik toen je buiten die hal zat, helemaal in elkaar gedoken, alsof de hele zaak niets met jou te maken had... Ik dacht: daar zit iemand bij wie alle zelfvertrouwen eruit geslagen is.'

Jenny zei: 'Als ik je mening wil, vraag ik er wel naar.'

McAvoy zei: 'Waarom laat je nu je tranen niet de vrije loop? Dan kunnen we de lucht tussen ons klaren.'

'Sodemieter toch op.'

Woede was een emotie die de tranen op afstand hield. Ze hield het de hele rit over het platteland naar Hereford vol. McAvoy bleef zwijgend en verontrustend stil zitten, terwijl hij naar de lappendeken van akkers tuurde. Ze vond zijn wisselende stemmingen beangstigend. Hij deed haar denken aan een paar van die gemene klootzakken die vrouwen mishandelden die ze in haar vorige carrière in de rechtszaal was tegengekomen: mannen die zonder waarschuwing konden overgaan van charme op geweld en vice versa. Hun ongelukkige partners zeiden altijd hetzelfde: als hij in een goed humeur is, is hij de liefste man van de wereld. Ze vervloekte zichzelf dat ze hem had meegenomen.

Hereford was een stad – eerder een marktplaatsje – waar ze door de jaren heen een paar keer was geweest en dat ze had zien afglijden van charmant en onbedorven naar met zwerfvuil bezaaid asfalt. Het historische centrum was door winkelketens van zijn karakter beroofd, terwijl aan de stadsgrenzen Amerikaans aandoende detailhandelloodsen stonden. Het was het zoveelste slachtoffer van dezelfde bekrompenheid waardoor de meeste Britse steden stelselmatig waren vernield. Alleen de duizend jaar oude kathedraal en een handvol omliggende straten hadden hun karakter behouden, maar die werden langzamerhand ook door de filistijnen opgeëist: een pizzaketen had het victoriaanse postkantoor in bezit genomen en schreeuwerige winkels met goedkope plastic borden hadden de ooit eerbiedwaardige familiebedrijven vervangen.

Het autoverhuurbedrijf was een ouderwets hokje op een platform met een parkeerplaats op een voormalig goederentreinterrein, verscholen achter een rij magazijnen met witgoed- en doe-het-zelfzaken. Het was een zeldzaam overblijfsel op dit dorre landschap: St. Owen's Vehicle Hire was in 1962 opgericht, kondigde het bord aan. Daartegenover bevond zich in een achterafstraat een lawaaiige werkplaats die vol stond met gestripte auto's en stapels afgedankte banden. Rechts daarvan was een timmerwerkplaats. Een paar werklui hield buiten pauze; ze groepten om een vuur dat ze in een olievat hadden aangestoken en stampten met hun voeten tegen de doordringende kou. Het deed Jenny denken aan plekken uit haar eigen dorpsjeugd: de geur van vochtige baksteen, motorolie en houtrook.

'Ik neem aan dat je mij niet mee wilt hebben,' zei McAvoy.

'Wat dacht jij?' Ze stapte uit de auto en liep naar het kantoor.

Achter de balie zat een jonge man, niet ouder dan twintig, gekleed in een goedkoop pak met das, op een smoezelig toetsenbord te tikken. De lucht was doortrokken van de geur van oud linoleum en dampen uit een ouderwetse gaskachel.

Jenny liet hem haar kaartje zien en legde beleefd uit waar haar onderzoek over ging. Hij was niet een van de snuggersten, en ze betwijfelde of hij ooit van een rechter van instructie had gehoord, maar hij wilde haar graag helpen.

'Ik ben hier pas sinds kerst,' zei hij, 'dus ik herinner me die specifieke auto niet. Ik kan de baas op zijn mobieltje bellen.'

Jenny zei: 'Hebben jullie hier dan geen archief?'

'Niet op papier. De baas neemt dat mee naar huis.'

'En de computer – je bent nu ingelogd, hè?'

'Ja...'

'Zullen we even kijken?' Ze glimlachte op een manier waarvan ze hoopte dat die hem aanmoedigde om mee te werken. Hij sloeg op de smerige toetsen. Er verscheen een rij gegevens op de ouderwetse monitor.

'Oké... hier hebben we de Toyota. Die hebben we in 2005 weggedaan.'

Jenny draaide zich om en keek ongerust uit het raam. McAvoy zat niet meer in de auto. Ze voelde een steek van paniek, keek naar links en naar rechts, en zag hem toen naar het vuur bij de timmerwerkplaats lopen en ter begroeting een hand opsteken naar de mannen die daar nog stonden.

'Juni 2002, daar gaat het om, hè?'

'Inderdaad.' Ze draaide zich weer naar de jonge man terug, die met zijn vinger over het scherm streek, een streep door het stof trekkend. 'Die was van de twintigste tot de drieëntwintigste weg, en daarna pas weer op zes juli.'

'Weet je dat zeker?'

'Dat staat hier. Kijk maar...' Hij draaide het scherm naar haar toe.

Hij had gelijk. Er waren geen gegevens dat de auto op die datum verhuurd was.

'O, nou ja,' zei ze teleurgesteld. 'Bedankt voor de moeite. Misschien kun je me toch het nummer van je baas geven.'

McAvoy beende naar haar terug toen ze het kantoor uit kwam. Het was nog maar drie uur in de middag en het licht nam al af. Vonken schoten uit het olievat en dansten op de bijtende bries langs hem heen.

'Ging het goed?' vroeg hij, terwijl hij een glimlach onderdrukte.

Jenny liep naar de auto. 'Hij was op die dagen niet verhuurd. We hebben de computergegevens bekeken.'

'Heb je hem gevraagd of ze ook contant verhuren?'

'Hij is nog maar een jongen. Ik heb het nummer van zijn baas.' Ze ging achter het stuur zitten.

McAvoy hield het portier tegen toen ze dat wilde dichtdoen. 'Als je een auto gaat huren om iemand te ontvoeren, zou jij dan een papieren spoor achterlaten? Kijk eens om je heen. Een paar honderd pond cash... Ga je mij vertellen dat ze daar nee tegen zeggen?'

'Ik ga met de eigenaar praten. Wil je alsjeblieft loslaten? Ik krijg het koud.'

Hij duwde zijn knie tegen het portier en hield het daarmee open. 'En wat ga je dan vragen: "Kunt u zich nog een klus van acht jaar geleden herinneren die contant betaald is?"'

'Wat zou jij dan doen?'

'Doe een beetje beter je best, mevrouw Cooper. Jezus.'

Getergd zei Jenny: 'Volgens mij hebben we dit gesprek al een keer gevoerd.'

'Hoor eens, die lui daar komen uit Letland. Ze hebben een paar keer een kerel met een paardenstaart een auto zien huren. Halverwege de veertig of zo. Komt hierheen in een oude Mark I Landrover, waar hij in die garage naar laat kijken. Hij heeft er afgelopen herfst een aluminium hardtop voor laten maken... Een van de Letten is van beroep booglasser, hij heeft erbij geholpen.'

Jenny zuchtte. 'Weten ze hoe die man heet?'

'Geen idee.' McAvoy schonk haar een onschuldig glimlachje. 'Ik stel alleen maar beleefd voor om ze te ondervragen.'

'Prima. Maar dan ben ik degene die dat doet.' Ze stapte uit de auto. 'Waag het niet achter me aan te komen.'

Ze liep naar het kantoor terug en zag dat de jongen de telefoon neerlegde. Hij keek verbaasd en enigszins ongerust omdat ze terug was.

Jenny zei: 'Je moet me even helpen... Je hebt een klant, een man van in de veertig met een paardenstaart. Hij rijdt in een oude Landrover. Weet je wie ik bedoel?'

Hij schudde zijn hoofd. 'Nee...'

Ze liep dichter naar de balie toe en glimlachte naar hem. 'Dit blijft tussen ons, oké? Betalen sommige klanten contant om een auto te huren – geen gegevens, geen papierwerk?'

'Niet bij mij,' zei hij schokschouderend. 'Van de baas weet ik het niet.'

Ze probeerde het nog een keer. 'Ik moet echt meer weten van die man met de paardenstaart. Weet je zeker dat je hem niet hebt gezien?'

'Ik werk hier nog maar zes weken.'

'Ik geloof je,' zei Jenny. 'Geef me het adres van je baas maar.'

McAvoy zat op de motorkap, blies in zijn handen en keek over het terrein door de open voorgevel van de autowerkplaats.

Jenny zei: 'Hij is nieuw hier. Ik moet met de eigenaar praten.'

McAvoy zei: 'Waarom probeer je het daar niet even? Die vent kent hem vast, hij heeft een week aan zijn wagen gewerkt. Daar heb je meer aan dan aan iemand vragen of hij zichzelf wil beschuldigen.'

Ze keek naar de garage. De monteur, een grote man met gespierde armen, werkte aan de uitlaatpijp van een voertuig dat op een autolift boven zijn hoofd stond. 'Blijf jij maar hier.'

Ze stapte tussen de plassen op het ruwe grind, het water sijpelde door haar schoenzolen heen. Ze wist het betonnen voorterrein te bereiken en liep naar de deuropening. Ze wist nooit precies hoe ze zich op dit soort plekken moest gedragen. Moest ze wachten tot de man naar haar zou roepen?

Hij had haar een blik toegeworpen, dus ze wist dat hij haar had zien aankomen, maar hij liet haar daar staan, terwijl ze het steeds kouder kreeg en hij een volgende schroef losmaakte.

'Hallo!' riep ze naar hem, het opnemend tegen een radio waaruit nonstop techno uit de jaren negentig dreunde.

Pas toen hij zover was draaide hij zich half om en keek in haar richting. 'Wat kan ik voor u doen?'

'Ik ben Jenny Cooper. Ik ben rechter van instructie van het Severn Vale-district. Ik ben op zoek naar een van uw klanten. Hebt u even?'

De monteur stak zijn moersleutel in een lange zak op de broekspijp van zijn overall en dook onder de lift uit, terwijl hij zijn met olie besmeurde handen aan de achterkant van zijn bovenbenen afveegde. Hij was lang, minstens een meter negentig, en had schouders zo breed als een stier.

Jenny vertelde hem beleefd over de man met de paardenstaart die een Mark I Landrover bezat.

De ogen van de monteur schoten naar de timmerwerkplaats toen hij begreep wie haar naar hem toe had gestuurd.

'Ik zou uw hulp zeer op prijs stellen. Hij zou een belangrijke getuige kunnen zijn.'

Hij schudde traag zijn reusachtige hoofd. 'Ik zou niet weten wie u bedoelt.'

'Afgelopen herfst hebt u iets voor hem gedaan... een dak...' zei Jenny, die niets van auto's wist. 'Een van die Letten daar heeft u daarbij geholpen.'

'Mij niet,' zei hij, en hij draaide zich weer naar zijn verhoging om.

Jenny zei: 'Neem me niet kwalijk, ik weet niet of u begrijpt hoe ernstig dit is. Ik kan u als getuige oproepen.'

'U doet uw best maar.' Hij pakte zijn moersleutel en ging weer aan het werk.

'Dan kunt u een gerechtelijk bevel tegemoetzien. Ik zie u graag aanstaande maandag in de rechtszaal,' dreigde ze krachteloos en zonder effect.

'Hé, grote kerel.' Ze draaide zich om en zag McAvoy over het grind aan komen rennen. 'Je moet wel even weten wie je de hand boven het hoofd houdt.'

Jenny keek hem met smekende blik aan om weg te gaan.

Hij stak zijn handen op. 'Relax.' Hij riep naar de monteur: 'Die paardenstaart is een kinderlokker. Hij vindt het leuk om kleine kindjes onder de verf te spuiten.'

De grote man draaide zich om.

'Inderdaad. Ik weet niet hoe het met jou zit, maar dat soort mensen zou ik niet graag tot mijn vrienden rekenen. Zoals de mensen praten...'

Jenny zei: 'Alsjeblieft, Alec, in 's hemelsnaam.'

McAvoy negeerde haar, stapte naar het voertuig toe en drukte op de knop die de hydraulische lift in beweging zette. Toen die omlaagkwam, schoot de monteur eronder vandaan, met de moersleutel in de hand. 'Wat doe jij nou?'

'Je aandacht trekken.' McAvoy deed een stap naar voren. 'Vergeet die pick-uptruck maar. De hel zal op je neerdalen, vriend, als je niet een beetje beter meewerkt...'

De monteur verstevigde zijn greep op de moersleutel. Jenny keek met open mond toe. De spieren in haar keel trokken zich in paniek samen.

'Meisjes van zes jaar, daar kickt hij op. Wil je zoiets in je buurt?' McAvoy deed nog een halve stap naar voren, tot nog geen halve meter voor de langere, veel forsere man: 'Of hou je je fatsoen?'

Jenny keek ongelovig toe toen de monteur McAvoy in de ogen keek. Hij tilde de moersleutel iets omhoog, klaar om toe te slaan, schatte zijn kansen in, liet hem toen langzaam zakken en stak zijn kin uitdagend naar voren toen hij een stap naar achteren deed. Zonder een woord te zeggen liep hij naar het rommelige schap – een plank die over een paar stapels banden lag – dat als zijn kantoor diende, scheurde een stuk papier af en krabbelde met een pen er iets op. Hij gaf het briefje aan Jenny en verdween achter in het gebouw. Hij had opgeschreven: 'Chris Tathum, Capel Farm, Peterchurch.'

Ze zaten in een file naast wat ooit een veemarkt was geweest. Door hun vochtige jassen besloegen de ruiten, waardoor Jenny steeds claustrofobischer werd. Ze wilde een pil nemen, maar durfde dat niet waar McAvoy bij was: ze had al het gevoel alsof ze voor hem geen geheimen had, alsof hij de kunst verstond om de vinger op haar zwakke punten te leggen en zich daar een weg doorheen te banen.

Hij verbrak de stilte die sinds ze bij de garage waren weggegaan had voortgeduurd. 'Je wilt die man zeker geen bezoekje brengen, hè, nu je hier toch bent?'

'Ik ben geen inspecteur,' zei Jenny op effen toon.

'Maar je zult hem om een verklaring moeten vragen waar hij die avond was.'

'Ik stuur mijn medewerkster wel.'

Ze kropen een meter verder. De lichten voor hen flitsten alweer rood op.

'Als je het mij vraagt, moet je je gezicht laten zien, hem laten weten dat het menens is. Beleefd, uiteraard.'

Jenny tikte nerveus met haar duimen op het stuur, hield haar ogen op de weg voor haar gericht en vocht tegen het gevoel dat de zijkanten van de auto haar steeds meer insloten.

'Als je dat niet doet,' zei McAvoy, 'glipt hij je misschien door de vingers. Die Letten hebben hem een paar keer gezien. De jongen van het autoverhuurbedrijf zal zijn baas al wel gebeld hebben. De monteur heeft hem misschien getipt, dat weten we niet. Bij elke andere zaak zou je jezelf kunnen wijsmaken dat de politie je uit de brand zou kunnen helpen, maar ik betwijfel of dat in dit geval een optie is.'

'Wat gaat het jou eigenlijk aan?' zei Jenny. 'Waarom deze zaak? Je krijgt er niet eens voor betaald.'

Hij knikte naar de kathedraaltoren in de verte, die uitstak boven de nepstadswal rondom een supermarkt aan het einde van de verlichting. 'Om dezelfde reden waarom ze die hebben gebouwd: omdat het het juiste leek.'

'De geest is over je gekomen, hè?'

'Als je het zo wilt zien.'

Jenny zei: 'Waarom heb ik hier een cynisch gevoel over?'

'Waarom niet? Een man met mijn geschiedenis...'

'Nou, daar zeg je zo wat. Nu begrijp je waarom ik niet zomaar naar meneer Tathum kan rijden om hem gedag te zeggen.'

McAvoy veegde met zijn mouw over het raam. 'Weet je, Jenny, ik geloof niet dat je bang voor mij bent, of voor Tathum, wie hij ook mag zijn. Ik geloof dat jijzelf degene bent die je de stuipen op het lijf jaagt.' Hij keek haar zijdelings over zijn schouder aan en bestudeerde haar gezicht met een vorsende frons. 'Ik heb die zaak gevolgd die je vorig jaar hebt gedaan, van die knul die in zijn cel is gestorven. Dat moet aardig wat lef hebben gekost. En weet je wat ik geloof?'

Jenny sloot haar ogen en schudde haar hoofd. Hij had het weer voor elkaar: hij boorde dwars door haar heen.

'Dat we niet voor niets in dit soort situaties terechtkomen. Ik durf te wedden dat je iets over jezelf hebt geleerd. Je hebt koning en vaderland zonder erbij na te denken uitgedaagd. Ik wed dat je er pas na afloop aan dacht om bang te zijn.'

'Dat is niet helemaal waar.'

'Ik bedoel te zeggen dat jij net zo goed als ik weet wat het is om ergens door geraakt te worden. Dat is niet fijn. De eerste keer word je meegesleurd op een golf. Elke keer daarna lijkt het alsof je een keus hebt.'

Het adres was een stenen boerderijtje in de schaduw van de Black Mountains. Vanaf het dorp Peterchurch reden ze over een vijf kilometer lang, smal pad dat uitkwam op een ruw spoor van een kleine kilometer. Het was helemaal donker toen Jenny stopte bij het hek voor een rommelig erf dat bezaaid lag met gereedschap en bouwmaterialen. Het huis, zo te zien twee cottages die waren samengevoegd, werd gerenoveerd. De ene helft leek bewoond en op de begane grond brandde licht achter de ramen; de andere was nog steeds een dakloze huls. Ze liet McAvoy beloven, zweren op de Heilige Moeder in eigen persoon, dat hij in de auto zou blijven. Hij wenste haar veel plezier en zette zijn stoel een beetje achterover, klaar om een tukje te doen.

Ze tilde de grendel van het zware hek omhoog en zocht zich met behulp van een minizaklamp aan haar autosleutels een weg over het hobbelige erf en langs de oude Landrover met zijn nieuwe aluminium hardtop. Voordat ze de zware ijzeren klopper op de voordeur liet vallen, keek ze ter controle achterom naar haar Golf: in het donker was McAvoy niet te zien. Als dat maar zo bleef.

Een man in een spijkerbroek en een sweatshirt vol verfvlekken deed open. Honden blaften opgewonden vanachter de tussendeur. Hij had de juiste leeftijd, maar zijn haar was tot een kort stekeltjeskapsel geschoren. Hij zag er fit en gespierd uit, een buitenman. Zenuwachtiger dan ze had verwacht vroeg Jenny of hij Christopher Tathum was. Hij bevestigde dat, zonder enige ongerustheid of vrees, zag ze – gewoon een man die op het platteland zijn huis aan het opknappen was.

Met een schuldgevoel, en met het hart in de keel, vertelde ze hem dat zijn naam helaas naar voren was gekomen als die van een mogelijke getuige in een zaak die zij onderzocht.

'O ja? En om welke zaak gaat het dan?' vroeg hij. 'Volgens mij ken ik niemand die pasgeleden dood is gegaan.' Hij had een beschaafde stem, maar niet overdreven. Er was iets wat Jenny bekend voorkwam, maar ze kon niet plaatsen wat. Zijn ogen straalden intelligentie uit, uit zijn gezichtsuitdrukking sprak geduld maar ook verbazing.

De woorden kwamen over haar lippen zonder dat ze er bewust bij nadacht: 'Twee jonge Aziatische mannen uit Bristol worden sinds juni 2002 vermist. Ze zijn op de achterbank van een voertuig gezien, dat volgens ons destijds wellicht door u is gehuurd.'

Tathum glimlachte verbluft. 'Hoe komt u daar nou bij?'
'Ik ben bang dat ik u dat op dit moment niet kan vertellen. Ik heb van u een verklaring nodig waarin u vertelt waar u toen was – op 28 juni, om precies te zijn.'
Hij leek geamuseerd. 'En als ik me dat niet kan herinneren?'
'Denk erover na. Eens kijken wat er in u opkomt.' Ze gaf hem het laatste visitekaartje dat ze in haar portefeuille had. 'Misschien kunt u het opschrijven en ondertekenen, en die brief in het weekend naar mijn kantoor faxen? Ik kan ook mijn medewerkster naar u toe sturen om een verklaring op te nemen, als u dat liever hebt.'
In het open portaal waar ze stonden, tuurde hij bij het licht van het zwakke peertje naar het kaartje. 'Ik weet niets van Aziaten. Ik ben een bouwvakker.'
'Deed u dat werk toen ook al, meneer?'
'Ik dacht dat u wilde dat ik een brief schreef.' Er schemerde nu een vage dreiging op zijn gezicht door en zijn gezichtsspieren verstrakten in een defensief masker.
Jenny zei: 'Als dat zou kunnen. Dank u wel.' Ze liep van de deur weg en wilde het erf over lopen.
Tathum zei: 'Wacht eens even. Waarvan word ik eigenlijk beschuldigd?'
Ze bleef staan en keek achterom. 'U wordt nergens van beschuldigd. Het gerechtelijk onderzoek van een rechter van instructie past alleen feiten en gebeurtenissen rondom een sterfgeval in elkaar, of in dit geval een vermoedelijk sterfgeval.'
'Ik weet niets van uw zaak. U verspilt uw tijd.'
'Dan moet u dat opschrijven. Schrijf op waar u aan het werk was, met wie u was, en dan kan ik u uit mijn onderzoek uitsluiten. Goedenavond, meneer Tathum.'
Ze draaide zich om naar het hek.
'U komt helemaal hierheen en wilt me niet eens vertellen wat ik zogenaamd heb gedaan?'
Ze liep door.
'Hallo mevrouw, ik praat tegen u!' Ze hoorde zijn voetstappen achter zich aan komen.
Ze draaide zich met een ruk naar hem om. Weg van de lichten van het huis was hij niets meer dan een woedende schaduw.
'Het is heel eenvoudig, meneer Tathum, ik vroeg u om een verslag van waar u op een bepaalde avond bent geweest: 28 juni 2002.'
'Weet u wat?' Hij kwam dichterbij. Jenny deinsde achteruit en merkte dat ze tegen het hek gedrukt stond.

'Meneer Tathum...'

Waar was McAvoy nu ze hem nodig had?

Tathum keek haar nijdig aan en leek de belediging die hij op het punt stond naar haar hoofd te slingeren in te slikken. Ze kromp ineen toen zijn hoofd in een plotselinge beweging naar voren schoot, maar ze werd niet geraakt; er ging slechts een heftige schok door haar zenuwen. Hij beende naar het huis terug. Ze friemelde aan de grendel van het hek, ging erdoorheen en tuimelde de auto in.

Toen ze weer op adem was gekomen, zei McAvoy: 'Dat leek er meer op.'

Het was McAvoys idee om bij een pub te stoppen. Als ze niet zo ontzettend graag een pil had willen slikken, zou ze meer tegengestribbeld hebben. Ze zocht haar toevlucht in een tochtig damestoilet en dankte God voor de gelegenheid dat ze haar medicijnen kon nemen. Ze had dit tot een kunst verheven: net genoeg om haar zenuwen te kalmeren zonder dat ze er suf van werd. Ze had om een tonic met water gevraagd en had het glas bijna helemaal leeggedronken voordat ze besefte dat het behaaglijke gevoel dat zich in haar binnenste verspreidde niet alleen werd veroorzaakt door het vuur in de open haard of de opluchting dat ze zonder kleerscheuren aan Tathum was ontsnapt. Er zat wodka in. Een halfjaar onthouding ging in rook op. Ze had het hem moeten vertellen, maar een deel van haar dacht: wat kan mij het ook schelen? Ik heb er zo naar verlangd me goed te voelen. Wat voor kwaad steekt er nou in één borrel? In plaats daarvan dronk ze de rest langzaam op, zichzelf wijsmakend dat ze er op die manier niet veel van zou merken. Zoals McAvoy al zei: ze wilde niet angstig door het leven gaan. Onder andere door een borrel leerde ze weer hoe ze met zichzelf om moest gaan.

Hij was grappig, gevoelig en geestig, en daarmee stak hij haar aan. Hij vertelde haar verhalen over zijn rechtbankavonturen waar ze tot tranen toe om moest lachen, en over de tragische figuren die hij in de gevangenis was tegengekomen, waarbij haar de tranen in de ogen sprongen. En hoe meer hij dronk, hoe warmer en poëtischer hij werd. Ze begon de complexe lagen van zijn tegenstrijdige karakter te begrijpen en zijn morele code te doorzien: hij accepteerde mensen, zowel goede als kwade, met dezelfde menselijkheid, want 'uiteindelijk zijn we allemaal schepsels van God'. In haar licht benevelde toestand vond ze hem een verlokkelijke mengeling van nederigheid en creativiteit, van weerspannige onafhankelijkheid en bedachtzame ootmoed. Zijn filosofische leidraad als advocaat, zei hij, was altijd 'Oordeel niet, opdat gij niet geoordeeld zult worden' geweest. Dat betekende niet – zoals de meeste mensen dachten – dat anderen beoordelen zondig was, maar dat iedereen die een oordeel velde op een dag zelf aan een oordeel werd onderworpen, en door heel wat veeleisender wetten dan welke ook die door de mens waren bedacht.

'En daarin vind ik mijn soelaas,' zei hij, terwijl hij met zijn vingers vlak naast de hare zijn whiskyglas omklemde. 'Ik heb in mijn leven een paar verderfelijke dingen gedaan, me ingelaten met een paar in- en inslechte mannen in een verderfelijke wereld, maar ik heb er geen moment aan getwijfeld dat ik net zo wreed beoordeeld zou worden als de volgende.'

'Denk je dat je door de smalle poort gaat?' vroeg Jenny met een glimlach.

'Ik mag graag denken dat ik er nog net tussendoor piep – wie weet?' Hij nipte van zijn whisky, terwijl hij zijn blik naar binnen keerde.

Jenny sloeg hem gade en vroeg zich af wat hij dacht, welke zonden hij met deze kruistocht hoopte weg te wassen. Ze kwam in de verleiding het hem te vragen, maar iets weerhield haar daarvan. Ze wilde het niet weten, wilde niet gedwongen worden te oordelen. Ze leerde van hem, dat was genoeg en ze nam een nog nader te definiëren wijsheid in zich op.

Vanuit zijn diepe overpeinzingen zei McAvoy: 'Denk je dat die knullen echt terroristen waren?'

Jenny zei: 'Maakt het wat uit?'

'Duistere praktijken moeten altijd aan het licht komen,' zei McAvoy. Hij sloeg de rest van zijn whisky achterover. 'We moesten maar eens gaan.'

17

'Mam... gaat het wel?'

Jenny werd wakker uit een loodzware, droomloze slaap. Haar ledematen waren te zwaar om te bewegen. Ross' ongeruste stem kwam vanaf het voeteneind.

'Mam?'

'Hmm?' zei ze, terwijl ze haar ogen afwendde van de baan licht die door de halfopen gordijnen naar binnen stroomde.

'Ik dacht dat je misschien ziek was...'

Iets voelde niet goed, benauwd. Nauwelijks wakker probeerde ze te gaan zitten en ze realiseerde zich dat ze haar rok en jasje nog aanhad.

'Toen je gisteravond thuiskwam, was het niet goed met je,' zei Ross. 'Ik wist niet wat je mankeerde.'

Ze knipperde met haar ogen. Langzaam kon ze weer scherp zien. Ze liet haar slaperige blik door de kamer dwalen. Ze zag dat haar schoenen bij de deur lagen. Haar handtas lag op de vloer naast het bed; de inhoud – met inbegrip van haar twee flesjes pillen – lag her en der over het kleed verspreid.

'Hoe voel je je?'

'Prima... alleen moe. Hoe laat is het?'

'Negen uur geweest. Maar dat geeft niet, het is zaterdag.'

Hij keek naar de pillen en toen weer naar haar met dezelfde vragende ogen die hij als jong kind had gehad. 'Wat is er gebeurd?'

Ze had geen flauw idee. Ze wist niet meer dat ze naar bed was gegaan of thuis was gekomen. Er kwam een vage herinnering naar boven dat ze uit Bristol de snelweg op was gereden, met een schok wakker was geworden door het geluid van een ribbelige streep onder haar banden en een harde claxon achter haar...

'Ik ben zo beneden,' zei ze zwakjes. 'Ik heb even tijd nodig.'

Ze schoof naar de rand van het bed en zwaaide haar benen eroverheen om haar woorden kracht bij te zetten. Niet overtuigd trok Ross zich terug en liep naar beneden.

'Je zou wat koffie kunnen zetten,' riep Jenny hem na.

Ze moest een paar minuten onder de douche staan voor er wat leven in haar spieren terugkwam. Terwijl haar bloed opnieuw begon te stromen, kwamen de gebeurtenissen van de vorige avond gaandeweg weer boven. Ze herinnerde zich dat ze zich prima had gevoeld toen ze van de pub naar Bristol was teruggereden. McAvoy en zij hadden gelachen en naar muziek geluisterd. In de buurt van de stad was ze doezelig geworden, wat waarschijnlijk kwam door de alcohol in combinatie met haar bètablokker, die haar hartslag vertraagde. Ze had hem bij zijn kantoor afgezet. Hij zei tegen haar dat ze op zichzelf moest passen en had met zijn hand even over haar wang gestreken. Er was een moment geweest dat hij zich voorover had kunnen buigen om haar te kussen, maar in plaats daarvan deed hij dat met een blik. Toen ze door Clifton terugreed, had ze iets gevoeld wat aan vervoering grensde: kristalwitte toverlichtjes schitterden als sterrenstof op de bomen buiten de cafés en boetieks. Toen werd het wazig. Ze had over het stuur heen gehangen, was de Severn Bridge overgestoken... Haar langs de muur schuivende schouders toen ze de trap op liep, Ross die achter haar aan liep.

Weer terug in haar slaapkamer trok ze een sweatshirt over haar blouse aan en zag toen het aantekenboek, haar dagboek, open op de grond bij het voeteneind liggen waar Ross had gestaan. Ze liep erheen en griste het op, terwijl haar hart in haar keel klopte. Ze had in een onregelmatig handschrift de datum van de vorige dag opgeschreven, en een paar zinnen gekrabbeld:

> *Ik weet niet wat er vanavond is gebeurd. Die man... Hij doet wat met me. Ik vind hem niet eens aantrekkelijk... Hij is zo moe en opgebruikt. Maar wanneer hij me in de ogen kijkt, weet ik dat hij nergens bang voor is. Wat betekent dat? Waarom hij? Waarom nu? Het is alsof*

De laatste f viel van de pagina af, waardoor de gedachte voor altijd onvoltooid bleef.

Ze stopte het dagboek in de la onder in haar klerenkast, haar wangen verhit van gêne en schaamte.

Ross riep naar boven. 'Wat wil je als ontbijt?'

'Toast is prima. Ik kom er nu aan.' Ze haalde diep adem en hield zichzelf voor dat ze niet in paniek moest raken. Hij had het dagboek niet gezien. Hij was te bezorgd om haar geweest om het op te merken. Hij had waarschijnlijk de pillen wel gezien, maar die kon ze verklaren: stress van de scheiding, een nieuwe carrière; de medicijnen hielpen haar tijdelijk om de spanning te verminderen. Iedereen nam ze op een goed moment in zijn leven. Hij zou het wel begrijpen.

Ross had toast en koffie klaargemaakt en borden en kopjes op de klaptafel neergezet, die net groot genoeg was voor twee personen en bijna de hele ruimte van de kleine keuken in beslag nam. Hij had gedoucht, zich geschoren en droeg schone kleren – ongelooflijk in een weekend.

Ze plakte een opgewekte glimlach op. 'Plannen voor vandaag?'

Hij schudde zijn hoofd. 'Karen is weg met haar moeder.'

'Ik moet morgen werken, dus misschien kunnen we een stuk gaan lopen. Het is zonnig, dan kunnen we naar de Beacons rijden.'

Ross schonk haar wat koffie in. 'Kun je niet beter wat uitrusten?'

'Het is een lange week geweest,' zei Jenny. 'Dat is alles. De moeder van die vermiste jongen is donderdag gestorven...'

'Ik heb het in de krant gelezen.'

'O?'

'Het is een grote zaak. Het was op het nieuws en zo.'

'Ik probeer er niet naar te luisteren. Ze geven de feiten nooit goed weer.' Ze deed haar best luchtig te klinken, maar dat lukte niet.

'Weet je zeker dat je het aankunt?' zei Ross, op de scherpe toon die alleen een tiener kan aanslaan. 'Je lijkt mij anders behoorlijk gestrest, als je met kleren en al bent ingestort.'

'Ik was aan het lezen en ben toen in slaap gevallen. Overkomt jou dat nooit?'

'God, waarom ben je toch steeds zo prikkelbaar?'

'Sorry dat ik Julie Andrews niet ben.'

'Waarom reageer je altijd zo overdreven?'

'Kunnen we nu zonder ruzie gewoon gaan ontbijten?' Ze griste een stuk toast weg en stak haar mes in de boter. Het glipte uit haar vingers. Ze pakte het op en deed opnieuw een onhandige poging. Ze gaf het op en legde haar handen in haar schoot, de tranen prikten in haar ogen.

'Wat is er met je aan de hand?' vroeg Ross.

'Niets.' Ze snifte. Verdomme! Waarom klapte ze uitgerekend nu dicht?

Zijn ergernis ging over in ongerustheid.

'Waar zijn al die pillen voor?'

'Die helpen me om ermee om te gaan... Het duurde een tijdje voor ik over de scheiding heen was.'

'Maar voor je scheiding was je al ziek.'

'Dat was ik niet...'

'Waarom ga je dan naar een psychiater?'

'Wie heeft je dat verteld?' zei ze, alsof iemand tegen hem had gelogen.

'Ik hoorde jou en pap er ruzie over maken.'

Het kostte Jenny alle mogelijke moeite om niet in te storten. 'Het gaat nu beter met me. Alles is veranderd. Ik heb een nieuw leven. Het duurt alleen even voor ik eraan gewend ben.'

Hij liet het niet over zijn kant gaan. 'Waarom vertel je me nu niet voor één keer de waarheid? Steve gelooft niet dat het beter met je gaat. Dat weet ik gewoon.'

'Wat heeft hij dan gezegd?'

'Niets bijzonders. Ik merk het alleen aan de manier waarop hij over je praat.'

'Ross, alsjeblieft, je moet me geloven. Ja, ik ben een tijdje heel ongelukkig geweest, maar ik ben sinds mijn twintigste met je vader samen geweest; ik was nauwelijks ouder dan jij nu bent. Het duurt even voordat je eraan gewend bent dat je alleen bent.' Ze dwong zichzelf adem te halen en wist op de een of andere manier haar tranen binnen te houden. 'Het gaat nu allemaal beter. Ik heb een geweldige baan, ik heb jou...' Ze stak haar hand over de tafel uit en pakte de zijne. 'Je weet niet hoeveel dat voor me betekent.'

'Geen stress dus,' zei hij sarcastisch.

'Nee. Die is er niet. Echt niet.' Ze liet hem los en besefte wat voor een benauwend en schuldig gevoel ze hem moest geven, maar tegelijkertijd had ze de egoïstische behoefte aan zijn geruststelling. 'Het enige wat ik wil is dat je je vrij voelt, maar ook weet dat er iemand om je geeft. Je vader en ik...'

Hij kromp gegeneerd ineen. 'Ja, oké.'

Jenny glimlachte even. Ze hadden een aanknopingspunt gevonden. 'Ik meende het echt dat ik er graag met z'n tweeën op uit wil. Wat vind je ervan?'

'Wat jij wilt,' zei Ross, en hij nam een hap toast.

Jenny herkende de uitdrukking die hij achter zijn masker van stoere onverschilligheid voor haar probeerde te verbergen. In wezen was zijn gezicht sinds zijn peutertijd niet veranderd. Hij voelde zich gerustgesteld, getroost, net zoals al die keren dat hij met geschaafde knieën naar haar toe was gekomen voor een knuffel.

'Moet je me steeds aan blijven kijken?'

'Ik kijk je niet...'

De telefoon in de woonkamer ging over.

'Ik neem hem wel,' zei Ross, en hij liep erheen, want hij wilde maar wat graag de spanning doorbreken.

Hij kwam met de telefoon terug en gaf die aan haar. 'Voor jou. Andy nog iets.'

Andy? Haar geest was helemaal leeg. 'Hallo...'

'Mevrouw Cooper, met Andy Kerr. Sorry dat ik u in het weekend bel... uw medewerkster heeft me uw nummer gegeven.'

'Gaat het over Jane Doe?'

'Dat weet ik niet zeker. Ik was vanochtend gaan werken om achterstanden in te halen. Die stralingsmeter slingerde nog steeds in mijn kantoor rond. Ik speelde er een beetje mee terwijl ik wachtte tot mijn computer was opgestart en zag dat hij nog steeds wat oppikte. Ik nam hem mee naar de koelcel, met het idee dat er misschien toch nog sporen van het lichaam waren achtergebleven, en toen ging hij als een gek tekeer...' Hij wachtte even, alsof hij nauwelijks kon geloven wat hij nu ging zeggen. 'Het lijk van mevrouw Jamal geeft straling af. Wat de bron ook is, er komt bijna vijftig millisievert per uur uit.'

Jenny had het gevoel alsof de kamer plotseling door een onverwachte trilling was opgeschud. Straling? Ze was met stomheid geslagen.

'Ik begrijp die metingen niet,' zei ze. 'Wat betekent dat?'

'Laat ik het zo stellen,' zei Andy Kerr, 'achtergrondstraling bedraagt twee millisievert per jáár. Vijfhonderd millisievert wordt normaal gesproken als slecht voor je gezondheid beschouwd. Het betekent niet dat je dood neervalt, maar dat het niveau gevaarlijk is.'

'Waar kan dat vandaan zijn gekomen?'

'Geen idee. Er is iemand van radiologie onderweg. Ik hoop dat zij me een paar antwoorden kan geven. Ik dacht dat u er wel bij wilde zijn.'

'Heb je de politie ingelicht?'

'Moeten we niet eerst de feiten op een rij krijgen?'

'Ik kom er meteen aan.'

Jenny beloofde dat ze maar een uur of twee weg zou zijn, maar Ross zei vermoeid dat hij wel had geleerd om haar tijdsinschattingen met drie te vermenigvuldigen. Vergeet dat uitstapje maar; hij had liever dat ze hem in Bristol afzette, zodat hij een paar vrienden kon opzoeken.

Hij zei tegen haar dat hij in de buurt van de haven van Bristol afgezet wilde worden. Ze zag hem naar de coffeeshops en bars slenteren en vermoedde dat hij en zijn vrienden elkaar daar graag ontmoetten. Nog vijfenzeventig weekends voor hij wegging. Hoeveel daarvan zouden ze samen doorbrengen? Een handvol, als ze geluk had.

Tijdens de een kwartier durende rit naar het Vale-ziekenhuis belde ze twee keer McAvoys mobiele nummer. Elke keer kreeg ze zijn voicemail, en elke keer verstarde ze als ze een boodschap moest inspreken. Ze kon niet langer ontkennen dat ze zich op een zeer verwarrende manier tot hem aangetrokken voelde, maar het was geen verlegenheid waardoor ze werd weerhouden. Het was eerder een vaag en onrustig gevoel dat wat haar ook te wachten stond, dat zonder zijn onvoorspelbare aanwezigheid al ingewikkeld genoeg zou zijn. En als ze volkomen eerlijk tegenover zichzelf was, bleef ze wantrouwig. Hij had nog steeds iets – het stukje dat volgens zijn eigen zeggen onverlost bleef – wat ze niet vertrouwde.

Een gereserveerde, in anorak en handschoenen ingepakte gedaante stond buiten de ingang van het lijkenhuis te wachten. Het was Alison. Jenny kon van twintig meter afstand voelen dat ze in een gekweld, afwijzend humeur was.

'Goedemorgen, Alison.'

'Bent u alleen, mevrouw Cooper?' antwoordde ze scherp.

'Ja.'

'Ik had min of meer verwacht dat meneer McAvoy bij u zou zijn, aangezien u en hij zulke goede vrienden zijn geworden.'

'Ik weet dat je een geschiedenis met hem hebt, maar ik denk dat hij me geholpen heeft met een doorbraak. Ik heb de man opgespoord die in de Toyota reed en die bij Madog op bezoek is geweest. Heb je zijn verklaring al opgenomen?'

'Ja,' zei Alison kortaangebonden. 'Maar behulpzaam of niet, ik ken u lang genoeg om dit te kunnen zeggen, mevrouw Cooper. Die man gebruikt zijn charme om u te slim af te zijn. Hij heeft niets dan kwaad in de zin, ik weet het zeker.'

Jenny had Alison erop kunnen wijzen dat ze niet erg objectief was als het op haar knappe vroegere baas of vertrouweling en doopgetuige, inspecteur Dave Pironi, aankwam, maar haar humanere instincten vertelden haar dat ze zich beter kon inhouden. Haar medewerkster maakte op deze manier aan haar duidelijk dat ze zich ongerust maakte, en dat waardeerde Jenny. Dit leek het haar geen goed moment om het zonder haar te moeten stellen.

'Ik heb geen enkele illusie,' zei Jenny. 'De volgende keer dat ik hem zie, zal dat in de rechtszaal zijn. Dat beloof ik.' Ze drukte op de zoemer.

Andy Kerr kwam haar door de gang tegemoet, gekleed in een stralingspak en met een chirurgisch masker en een mutsje op.

'Jullie mogen niet verder,' zei hij terwijl hij zijn handen opstak. 'We hebben gevaarlijke doses gevonden. Sonia heeft een of andere kit bij zich waarmee we de bron zouden moeten kunnen vinden. Er zijn begrafenisondernemers met een met lood beklede lijkkist onderweg.'

Jenny reikhalsde om langs hem heen te kijken naar een jonge vrouw in net zo'n outfit als de zijne. Ze zat geknield op de grond op een laptop te tikken. Die was aangesloten op apparatuur die verpakt zat in dozen die op fotografiekisten leken.

'Kan ze vergiftigd zijn geweest?' vroeg Jenny.

Andy zei: 'Kom maar deze kant op. Er is één ruimte waar geen straling wordt gemeten.' Hij duwde de zwaaideuren open naar de lege autopsiekamer. Jenny en Alison liepen achter hem aan.

Andy deed zijn masker af en trok aan het klittenband van zijn schort. Het strandclub-T-shirt dat hij eronder droeg was doorweekt van het zweet. 'Sonia zegt dat ze radioactieve deeltjes op het huidoppervlak heeft gevonden. Het gaat om bètastralen, die nu afnemen. Ze heeft ook een deeltje in de neusholte gevonden. Het is nog te vroeg, maar haar eerste indruk was dat mevrouw Jamal in een omgeving is geweest waar ze in contact is geweest met een radioactieve stof.'

'Zoals?' vroeg Alison.

'Er zijn een paar medische en commerciële toepassingen voor dit soort radionucliden – jodium 129 wordt gebruikt bij schildklierklachten –, maar het is waarschijnlijker dat ze blootgesteld is geweest aan een lage of gemiddelde dosis kernafval.'

Jenny zei: 'Hoe waarschijnlijk is dat?'

'Geen idee,' zei Andy. Hij haalde zijn stralingsmeter uit zijn zak – een geel apparaatje ongeveer zo groot als een pieper – en schakelde hem in. Hij zwaaide ermee in de richting van Jenny en Alison en keek op de digitale display. 'Jullie zijn allebei schoon.'

Sonia Cane was een Ghanese vrouw met een permanente frons op haar gezicht. Toen ze klaar was met haar werk in de koelcel, schrobde ze zich in de autopsieruimte schoon terwijl ze een lijst urgente taken afraffelde. De Health Protection Agency moest onmiddellijk geïnformeerd worden. Hun stralingsteam zou de supervisie hebben bij het schoonmaken van het mortuarium en de opslag, en uiteindelijk bij het opruimen van het lijk. Tot het gebouw smetvrij was, zou het worden verzegeld en mochten er geen lijken in of uit. Het stralingsniveau was zo hoog dat dit een veelbetekenend incident was.

'Enig idee waar dit vandaan komt?' vroeg Jenny haar.

'Nee, maar ik kan u wel vertellen wat voor spul het is. Er zullen nog fijnmaziger tests worden gedaan, maar ik weet bijna zeker dat het om cesium 137 gaat. Kleine hoeveelheden, niet meer dan stofdeeltjes, maar van een krachtige bron.'

'Waar praten we dan over?' zei Alison, waardoor Jenny haar onwetendheid kon verhullen.

'Een bijproduct van de nucleaire industrie,' zei Sonia. 'Het komt rechtstreeks vrij bij atoomsplitsing. Je treft het ook aan na een kernexplosie...'

Jenny onderbrak haar: 'Deze vrouw werkte in een kledingzaak.'

Sonia zei: 'Ik vind het net zo raadselachtig als u. Als ze in een kerncentrale had gewerkt, had je het nog kunnen begrijpen.' Verward schudde ze haar hoofd. 'Je leest wel over terroristen die aan dat spul proberen te komen om smerige bommen te maken. Het slaat gewoon nergens op.'

'Weet u ook wanneer ze besmet is geraakt?' vroeg Andy.

'Heel recent. Het deeltje in de neus kan daar niet langer dan een paar dagen hebben gezeten, zelfs een paar uur voor haar dood. Het zou via een natuurlijk proces worden afgestoten.'

'En ze was via de huid besmet, hè?' zei Jenny. 'Haar lichaam is naakt aangetroffen.'

'Ik heb niet voldoende expertise om u te kunnen zeggen of ze er met of zonder kleren aan is blootgesteld,' zei Sonia. 'Daar moeten we specialisten bij halen.'

Jenny ging koortsachtig een aantal net zulke verbijsterende mogelijkheden na. Geen ervan leek geloofwaardig. Allemaal wezen ze erop dat Amira Jamal een veel ingewikkelder connectie met de verdwijning van haar zoon had dan Jenny zich ooit had kunnen voorstellen.

'We moeten de politie op de hoogte brengen,' zei Alison.

Andy stak zijn hand al uit naar de wandtelefoon.

Jenny hield hem tegen. 'Wacht even. Ik wil graag eerst naar haar flat. Die is hier maar een paar minuten vandaan.'

Sonia zei: 'Dit is een radiologisch incident. We hebben wettelijk de plicht...'

'Dat weet ik. Maar laten we eerst uitzoeken hoe groot het incident is, oké?'

Sonia en Andy wisselden een onzekere blik.

'Hij kan over een halfuur bellen. In de tussentijd verzamel ik bewijs voor mijn gerechtelijk onderzoek naar de dood van haar zoon. Ik leg het onderweg wel uit. Neem alles mee om de nodige maatregelen te treffen, maar doe het wel snel.'

Alison hield zich in tot ze aan de achterkant over het parkeerterrein liepen. Sonia, die achter hen aan kwam, was aan het bellen om de huishoudelijke taken van die dag op een duidelijk misnoegde echtgenoot over te dragen.

Alison zei: 'Wilt u me misschien vertellen wat u wilt gaan doen, mevrouw Cooper? We hebben de plicht om dit incident onmiddellijk te melden.'

'Jij was degene die me vertelde dat de veiligheidsdienst de politie onder druk zette om hun onderzoek naar de verdwijning van Nazim en Rafi stop te zetten voordat zij dat zelf wilde.'

'Ik heb u verteld dat er geruchten gingen, dat was alles,' zei Alison verdedigend.

'Zo herinner ik het me niet... Luister eens, ik weet dat Pironi je vriend is...'

'Hij heeft gedaan wat hij kon.'

'Hij had er ook voor kunnen bedanken.'

'Waarom brengt u hem in die positie?'

'Waarom niet? Hij maakt er deel van uit.'

'Hij is een fatsoenlijk mens.'

'Dat is anders niet wat ik heb gehoord.'

'O, van McAvoy...'

Jenny bleef abrupt naast haar auto staan. 'Jij mag dan een man vertrouwen die zich het zwijgen laat opleggen, maar ik doe dat niet, en ík ben degene die dit onderzoek leidt. Dus welke kant kies je?'

Alison keek haar met een meedogenloze blik aan, tot Sonia bij hen was en een onbeslist einde maakte aan hun gesprek.

'Aan jou de keus,' zei Jenny.

Jenny reed met Sonia in haar Golf de vijf kilometer naar de flat van mevrouw Jamal, waarbij ze herhaaldelijk in haar spiegels keek of ze Alisons Peugeot zag. Er was geen spoor van te bekennen. Ze voelde een onverwachte steek van verdriet dat grensde aan verraad. De relatie met Alison was altijd al met horten en stoten gegaan, maar tot deze week had ze nooit echt aan haar loyaliteit getwijfeld. In een tijdsbestek van een paar dagen leek dat allemaal totaal te zijn veranderd.

Ze moest drie keer langdurig aanbellen voordat de opvliegende meneer Aldis, de conciërge, in beweging kwam, die door de intercom gromde dat hij in het weekend niet werkte, dus of ze maar wilden ophoepelen. Jenny antwoordde met opnieuw een lang belsignaal, waardoor uiteindelijk de potige mevrouw Aldis met haar buldoggezicht op één kruk naar de voordeur hobbelde. Ze overhandigde Jenny een sleutelbos met de boodschap dat ze het zelf maar moest uitzoeken en hinkte toen weer naar binnen.

Sonia Cane haalde een gevoelige stralingsmeter zo groot als een klein mobieltje tevoorschijn. Hij was uitgerust met een geiger-müllerteller, legde ze uit, en was in staat tussen verschillende stralingscategorieën te differentiëren. Ze hield het apparaat discreet in haar hand, zodat ze eventuele langslopende bewoners niet aan het schrikken zou maken, en deed in de voorhal een meting. Er klonk een elektronisch gekraak. Elke bliep was een elektron dat als een microscopisch hagelkogeltje door de sensoren van de stralingsmeter schoot. Het was eenzelfde meting die ze op mevrouw Jamals lijk had gevonden: vijftig millisievert. Het signaal werd zwakker bij de trap, maar schoot alarmerend omhoog naar tachtig toen ze de lift in gingen.

'We moeten dit gebouw ontruimen,' zei Sonia ongerust.

'Vijf minuten,' zei Jenny. 'Alleen de flat nog.'

Sonia bewoog snel; ze wilde geen fractie meer straling oplopen dan noodzakelijk was. Het spoor koelde op de overloop tussen de lift en de voordeur van mevrouw Jamals appartement af naar vijfentwintig millisievert; eenmaal binnen barstte de stralingsmeter uit als droge twijgjes op een vreugdevuur.

'Je-zus,' zei Sonia terwijl ze met de meter de zitkamer rondliep. 'Drieënnegentig.'

Jenny wees naar de plek waar mevrouw Jamals kleren en de whiskyfles waren gevonden. 'Ze zat ongeveer hier.'

Sonia haastte zich de kamer in, wees met de meter naar de plek en trok snel een cirkel om zich heen. Ze liep naar een van de leunstoelen en ging er met de meter overheen.

'Honderdtien.' Ze liep naar de deur. 'Zo is het genoeg. We gaan.'

Sonia liet zich schoorvoetend overhalen om de rest van de vier overlopen in het gebouw te meten voor ze haar telefoon pakte, maar vond slechts een iets hoger niveau dan de achtergronddosis. Dit bevestigde dat het spoor regelrecht van de voordeur naar mevrouw Jamals flat liep. Het feit dat de bekleding van een leunstoel de hoogste meting aangaf, deed vermoeden dat iemand of iets haar via direct contact had besmet. Het was slechts een kwestie van een paar deeltjes – fijnstof, zoals Sonia het noemde –, maar die maakten het Jenny meer dan duidelijk dat mevrouw Jamal tijdens haar laatste uren bezoek had gehad.

Sonia weigerde om de lift te nemen en haastte zich via de trap naar beneden, terwijl ze met de Health Protection Agency belde. Binnen een uur zou het gebouw geëvacueerd en verzegeld worden. Een team werklui in postapocalyptische witte overalls zou naar elke laatste radioactieve kruimel zoeken en die opzuigen. De buurt zou nooit een ongerijmdere aanblik te zien krijgen.

Terwijl Jenny bij de een-na-laatste trap was aanbeland, hoorde ze stemmen in de hal beneden. Ze sloeg de hoek om en zag Alison op de drempel van de flat van de conciërge met mevrouw Aldis staan praten. Sonia was het gebouw al uit, de telefoon tegen haar oor gedrukt, terwijl ze druk gebarend de situatie aan een ongelovige medewerker van de Health Protection Agency uitlegde.

Leunend op haar kruk knikte mevrouw Aldis nors naar de lift. Jenny hoorde haar zeggen: 'Grote vent, mager.'

'Kleur?'

'Blank. In de vijftig, zou ik zeggen. Baseballpet op. Hij schoof zo langs me heen. Geen sorry of niks.'

Alison zei: 'Hebt u dit aan de politie verteld?'

'Ik was er niet, wel? Ik was op weg naar het ziekenhuis om naar mijn knie te laten kijken.'

'Hoe laat?'

'Dat zal om een uur of één zijn geweest, misschien een paar minuten later.' Mevrouw Aldis zag Jenny. 'Toch wel weer op slot gedaan, schatje? Denk maar niet dat mijn man vanavond naar boven gaat, de luie donder. Als er voetbal is, heb je een bom nodig om hem van die bank af te krijgen.'

Jenny: 'U kon weleens geluk hebben.'

Ze zaten een tijdje in Alisons auto – een paar ogenblikken rust voordat de lucht door gillende sirenes zou worden opengespleten. Jenny weerstond de verleiding om het met haar assistente te hebben over haar beslissing om afstand te nemen van haar vriend en medekerkganger inspecteur Pironi. Ze was eenvoudigweg dankbaar dat ze het had gedaan. Ze vond het vreselijk om toe te geven, maar het was een kinderlijk soort dankbaarheid: haar relatie met Alison had iets van die met een surrogaatmoeder. Wat zei dat over haar? Ze hoorde McAvoys stem: er is iemand die alle zelfvertrouwen uit haar geslagen heeft.

'Ik neem later een verklaring op,' zei Alison zacht. 'Zo te horen leek de man die uit de lift kwam behoorlijk op degene die Dani James al die jaren geleden in het studentenhuis heeft gezien.'

'Blank... Ik weet niet waarom, maar ik verwachtte dat ze had gezegd dat hij Aziatisch was.'

'We weten niet of ook maar iets hiervan met mevrouw Jamal te maken had. Het had iedereen geweest kunnen zijn,' zei Alison, maar het klonk niet overtuigend.

Na een ogenblik stilte zei Jenny: 'Anna Rose Crosby werkte op de Maybury-kerncentrale. Onze vermiste Jane Doe had een schildkliertumor...'

'U moet nu geen luchtkastelen gaan bouwen, mevrouw Cooper. Het beste is om te beginnen met wat we weten.'

Toen arriveerde de eerste. Een patrouillewagen reed met gillende sirene achter hen aan en kwam met piepende remmen naast het gebouw tot stilstand. Sonia Cane haastte zich naar de twee agenten die uitstapten.

Alison zei: 'Zo'n geval krijgt ze misschien nooit meer. Zullen we haar maar van haar moment in de schijnwerpers laten genieten?'

'Waarom niet?' zei Jenny. 'En nu we het er toch over hebben: ik denk dat maandag misschien nog wat te vroeg is om met de getuigenissen door te gaan, denk je niet?'

'Wat u denkt dat het beste is, mevrouw Cooper.'

De dag had een soort dromerige wending genomen, want haar stemmingen wisselden net zo snel als de rusteloze hemel. Met het laatste restje in de accu van haar telefoon belde ze Ross' nummer. Die kondigde in korte bewoordingen aan dat hij de rest van het weekend bij zijn vader zou blijven, en of ze maandag op weg naar haar werk zijn spullen kon komen brengen?

Uitgeput en ontmoedigd reed Jenny naar huis. De wegen waren griezelig rustig toen de zon naar de heuveltoppen zakte en het Wye-dal kort deed baden in licht van een bijna engelachtige helderheid. Even leek het hele leven stil te staan en in een sterk reliëf gezet te worden. Ze was slechts een toeschouwer van de reeks verbijsterende tableaus waar haar leven van dit moment uit bestond: een door haar zwakheid gedesillusioneerde zoon; een verontrustende en grillige man tot wie ze zich gevoelsmatig aangetrokken voelde; een zaak die, hoezeer ze dat feit ook probeerde te negeren, haar duisterste angsten beroerde; en de meest recente bizarre toestand in de stad die bijna een rivierbreedte achter haar lag: een spoor van straling dat naar het naakte lijk van een vrouw leidde, wier laatste roep om hulp ze had genegeerd. Ze zou zich schuldig hebben moeten voelen, vol afgrijzen dat ze McAvoys telefoontje belangrijker had gevonden dan dat van mevrouw Jamal, maar in dit verstilde moment bespeurde ze bijna een zelfzuchtig gevoel van opluchting. Het was alsof alles wat onheilspellend en onzichtbaar was geweest zich even aan de oppervlakte had laten zien. De moordenaar van mevrouw Jamal – Jenny had zich ervan overtuigd dat het het spook met de baseballpet was geweest – was een en dezelfde demon die een bezoek had gebracht op de avond dat Nazim en Rafi waren verdwenen. Acht jaar geleden had hij slechts krassen op de deursponningen achtergelaten; deze keer had hij een veeg uit de hel zelf achtergelaten.

Het kwaad had nu een vorm, zo niet een gezicht gekregen.

Er was geen tijd om over haar theorieën te peinzen of er lang bij stil te staan. De rest van de middag ging aan één stuk door de telefoon. Andy Kerr, de begrafenisondernemers, verschillende functionarissen van de Health Protection Agency, inspecteur Pironi en zelfs Gillian Golder wisten de hand te leggen op haar nummer dat zogenaamd niet in het telefoonboek stond. Ze wilden allemaal informatie die ze niet had en geen van hen geloofde haar toen ze beweerde dat ze nergens van wist. Pironi en Golder klonken allebei bijna wanhopig in hun zoektocht naar een aanwijzing die naar de stralingsbron kon leiden; beiden leken ervan overtuigd dat ze cruciaal bewijs achterhield. Ze vertelde hun over mevrouw Aldis en de man met de baseballpet, redeneerde dat ze daarmee haar plicht had gedaan, maar zei niets over Madog of Tathum. Die behoorden tot het verleden, en dat, zei ze tegen zichzelf, was nog steeds exclusief haar terrein.

Tussen de telefoontjes door zat Jenny aan haar bureau en probeerde haar volgende stappen uit te werken. Ze had de aanvaarde grenzen van de praktijk van een onderzoeksrechter al ver overschreden door zich als een inspecteur te gedragen, maar ze voelde aan haar water dat sommige vragen nooit beantwoord zouden worden wanneer ze alleen maar getuigen in de rechtbank zou ondervragen. De gestolen Jane Doe had een schildkliertumor in een vroeg stadium, mogelijk veroorzaakt door blootstelling aan een lage stralingsdosis; Nazim Jamal was natuurkundestudent geweest. Het was meer dan alleen een vrome wens, er móést een verband zijn.

De telefoon onderbrak naar haar gevoel voor de vijftiende keer haar gedachten. Jenny antwoordde met een vermoeid hallo.

Steve zei: 'Dus zo goed gaat het, hè? Druk?'

Jenny's stemming klaarde op. 'Wat had je in gedachten?'

Steve zei: 'Ik wil graag praten.'

Het was rustig voor een zaterdag in de Apple Tree. Steve zat als een eenzame figuur naast de ijzeren haard op de betegelde patio. Het knapperende vuur en het ruisen van de naburige stroom op zijn laatste afdaling naar de Wye waren de enige geluiden in de vochtige, kille avond.

'Hou je het hier uit, denk je?' vroeg Steve toen ze de ongelijke traptreden beklom.

'Heerlijk,' zei Jenny, en ze ging op een van de drie rustieke banken om het vuur naast hem zitten. Het gaf een lekkere warmte, maar ze was blij met haar dikke wollen sweater en haar waxjas, waarin ze eruitzag als een boerin.

Steven hield zijn shagje even tegen de rand van een vlam en nam een trekje. 'Ik heb een Virgin Mary voor je besteld.' Hij gaf haar het glas.

'Bedankt.' Ze nam een alcoholvrije slok. 'God, wat is het saai om maagdelijk te zijn.' Ze reikte naar zijn tabaksblik. 'Is me één zonde toegestaan?'

'Zoveel als je wilt.' Hij staarde in de vlammen.

Onhandig rolde ze een sigaret en zei: 'Ik kan je vertellen wat voor week ik achter de rug heb, maar ik weet niet of ik het zelf wel geloof.'

'Ross heeft me er iets van verteld,' zei hij, alsof hij mijlenver weg was.

'Je hebt veel met hem gepraat...' antwoordde Jenny vorsend.

'Zo nu en dan.' Hij blies een dun sliertje rook uit. 'Hij maakt zich zorgen om je.'

Ze likte aan het papier en rolde nog één keer. Niet slecht. Ze stak de sigaret tussen de ijzeren stangen van de haard om een vuurtje te vangen.

'Dat doet hij echt,' zei Steve.

'Wat moet ik zeggen? Ik doe mijn best... Wilde je daar soms over praten?'

'Nee. Vooral over jou.'

'Hoezo over mij?'

Hij hield zijn sigaret aarzelend voor zijn lippen.

'Wat nou?' drong ze aan.

'Van de week, toen we in bed lagen... was het alsof je er niet was. En dat was niet voor het eerst.' Hij draaide zich om en hield haar blik vast. 'Je voelt niet meer hetzelfde voor me.'

'Dat is niet waar.'

'Je belt me bijna nooit.'

'Ik ben een werkende moeder.'

'En ik ga ook naar kantoor... Ik ben niet hetzelfde, wel?'

'Hetzelfde als wat?'

'Fantasie. De vent zonder ketenen.'

Gekwetst zei Jenny: 'Volgens mij verwar je mij met je ex-vriendin. Mocht je het soms vergeten zijn: ik heb je aangemoedigd om terug te gaan en je studie af te maken.'

'Ik wilde echt geen ruziemaken, Jenny.' Hij liet zijn hoofd naar zijn knieën zakken. 'Ik wil alleen weten wat er met ons aan de hand is, wat je verwacht.'

Ze trok stevig aan haar sigaret tot de hete rook haar mond schroeide. 'Sorry als ik zo overkom. Het ligt waarschijnlijk aan de pillen die mijn zielenknijper me heeft voorgeschreven. Daar ben ik binnenkort vanaf.'

'Heb ik je vroeger niet gelukkig gemaakt?'

Ze voelde haar benen nerveus trekken. Een huivering ging door haar heen, fysieke gewaarwordingen die haar gedachten verdrongen. 'Je weet wat ik ben, Steve. Ik probeer die delen van mezelf waarmee ik probeer om te gaan gescheiden te houden, maar soms ontsnappen ze uit hun doos.'

'Je weet dat je zoveel tegen me aan kunt praten als je wilt. Deed je dat maar.'

'Zo werkt het niet. Dat is niet wat ik van je nodig heb.'
'Kun je aangeven wat je dan wel nodig hebt?'
Dat je me aanraakt, vasthoudt, geruststelt, me een schuilplaats biedt... De woorden buitelden door haar hoofd, maar struikelden en vielen ergens vlak voor haar mond stil. Ze kon alleen maar haar hoofd schudden.
Steve zei: 'Hou je van me? Of alleen van de gedachte aan mij?'
'Ga je dan niet weg?'
'Ik moet weten wat de toekomst wordt, ik moet weten wat je voelt. Van de week vroeg een meisje op mijn werk aan me of ik met iemand samen was. Even wist ik niet wat ik moest zeggen.'
'Was ze knap om te zien?'
'In 's hemelsnaam, Jenny.' Deze keer was hij dichter bij tranen dan zij. 'Je moet ermee ophouden zo bang te zijn. Je door iemand laten beminnen is een gok, daar weet ik alles van, maar jij wilt het niet eens proberen.'
'Ik... Ik probeer het wel... De hele tijd.' De woorden klonken hol, zelfs in haar eigen oren.
Steve zei: 'Ik heb nog wat over je droom zitten nadenken, dat gedeelte waarin je sterft. Waarom zou je die nu weer krijgen? Toen we elkaar vonden, zag ik je tot leven komen. Je glimlachte, lachte en verloor jezelf. En toen was het alsof je je te schuldig voelde om jezelf weer te laten gaan.' Hij gooide zijn sigaret in het vuur en wreef met zijn handpalmen over zijn gezicht. 'Ik wil alleen maar zeggen dat wanneer je je soms voor een keus gesteld ziet, dat de beste manier is om uit een sleur te komen.'
Hij ging staan, boog zich voorover en kuste haar licht op haar voorhoofd. 'Denk erover na. Bel me.'
Hij verdween de trap af en ging de nacht in.

18

Jenny had door de jaren heen een heleboel beledigingen van een heleboel mannen naar haar hoofd gekregen, maar geen van hen had haar ervan beschuldigd dat ze futloos was in bed. Toegegeven: ze had tijdens de seks weleens aan een ander gedacht, maar dat had ze zo vaak met haar man gedaan en zelfs midden in hun bittere scheiding had David nog de grootmoedigheid gehad om te zeggen dat hij weinig klachten had over de fysieke kant van hun huwelijk.

Terwijl ze haar gezicht in de spiegel bekeek, bespeurde ze een zekere afwezigheid, een dofheid in haar ogen, een gebrek aan levendigheid in haar gelaatstrekken. Ze wist zeker dat die veranderingen te wijten waren aan haar meest recente medicijnenregime. Ja, de malaise die Steve had gezien was gedeeltelijk waar, maar ze zag in haar eigen weerspiegeling dat het voor een deel ook iets lichamelijks was. De pillen hielpen haar goed tijdens haar slechte momenten; ze hielden de melancholie en angsten op afstand die zich in haar binnendrongen wanneer ze niet in beslag werd genomen door haar werk, maar ze stompten haar af, losten haar passie op.

Steve had gelijk: een deel van haar was gestorven, het deel dat niet bang was om de vloed van het leven te voelen.

Het werd tijd voor een nieuwe strategie, om los te komen. Ze moest van die verdovende medicijnen af. Het natte gras over en de donkere stroom in, samen met dr. Allens gifstoffen. Ze leefde liever rauw en waarachtig, zoals McAvoy, als een natuurkracht, een tekeergaande wind of een zich nauwelijks bewegende bries, al naargelang de richting die haar stemming haar op stuurde.

En als ze instortte, dan zou een glas van iets lekkers of een kalmeringsmiddel geen kwaad doen.

Ze keek in de onderste la van de eikenhouten kast waar ze haar speciale dingen bewaarde – zijden ondergoed, witte katoenen handschoenen met delicate parelknoopjes, een paar kousen die ze nog maar één keer had gedragen – en groef naar het in bubbeltjesplastic gewikkelde pakje dat ze daar maanden geleden had weggestopt, toen ze had gezworen dat dat ene doosje er alleen was om haar leven te redden. Ze knipte het plakband met een nagelschaartje los en haalde het bruine flesje eruit. Xanax 2 mg. Zestig stuks. Een geruststellend gerammel. Ze schroefde de dop los en haalde de dot watten eruit om er zeker van te zijn.

Ze had haar parachute. Nu kon ze springen.

Op zondagochtend wekte de telefoon haar even voor zeven uur 's ochtends. Jenny liep naar beneden, zette de bel in sluimerstand en ging in alle rust ontbijten. Ze was niet van plan vandaag telefoontjes aan te nemen. Ze had niemand iets te zeggen voordat ze meer antwoorden had. Met twee koppen sterke koffie verdreef ze haar loomheid. Ze voelde zich kwetsbaarder zonder dr. Allens pillen; een kleine harde kern van angst bleef halsstarrig tussen haar keel en middenrif zitten, maar ze had ook een energie waar ze niet aan gewend was. Een opwinding, een gevoel van ontketende emotie. De dag voelde fris en vol mogelijkheden.

Ze arriveerde even na negenen bij het huis van de Crosby's in Cheltenham. Het stond in een rij identieke regency-herenhuizen, die zich alleen van elkaar onderscheidden door de verschillende ontwerpen van hun complexe smeedijzeren portieken en balkons. Ze waren voor de koopmansklasse gebouwd, met de eerste serieuze kapitaalinjectie uit de koloniën, deze met stucwerk versierde straten in het hart van de stad waar een ideaalbeeld bestond over hoe het was om Engels en beschaafd te zijn. Zelfs op een sombere februariochtend leken de gebouwen te glanzen.

Mevrouw Crosby deed open, haar haar nog een beetje in de war, hoewel ze sinds Jenny's telefoontje een halfuur de tijd had gehad om zich aan te kleden en, te oordelen naar de geur, wat toast te laten aanbranden. Ze nam haar mee naar een elegante, eenvoudige salon waarin smaakvolle eigentijdse banken pasten bij een antieke kroonluchter. De schilderijen waren modern abstract, de reusachtige decoratieve spiegel boven de witmarmeren open haard was dof van ouderdom. Bijna drie meter hoge ramen keken uit over een Italiaanse minituin.

Jenny zei: 'Wat prachtig. Zo licht.'

Mevrouw Crosby schonk haar een verdrietig glimlachje en keek naar de deur toen haar man binnenkwam, zijn haar nog nat van de douche. Zijn ergernis dat hij zo vroeg op een zondagochtend werd lastiggevallen was van zijn strakke gezicht af te lezen.

'Is er een lijk gevonden?' vroeg hij terwijl hij naast zijn vrouw ging zitten.

'Nee. Er is geen lijk. Niets wijst erop dat ze dood is.'

Man en vrouw wisselden een opgeluchte blik, waar ook een zekere teleurstelling uit sprak.

'Het klinkt misschien vreemd,' zei Jenny, 'maar de reden waarom ik met u moet praten is dat er een spoortje radioactiviteit is gevonden op het lijk van een vrouw die verband houdt met een andere zaak die ik aan het onderzoeken ben.'

Mevrouw Crosby keek verward.

'Ik heb er verslagen van gelezen,' zei haar man abrupt. 'Wat heeft dat met Anna Rose te maken?'

'Misschien niets. Dat weet ik niet. Ik zal het uitleggen.' Ze gaf de naakte feiten weer: een korte geschiedenis van de verdwijning van Nazim en Rafi, mevrouw Jamals campagne, haar bizarre dood en de sporen cesium 137 die alleen maar van een kerncentrale af konden komen. Ze vertelde hun dat, voor zover ze op internet had kunnen nagaan, de belangrijkste bron van radioactief materiaal het voormalige Oostblok was, maar door Anna Rose' baan op Maybury werd ze geconfronteerd met een toeval dat op z'n minst moest worden uitgesloten.

Meneer en mevrouw Crosby luisterden stilzwijgend en wisselden zo nu en dan een gemelijke blik. Jenny voelde dat ze iets had aangeroerd, maar maakte haar uiteenzetting eerst af voordat ze vroeg of dat hen op ideeën bracht.

Er viel een veelbetekenende stilte. Mevrouw Crosby nam als eerste het woord. 'Wist u niet dat Anna Rose natuurkunde heeft gestudeerd in Bristol?'

'Nee...'

'Ze is afgelopen zomer afgestudeerd,' zei meneer Crosby.

'Aha.'

Een tijdje zaten ze zwijgend met z'n drieën bij elkaar.

Toen zei Jenny: 'Wanneer is ze precies vermist geraakt?'

Meneer Crosby antwoordde: 'Op de avond van maandag 11 januari hebben we met haar gebeld. Ze was dinsdag nog op haar werk, maar woensdag kwam ze niet opdagen.'

'Waar was ze op dinsdagavond?'

'We denken in haar flat. Haar bed leek beslapen. Haar vriend belde haar halverwege de avond. Alles leek prima in orde.'

'Heeft ze iets meegenomen?'

Mevrouw Crosby zei: 'Het leek erop dat ze een tas had ingepakt. Haar portefeuille en paspoort waren weg. Ze heeft op woensdagochtend om halfacht vijfhonderd pond opgenomen bij een geldautomaat in de buurt van haar flat.'

'Is er verder nog iets met die rekening gebeurd?'

'Nee,' zei meneer Crosby resoluut. 'En we kunnen niets vinden wat erop wijst dat ze het land heeft verlaten.'

Jenny zei: 'Waren er aanwijzingen dat er iets mis was?'

'Het kwam als een donderslag bij heldere hemel,' zei mevrouw Crosby. 'Ze leek volkomen gelukkig. Ze had een goede baan, een nieuwe vriend...' Ze zweeg midden in haar zin en keek naar haar man, bij wie kennelijk dezelfde gedachte was opgekomen. Ze liet hem het overnemen.

'We denken dat ze vorig jaar misschien omgang had met een Aziatische jongen,' zei hij, alsof hij zich daar geweldig voor schaamde. 'Mijn vrouw ging afgelopen oktober bij haar op bezoek en zag hem weggaan uit haar flat. Ze zei dat hij gewoon een vriend was, maar... U kent dat wel. Je voelt zoiets aan.'

'Weet u wie hij was?'

'Salim nog iets, geloof ik. Ze heeft nooit een achternaam genoemd.'

'Hoe zag hij eruit?'

Meneer Crosby wendde zich tot zijn vrouw, die zei: 'Halverwege de twintig, een beetje ouder dan Anna Rose. Volkomen respectabel,' voegde hij er verontschuldigend aan toe, 'en eigenlijk heel knap om te zien.'

Hij vervolgde: 'Jezus, ik wist dat we er iets over hadden moeten zeggen. Waar was ze in 's hemelsnaam in verzeild geraakt?'

Mevrouw Crosby legde kalmerend een hand op de rug van haar echtgenoot. 'Ik geloof niet dat het nog aan de gang was. Ze was echt dol op Mike. Ze hebben elkaar op het werk ontmoet.'

'Op Maybury?'

'Ja. Hij was haar eerste manager – haar baas, neem ik aan. In september ging ze een tweejarig trainingsprogramma volgen, in een postdoctoraalprogramma.'

'Weet u meer van die Aziatische vriend? Was hij op de een of andere manier politiek actief?'

'Ik heb geen idee,' zei meneer Crosby. 'Ik heb Anna Rose van haar leven nog nooit over politiek horen praten.'

'Welke interesses heeft ze?'

'Plezier maken, zover ik heb kunnen nagaan althans,' zei hij. 'We waren allebei met stomheid geslagen toen ze regelrecht in een baan rolde. Ze was alleen maar natuurkunde gaan studeren omdat ze dacht dat ze dan minder problemen had om tot de studie toegelaten te worden.'

'Deed ze het goed?'

'Niet buitengewoon,' zei mevrouw Crosby. 'Gemiddeld. Ze mocht nog van geluk spreken dat ze tot de masters werd toegelaten. Ze had het er altijd over dat ze een jaar wilde gaan reizen.'

'Haar uiterlijk zal ook geholpen hebben,' zei haar man. 'Mannen deden alles voor haar.'

Jenny keek naar de smaakvolle zwart-wit gezinsfoto's die op een glimmend notenhouten bureau stonden. Anna Rose had in haar late tienertijd schouderlang blond haar en een stralende, ondeugende glimlach die weinig goeds voorspelde. Ze was primitiever, minder verfijnd dan haar adoptiefouders.

Jenny zei: 'Hoe is ze in die baan terechtgekomen? Het klinkt bijna alsof die niets voor haar was.'

Meneer Crosby haalde zijn schouders op. Kennelijk wist hij geen andere verklaring dan dat het gewoon de zoveelste van zijn dochters vele verrassingen was. Zijn vrouw zei: 'Ze kon heel goed met een van de studieleiders opschieten, dr. Levin. Ik had de indruk dat zij Anna Rose in die richting heeft geduwd. Misschien heeft ze aan een paar touwtjes getrokken, maar Anna Rose zou nooit hebben toegegeven dat ze van iemand anders hulp heeft gehad.'

'Was ze erg onafhankelijk?'

'O, ja,' zei meneer Crosby. 'En koppig. Hoe fout ze ook zat, zij had altijd gelijk.' Uit zijn toon was op te maken dat het voor hem al een uitgemaakte zaak was wat er was gebeurd: zijn uitbundige, naïeve dochter, die mooier was dan goed voor haar was, had iets met een of andere idiote buitenlander gekregen. Als ze niet al dood was, was ze zeker buiten bereik van hun hulp.

Mevrouw Crosby zei: 'Betekent dit dat er een strafrechtelijk onderzoek komt?'

'Natuurlijk,' snauwde haar man. 'Dat is toch zo duidelijk als wat? Ze zit ergens tot aan haar nek in.'

'Dat weet je niet, Alan,' protesteerde ze, pijnlijk getroffen door zijn woede.

'Je weet hoe beïnvloedbaar ze is. Zo was ze als klein kind al.' Hij wendde zich tot Jenny. 'Ik zal eerlijk tegen u zijn, mevrouw Cooper. We waren al verbaasd dat ze haar puberteit heeft overleefd. Ze is van twee goede scholen gestuurd en god mag weten hoeveel foute vriendjes ze heeft gehad. Ze raakte altijd in de problemen.'

Mevrouw Crosby, nu in tranen, zei: 'Dat is niet eerlijk...'

Jenny zei: 'Ik heb op dit moment geen reden om met de politie te praten. Maar ik zou wel graag in de flat van uw dochter willen rondkijken, en ook met Mike Stevens willen praten.'

Jenny verliet het huis van de Crosby's met de sleutels van Anna Rose' flat en het mobiele nummer van Mike Stevens. Ze belde hem vanuit haar auto, in de hoop hem later die ochtend te kunnen ontmoeten, maar hij antwoordde vanuit een hotelkamer in het Lake District. Hij was het weekend op een zakenreis naar de nucleaire opwerkingsfabriek in de buurt van Sellafield. Hij schoot er niets mee op om thuis te blijven en zei dat Anna Rose' ouders alle vrienden en kennissen van haar hadden gesproken, en dat waren er heel wat meer dan hij kende. Ze waren nog maar een kleine drie maanden samen geweest.

Jenny zei: 'Ik weet dat dit een beetje vreemd klinkt, meneer Stevens, maar zou Anna Rose toegang gehad kunnen hebben tot radioactief materiaal, cesium 137 bijvoorbeeld?'

Bij wijze van antwoord viel er zover zij kon nagaan een verbijsterende stilte. Toen Mike Stevens zijn stem hervond, zei hij: 'Waarom vraagt u dat?'

'Er zijn sporen van dat materiaal opgedoken bij een andere zaak die we aan het onderzoeken zijn.'

'Een dode?'

Jenny zei: 'Geen paniek. Afgezien van het cesium is er geen verband met Anna Rose. Ik moet alleen weten of daarvan iets uit uw kerncentrale ontvreemd zou kunnen zijn.'

'Hemel, nee. Weet u iets over de nucleaire industrie? Alles gaat met robots.'

'U zegt dus dat het onmogelijk is dat ze de hand had kunnen leggen op zulk materiaal?'

'Ze had daar net zo weinig kans voor als u. Waar gaat dit over? Wat heeft ze volgens hen gedaan?'

'Niets. Het zijn waarschijnlijk twee gebeurtenissen die los van elkaar staan. Nog één vraag... Wat weet u van een Aziatische vriend van haar die Salim heet?'

'Nooit van gehoord.'

'Haar moeder zag hem afgelopen oktober uit haar flat vertrekken.'

'Waar komt dat verdomme vandaan? Ze was in oktober met mij.'

'Sorry dat ik u heb lastiggevallen, meneer Stevens. Meneer of mevrouw Crosby zal u op de hoogte brengen. Probeert u zich geen zorgen te maken.'

'Hé...'

Ze hing op en belde Alisons privénummer. Het toestel ging zeven keer over voor ze met een behoedzaam hallo opnam.

'Ik dacht dat je misschien in de kerk zat,' zei Jenny.

Alison negeerde die opmerking. 'U leeft dus nog, mevrouw Cooper. Half Bristol probeert u te bereiken. Iedereen denkt dat u iets weet.'

'Nog niet, maar ik ben er druk mee bezig. Is het al in het nieuws geweest? Ik heb nog niets gehoord.'

'Geen kik. Er moet een soort radiostilte zijn.'

'Ik weet niet of dat angstaanjagend of geruststellend is. Ik heb een stralingsmeter nodig.'

'Een wat?'

'Het nummer van Andy Kerr volstaat.'

Andy beantwoordde haar telefoontje op een plek waar het klonk als een sportschool, met op de achtergrond slechte popmuziek en gerammel van gewichten. Hij werd duidelijk op zondagochtend niet door een vriendin beziggehouden. Hij had de stralingsmeter nog in de zak van zijn labjas, zei hij, maar het hele lijkenhuis was verzegeld terwijl het werd ontsmet. Hij verwachtte niet voor het midden van de week weer naar binnen te mogen. Hij zou Sonia Cane hebben gebeld, maar hij had gehoord dat ze een klacht aan het opstellen was omdat hij onheus had gehandeld door de Health Protection Agency niet onmiddellijk in te lichten nadat hij de straling op het lijk van mevrouw Jamal had ontdekt.

'Waar is ze bang voor?' vroeg Jenny.

'Hetzelfde als ik: dat ze ontslagen wordt. Mij is al verteld dat ik er met niemand over mag praten, kennelijk zelfs niet met u.'

'Ik zeg niets. Dus hoe kom ik aan een stralingsmeter?'

'Vandaag?'

'Dat zou wel handig zijn.'

Andy zuchtte. 'Ik zal wat rondbellen.'

Jenny haalde de filmstralingsmeter op bij de junior röntgenlaborant die in het Vale de zaterdagdienst draaide. Hij stelde geen vragen en Jenny legde niets uit. Er lag een rij slachtoffers op hem te wachten en in zijn werk was de meter een weinig opvallend stuk standaardgereedschap. Hij was lang niet zo geavanceerd als Sonia's handapparaatje: een stukje fotografische film zat in een badge zo groot als een creditcard met een kleurenspectrum. Wanneer hij aan straling werd blootgesteld, zou de film gaandeweg een donkerder tint groen laten zien.

Het was nog geen kwartier rijden naar de flat van Anna Rose in een nieuw pand, niet ver van Parkway Station aan de noordwestelijke rand van de stad. In het gebied wemelde het van de bedrijventerreinen, industrieterreinen en verkeersaders en het had weinig charme, maar lag gunstig ten opzichte van de snelweg en op nog geen achttien kilometer afstand van Maybury. Het uit drie verdiepingen bestaande pand stond in de verste hoek van het terrein ingeklemd. Langs elke centimeter van de smalle weg waren auto's geparkeerd. Er was nergens een plekje te vinden, dus Jenny blokkeerde met haar auto iemands draaicirkel.

Er zaten twee sleutels aan de ring die de Crosby's haar hadden gegeven. Met de eerste maakte ze de deur naar de afgesloten gemeenschappelijke hal open; de tweede paste op de deur van Anna Rose' flat. Jenny keek op de stralingsmeter: die bleef op de lichtste groentint staan.

Ze betrad een klein, opmerkelijk opgeruimd tweekamerappartement. De deur kwam vanaf de overloop buiten direct uit op een woonkamer met open keuken, waarin een paar eenvoudige, moderne meubels stonden. Een raam keek uit over een met hekken afgeschermd terrein met armetierige struiken dat klaar was om ontwikkeld te worden, wat nooit was gebeurd. De stralingsmeter veranderde niet. Ze bewoog zich door de kamer, keek naar een stellingkast met daarom leerboeken van de universiteit, opende laden, controleerde de badkamer en doorzocht grondig de kleine slaapkamer, terwijl ze de stralingsmeter in elke hoek stak, die echter koppig op 'geen gevaar' bleef staan.

Ze was zowel opgelucht als teleurgesteld, en een beetje moe. Ze ging op een van de twee stoelen aan de kleine vurenhouten tafel zitten en maakte de inventaris op. Het interessantst was nog wat ze níét had gevonden. Er was geen koffer of rugzak, geen computer, camera of mobiele telefoon. Geen portemonnee of tandenborstel. Er hingen lege hangertjes in de kledingkast; in de ladekast lagen alleen een paar sokken en ondergoed. Op de voordeur waren geen sporen van braak te zien. De stapel post op het keukenbuffet en de paar stukken die ze van de mat had opgeraapt waren niet opvallend: rekeningen of rommel. In tegenstelling tot Nazim en Rafi leek het erop dat Anna Rose doelbewust had gepakt en was vertrokken.

Jenny deed haar best de verleiding om aan het speculeren te slaan te vermijden, maar haar intuïtie kon ze niet negeren. Een zesde zintuig vertelde haar dat deze kamer toebehoorde aan iemand die nog leefde, die nog meespeelde. Het rook er niet naar de dood; de atmosfeer was verstoord, maar niet beklemmend.

Ze keek de kamer nog een laatste keer rond op zoek naar een aanwijzing. Er was niets. Geen blocnotes, geen stukjes papier, geen vuilnis in de bak. Nagenoeg geen enkel spoor van Anna Rose behalve haar leerboeken en een paar paperbacks die op de plank eronder stonden. Jenny keek naar de titels: allemaal lichte kost, enigszins gewaagde chicklit en een paar kitscherige biografieën van celebrity's. Anna Rose mocht dan intelligent zijn, je kon haar bepaald niet gecultiveerd noemen. Jenny vond het maar vreemd dat een slimme jonge vrouw buiten haar smalle vakgebied intellectueel niet nieuwsgierig was, en toch kwam het verschijnsel haar op de een of andere manier bekend voor. Ze richtte haar aandacht op een ingelijste poster, het enige voorwerp in de flat dat enigszins op een kunstwerk leek. Ze had het tot dan toe nauwelijks opgemerkt: van een afstand zag het eruit als een grove cartoon die op de *Mona Lisa* gebaseerd was. Van dichtbij was het een collage van honderden foto's van een jongere, schaars geklede Britney Spears in opvallend provocerende houdingen. Het was knap gedaan, bedacht Jenny, en ze stelde zich voor dat het zowel aantrekkelijk zou zijn voor de wetenschapper als voor het feestbeest in Anna Rose: sexy en serieus tegelijk. Ze moest terugdenken aan haar bezoek aan het huis van Sarah Levin: de jonge academica die haar dagen met haar hoofd bij de deeltjestheorie zat, maar 's avonds als ze thuiskwam naar MTV keek en glossy tijdschriften las. Het viel haar op dat deze jonge vrouwen er een bepaalde houding op na hielden: ze vonden heel veel vanzelfsprekend van wat Jenny's generatie nooit vanzelfsprekend had gevonden, maar voelden zich er merkwaardig oppervlakkig en apathisch bij. Waar geloofden ze in? Waar konden ze in tijden van crisis op terugvallen?

Ze controleerde de stralingsmeter nog een laatste keer en sloot het appartement achter zich af. Het stralingsspoor was koud geworden, maar toen ze het pand verliet, wist ze wat haar te doen stond.

Toen Jenny bij het appartement van Sarah Levin aanbelde, werd er niet opengedaan. Ze wachtte ruim een uur in de auto en probeerde de theorieën die haar hoofd binnendrongen in een aantal geloofwaardige mogelijkheden te rangschikken. Gezien het feit dat die allemaal moesten beginnen met de diefstal van radioactief materiaal, was dat geen sinecure.

Het was gaan regenen. Ze voelde zich moe en had behoefte aan een pil toen er een kobaltblauwe Fiat 500 op een plekje aan de overkant van de straat parkeerde. Sarah Levin sprong eruit en liep met verschillende tassen uit dure winkels in de hand naar haar voordeur. Jenny haalde haar in en onderschepte haar op straat.

'Dr. Levin, ik moet u nog een paar vragen stellen.'

De jonge vrouw was verbaasd en beledigd.

'Nu? Meent u dat nou? Ik ben maar vijf minuten thuis en daarna moet ik weer weg.'

Ze liep naar haar voordeur. Jenny ging achter haar aan.

'Het gaat over Anna Rose Crosby. Ik begrijp dat u haar goed hebt gekend.'

Sarah Levin bleef staan en draaide zich geïrriteerd om.

'Ik heb een paar bevriende advocaten... Zij zouden het niet kunnen geloven dat u me thuis bent komen opzoeken. Wat denkt u wel niet?'

'Ze wordt vermist.'

'Dat heb ik gehoord.'

‘Weet u ook waarom?’

‘Waarom zou ik dat weten? Ik was haar studiebegeleider, niet haar vriendin. Ik moet nu echt opschieten.’ Ze viste haar sleutels uit haar zak.

Jenny zei: ‘Haar familie was heel verbaasd dat ze tot het postdoctoraalprogramma in Maybury werd toegelaten. Ze zeiden dat u misschien voor haar aan een paar touwtjes had getrokken.’

Sarah Levin zuchtte theatraal en schudde haar lange blonde haar naar achteren. ‘Ik schrijf voor al mijn studenten een aanbeveling. Ik heb geen idee waar dit allemaal over gaat, en aangezien u niet geneigd bent me dat te vertellen, kunnen we het er net zo goed bij laten, nietwaar?’

Jenny stond op het punt haar met het hele verhaal om de oren te slaan – mevrouw Jamal, het cesium 137, de hele mikmak –, maar ze hield zich in. Er lag paniek in Sarah Levins uitdagende blik, en woede. Ze had tegen Jenny ontkend en zo nodig kon ze dat later tegen haar gebruiken.

Kalm zei Jenny: ‘U leek nogal te schrikken toen ik haar naam noemde.’

‘En dat heeft zeker niets te maken met het feit dat u me op de drempel van mijn huis staat op te wachten?’

‘Hebt u geen idee waardoor ze verdwenen is?’

‘Dit is belachelijk. Totaal niet.’

‘Wanneer had u voor het laatst contact met haar?’

‘Dat weet ik niet meer. Vorige zomer.’

‘Wilt u dat onder ede zweren?’

‘Het spijt me, mevrouw wie-u-ook-bent, maar ik heb hier genoeg van. U kunt me om een geschreven verklaring vragen, maar u kunt me niet op straat ondervragen. Ik ben niet achterlijk.’

Ze liep de deur door en duwde hem met kracht achter zich dicht. Haar geur bleef nog even in de lucht hangen. Als Anna Rose knap was, dan was Sarah Levin mooi. Het was niet alleen haar uiterlijk, het was een soort chemie. Geen man of vrouw zou langs haar heen kunnen lopen zonder wellustig of jaloers om te kijken. Op grond van de foto’s die ze van hem had gezien, vermoedde Jenny dat Nazim er ook had mogen zijn. Hij was zonder meer knapper dan Sarah Levins huidige partner. Ze kon zich goed voorstellen dat Nazim hopeloos verliefd op haar zou worden, welke religieuze principes hem ook in de weg zaten. En voor een vrouw die iedereen kon krijgen, moest hij een van de interessantere partijen zijn geweest.

Jenny haastte zich weer naar de auto en haalde haar telefoon tevoorschijn.

‘Alison, met mij.’

‘Dat weet ik, mevrouw Cooper, dat hoor ik aan de bel.’

'Er was geen straling in de flat van Anna Rose.'
'O. Verbaast dat u?'
Jenny sloeg geen acht op de sarcastische toon. 'Ik heb net weer met Sarah Levin gesproken. Er kwam zojuist iets bij me op... Kun je aan haar medische gegevens komen?'
'Wat, zonder haar toestemming?'
'Ja.'
Ergens op de achtergrond riep Alisons man iets naar haar, boven het geluid van een keffende hond uit. Ze riep terug dat hij moest wachten en praatte toen weer met haar verder.
'Gaat dat niet tegen de voorschriften in, mevrouw Cooper? Is het niet de bedoeling dat u dat aan de getuige vraagt?'
'Vergeet de voorschriften, zorg dat je ze krijgt.'

Jenny was dwars door de stad gereden en staarde door een gestreepte voorruit naar een mistige vierbaansweg toen het bij haar opkwam dat er één ander iemand was die zowel Anna Rose als Nazim met elkaar verbond: de onbeholpen professor Rhydian Brightman. Ze wist er weinig van hoe het er op universiteiten aan toeging, maar dacht wel dat ze veilig kon aannemen dat in een gesloten instituut de professionele contacten intensief waren en dat er onder de collega's niet veel onopgemerkt bleef. Brightman moest van Anna Rose gehoord hebben, en als er omwille van haar aan touwtjes was getrokken, was het meer dan waarschijnlijk dat hij daar ook een bijdrage aan had geleverd.
Ze stopte bij een pompstation vlak voor de M4-snelweg en pleegde nog wat telefoontjes. Uiteindelijk spoorde ze een portier op van een van de studentenhuizen, die haar fijntjes meedeelde dat zijn baan hem te veel waard was om privénummers van personeelsleden door te geven. Jenny verloor haar geduld en zei hem dat hij, als hij niet binnen vijf uur terugbelde, een bezoek van de politie kon verwachten.
Brightman belde haar zelf terug en vroeg weifelend hoe hij haar van dienst kon zijn. Jenny verontschuldigde zich dat ze hem in het weekend stoorde en vroeg of ze konden afspreken.
'Wat wilt u dan weten, mevrouw Cooper? Ik zou echt geen licht kunnen schijnen op wat er met die twee jongemannen is gebeurd.'
Jenny zei: 'De moeder van Nazim Jamal is donderdag dood aangetroffen.'
'O. De arme vrouw.'
Jenny zweeg even en dacht over haar volgende zet na. Wat kon het haar ook schelen, waarom gooide ze het er niet gewoon uit? Vroeg of laat zou hij het toch te horen krijgen. 'Het schijnt dat ze vlak voor haar

dood iemand op bezoek heeft gehad. En er waren sporen van cesium 137 op haar lichaam aangetroffen. Het appartementengebouw waar ze woonde is geëvacueerd.'

Hij zei even niets. 'Nou, ik weet niet wat ik moet zeggen...'

Jenny zei: 'Ik heb maar een paar vragen. Het duurt niet lang.'

'Misschien is het dan het best als u naar mijn kantoor komt.'

Professor Brightman wachtte op haar op de trappen voor de faculteit natuurwetenschappen. Hij was gekleed in een sjofele anorak en had een gehavende leren aktetas bij zich. Terwijl ze onbeholpen over koetjes en kalfjes praatte, liep Jenny achter hem aan door de koude, verlaten gangen naar zijn kantoor: een rommelig kamertje op de tweede verdieping met uitzicht op straat. Hij maakte een stoel voor haar leeg en verontschuldigde zich voor de temperatuur: op zondag werd uit zuinigheid de verwarming uitgezet. Ze gingen met jas en al aan weerskanten van het bureau zitten. Jenny voelde haar tenen nauwelijks.

Geagiteerd duwde Brightman zijn bril met dikke glazen omhoog op zijn neus. 'Mag ik vragen wat dit voor manier van doen is, mevrouw Cooper? Normaal gesproken verwachten mijn werkgevers van me dat ik ze informeer wanneer ik door de autoriteiten word ondervraagd.'

'U staat onder geen enkele verdenking, professor. U mag hun alles vertellen wat u maar wilt.'

Hij roffelde onrustig met zijn vingers op het bureau. 'Ik heb liever dat dit tussen ons blijft, als u het niet erg vindt. Maar als u wilt dat ik een officiële verklaring afgeef, ligt het voor de hand...'

'Zullen we dit stapje voor stapje doen? Vandaag ben ik hier vanwege een recentere student van u, Anna Rose Crosby.'

'Ik kan me haar herinneren. U gaat me toch niet vertellen...'

'Nee. We weten alleen dat ze vermist wordt. De enige reden waarom ik in haar geïnteresseerd ben, is dat ze in de kernindustrie werkt, en zoals ik u heb verteld, vertoont mevrouw Jamals lijk sporen van radioactieve besmetting.'

Brightman fronste onthutst zijn wenkbrauwen. 'Cesium 137? Weet u dat zeker?'

'De Health Protection Agency heeft het bevestigd. Honderdtien millisievert.'

Hij schudde verbijsterd zijn hoofd. 'Hoe kan dat in 's hemelsnaam? Waarom?'

'Ik heb geen idee. Maar nu Anna Rose tien dagen wordt vermist, ligt het voor de hand dat haar connectie met deze faculteit moet worden onderzocht, dat moet u toch met me eens zijn.'

'Ik kende haar nauwelijks, niet persoonlijk – tegenwoordig begeleid ik alleen postdoctoraalstudenten –, maar voor zover ik weet was ze een doodgewone student. Cesium 137? Dat hebben we hier helemaal niet. Ik weet niet of u weet hoe...'

'Ik heb er enig idee van. Het is niet het soort spul dat op een universiteit rondslingert, klopt dat?'

'Inderdaad. Misschien minuscule hoeveelheden voor specifieke experimenten, maar zeer streng gecontroleerd. Hier hebben we het niet.'

'Anna Rose Crosby volgde het postacademisch programma aan Marybury. Verbaast dat u?'

'Niet heel erg. Zover ik me herinner was ze een gemiddelde student.'

'Ik bedoel dit meer in het licht van haar persoonlijkheid.'

'Echt, daar kan ik niets over zeggen. Dr. Levin heeft daar vast eerder een mening over.'

'Ik heb het bij haar geprobeerd, maar ze is weinig behulpzaam.'

'O,' zei Brightman, op zijn hoede. 'Hebt u haar al gesproken?'

'De moeder van Anna Rose Crosby zegt dat dr. Levin haar aan deze baan heeft geholpen. Ze wekte de indruk dat mevrouw Levin haar invloed heeft aangewend.'

'Ik neem aan dat ze wel wat contacten heeft. We verzorgen zo nu en dan bedrijfspresentaties voor studenten.'

'U lijkt er niet zeker van.'

'Nee... ik denk aan wat u net zei. Dr. Levin is nog altijd een betrekkelijke junior op de faculteit. Ze heeft niet veel invloed om aan te wenden, en eigenlijk gaat het hier ook niet zo in zijn werk.'

Jenny bestudeerde zijn gezicht. Hij leek oprecht in de war en bezorgd over de richting die haar vragen op gingen. Hij kwam niet op haar over als een man die overtuigend zou liegen. Hij was een verstrooide academicus, volkomen wereldvreemd. Er zaten vlekken op zijn anorak en sporen van herhaalde scheerwondjes in zijn hals. Ze kon wel bedenken dat hij mensen verkeerd inschatte, dat hem van alles en nog wat ontging van wat zich vlak voor zijn neus afspeelde, maar ze kon zich niet voorstellen dat hij achterbaks iets zou bekokstoven.

'Anna Rose' ouders denken dat ze vorig jaar misschien een Aziatisch vriendje heeft gehad. Salim of zo. Doet dat een belletje rinkelen?'

Hij schudde zijn hoofd. 'Sorry. Zoals ik al heb uitgelegd, ben ik niet de juiste persoon om dat aan te vragen.'

'Misschien kunt u het bij een van uw collega's navragen, die misschien dichter bij haar stond – dr. Levin zelfs.'

'Ja... Ja, natuurlijk,' zei hij afwezig. Hij dacht duidelijk al aan de mogelijke schandalen waar hij mee overspoeld kon worden.

Jenny aarzelde en voelde met hem mee. Hij leek hulpeloos, kennelijk was hij geen politiek dier. Ze stelde zich voor hoe jongere collega's gretig manoeuvreerden om hem bij het minste of geringste spoortje mismanagement uit zijn rommelige kantoortje te wippen.

Ze sloeg een vriendelijker toon aan, omdat ze vond dat ze hem meer op zijn gemak moest stellen. 'Mag ik u iets puur over uw werk vragen?'

'Uiteraard.'

'Het enige wat ik van cesium 137 weet is dat het gevaarlijk is, dat het een bijproduct van de kernindustrie is en dat er veel van in de buurt van Tsjernobyl ligt. Waar wordt het eigenlijk precies voor gebruikt?'

'Terecht dat u over Rusland begint,' antwoordde hij in een levendig staccato. 'Men vermoedt dat het grootste deel van het illegale materiaal daarvandaan komt: van verarmde Sovjetwetenschappers die begin jaren negentig een paar dollars wilden verdienen. Ja, zover ik in de populair-wetenschappelijke pers heb gelezen wordt het materiaal voor een vuile bom gebruikt. Een kleine hoeveelheid in de kern van een conventioneel wapen zou een hele stad de lucht in kunnen laten vliegen, waarna die tientallen jaren onbewoonbaar zal zijn. Afschuwelijk.'

'Ik begrijp het.' In haar beslist niet exact-wetenschappelijke brein vormde zich nu een helder beeld. Ze had een vaag idee gehad dat de stof voor vergiftiging gebruikt zou kunnen worden, of zelfs voor een plaatselijke bom, maar had nooit begrepen dat zoiets enorms als een complete stad doelwit zou kunnen zijn.

Ze keken elkaar over de wanordelijke stapels boeken en papieren heen aan, en voor het eerst begreep Jenny waarom hij zo intens ongerust was.

'Hebt u enig idee hoe mevrouw Jamal besmet is geraakt?' vroeg hij. 'Ik kan me voor de antiterroristenbrigade niets zorgwekkenders voorstellen dan dit.'

'Nee,' zei Jenny. 'Maar er is ter plaatse een man gesignaleerd. Lang, blank, slank, rond de vijftig. Hij vertoont overeenkomsten met een figuur die het studentenhuis verliet waar Nazim Jamal woonde op de avond dat hij verdween.'

Brightman staarde in de ruimte. 'Ik herinner me dat de politie destijds zoiets heeft gezegd. Een van de studenten beweerde dat ze hem had gezien.'

'Ze heet Dani James. Ze heeft getuigd op de openingsdag van mijn gerechtelijk onderzoek, vorige week. Ze beweert ook dat ze in de week daarvoor met Nazim naar bed is geweest.'

'Ik heb een persbericht gezien...' Zijn stem zwabberde alsof hij wijs probeerde te worden uit die onsamenhangende fragmenten.

Jenny zei: 'Nazim schijnt aan het einde van het eerste semester met een ander meisje te zijn geweest, een welbespraakt iemand. U kunt me zeker niet vertellen of dat dr. Levin was, hè?'

Brightman richtte zijn ogen op haar. 'Sorry?'

'Ik vroeg me gewoon af of Nazim en zij een stel zijn geweest.'

'Waarom vraagt u dat?' Zijn ogen, die hij had opengesperd van verbazing, werden nog eens uitvergroot door zijn dikke brillenglazen.

Jenny zei: 'Zijn moeder nam een keer per ongeluk een telefoontje van een meisje aan. Het is nogal een gok, maar wie ze ook is, ze weet misschien iets over hem wat wij niet weten.'

Brightman slikte onbehaaglijk.

Ze had iets geraakt, dat wist ze zeker.

'Nu we het erover hebben, ik heb ze wel een keer samen gezien,' zei hij. Hij schraapte zijn keel. 'De reden waarom ik dat nog weet is omdat deze vraag me al eerder is gesteld – dat moet eind 2002 zijn geweest –, door mevrouw Jamals advocaat, geloof ik.'

Jenny's hart ging als een razende tekeer. 'Alec McAvoy?'

Brightman fronste zijn voorhoofd. 'Ja... een Schot.'

'Heeft hij u gevraagd of u dacht dat Nazim en Sarah Levin een relatie hadden?'

'Ja,' zei hij schuldbewust. 'En het enige wat ik me kon herinneren was dat ene incident. Dat was in het lab in de gang. Je raakt eraan gewend dat studenten...'

Jenny kon nauwelijks iets uitbrengen. 'Wat hebt u McAvoy verteld?'

'Dat ik ze heb betrapt. Ze deden een stap naar achteren alsof ze hadden staan zoenen. Ik weet nog dat ze er allebei nogal verhit uitzagen.'

'Heb u hier ooit met dr. Levin over gepraat?'

'Dit soort dingen breng je niet ter sprake,' zei hij, en hij voegde er verdedigend aan toe: 'Ze is heel begaafd. Ze heeft met een studiebeurs Harvard doorlopen en kwam er met uitmuntende referenties vandaan.' Zijn gezicht had nu een bijna gekwelde uitdrukking. 'Sarah zou zich niet met iets ongepasts inlaten. Dat is ondenkbaar.'

Jenny haalde diep adem. 'Als u geen bezwaar hebt, wil ik graag dat u een verklaring aflegt.'

Haar lijf stond in brand, ze voelde de kou niet langer.

19

Het was mensen altijd opgevallen hoe kalm Jenny slecht nieuws opnam. Terwijl anderen in tranen uitbarstten wanneer er een plotseling sterfgeval of een onverwacht drama werd aangekondigd, was haar uiterlijke reactie steevast het tegendeel. Er daalde een onnatuurlijke sereniteit over haar neer, haar ogen bleven halsstarrig droog, terwijl de door emoties overmande mensen naar haar toe trokken op zoek naar geruststelling. Ze ging er zo verstandig mee om, zeiden ze altijd, ze was zo'n rots in de branding. Vele jaren lang had ze geloofd dat ze een soort unieke immuniteit tegen verdriet bezat, dat ze eenvoudigweg sterker was dan de meeste mensen. Pas op haar negenendertigste en tot haar 'episode' – ze had het altijd vertikt om het een zenuwinzinking te noemen – besefte ze de waarheid. Met hulp van dr. Travis, de vriendelijke psychiater die haar geduldig en vertrouwelijk door de daaropvolgende intens pijnlijke maanden heen had geloodst, had ze leren begrijpen dat over een bepaalde drempel haar emoties verinnerlijkt raakten en dat die niet door de oppervlakte heen konden breken. Ze waren er wel, in sterke mate zelfs, maar werden ingekapseld in een kluis ergens diep in haar onderbewuste. De truc was om de deur centimeter voor centimeter te openen om het daar opgeslagen trauma – wat dat ook mocht zijn – eruit te laten sijpelen om het te verwerken. Maar wat ze ook had geprobeerd, ze had de sleutel nog niet gevonden.

Alec McAvoy had haar misleid. Hij had al die tijd geweten dat er iets tussen Sarah Levin en Nazim gaande was geweest, maar dat had hij haar niet verteld. Waarom niet? Hij had haar onderzoek bijgewoond, haar opgezocht toen ze alleen was en poëzie gedeclameerd.

Wie was hij, deze achterbakse advocaat en veroordeelde die wist hoe hij haar vanbinnen moest raken, deze man die haar als geen ander het gevoel gaf dat ze niet alleen was? Wat wilde hij van haar? Had Alison dan toch gelijk, gijzelde hij haar gerechtelijk onderzoek in de hoop een vernielde carrière terug te winnen? Of waren zijn motieven zelfs nog duisterder?

Ze wist het niet. Ze kon het niet weten. Haar instincten waren stilgevallen, haar reacties verdoofd. Het gevoel van razernij, woede en verraad dat uit haar had moeten stromen, was diep vanbinnen opgesloten, waardoor ze niets anders kon dan vasthouden aan een dun laagje logica. Was hij een engel of een duivel? Ze tastte in het duister en kon daar op geen enkele manier achter komen.

Met het flintertje besef dat ze nog overhad, besloot ze zich op veilige grond terug te trekken. Ze zou alleen nog op haar intellect vertrouwen, alle speculatie weerstaan en haar gerechtelijk onderzoek strikt volgens de regels uitvoeren. Haar fout was geweest dat ze dat kostbare rationele deel van haar, dat elke aanval weerstond, had laten ondermijnen. Graaf zo diep als je wilt naar de grondvesten, had dr. Travis haar verteld, en misschien zullen ze schudden, maar omvallen zul je nooit.

Terwijl ze de laatste kilometer over de laan naar Melin Bach af reed, werd ze zich ervan bewust dat veertig minuten en dertig kilometer in een oogwenk voorbij waren gegaan. De angsten en beelden die haar vaak tijdens deze donkere reizen naar huis teisterden, waren opgelost. Ze volgde met haar ogen de koplampen en met een geest zo emotieloos als het mechanisme van een uurwerk plande ze haar strategie. Ze zou halverwege de week het onderzoek hervatten. Ze zou morgenochtend meteen getuigen dagvaarden en gedetailleerde kruisverhoren voorbereiden die elke oneffenheid in een verklaring aan het licht zouden brengen. Ze zou geen oordelen vellen en geen conclusies trekken als die niet volkomen gerechtvaardigd waren door wat ze had gehoord. Ze zou zich boven elke invloed of kritiek verheffen en naar de letter van de wet recht doen geschieden. Op die manier moest je fundamenten leggen en het zelfvertrouwen terugwinnen dat, zoals McAvoy moeiteloos en schrander had opgemerkt, uit haar was geslagen.

Misschien had hij haar ongewild sterker gemaakt.

Het licht in de cottage was aan en het pad aan de voorkant werd verlicht door de krachtige halogeenlamp die ze daar voor de winters had laten installeren. En op het laantje buiten stond een donkerblauwe BMW geparkeerd. Ze herkende hem meteen: hij was van David, haar ex-man.

Toen ze dichterbij kwam en parkeerde, stapte hij aan de bestuurderskant uit. Hij zag er zelfs nog slanker en fitter uit dan de laatste keer dat ze hem had gezien, drie maanden geleden. Hij droeg een kakibroek en een T-shirt onder een nauwsluitende lamswollen V-halspullover. Hij was zevenenveertig en zijn haar was nog altijd natuurlijk donkerbruin. Zijn gezicht vertoonde zoveel rimpels dat hij er gezag door kreeg, terwijl zijn jongensachtigheid nog altijd in zijn gelaatstrekken aanwezig was. En op de een of andere manier wist hij een soort leeftijdsloosheid uit te stralen, ondanks de vijftienurige werkdagen die hij als hartchirurg maakte. Het was niet eerlijk dat hij er steeds beter uit ging zien terwijl zij langzaam wegkwijnde. Hij beende als altijd met zijn achteloze arrogantie naar haar toe toen ze uit de auto stapte.

'Jenny. We vroegen ons al af waar je was.' Hij keek haar aan op die manier van hem die zei dat alles aan haar onvermijdelijk lichtelijk amusant zou blijken te zijn.

'Ik heb mijn telefoon uitgezet. Mensen vallen me in het weekend lastig.' Ze keek naar het huis en zag Ross door het gordijnloze overloopraam. 'Ik dacht dat hij vannacht bij jou zou blijven.'

'Dat doet hij ook...' Hij schonk haar een meer verzoenende glimlach. 'Maar hij heeft besloten nog een tijdje langer te blijven.'

'Wat? Hoe lang dan? Wat heb je tegen hem gezegd?' Ze hoorde hoe kribbig ze klonk.

'Kalmeer een beetje, Jenny. Ik ben hier niet om ruzie te maken, integendeel. Het is hier koud. Zullen we naar binnen gaan?'

Hij gebaarde naar het hek. Ze zette geen stap.

'Wanneer heeft hij dat besloten? Ik dacht dat hij hier gelukkig was. Hij heeft zijn vriendin verderop...'

'Die ziet hij op school.'

'Het hele idee was om hem uit de stad weg te houden. Sinds hij bij mij is, heeft hij geen drugs aangeraakt.'

'Hij is de afgelopen zomer een stuk volwassener geworden. Dat merk ik nu waarschijnlijk eerder doordat ik hem minder vaak zie.'

'Hoe is dit gebeurd? Hoe komt dit?'

'Kunnen we hier kalm over praten?'

'Ik ben volkomen kalm, David.'

'Je trilt.'

Jenny sloot haar ogen en hield zichzelf voor dat ze hier niet op moest reageren.

'Het enige wat ik vraag,' zei ze, zichzelf uit alle macht beheersend, 'is dat je me uitlegt wat er veranderd is. Jij moet met hem gepraat hebben.'

'Wil je dat gesprek echt hier buiten voeren?'

'Waar je maar wilt.'

Ze beende het pad op.

David zei: 'Wil je dat ik meeloop of niet?'

'Het is misschien een idee, aangezien je voorstelt om me mijn zoon af te pakken.'

De voordeur stond op een kier. Ze duwde hem open en liep regelrecht naar de woonkamer, terwijl ze haar jas uitwurmde en over een stoel gooide. David liep aarzelend achter haar aan.

'Zo te horen is hij boven,' zei Jenny. 'Doe de deur maar dicht.'
Ze bleef met over elkaar geslagen armen staan wachten op een verklaring. David keek de kamer rond – de flagstones op de vloer, de lage balken en tochtige ramen –, terwijl zijn gezicht uitdrukte: geen wonder dat hij hier niet wil blijven.
'Nou?' zei Jenny.
David liep naar de bank en ging aarzelend op de armleuning zitten, alsof die het onder hem zou begeven. 'Ik zal eerlijk tegen je zijn, Jenny. Hij maakt zich zorgen om je. Hij denkt dat je te veel onder druk staat om ook nog voor hem te kunnen zorgen.'
'Heeft hij dat gezegd?'
'Ja.'
'Omdat ik niet elke avond om zes uur het eten op tafel zet? Jij maakt nog langere dagen.'
'Ik heb Deborah.'
'Zij heeft ook een carrière.'
'Ze is net parttime gaan werken.'
'O ja? Heb je haar daarin een keus gelaten?'
David incasseerde de sneer met een vaag spottend lachje. 'Sterker nog: het is haar eigen beslissing. Ik was van plan het je te vertellen: ze is zwanger.'
'Aha, ik begrijp het.' Ze voelde zich verdoofd. 'Dan moet ik je zeker feliciteren?'
'Dank je. Het was niet bepaald gepland.'
Jenny reageerde daar niet op. Hoe wanhopig ze ook aan het eind van hun huwelijk aan David had willen ontsnappen, een deel van haar was nog steeds verontwaardigd dat er een andere vrouw in zijn leven was. Het feit dat Deborah nog in de twintig was, aantrekkelijk, en dat ze zich zoetjes schikte, maakte alles des te bitterder.
'Ik wilde je er vandaag niet mee overvallen,' zei hij met een spoortje spijt.
'Je hoeft je over mij niet schuldig te voelen, hoor.'
Maar dat deed hij wel. Dat zag ze in de ernst rondom zijn ogen.
In de daaropvolgende korte stilte bewogen Ross' voeten over de krakende planken in de kamer boven hen. Kasten gingen open en dicht, de klap van de deur van de garderobekast: geluiden van haastig inpakken.
'Ik neem aan dat je wilt dat ik eerlijk tegen je ben?' zei David.
Ze hield de sarcastische opmerkingen die ze wilde maken in. Hoe kon ze liever hebben dat hij óneerlijk was? Hij draaide het altijd zo dat ze het gevoel had dat ze de door hem toegebrachte wonden zelf veroorzaakte. Ze vermoedde dat het een techniek was die hij in de praktijk had ge-

leerd, dat hij op die manier als vanzelf afstand nam van het lijden van zijn patiënten en de sterfgevallen die zich met enige regelmaat voordeden.

David vermande zich. 'Hij heeft het gevoel dat je het niet aankunt, Jenny. Hij is niet egoïstisch, hij voelt het als een last. En als hij hier blijft en je zo ziet worstelen, voelt hij zich nog schuldiger.'

'Waarom denkt hij dat ik worstel? Ik vind het heerlijk dat hij hier is... Ik dacht dat het prima ging.'

'Er is nooit eten in huis.'

'Dat is niet waar...'

'Ik veroordeel je niet. Ik zou het zelf niet veel beter doen.'

'Waarom zegt hij dat niet zelf tegen me? We kunnen eten laten bezorgen.'

David zuchtte en streek met een hand over zijn gespierde nek. 'Jezus, Jenny, je voelt je niet goed genoeg om voor iemand anders te zorgen.'

'Wat weet jij daarvan? Het gaat prima met me.'

'Hij heeft me over gisteravond verteld, hoe je thuiskwam.'

'Ik was alleen maar moe.'

'Hij moest je in bed helpen. Dat weet je niet eens meer, hè? Wat is er gebeurd? Heb je te veel pillen genomen?'

Alle gevoel trok uit haar handen en voeten weg. Elke ademhaling werd een bewuste inspanning, terwijl haar zenuwstelsel het langzaam begaf.

'Het was laat geworden, dat is alles.'

'Waar ben je mee bezig, Jenny? Heb je hulp? Je gelooft het misschien niet, maar ik maak me zorgen om je.'

'Ik ga naar iemand toe.'

'Mooi. Dit soort dingen kun je te boven komen. Een paar collega's van me hebben me ervan verzekerd...'

'Bespreek je dit met je collega's?'

'Vroeger...'

Door haar blik bleef hij in zijn leugen steken.

'Alleen in strikt vertrouwen. Natuurlijk wil ik weten wat er nog meer voor je gedaan kan worden.'

'Als ik jou zo hoor, zou je niet denken dat ik een verantwoordelijke baan heb, gerechtelijke onderzoeken doe, verdrietige gezinnen troost...'

'Dat weet ik wel. Maar alles onderdrukken is ook niet goed, of wel? Je hoeft mij niets te bewijzen, Jenny, en geld speelt geen rol. Ik wil alleen dat het goed met je gaat. En dat geldt ook voor Ross.'

'En is dit jouw manier om me verder te helpen?'

'Je lost je eigen problemen niet op door die van anderen op te lossen.'

Boven hen ging een deur dicht. Ross' voetstappen klonken op de trap.

'Moet ik soms ook nog mijn carrière opgeven, bedoel je dat soms?'

'Doe nou alsjeblieft niet zo. Ik weet dat jij weet wat goed is. En onze zoon moet met zijn eigen problemen zien af te rekenen. Hij heeft veiligheid nodig.'

Ross was nu onder aan de trap.

'We zijn hier,' zei Jenny, zo opgewekt als ze kon zonder hysterisch te klinken.

De deurklink ging omhoog. Hij keek bleek en onbeholpen naar binnen.

'Hoi, mam.' Hij keek naar zijn vader.

'Het is in orde, Ross. We hebben zitten praten.'

Jenny dwong zichzelf tot een glimlachje. De woorden wilden niet komen.

'We vinden wel een oplossing voor de weekends, of wat dan ook,' zei David, meer tegen Ross dan tegen Jenny. Hij stond op. 'We moesten maar eens gaan. Jij hebt vast nog werk te doen.'

Ross keek naar de grond. 'Ik zie je later.'

'Ik hoop snel,' zei Jenny.

Hij knikte, zijn haar viel over zijn ogen.

David liep naar de deur en legde vaderlijk een hand op Ross' schouder. 'We komen er zelf wel uit.'

Hun voetstappen verwijderden zich snel over het pad. De kofferbak sloeg dicht, de motor werd gestart en David stoof de heuvel af, een stilte achterlatend die zo volslagen was als de duisternis van de nacht.

Jenny liet zich op een rechte stoel neerzakken en bleef heel stil zitten. Ze wilde dat ze de schaamte kon voelen die gepaard had moeten gaan met de beelden die door haar hoofd speelden: met kleren en al wakker worden, de verspreid liggende pillen op de grond, het onsamenhangende gekrabbel in haar dagboek dat open aan het voeteneind lag. Ross had het vast gelezen, al was het maar om te kijken waarom zijn moeder wankelend thuis was gekomen, niet in staat om zelfs maar in haar eigen bed te komen. Hij wist nu van een man die McAvoy heette, haar schuld- en lustgevoelens, haar spoken. Dat zou hij zijn vader uiteraard niet vertellen, want dan zou zijn verwarring alleen maar dubbel zo groot worden omdat hij een moeder had die half kierewiet was. Hij zou het voor zichzelf houden.

En het ergst was nog dat David gelijk had. Ze was niet in staat om voor een jongvolwassene met zijn eigen problemen te zorgen. Ze had zichzelf wijsgemaakt dat Ross onder haar dak op het rechte pad was gekomen, terwijl hij zijn kalmte bewaarde omdat haar perikelen voortdurend de zijne overschaduwden. Ze had hem geen ruimte gegeven, ze had hem ingekapseld.

Voor haar gevoel was het niet netjes om in ironische termen te denken, maar ze herinnerde zich wat haar overleden moeder, die haar gezin in de steek had gelaten toen Jenny nog op school zat, ooit had gezegd toen ze voor het eerst over een scheiding van David had gerept: dat kinderen veel beter gedijden met ongelukkige ouders die bij elkaar waren dan bij gelukkige stellen die apart woonden. Wat had ze tegen die gedachte geprotesteerd. Wat was ze tekeergegaan tegen het idee dat een onderdrukte en ongelukkige vrouw beter voor haar kind kon zorgen. Een andere basisregel van haar moeder was uit bittere ervaring voortgekomen: een vrouw die huis en haard verliet, verliet alles. Misschien had ze uiteindelijk toch gelijk. Ze had nog niets meegemaakt wat het tegendeel bewees, en dat gold ook voor mevrouw Jamal.

De telefoon ging zo plotseling over dat het geluid haar zenuwen schokte. Ze nam met een afgemeten hallo op, maar werd begroet met een elektronische stem die meldde dat er berichten waren op haar voicemail. Versuft gehoorzaamde ze het verzoek en luisterde ze ze af.

Het waren er acht. Inspecteur Pironi had twee keer gebeld, de eerste keer om te benadrukken dat de gebeurtenissen in de flat van mevrouw Jamal een strikte politieaangelegenheid waren, en ten tweede om haar op het hart te drukken dat het onderzoek naar de stralingsbron geheim was. De pers was verteld dat de werklui in witte pakken die het appartementencomplex hadden betreden op zoek waren naar meer forensisch bewijs. Er waren twee telefoontjes van plaatselijke journalisten die op informatie uit waren, een van Gillian Golder, die Jenny kortaf verzocht haar zo snel mogelijk terug te bellen, en twee van Simon Moreton, de hoofdambtenaar van het ministerie van Justitie die verantwoordelijk was voor de rechters van instructie. Op de beleefde, gemaakt vriendelijke manier waarop hij zijn onvoorspelbare aantijgingen verpakte, vroeg hij of ze hem 'wegens een belangrijke kwestie' wilde bellen, en hij liet zijn privénummer achter. Het laatste bericht was van Steve, met de vraag hoe het met haar ging en dat hij als ze wilde graag langs wilde komen als ze thuis was.

Met verdoofde vingers toetste ze zonder te weten waarom en zonder te weten wat ze tegen hem zou zeggen zijn nummer in. Hij nam bij de tweede keer overgaan op.

'Met mij. Je hebt een bericht ingesproken,' zei ze.

'Ja. Luister eens, ik... Ik had van de week niet zo weg moeten gaan.' Er klonk een zekere urgentie in zijn stem door, alsof hij gespannen op haar telefoontje had zitten wachten.

'Aha,' zei ze afstandelijk.

'Ik heb zelf het een en ander meegemaakt, weet je...'

'Mm-mm.'

Een stilte. Hij zuchtte, ongeduldig over zichzelf. 'Wat ik tegen je heb gezegd, over keuzes maken, dat mes snijdt aan twee kanten. Ik heb me tien jaar verstopt om die kwestie niet onder ogen te hoeven zien.'

Ze wist dat hij iets belangrijks wilde zeggen, dat hij op onderliggende kwesties wilde reageren, maar ze had geen flauw idee waar het over ging. 'Welke kwestie?' zei ze.

'Betrokkenheid,' zie Steve. 'Waar ik voor sta. Wat ik voel.'

'Ik begrijp het.'

'Ik moet met je praten, Jenny. Er is iets wat je moet weten.'

'Steve, ik ben verschrikkelijk moe...'

'Jenny...'

'David heeft Ross meegenomen.'

'O. Ben je alleen?'

'Ik voel me nu niet zo lekker. Kom maar niet... Ik moet slapen.'

'Jenny...'

'Alsjeblieft, niet doen.' Ze legde de hoorn op de haak en voelde alleen maar opluchting.

Ze kwam in de verleiding om haar dagboek te vernietigen, het in de haard te gooien en tot as te laten verteren. Ze nam het mee naar de kachel in haar werkkamer en wilde lucifers pakken, maar werd overweldigend nieuwsgierig naar wat ze als laatste had opgeschreven en ze wilde een glimp opvangen van die waanzin waardoor de wereld om haar oren knarste:

> *Ik weet niet wat er vanavond gebeurd is. Die man... Hij doet iets met me. Ik vind hem niet eens aantrekkelijk... Hij is zo vermoeid en opgebruikt. Maar wanneer hij me in de ogen kijkt weet ik dat hij nergens bang voor is. Wat betekent dat? Waarom hij? Waarom nu? Het is alsof*

Voor een deel wist ze nog dat ze het had opgeschreven, dat ze met een intensiteit aan haar bureau had gezeten die ze niet op papier kon overbrengen. Een nerveus klopje op de deur. Ross was binnengekomen om haar te zeggen dat het al laat was. Ze had het dagboek tegen haar borst geklemd toen ze hem naar boven had gestuurd... Haar schouder die langs de muur had geschuurd. Ze had gewankeld, de klim was te steil. En vanaf dat moment was haar geheugen zwart.

Ze sloeg het aantekenboek vol zelfverachting met een klap dicht, maar kon slechts naar de lucifers staren. Ze hoorde nog hoe dr. Travis haar destijds had gewaarschuwd dat ze haar fantasie in toom moest houden en dat ze zich niet door labiliteit moest laten verleiden om onzin te geloven of verbanden te zien die er niet waren. 'Hou vaste grond onder de voeten,' had hij gezegd. 'Zelfs het kleinste stukje land is beter dan alle zeeën bij elkaar.' Voor een recent slachtoffer was dat een verstandig advies, maar op een bepaald moment moest je weer verder, moest je nieuw terrein betreden.

Het is alsof... Het kwam weer bij haar terug. Ze pakte een pen, bladerde naar de pagina terug en maakte de zin af: *... hij naar me toe gekomen is om me iets te vertellen wat ik weten moet.*

Het was bijna middernacht. Ze nam het dagboek mee naar boven en verstopte het in haar speciale la. Toen ze in bed stapte en zich klein maakte tegen de kou, realiseerde ze zich dat er iets veranderd was. Voor het eerst in uren had ze een opflakkering van gevoel gehad – van angst en woede, en een vleugje, een piepklein greintje opwinding.

20

Ze kleedde zich in het zwarte mantelpakje dat ze normaal gesproken voor speciale gelegenheden bewaarde, met daarbij een ivoorkleurige zijden blouse, een eenvoudige zilveren halsketting en smalle, elegante schoenen die haar tenen afknelden. Ze depte wat parfum op haar polsen en trok haar mooiste zwarte kasjmier jas aan. Ze slikte een Xanax, controleerde haar make-up en ging door een dwarrelende mist op weg naar het dal.

Toen ze de Severn Bridge over was belde ze naar kantoor, in de wetenschap dat Alison daar nog niet zou zijn, en liet een bericht achter dat ze eerst ergens heen moest voor ze zou komen. Ze deed haar telefoon uit en gooide hem in haar tas. Ze reed langs haar normale afslag, reed door naar de volgende en naar het stadscentrum, naar de plek waar de hogere gerechtshoven zetelden.

Op de trap buiten stonden vermoeide advocaten sigaretten te roken, evenals een groepje slome jongemannen met capuchon en hun vriendinnen met hun pruilende, ingevallen gezichten, die elkaar niet wilden aankijken. Ze baande zich een weg tussen hen door, kreeg blikken toegeworpen en duwde de deuren naar het atrium open, dankbaar dat niemand haar had bespuugd. Ze liep door de beveiliging en bekeek de luidruchtige drom juristen, cliënten, getuigen en zaalwachters. Als dit een regionale rechtbank was geweest, zou elk gezicht haar stuk voor stuk bekend voorkomen, maar ze had nooit strafrecht gestudeerd en het hooggerechtshof, waar misdaadzaken werden behandeld, was voor haar een buitenaardse en afschrikwekkende wereld.

Ze liep om de menigte heen en keek naar de dampige, overvolle cafetaria, maar zag McAvoys gezicht niet. Ze zou in de advocatenkamer kunnen kijken, maar daar was ze te verlegen voor. In plaats daarvan ging ze in de rij voor de receptie staan, totdat na tien minuten wachten het dikke meisje achter de balie de telefoon lang genoeg met rust liet om via de intercom te kunnen aankondigen: 'Wil meneer McAvoy van O'Donnagh & Drew onmiddellijk naar de receptie komen?'

Ze hing verlegen bij de balie rond terwijl ze advocaten met hun cliënten zag delibereren en marchanderen. Er hing een sfeer van nauwelijks onderdrukte woede: krachttermen gingen over en weer, en de politieagenten die langskwamen, haastten zich voort, hun ogen op de grond gericht. Naast haar stond een jonge vrouw die plotseling in gejammer uitbarstte en toen hartgrondig een advocaat begon uit te schelden die met slecht nieuws was gekomen. Twee andere meisjes hielden haar in bedwang toen ze naar hem uithaalde. Ze worstelde, wist zich los te wringen en klauwde met haar nagels in zijn gezicht, voor een zaalwachter en een oudere politieman de man kwamen ontzetten. Ongelovig stond hij met een verkreukelde zakdoek zijn bloedende wang te betten terwijl de ondankbare cliënte werd weggesleurd.

'U wilt een eerlijk man toch niet van zijn werk afhouden, mevrouw Cooper?'

Ze wendde haar blik van de opschudding af en zag dat McAvoy aan kwam lopen met een slordige stapel papier onder zijn arm.

'Er zit beneden een man wiens leven in mijn handen ligt – de pleiter bleek een waardeloos stuk vreten –, dus ik heb niet veel tijd.'

'Kunnen we ergens onder vier ogen praten?' zei ze. 'Een spreekkamer?'

'Op dit vroege uur? Dan moet je geluk hebben.'

'Aan de overkant is een café.'

'Ik heb over tien minuten een verzoek tot borgtocht. Die kerel rukt mijn ingewanden eruit als we hem niet vrij krijgen. Hij moet aan het eind van de ochtend in het vliegtuig zitten.' Hij keek het atrium rond en gebaarde haar toen hem te volgen. 'Eens kijken wat we kunnen doen.'

Jenny liep achter hem aan door de deinende menigte, die naar armoedige onderkomens en oud zweet rook, naar een kleine, lege rechtszaal. Voor de advocatenbankjes lagen torenhoge dikke dossiers en handboeken, wat aangaf dat er een langdurig proces aan de gang was.

McAvoy keek naar de klok boven de deur. 'We hebben vijf minuten.'

Ze had een preek voorbereid die ze de hele weg naar de stad had geoefend. Zij was Hare Majesteits rechter van instructie, wilde ze zeggen, een gerechtelijk functionaris die met een zware en ernstige taak was belast, en hij had haar niet alleen in haar onderzoek gedwarsboomd, hij had haar ook nog eens misleid. Hij had verzuimd haar te vertellen dat hij acht jaar geleden feiten over Nazim Jamal had ontdekt die van groot belang voor de zaak hadden kunnen zijn. Als hij daar geen verklaring voor had, mocht hij van geluk spreken als hij niet voor een tweede keer in zijn twijfelachtige carrière werd vervolgd voor belemmering van de rechtsgang.

Ze vermande zich, maar werd van haar à propos gebracht door een golf van woede. 'Wie denk je verdomme wel niet dat je bent, McAvoy?

Wat voor spelletje ben je aan het spelen? Je hebt acht jaar geleden met Brightman gepraat. Je wíst het van Sarah Levin en Nazim.'

De glimlach stierf weg. Hij keek met de blik van een veroordeelde naar de deur en toen naar haar terug.

'Er valt niets te weten.'

'Hij heeft ze samen gezien. Die tiener-jihadstrijder deed het met een blank meisje dat de enige was die iets te zeggen had over het feit dat hij naar het buitenland ging.' Ze voelde haar gezicht gloeien van woede.

McAvoy haalde zijn schouders op. 'Die knul was hypocriet, of hij had geluk. Wat maakt het uit? Had zijn arme moeder soms niet genoeg geleden? Ze was een heel behoudende vrouw.'

'Zijn moeder is dood!'

'Daar ben ik net zo van geschrokken als jij.'

Ze deed een stap naar hem toe. 'Waarom heb je tegen me gelogen?'

'Dat heb ik al gezegd: hij was alles wat ze had. Waarom mocht ik haar niet laten geloven dat zij de enige vrouw was van wie hij ooit had gehouden?'

'Klootzak die je bent!'

Ze wilde hem een klap geven. McAvoy liet zijn papieren vallen, ving haar pols op en greep die stevig vast.

'Ben je gek geworden?'

'Loop naar de hel.'

In een reflex greep ze een balpen van het bureau naast haar, zwaaide wild met haar arm en stak de pen hard in de zijkant van zijn schouder. McAvoy slaakte een kreet van pijn, liet haar pols los en greep naar zijn schouder.

'Jezus!'

Jenny deed een stap achteruit en ademde zwaar, de pen nog altijd stevig in haar linkerhand. McAvoy keek haar met opeengeklemde kaken aan. Hij haalde met één hand uit en sloeg haar snel in het gezicht, waardoor ze achteruit tegen het hek van de beklaagdenbank tuimelde. Ze ving zichzelf op en rechtte haar rug, eerder verbijsterd dan van de pijn. Ze draaide zich om en zag dat hij rechtop ging staan en weer op adem kwam. Ze dook ineen, want ze verwachtte nog een klap, maar hij bukte zich en verzamelde de papieren op de grond.

Met een hand op haar gloeiende wang sloeg ze hem gade terwijl hij de wanordelijke documenten sorteerde en controleerde alsof ze lucht was, grimassend vanwege de pijn in zijn schouder. De manier waarop hij met de papieren bezig was had iets obsessiefs, bijna iets pathetisch.

'Ik heb je laten schrikken, hè?' zei Jenny, terwijl er een golf adrenaline door haar aderen raasde. 'Dat had je zeker niet verwacht?'

'Ik denk dat je zelf bent geschrokken,' zei hij zonder op te kijken. 'Ik wist wel dat je een hardnekkige leugenaar was.'

'Weet je wat jij bent? Een gevaar voor jezelf.'

'En wat ben jij? Een lafaard? Ben je bang dat ik je naar de gevangenis stuur?'

McAvoy schudde zijn papieren op het bureau-oppervlak en wendde zijn gezicht naar haar toe. 'Waarom zou je dat doen?'

'Omdat je mijn gerechtelijk onderzoek hebt willen kapen. Omdat je daarmee je smakeloze carrière probeert te herstellen. Ik kan me niet voorstellen hoe vernederend het moet zijn om van een belangrijke toppartner gedegradeerd te worden tot administratief medewerker.'

'Ik ben tenminste nooit in de rechtszaal ingestort,' zei hij. 'Niemand kan mij er ooit van betichten dat ik ook maar een spier heb vertrokken.'

Jenny had zich al afgevraagd wanneer hij zou onthullen dat hij smerigheid had opgegraven en haar verleden tegen haar zou gebruiken. Het was een opluchting; nu toonde hij zijn ware aard.

'Je hebt met een uitgestreken smoelwerk tegen me gelogen. Is dat het beste wat je over jezelf kunt zeggen?'

'Ik heb nooit tegen je gelogen. Ik wilde je in de richting van de waarheid duwen.'

'O, echt?'

'Ik heb je aanwijzingen gegeven, bewijs dat je nergens anders vandaan had kunnen halen. Ik heb je op het spoor van Madog en Tathum gezet.'

'Hoe kan ik je nog vertrouwen? Hoe weet ik dat Madog zegt waar is? Hij kan net zo goed de zoveelste zijn die je hebt omgekocht.'

'U bent de rechter van instructie, mevrouw Cooper. Zoek het maar uit. Ik moet naar een hoorzitting.'

Toen hij langs haar heen liep, zei Jenny: 'Je bent doodsbang.'

Hij bleef bij de deur staan en keek naar haar. 'Als je een sterkere vrouw was geweest, dan had ik misschien meer moed gehad, maar je bent echt een behoorlijk kwetsbare bloem, hè Jenny? Beschadigd, zou ik zeggen. Dus waarom help je jezelf niet uit de puree? Je hebt je schuld ingelost.'

'Jij bent een stuk stront.'

McAvoy zei: 'Dat spijt me. Dom van me om je zo van streek te maken. En zoals je al zei: mevrouw Jamal is dood, dus wat maakt het nog uit?' Hij glimlachte vaagjes en wilde zich omdraaien om weg te gaan.

Jenny zei: 'Je hebt nog steeds niet uitgelegd waarom je dingen voor me verborgen hebt gehouden.'

Hij aarzelde een tweede keer, en boog toen zijn hoofd. Hij richtte zijn zachte woorden tot de deur. 'Ik drink, Jenny. Dat verlicht mijn last, maar daardoor vertrouw ik anderen zelfs nog minder dan mezelf. Ik kijk naar mensen die ik jaren heb gekend, en ze veranderen voor mijn ogen.'

'Wat dacht je dan? Wat wil je dan van me?'

'Dat gaat jou niets aan.'

'Probeer het eens.'

Hij schudde zijn hoofd.

'Zeg het me, Alec. Haal jij jezelf nou maar eens uit de puree.'

Stilte. 'Bewijs, vermoed ik...'

'Waarvan?'

'Dat Hij me nog niet helemaal heeft verlaten.'

'Wie?'

'De schepper van al dit verdriet.'

'Ik begrijp je niet.'

'Nee...' Hij keek met roodomrande ogen even naar haar terug. 'Wat is er met haar flat gebeurd? Ik hoorde dat er het hele weekend mannen in witte pakken hebben rondgelopen.'

Ze aarzelde. 'Ze hebben iets op haar lijk gevonden, een of ander spul.'

'Vertrouw je ze? Wie weet wat voor smerige spelletjes ze spelen. Mevrouw Jamal kwam hun heel slecht uit.'

'Ik weet niet wie ik moet vertrouwen.'

Hij knikte diepbedroefd. 'Misschien moet je je er maar uit terugtrekken. Als zij de waarheid begraven, hoeven ze zich tenminste geen zorgen te maken dat ze jou moeten begraven.'

Hij wurmde zich door de deuren een drukke gang in.

'Alec...' riep Jenny hem na, maar hij was al verdwenen.

McAvoys gezichtsuitdrukking zette zich op haar netvlies vast als een visioen van een verdrinkende man. Ze bleef achter met het verwarrende gevoel dat ze nog maar nauwelijks op de drempel van iets stond, dat hij duisterder geheimen te vertellen had, maar dat hij haar die had bespaard uit angst dat hij haar in zijn val zou meesleuren. Ze was naar hem toe gegaan in de hoop dat ze één geest kon uitdrijven, maar nu werd ze door verschillende geesten tegelijk belaagd. Ze had geschokt moeten zijn of zich vernederd moeten voelen door haar gedrag – geen haar beter dan het meisje dat naar haar advocaat uithaalde –, maar het afgescheiden gevoel dat ze had was overweldigend. Haar geest, lichaam en emoties leken drie aparte, van elkaar losgetrokken entiteiten.

Alison keek op van haar bureau toen ze binnenkwam en begon dringend te fluisteren.

'Daar bent u eindelijk, mevrouw Cooper. Meneer Moreton is hier, hij wil met u praten. Ik heb hem in uw kantoor gelaten.'

'Moreton? Wat wil hij nou weer?'

'Dat wilde hij niet zeggen. Hij zit al bijna een uur te wachten.' Er klonk een berispende toon in haar stem door.

'Ik had het druk.'

'Wacht maar tot u ziet wat er in het weekend binnen is gekomen.' Alison wees naar een dikke stapel nieuwe lijkschouwingsrapporten.

'Daar kom ik later wel aan toe.'

Jenny vermande zich en liep door naar haar kantoor.

Moreton legde zijn krant neer en begroette haar hartelijk, maar met een zekere reserve. 'Jenny, wat leuk om je weer te zien.'

Hij stak een hand uit.

'Simon.'

'We hebben elkaar veel te lang niet gesproken. Wanneer was het – augustus?'

'Zoiets ja.' Jenny had haar best gedaan om de zomerborrels te vergeten die het ministerie in Middle Temple Hall had gehouden. Moreton had te veel goedkope champagne gedronken – evenals zij – en een onhandig bedekte toespeling gemaakt door een paar keer te laten vallen dat zijn vrouw met de kinderen in Frankrijk zat. Helaas voor hem kwam ze niet in de verleiding, juist omdat hij over zijn familie had gerept.

'Heb je mijn voicemailberichten niet gehoord?' vroeg hij.

'Ik was gisteravond pas laat thuis,' zei ze terwijl ze haar jas uitdeed.

'Maakt niet uit. Ik ben altijd blij met het excuus.' Hij vuurde een flirterige glimlach op haar af en ging achterover in zijn stoel zitten.

'Ik heb wel zo'n idee waarom je hier bent.' Ze trok haar stoel bij het bureau vandaan en zette die informeel neer. 'Ik neem aan dat je het hebt gehoord van mevrouw Jamal?'

'Dat zou een soort understatement zijn, zelfs naar ambtenarenmaatstaven. Ik heb Gillian Golder en haar mensen op afstand gehouden – ik wilde je onder geen beding te veel stress bezorgen –, maar als je het zou willen omschrijven als blinde paniek, dan heb je een aardig idee van hoe ze er momenteel aan toe zijn.'

'Hebben ze enig idee waar het cesium vandaan komt?'

'Ideeën wel, verdachten nul komma nul. Ik geloof dat ze er een paar mensen bij betrokken hebben, onder wie een van je getuigen.'

'Anwar Ali?'

'Klinkt bekend. Maar ik kreeg niet de indruk dat ze een poot hebben om op te staan.' Hij haalde zijn schouders op en keek haar verwachtingsvol aan, benieuwd naar wat zij erover te zeggen zou hebben.

'Ik vermoed dat ze ervan uitgaan dat degene die haar heeft besmet iets met haar zoon te maken had. Misschien een terroristische cel.'

'Ik weet zeker dat dat erachter zit.'

'Denken ze aan moord?'

'Dat wordt in overweging genomen.'

'Het enige wat ik weet is dat ze ervan overtuigd was dat ze in de gaten gehouden werd. Dat heeft ze bij de politie gemeld. En rond het tijdstip van haar dood heeft de vrouw van de conciërge een verdachte man gezien die zich in de hal van het gebouw langs haar drong. Mijn medewerkster heeft met haar gepraat; ze zal bij de politie ook wel een verklaring hebben afgelegd.'

'Ja, ik had gisteren een soort briefing en heb er een algemeen beeld van gekregen.' Hij trommelde met zijn vingers op de stoelleuning, een teken dat hij tegen zijn zin ter zake moest komen. 'Moet je horen, ik weet alles van onschendbaarheid tijdens een onderzoek door een rechter van instructie, maar ze hopen eigenlijk dat je elk bewijs dat je mogelijk hebt aan hen doorspeelt.'

'Ik heb geen bewijs.'

'Ik begrijp dat je je onderzoek hebt opgeschort om verdere onderzoekslijnen na te trekken.'

McAvoys afscheidswoorden echoden door haar hoofd. Ze kon het hebben over Sarah Levin, Anna Rose, Madog en Tathum, maar wat zou er dan van haar onderzoek terechtkomen? Zij zouden als eerste met haar getuigen gaan praten en ze besmetten, net zoals ze met mevrouw Jamal hadden gedaan. Jezus, ze dacht nu al net als McAvoy. Waarom vertelde ze hem niet alles en gaf ze de verantwoordelijkheid niet over?

'Nou?' zei Moreton aftastend. 'Hebben die iets opgeleverd?'

'Nee.' Haar ontkenning kwam er zonder bewust na te denken uit.

Moreton was teleurgesteld. 'Dat klopt niet helemaal, hè Jenny? Je bent achter een auto aan geweest. Je medewerkster heeft een verklaring van een getuige opgenomen.'

'Hebben jullie mijn medewerkster ondervraagd? Daar hebben jullie het recht niet toe. Mijn onderzoek moet in strikt vertrouwen worden uitgevoerd.'

Hij spreidde zijn handen in een onschuldig gebaar. 'Ik vrees dat in dit soort situaties de regels een beetje opgerekt moeten worden... Mensen zoals jullie begrijpen dat natuurlijk wel.'

Jenny zei uitdagend: 'Als je hierheen bent gestuurd om informatie uit me los te krijgen voordat het onderzoek wordt hervat, dan kun je dat wel vergeten. Gillian Golder en consorten mogen net als iedereen op de publieke tribune plaatsnemen.'

'In elke normale zaak begrijp ik je standpunt, maar iemand rent daar buiten rond met radioactief materiaal. Wie weet wat ze ermee gaan doen? Ze zullen vast niet wachten tot ze door jouw onderzoek gepakt zullen worden.'

'Ik heb niet meer informatie over de dood van Amira Jamal dan wat ik je heb verteld. Hoe dan ook, het is een politiezaak. Het enige wat mij te doen staat is uitzoeken wat er met haar zoon is gebeurd.'

'Ik moet zeggen dat je me behoorlijk teleurstelt, Jenny. Uitgerekend in deze zaak hoopte ik dat je je wat toeschietelijker zou opstellen. We zitten hier allemaal samen in.'

'Ik weet dat het frustrerend is voor je vriendjes dat ze moeten accepteren dat ze sommige deuren simpelweg niet kunnen opentrappen wanneer ze daar zin in hebben, maar dit is er een van. Ik heb dat recht gewoon niet, Simon; ik heb een wettelijke taak om een grondig en onafhankelijk onderzoek uit te voeren. Ik weet niet eens wat je eigenlijk had verwacht door hierheen te komen. Je zou je voor mijn zaak moeten inzetten, niet voor die van hen.'

Moreton knikte geduldig, alsof haar uitbarsting hem op de een of andere manier zou overtuigen. 'Ik zal open kaart met je spelen, Jenny. MI5 denkt dat er op grond van de Antiterrorismewet een gerechtelijk bevel uitgevaardigd kan worden om dit gebouw te doorzoeken. Dat hebben ze gisteren ingediend, maar ik heb ze ervan overtuigd dat je vrijwillig alles overhandigt wat van belang kan zijn.'

'En dat doen ze zeker ook voor mij, hè? Ze geven hun dossiers uit 2002 niet eens vrij.'

'Ik zou kunnen voorstellen dat ze op de een of andere manier op dat verzoek zouden kunnen ingaan.'

Jenny had de telefoon kunnen pakken en die in zijn laffe zelfmedelijdende gezicht kunnen smijten, maar ze hield zich in en onderdrukte haar woede. Het ging er niet alleen om dat de veiligheidsdienst, een uitvoerende dienst, een onderzoeksrechter tot een marionet wilde maken, maar een man wiens taak het was om het principe van gerechtelijke onafhankelijkheid te verdedigen, zat hier ook nog eens zijn uiterste best te doen om dat teniet te doen. Al die mooie praatjes over vriendschappelijke samenwerking tussen de overheidsdiensten betekenden slechts één ding: alle macht naar de machtigsten. Tirannie.

Toen ze naar Moretons weke gezicht met zijn oppervlakkige charme keek, werden alle nog overgebleven twijfels verdreven.

'Als ik mijn werk niet volgens de regels doe, Simon, dan geldt de wet niet meer. Het enige wat dan overblijft is iets wat handig uitkomt, wat prima is, totdat je wordt opgescheept met iets wat niet zo handig uitkomt. Mevrouw Jamal kwam niet goed uit, en evenmin is de dood van haar zoon fatsoenlijk onderzocht. Ik kom zeer zeker niet handig uit, maar als je in de penarie zit, dan durf ik te wedden dat je liever mij aan je kant hebt.'

Met een ondertoon van spijt zei Moreton: 'Als alle aspecten van je karakter nou maar aanleiding tot dat vertrouwen zouden geven.'

'Ik hervat mijn onderzoek op woensdag. En dat eindigt niet voordat ik erachter ben wat er met Nazim Jamal is gebeurd.'

Het pleitte voor Moreton dat hij wist wanneer hij verslagen was. Hij begon niet te dreigen of te delibereren, kwam niet met waarschuwingen of vergelding; Jenny had hem overtroefd en had gewonnen. Met een slap handje en een beleefde afscheidsgroet naar Alison vertrok hij met niets anders dan de naam en het beroep van Frank Madog.

Aangespoord door haar overwinning liep Jenny de receptie binnen in de richting van rammelend vaatwerk in de kitchenette. Alison keek schuldbewust op van haar rituele theezetterij.

'Kan ik iets voor u doen, mevrouw Cooper?'

'Je hebt Moreton over Madog verteld.'

'Hij gaf me geen keus. Hij zei dat ik wel moest.'

'Wat moest?'

'Hem vertellen wat we hadden ontdekt.'

'Heeft hij gezegd wat er zou gebeuren als je dat niet deed?'

'Het spijt me, mevrouw Cooper, maar wie kan nu tegen hem in gaan?'

'Je had op mij kunnen wachten.'

'Dat stond hij niet toe. Hij drong aan. Hij zei dat er gevolgen zouden zijn.'

'Heeft hij je bedreigd?'

'Dat niet precies.'

'Heeft hij gezegd waarom hij die informatie wilde hebben?'

'Nee...'

'Je hebt het dus gewoon zonder tegensputteren verteld.'

'Zo is het niet gegaan. Hij zei dat de veiligheidsdienst met hem had gepraat. Zij hadden tegen hem gezegd dat Nazim Jamal en Rafi Hassan zich met terroristen hadden ingelaten. Ze denken dat dezelfde mensen misschien mevrouw Jamal hebben vermoord.'

'Heeft hij daar bewijs voor laten zien?'

'Misschien als u hier was geweest...'

'Wat heb je hem nog meer verteld?' snauwde Jenny, haar afkappend.

'Niets. Ik heb het niet eens gehad over de medische gegevens van dr. Levin.'

'Dus zoveel vertrouwde je hem nou ook weer niet?'

'Ik ben geen advocaat. Ik wist niet wat ik ervan moest denken.'

'Met wie heb je nog meer gepraat? Met Dave Pironi?'

'Natuurlijk niet.'

'Het is anders een redelijke vraag. Je bidt met hem.'

Alisons verdedigende houding verhardde zich tot woede. 'Met alle respect, mevrouw Cooper, dat is mijn eigen zaak en die heeft niets met u te maken.'

'Als het invloed heeft op mijn onderzoek wel. Heb je er ooit bij stilgestaan dat hij je misbruikt? Zover ik weet was hij persoonlijk betrokken bij wat er met Nazim Jamal is gebeurd. Is het niet toevallig dat, nu dit weer boven water komt, hij zichzelf als jouw spiritueel begeleider opwerpt?'

'U weet niet waar u het over hebt.'

'Ik weet het van je dochter.'

Alison verstarde en staarde haar aan. 'O ja? En wat denkt u precies over mijn dochter te weten, mevrouw Cooper?'

'Ik heb je aan de telefoon met je man horen praten. Ze woont samen met een andere vrouw. Wat heeft Pironi je wijsgemaakt – soms dat ze door de kracht van het gebed genezen kan worden?'

'Ik zal u eens iets over mijn dochter vertellen,' zei Alison. 'Op haar zeventiende heeft een jongeman zich aan haar opgedrongen. U kunt het verkrachting noemen, als u wilt. Twee jaar lang durfde ze nauwelijks het huis uit te gaan. En zelfs toen kon ze niet met een man in één ruimte alleen zijn, zelfs niet met haar vader. En Dave Pironi heeft me niet opgezocht. Ik ben naar hem toe gegaan. Ik heb gezien hoe hij zijn vrouw aan kanker verloor en moest verwerken dat zijn zoon in Afghanistan zat; ik wilde weten wat hij had en ik niet. Misschien past het niet in uw wereldbeeld, maar uitgerekend u zou moeten weten dat de waarheid niet altijd zo is zoals u die graag zou willen zien.'

De ketel kookte en sloeg af. Met trillende handen schonk Alison water over haar theezakje en deed er melk bij. 'Ik heb trouwens kopieën van de gegevens van dr. Levin voor u. In april 2002 werd bij haar de diagnose chlamydia gesteld. Te laat, het arme mens. Ze is haar eileiders erdoor kwijtgeraakt.'

21

'Waar was je toen je die black-out kreeg?'

'In mijn kantoor...'

'Raakte je bewusteloos?'

'Niet echt. Mijn hart ging als een razende tekeer. Het hield maar niet op. Ik kreeg geen adem en kon me niet bewegen. Dat duurde zeker een halfuur.'

'En toen heb je mij gebeld?'

'Ja.'

'En toen?'

'Ik heb een paar pillen genomen en ben weer gaan werken.'

'Welke pillen?'

Jenny zweeg even en overwoog even om erover te liegen, maar kon de energie voor het kruisverhoor dat ongetwijfeld zou volgen niet opbrengen. 'Xanax.'

Dr. Allen liet geen verbazing blijken. Hij maakte eenvoudigweg een aantekening. 'In combinatie met je normale medicijnen?'

'Nee... Daarmee ben ik een paar dagen geleden gestopt.'

'Om een bepaalde reden?'

Jenny weifelde. 'Ik dacht dat ik dan meer voor elkaar kon krijgen, dat ik weer wat passie zou gaan voelen.'

Hij knikte zonder een oordeel te laten blijken. 'Werkte het?'

'Alles werd erdoor versterkt, geloof ik.'

'Heb je stemmingswisselingen gehad?'

'Dat weet ik niet.'

'Labiel gedrag?'

Ze dacht terug aan de laatste paar dagen. 'Ik voelde me gedreven. Minder belemmerd... maar angstig, op het randje.'

'Ja, dat klopt wel.' Hij keek haar aan alsof hij wilde zeggen dat het hem speet dat hij er niet was geweest om in te grijpen.

Als ik hem was, zou ik woedend zijn, dacht Jenny. Ik zou zeker niet helemaal van Cardiff naar Chepstow zijn komen rennen omdat een onverantwoordelijke vrouw opzettelijk haar medicijnen overboord had gegooid. Maar dat had hij nou net wel gedaan, en niet voor het eerst. Ze schaamde zich voor zichzelf. Haar stommiteit leek in zijn goedhartige, onverstoorbare aanwezigheid des te onvergeeflijker.

'Vertel me eens wat er vlak voor de aanval gebeurde,' zei dr. Allen.

Jenny kromp ineen. 'Ik had woorden met mijn assistente. Ze had informatie losgelaten die ze van mij niet had mogen vrijgeven... en ik heb haar ergens van beschuldigd.' Haar stem liet het afweten.

'Waarvan?'

Jenny dwong zichzelf het speeksel dat zich in haar mond verzamelde door te slikken.

Dr. Allen glimlachte kalmerend. 'Neem de tijd.'

'Ze had een probleem met haar dochter... Daar werd ze helemaal door in beslag genomen. Ik was boos omdat het invloed had op haar werk, maar uiteindelijk bleek dat ik het volkomen bij het verkeerde eind had. Ik had de verkeerde conclusies getrokken... Ik heb haar heel erg gekwetst.'

'Wil je me vertellen waar het over ging?'

'Eigenlijk niet.'

'Volgens mij moet je dat wel doen, Jenny. Het kan helpen.'

Ze rolde haar hoofd heen en weer in een poging de spanning in haar nek te verlichten.

'Probeer het eens,' zei hij, vriendelijk vleiend.

'Het was niet zozeer waarover het ging, meer dat ik het zo mis had. Ik wist zo zeker... Daarom ben ik met de pillen gestopt: om mijn zekerheid terug te krijgen, het vuur... Ik voelde me zo bedrogen.'

Hij schreef haar antwoord op. 'Ga je het nog vertellen of niet?'

Jenny slaakte een boze zucht. 'Haar dochter is lesbisch. Ze bidt met een man in een kerk om haar te laten genezen. Hij is een inspecteur die ik toevallig niet vertrouw. Ik zei tegen haar dat die man haar misbruikte en misleidde. Maar nu blijkt dat haar dochter met een vrouw samenleeft omdat ze als tiener verkracht is. En de inspecteur heeft zijn portie ellende ook wel gehad.' Ze groef met haar nagels in de stoelleuning. 'God, nu voel ik me stukken beter.'

Haar sarcasme negerend sloeg dr. Allen zijn ogen op van zijn aantekeningen en keek haar bedachtzaam aan. 'Je hebt haar gekwetst en, wat nog erger is, je had gevoel dat je ertoe werd gedreven om haar te kwetsen?'

'Het was maar een incident. Waarschijnlijk waren het afkickverschijnselen van de pillen. Niet dat u me niet had gewaarschuwd.'

'Nu draai je eromheen.'

'Ik draai nergens omheen. Ik ben regelrecht hierheen gekomen.'

'Als je mijn hulp wilt, laat me je die dan ook geven.' Het was de eerste keer dat ze iets van een berisping in zijn stem hoorde. Hij vervolgde deze strengere koers. 'Je hebt ruim vijftien jaar familierecht gestudeerd, hè?'

'Ja.'

'Je vertegenwoordigde het plaatselijk gezag en nam kwetsbare kinderen onder je hoede.'

'Meestal.'

Hij bladerde door zijn aantekenboek terug. 'Ja, daar heb ik het. En de eerste keer dat je een echte angstaanval kreeg was in een rechtszaal. Je was een medisch verslag aan het lezen... Kun je je nog iets van die zaak herinneren?'

'Ik kon bijna aan niets anders denken.' Ze voelde dat haar hart sneller ging kloppen. Ze sloot haar ogen en haalde adem, concentreerde zich op een beeld van een mediterraanse zonsondergang. Het hielp een beetje, maar niet veel. 'Het ging om een jongen van acht, Owen Patrick Lindey. Ik had twee jaar lang af en aan met de zaak te maken. Zijn moeder kon hem niet aan, dus plaatsten we hem in een kindertehuis. De meeste kinderen zijn blij als ze weg zijn uit een chaotisch huishouden, maar hij ontsnapte keer op keer en ging dan terug. Ik ging tegen het advies van de sociaal werker in en koos ervoor in te gaan op zijn moeders verzoek om hem weer thuis te laten wonen. Het eerste weekend dat hij thuis was, werd ze dronken en gooide een pan kokendheet water over hem heen... Ik las een verslag van de brandwondenafdeling voor.'

Dr. Allen zat razendsnel te schrijven. Nog steeds schrijvend, zei hij: 'En toen ben je van de kwetsbaren naar de doden overgestapt... dode mensen die geen hulp meer nodig hadden, of die je tenminste geen kwaad meer kon doen.'

'Hmm. Misschien.'

Hij haalde zijn pen van het papier en hield haar in een intens geïnteresseerde blik gevangen. 'Je vindt het naar om mensen pijn te doen, hè Jenny? Sterker nog: ik zou zeggen dat je bijna alles in het werk zou stellen om te voorkomen dat je pijn veroorzaakt.'

'Dat lukt me niet erg goed.'

'Wanneer je het over je ex-man hebt, gaat het altijd over zijn arrogantie, over hoe nonchalant hij met jou en zijn patiënten omgaat. Ja, ik weet het nog: jij hebt ooit gezegd dat je razend werd omdat het hem zo weinig deed wanneer hij in jouw ogen zulke schade aanrichtte.'

'Een harteloze hartchirurg. Ga er maar aan staan.'

'Misschien beschouwt hij het inmiddels als een gegeven des levens dat je niet kunt leven zonder mensen kwaad te berokkenen. En we zijn geneigd om met iemand te trouwen met eigenschappen die we zelf niet bezitten.'

'Ik heb een hekel aan zijn houding.'

'Maar je probeert die wel na te doen. Ik zie twee keer per maand geen onderdanige, moederlijke vrouw in die stoel zitten.'

'Net zei u nog dat ik het niet kon verdragen om mensen te kwetsen.'

'Doordat je zo defensief reageert, weet ik dat ik iets op het spoor ben. De emoties van mensen begeven het wanneer ze de last niet meer kunnen dragen die ze zichzelf bewust of onbewust opleggen. Geloof me, het wordt duidelijk dat je een overweldigend gevoel van verantwoordelijkheid hebt voor dingen die buiten je macht liggen en waar je geen controle over hebt.'

'Is dit een eurekamoment? Zo voelt het anders niet.'

'De droom waar je het de vorige keer over had... de kinderen die in lucht opgaan. Je kon niets, helemaal niets voor ze doen. Het maakte je doodsbang.'

'Ik heb niets op uw logica aan te merken,' zei Jenny droogjes.

'En dat andere beeld dat door je heen spookt: de opening die in de hoek van je kinderslaapkamer openscheurt; de monsterlijke, onzichtbare aanwezigheid in een geheime kamer erachter. De verschrikkingen vinden plaats in het domein waar je geen controle meer over hebt.'

Jenny slaakte een diepe zucht. Ze was niet meer in staat om opgewonden te raken van mogelijke onthullingen.

Dr. Allen vervolgde onversaagd: 'Wat heb je in je dagboek geschreven?'

'Bijna niets.'

'Echt?'

Alleen al door er iets over te zeggen werd ze verzwolgen door weer zo'n machtige golf schaamtegevoel. Ze zou onder geen beding bekennen dat Ross het had gevonden. Met die gedachte kon ze zelf niet eens omgaan. Ze pareerde hem met een halve waarheid. 'Vooral dingen over dat ik me weer echt wilde voelen, weer verbinding met mezelf wilde krijgen.'

'Om te vinden wat je niet hebt.' Hij zei het alsof hij een feit vaststelde, een antwoord dat netjes in zijn theorie paste.

Jenny was enigszins teleurgesteld. Ze had dit al zo vaak meegemaakt. Dr. Travis had al eerder grote ideeën gehad die nergens toe hadden geleid.

'We gaan eens regressie proberen.'

'Alweer?' zei Jenny, en ze kon haar cynisme niet verbergen.

'Doe alsjeblieft met me mee,' drong hij aan. 'Het is voor je eigen bestwil.'

Ze voelde zich overdonderd. Acht maanden lang had hij tijdens de sessies onafgebroken een onaangedaan masker gedragen. Dit was iets nieuws.

'Sluit je ogen en laat jezelf in de stoel wegzinken...'
Ze deed met moeite haar ogen dicht en gaf zich schoorvoetend over aan de uitgekauwde routine. Al pratend leidde hij haar door de verschillende stadia van lichamelijke ontspanning. Voeten, enkels en benen werden zwaar; handen, armen, hoofd, borst; daarna de buik en ten slotte de inwendige organen. Terwijl ze dieper wegzonk, klonk dr. Allens stem verder weg, afstandelijker, tot die weinig meer was dan een verre echo in de behaaglijke duisternis die haar tussen waken en slapen veilig omwikkelde.
Ze wilde stilletjes helemaal wegzinken.
'Wakker blijven, Jenny,' zei dr. Allen. 'Je bent volkomen veilig. Hier kan je niets overkomen. Ik wil dat je teruggaat naar waar we al eerder zijn geweest. Je bent als kind in je slaapkamer boven aan het spelen. Je hoort gebons op de voordeur, stemverheffing... Het is je grootvader. Hij roept, schreeuwt.'
Jenny's lichaam trok zich onwillekeurig samen.
'Zeg me wat hij schreeuwt.'
'Dat kan ik... Ik versta het niet.'
'Je kunt de woorden niet verstaan?'
'Nee.'
'Zijn er andere stemmen?'
Stilte. Jenny's ogen bewogen zich zijdelings onder haar gesloten oogleden.
'Er is een vrouw... Ze snikt, jammert... mijn moeder.'
'Zegt ze iets?'
'Ze roept uit: "Nee, nee..." Dat blijft ze maar roepen... steeds maar weer.'
'En daarna?'
Jenny schudde haar hoofd. 'Het gaat gewoon maar door.'
'Hoe zit het met de mannen? Wat zeggen die?'
'Die doen er het zwijgen toe. Ik hoor alleen mijn moeder... Alleen haar gehuil. Haar stem zweeft de trap op naar boven.'
'Wat voel je daarbij? Wat doe je?'
'Ik wil alleen maar weg... Ik wil daarvandaan.'
'Waarom?'
'Dat weet ik niet... Ik wil gewoon weg.'
'Waar ben je bang voor?'
Tranen sijpelden uit haar ooghoeken. 'Het gaat niet... Het heeft niets met mij te maken. Het is niet mijn schuld.'
'Wat is niet jouw schuld?'
'Dat schreeuwen... Ik kan er niet tegen.'

'Waarom zou het jouw schuld zijn?'

'Ik wil dit niet... Ik haat het hier... Ik háát het. Ik wil alleen maar weg.'

'Waar wil je dan naartoe, Jenny? Vertel me waar je dan naartoe zou gaan.'

'Nergens naartoe... Dan zien ze me... Nergens... Ik kan niet eens naar...' Haar lichaam stuiptrekte hevig, alsof ze een elektrische draad had aangeraakt. Met een schok kwam ze tot bewustzijn terwijl ze met wijd opengesperde, nietsziende ogen in de ruimte staarde.

Dr. Allen liet haar even tot zichzelf komen. 'Waar kon je niet eens naartoe?'

Jenny knipperde met haar ogen. 'Naar Katy,' zei ze met een hoge stembuiging, alsof de naam haar onbekend voorkwam.

Dr. Allen trok een tissue uit de doos op zijn bureau en gaf die aan haar. Jenny droogde haar ogen terwijl ze zich merkwaardig leeg voelde, kalm noch angstig.

'Wie is Katy?'

'Ik heb geen idee.' Ze snoof de tranen weg en huiverde.

'Een zus, familielid, vriendin?'

Jenny sloeg haar ogen ten hemel. 'God, ik weet het niet. Geen zus...' Dr. Allen staarde gespannen naar haar gezicht. 'Wat is er?'

'Je grootvader kwam met slecht nieuws, waardoor je moeder ging jammeren. Je zei dat het jouw schuld niet was. Heb je het nu over wat hij haar vertelde?'

'Ik zou het niet weten...' Ze schudde haar hoofd. 'Op het moment dat ik wakker werd, leek het niet eens echt... Misschien heb ik het wel verzonnen.'

'Je weet nu een naam: Katy. Ik wil dat je uitzoekt wat dat betekent.'

'Ik heb u al gezegd...'

'Alsjeblieft, doe wat ik zeg. Dat is een voorwaarde om hier weer terug te kunnen komen. Je gaat iets positiefs voor jezelf doen. De volgende keer wil ik alles over je onderzoek horen.' Hij sloeg zijn aantekenboek open en schreef de opdracht op.

'Uw geduld met mij raakt op, hè?' vroeg Jenny.

'Helemaal niet. Je hebt alleen een zetje nodig. Je gaat je deze keer ook aan je medicijnen houden.' Hij pakte zijn receptenbloc. 'Ik neem aan dat je het op je werk niet rustiger aan kunt doen?'

'Tenzij u me in stukjes wilt verdelen.'

'Als je agressief bent, betekent dat voor mij dat je je zwak voelt. Als je door moet gaan zoals je dat altijd doet, wees dan op je hoede. Probeer emotionele reacties te vermijden.' Hij tikte met zijn vinger tegen zijn slaap. 'De beste beoordelingen maak je altijd hier.'

Ze haalde de medicijnen bij de apotheek op en slikte haar eerste dosis in het damestoilet. Ze waren allebei nieuw voor haar: een blauwe en een rode pil, net snoepjes. De wereld die ze haar binnenleidden was minder kleurrijk. Ze namen haar opwinding en elk gevoel voor gevaar weg. Ze hield haar aandacht bij wat zich rechtstreeks en routinematig aan haar aandiende: de dashboardinstrumenten van haar auto, de piep wanneer ze op de rem trapte. Ze was zich van haar emoties bewust, maar die waren slechts een slap aftreksel van wat ze in de afgelopen twee dagen had ervaren. Ze richtte haar gedachten op haar gerechtelijk onderzoek en zonder enige bewuste inspanning schikten ze zich in een logische volgorde, als een keurig lijstje taken die lagen te wachten: juryleden moesten gebeld worden, getuigen moesten worden opgeroepen, de wet moest worden onderzocht. Dr. Allen had haar het intellect van een bureaucraat gegeven.

De ervaring was een kort leven beschoren. Ze was nog niet eens halverwege op weg naar huis toen haar telefoon piepte dat er een boodschap was. Ze keek naar het verlichte schermpje: 'Bel me. Urgent. Alec.'

Er ging een steek door haar heen. De afscheidswoorden van dr. Allen galmden als een alarmbel door haar hoofd. Ze zou hem moeten negeren, hem nog één keer moeten zien: in de getuigenbank. Ze liet haar vinger boven de belknop zweven, maar toen werd haar bereik zwakker en zwakker, en was vervolgens helemaal weg, waardoor ze geen beslissing meer hoefde te nemen. De tien minuten voordat ze thuiskwam gebruikte ze om tot zichzelf te komen en grip of zichzelf te krijgen.

Toen ze op het karrenspoor naast het huis stilhield, had ze een strategie uitgewerkt: bel Alison en laat haar uitzoeken wat McAvoy te zeggen heeft. Ze zou hem vertellen dat het onderzoek woensdagochtend zou worden hervat en hem moeten vragen of hij dan zijn getuigenis wilde afleggen. Ze zou het zakelijk en afstandelijk moeten houden. Ze kon na afloop afrekenen met de gevoelens die hij in haar had losgemaakt. Tegen die tijd zou ze wel iets hebben waarop ze hem kon beoordelen en een duidelijker inzicht in zijn motieven hebben.

Ze reikte naar het handschoenenkastje om de zaklamp te pakken waarmee ze de tien meter over het pad naar de voordeur aflegde. Ze vond hem en zocht naar de knop toen de auto werd verlicht. Geschrokken keek ze op en zag een lange, mannelijke gedaante onder de halogeenlamp die automatisch aanfloepte als iemand de portiek naderde. Met het felle licht achter zich kon ze zijn gelaatstrekken niet zien, maar zijn silhouet was onmiskenbaar: de lange donkere jas, de sjaal, de warrige haardos. Hij stak in een weifelende zwaai een hand op ten teken dat hij begreep dat ze was geschrokken. In toom gehouden door de medicijnen bleef haar hart kalm, maar een vurige hitte verspreidde zich door haar borst en hals, en prikte langs haar lippen toen de angst zich opnieuw een weg door het oppervlak baande.

'Ik ben het maar,' riep hij haar toe. 'Alec. Het is in orde.'

Ze overwoog even om weg te rijden in de hoop dat hij dan zou verdwijnen, maar ze wist dat hij dat niet zou doen. Hij was van het soort dat zonder slaap de hele nacht kon opblijven en dagen kon doorgaan. Hij had het geduld van een gevangene en de wilskracht van een gek.

Ze liet haar sleutels in het contactslot zitten en stapte uit de bijtende kou in, terwijl ze de lantaarn verdedigend voor zich hield toen ze om de auto heen liep.

Ze bleef bij het passagiersportier staan, nog altijd een meter of zeven bij hem vandaan. 'Wat doe jij hier?'

'Ik heb nog wat informatie.'

Ze liet de lantaarn over hem heen glijden. Hij was in pak met stropdas, en zijn schoenen waren gepoetst.

'Ik bedoel: wat doe je híér?'

'Mijn auto heeft het begeven. Ik heb een taxi genomen.'

'Blijf je daar een beetje uit je nek staan kletsen of geef je nog antwoord op mijn vraag?'

Jenny richtte de lichtstraal op zijn gezicht. McAvoy schermde zijn ogen af.

'Ik wilde dit niet via de telefoon met je bespreken. Ik ben erachter voor wie Tathum werkte toen die twee jongens verdwenen.'

'Heb je veertig pond aan een taxi uitgegeven om me dat te komen vertellen?'

'Ik wilde je niet afschrikken. Als je wilt, vertrek ik weer... Alleen...' Hij sloeg zijn ogen neer en woelde afwezig met zijn handen door zijn haar. Ze hoorde hem vermoeid uitademen. 'De waarheid? Dit zijn duistere wateren, Jenny. Ik weet niet hoe diep je je erin wilt begeven. Ik dacht dat het beter was om het je hier te vertellen, bij alles uit de buurt. Dan kun je je eigen beslissing nemen. Zonder druk van buitenaf.'

Omdat er zo'n oprechtheid in zijn stem doorklonk, liet ze langzaam de lichtstraal van zijn gezicht zakken. Als hij haar iets had willen aandoen, had hij regelrecht naar haar toe kunnen rennen of haar vanuit de schaduw kunnen bespringen. Dan had hij haar geen sms gestuurd, geen spoor willen achterlaten.

'Oké,' zei ze. 'Laat dan maar horen.'

Ze deed de voordeur open en nam hem mee naar de woonkamer. Ze kwam onmiddellijk ter zake door aan de kleine eettafel te gaan zitten en hem te gebaren dat hij tegenover haar moest plaatsnemen. Ze bood hem niets te drinken aan. Zelfs in het zachte licht zag McAvoy er moe uit. Donkere schaduwen omrandden zijn ogen. Zijn gezicht zag grauw, zijn dichte stoppelbaard vertoonde grijze vlekken. Hij vouwde zijn handen samen en boog zich naar voren alsof hij een lange en hevige worsteling achter de rug had en nu tot een pijnlijk besluit was gekomen.

'Herinner je je Billy Dean nog, de privédetective?' zei McAvoy. 'Zijn zoon heeft de zaak overgenomen. Ik heb hem gebeld nadat we Tathum vorige week een bezoek hadden gebracht, en heb hem gevraagd wat hij kon opgraven. Hij nam vanochtend vroeg contact met me op, even voordat jij opdook.' Hij glimlachte haar gespannen toe. 'In 2002 stond Tathum ingeschreven als zelfstandig ondernemer. Hij gaf op dat hij zestigduizend pond had verdiend en volgens zijn bankgegevens was dat bedrag in drie verschillende betalingen vanaf hetzelfde rekeningnummer betaald. Die rekening stond op naam van Maitland Ltd, een particulier beveiligingsbedrijf dat in Broad Street, Hereford, staat ingeschreven.'

'Hoe is hij aan die informatie gekomen?'

'Hij kent iemand bij de belasting, vermoed ik. Zijn vader verdiende altijd het meest aan echtscheidingen. Hoe dan ook, tot het jaar daarvoor ontving Tathum zijn salaris van het leger. Midden dertig... Ik denk dat zijn tijd erop zat.'

'Wat weet je over Maitland?'

'Volgens hun website zijn ze gespecialiseerd in *close protection*. Hereford is de thuisbasis van de SAS, dus ik vermoed dat ze daar hun personeel vandaan halen. Het zal wel een soort plaatselijke traditie zijn: de niet meer zo speciale soldaat maakt de overstap en maakt fortuin in de particuliere sector.'

'Wat zou Maitland met Nazim en Rafi willen?'

'Ze worden alleen maar voor hun diensten betaald. Als je me vraagt om te speculeren, dan zou ik zeggen dat ze een arrestatieteam hebben geleverd. Maar voor wie – wie zal het zeggen? Het kan zijn dat die knullen van terrorisme werden verdacht en waren weggetoverd naar Joost mag weten waar. Of ze waren geheim agent van wie de cover was opgeblazen, en in dat geval wonen ze gelukkig en wel in een condo in Australië.'

Jenny zei: 'Waarom vertel je me dit nu? Waarom bewaar je het niet voor het onderzoek? Je weet hoe riskant het voor me is om met een getuige te praten. Iedereen kan dan zeggen dat mijn onderzoek besmet was en het ongeldig laten verklaren.'

'Nou, daar gaat het nou juist om, Jenny: we weten geen van beiden waar de ander staat, niet echt.' Hij keek haar aan met een verdrietige, onderzoekende blik. 'Ik heb in mijn leven genoeg verdorven dingen gezien en gedaan om te weten dat ik dit niet lichtvaardig aan je zou voorleggen. Er zijn Britse burgers door toedoen van hun eigen land verdwenen. Zullen ze ooit toelaten dat dat naar buiten komt? Je mag me een afgezaagde oude cynicus noemen, maar ik zou zeggen dat nóg een paar levens maar weinig gewicht in de schaal leggen.'

'Maar?' Ze wist dat er een maar aan vastzat, dat de vlam die nog altijd in zijn ogen brandde niet zomaar zou uitdoven.

'Jij bent niet uit het gebruikelijke hout gesneden, hè?' McAvoys afgeleefde gezicht plooide zich in een glimlach. 'Mijn schouder doet zoveel pijn dat ik de hele dag nauwelijks in staat ben geweest een glas op te tillen.'

Jenny zei koppig: 'Dat was omdat je tegen me hebt gelogen. En voor wat het waard is: ik denk dat je dat nog steeds doet.'

Er viel een stilte. McAvoy boog zijn hoofd. 'Het is grappig, Jenny: ik had een mooie carrière door de leugens van anderen te vertellen. De grote zondaars zaten altijd aan de andere kant. Zelfs toen ik werd gepakt en opgeborgen, was ik nog een toonbeeld van deugdzaamheid. Maar deze zaak... Ik heb met rechtszaken gesjoemeld, ik heb getuigen gekocht en verkocht, ik heb moordenaars op vrije voeten geholpen en met een zuiver geweten op hun gezondheid gedronken, maar deze verdomde zaak...' Hij schudde zijn hoofd en wendde zijn blik van haar af. 'En toen jij als de Engel der Wrake opdook... als een tovenares... wat moet iemand die zo opgebruikt is als ik daar dan mee?'

Inwendig duizelde het Jenny. De lucht werd uit haar longen geperst. Het lichamelijke deel van haar wilde hem aanraken, het kleinste contact maken, zodat hij zijn energie kon ontladen en het kon laten gebeuren.

Ze wist dat hij de verandering in haar kon outladen, kon lezen wat er op haar gezicht geschreven stond.

'Je bent een verleiding, dat ben je,' zei McAvoy. 'Een heerlijke en prachtige verleiding, net zo donker en verdoemd als ik ben. Ik kan je hand niet eens aanraken, uit angst dat...'

'Dat wat?' zei Jenny.

Hij schudde nogmaals zijn hoofd. 'Laten we het over iets anders hebben.' Hij slikte en dwong zichzelf verder te gaan. 'Dr. Sarah Levin... Ze is een prachtige vrouw, heb ik begrepen. Destijds was ze achttien. Ik weet zeker dat ze met haar gepraat hebben. Waar Nazim en Rafi ook naartoe zijn gegaan, ze zijn ondervraagd en doorgezaagd tot ze bijna dood waren. Het is geen toeval dat zij degene was met wie de politie heeft gepraat. Ze had geen enkele keus. Dat dacht ik acht jaar geleden tenminste. Moet het nu uit haar worden getrokken? Moet zij ook kapot worden gemaakt? Hoeveel schade is genoeg?'

'Waarom zou je je om haar bekommeren?'

'Ze was een onschuldig kind. Waarom niet?'

'Denk je niet dat je haar idealiseert?'

'Vergeleken met mij is zij de Heilige Maagd in eigen persoon.'

Jenny zei: 'Hoe zit het met de man die je belde, die Amerikaan?'

'Ik heb geen idee, behalve dat degene die de jongens te grazen heeft genomen, wie het ook mag zijn, mevrouw Jamal ook heeft gedood, zelfs als hij haar niet fysiek heeft vermoord.'

'Je kent niet eens het hele verhaal,' zei Jenny terwijl ze een onredelijke aandrang voelde om haar last te delen. 'Er waren sporen van radioactieve straling in haar flat en op haar lijk. Cesium 137.' Zodra ze het had gezegd, wist ze dat het te veel was. Ze weerhield zichzelf ervan om het over Anna Rose te hebben.

'Om het op terrorisme te laten lijken,' zei McAvoy. 'Smerige klootzakken. Gewone criminelen vermoorden tenminste elkaar nog. Je zult geen man in de goot vinden om een oud vrouwtje kwaad te doen. Alleen een goddeloze regering en krankzinnige moeders kunnen de ziel van een man zo zwartmaken.'

Jenny maakte een vaag geluid dat bijna op lachen leek.

'Wat nou?' zei McAvoy.

'Zoals je praat!'

'Wat haal jij er dan uit?'

'Dat weet ik niet.'

'Je zou eens poëzie moeten proberen, of de Bijbel – het liefst allebei. Zo te zien kun je daar wel wat van gebruiken.'

'Toen ik naar de rechtszaal kwam, wilde ik je geen kwaad doen... Ik weet niet wat ik ineens had.'

'Er is een vraag...'

Dat vage lachje, het verlangen achter zijn ogen. Zijn grauwe gezicht maskeerde een geest die al binnen in haar was, haar aanraakte, dingen over haar wist die ze zelf niet eens wist.

'Zeg me dat je oprecht bent, Alec,' zei Jenny. 'Zweer dat je me niet gebruikt of betaald wordt.'

'Welke woorden kan ik gebruiken die hun gewicht waard zijn? Ik ben hierheen gekomen om je te vertellen dat je niet alleen bent, dat is alles...' Hij hield haar blik vast. Dat leek hem elk flintertje kracht te kosten. 'En dat ik weet dat ik je de stuipen op het lijf jaag, maar als het een troost voor je is, dat gevoel is wederzijds.'

Hij duwde zich uit de stoel op en liep naar de deur.
'Ga je weg?' zei Jenny.
'Dat kan ik maar beter doen, denk je niet?'
'Zal ik je brengen?'
'Ik red me wel.' Hij tilde de grendel op en bleef toen staan. Even dacht Jenny dat hij zich bedacht, zich met een ruk zou omdraaien om de ondraaglijke spanning tussen hen te doorbreken, dat hij hun opgekropte krachten zou laten exploderen.
Zonder haar te willen aankijken, zei hij: 'Mag ik je, als deze zaak achter de rug is, nog een keer zien?'
'Ja... Ja, dat moeten we doen.'
'Welterusten, Jenny.' Toen, met een zweem van een glimlach: 'Ik zie je in de rechtszaal.'
McAvoy liet zichzelf uit en deed de deur zachtjes achter zich dicht.
Ze trok een hoekje van het gordijn terug en zag hem het pad af lopen. Ze bleef nog lang nadat hij weg was bij het raam staan en wilde dat hij terugkwam, ook al wist ze dat hij dat niet zou doen.
Ze moest post uitzoeken, eten koken, berichten op het antwoordapparaat afluisteren, inclusief een droevig verzoek van Steve of ze hem wilde bellen, omdat hij haar iets moest zeggen, maar ze kon aan niemand anders denken dan aan Alec McAvoy. Hij was vertrokken met een belofte dat hij zou terugkomen, maar liet een diep, incompleet gevoel bij haar achter. Het was alsof hij was gekomen om iets op te biechten en was blijven talmen. De atmosfeer in de cottage voelde beladen omdat er iets was wat Alec McAvoy haar nog niet had verteld, en dat woog zwaar op zijn geweten. Dat wist ze zeker.

Jenny werd bevend wakker, zo plotseling alsof ze een schop tussen haar ribben had gekregen. Er was geen dralende droom, alleen een gevoel dat ze door een dreigend geluid was gestoord. Ze stelde zich voetstappen op de flagstones buiten voor, de ademhaling van een man. Ze bleef ruim twintig minuten stil en waakzaam liggen, en kromp ineen bij elk kraken en kreunen van het oude huis. Maar welk spook haar ook had gestoord, het had zich in zijn schuilplaats teruggetrokken. Op de bries na bewoog er niets. Toen haar oogleden zwaar werden, dacht ze aan Ross, en aan David die vast in slaap lag naast zijn gelukkige, zwangere vrouw, en ze vroeg zich af wat ze had gedaan om naar zo'n eenzaam zijpad te worden verdreven. 'Ik denk dat je bijna alles in het werk stelt om geen pijn te veroorzaken,' had dr. Allen tegen haar gezegd, en dat op dezelfde dag dat ze een pen had gepakt – de ironie – en die in McAvoys schouder had gedreven... McAvoy. Als ze naar hem keek, was het alsof ze in een spiegel keek terwijl ze haar duistere schim naar haar terug zag kijken. Dat was het, dat was het opwindende: het gevoel dat ze door hem te kennen zichzelf wellicht werkelijk zou kennen.

22

Jenny stapte even voor zessen uit bed met een dringend en alarmerend gevoel. Het gerechtelijk onderzoek zou over vierentwintig uur worden hervat en er moesten cruciale beslissingen genomen worden. Ze ging snel onder de douche, met een steek van schuldgevoel over het bijna intieme moment dat ze met McAvoy had gehad en over het feit dat door aan hem te denken de gedachten aan haar zoon werden verdrongen. Wat was ze voor een moeder? Ze herkende de symptomen van een opkomende angst - tintelende vingertoppen en een bonzend hart - en gewikkeld in een handdoek haastte ze zich naar de ijskoude keuken om met het bodempje in een twee weken oud pak jus d'orange haar twee snoepjes weg te spoelen. Ze voelde zich als een verslaafde die met geweld de wrange vloeistof achteroversloeg. De nieuwe pillen waren magisch: tegen de tijd dat ze zich had afgedroogd en aangekleed, stond ze weer aan het roer. Mevrouw Jenny Cooper, rechter van instructie, met belangrijke zaken aan haar hoofd.

Ze gebruikte een ontbijt van muffe cornflakes aan haar bureau in de werkkamer, terwijl ze naar Maitlands website zocht. Ze vond hem op de onlinebedrijvengids en klikte naar een overwegend anonieme, maar evengoed exclusief ogende site waar een minimum aan informatie op stond. Het kantoor was ingeschreven op een adres in Hereford, wat klopte met wat McAvoy haar had verteld. De directeur werd vermeld als kolonel Marcus Maitland. Het hoofdspecialisme van het bedrijf was 'buitenlandse en binnenlandse *close protection*, operationele beoordeling en veiligheidsplanning, en strategische veiligheidsdiensten'. Er was weinig uitleg en het jargon was compact en dubbelzinnig: ze hadden het net zo goed over een investeringsadviesbureau kunnen hebben. Er werd geen melding gemaakt van speciale soldaten of huurlingen.

Alleen McAvoys bewering legde een verband tussen het bedrijf en Tathum, maar zelfs als de link fictief was, zelfs als Madogs verhaal over de zwarte Toyota een fabeltje was, of een afleidingsmanoeuvre, voelde ze zich toch verplicht om kolonel Maitland als getuige op te roepen, ook al was het maar om de beschuldigingen eens en voor altijd te ontzenuwen.

Jenny printte een pro-formagetuigendagvaarding en rondde die met de hand af, met het verzoek of Maitland op woensdag 10 februari bij haar gerechtelijk onderzoek aanwezig wilde zijn. Het was onredelijk kort dag, maar daarmee zou hij uit zijn schuilplaats gejaagd worden en op zijn qui-vive zijn. Liever dan de dagvaarding aan een koerier toe te vertrouwen om een handtekening op te halen, besloot ze dat het veiliger was om hem zelf te gaan brengen. Onwillige getuigen waren nogal eens geneigd om te beweren dat ze de dagvaarding nooit hadden ontvangen. Ze wilde er geen enkele discussie over laten bestaan: als Maitland of Tathum weigerde mee te werken, zou ze hen naar de gevangenis sturen wegens minachting van de rechtbank. Als rechter van instructie had je niet veel extraatjes, maar de macht die ze had was bedoeld om degenen die zichzelf normaal gesproken boven de wet verheven achtten klein te krijgen.

Het was even na achten en nog maar net licht toen ze Hereford binnenreed en in een rustige straat parkeerde, op korte afstand van Maitlands kantoor in het stadscentrum. Er kwam geen reactie toen ze op de eerste verdieping aanbelde en er scheen nergens licht door de ramen. Geconfronteerd met de keus tussen de tijd doden in de coffeeshop vier deuren verder of in de kathedraal aan de overkant, zette Jenny haar jaskraag omhoog en stak de weg over.

In de uitgestrekte, weergalmende ruimte was het koor aan het repeteren. Het rook er naar wierook, koud steen en geboend eiken. Grote ijzeren kolenkachels straalden een ontoereikende, maar welkome warmte uit. Ze dwaalde door het schip, langs de dwarsbeuken en naar de Maria-Boodschapkapel, en ging zomaar op een stoel in een van de rijen zitten die naar het altaar toe gekeerd stonden, aan de kant waar een eeuwigdurende vlam flakkerde als bewaker van het sacrament.

In de stilte kwam er een beeld van mevrouw Jamal bij haar naar boven, de pijn in haar gezicht toen ze over haar vermiste zoon praatte. Jenny stelde zich haar laatste gedachten voor: dat ze met hem herenigd zou worden, dat ze hem zou zien op de plek waar zielen nu eenmaal heen gaan. Het waren troostrijke gedachten, maar geen ervan kon ze vasthouden. Het gebouw waarin ze zat was net zo goed gebouwd uit angst voor hel en verdoemenis als uit liefde voor God. Ze bad zelden, alleen wanneer ze wanhopig was of medelijden met zichzelf had, maar nu werd ze ergens door geroerd. Woorden schoten haar uit het niets te binnen.

Ze bad voor de zielen van Amira, Nazim Jamal en Rafi Hassan. 'Alstublieft, God, laat ze niet verloren zijn.'

Het was een chique receptieruimte, duur gemeubileerd met smaakvolle oorspronkelijke kunst en roomkleurige leren banken. Dit hoorde in het centrum van Londen thuis, niet in een plattelandsgehucht. De receptioniste was niet ouder dan vijfentwintig. Ze was knap om te zien en sprak met een frisse, welopgevoede stem zonder een spoor van een plaatselijk accent.

'Wat kan ik voor u doen?' vroeg ze.

Hoewel ze haar beste mantelpakje en jas had aangetrokken, voelde Jenny zich naast het meisje onbeholpen en onelegant. Ze gaf haar een visitekaartje. 'Jenny Cooper, rechter van instructie van het Severn Dale-district. Is kolonel Maitland aanwezig? Ik zou graag even met hem praten.'

'Nee,' zei het meisje, het gevaar ruikend. 'Hij is vandaag niet op kantoor, ben ik bang.'

'Morgen dan?'

'Ik denk dat hij dan wel weer terug is.' De tweede leugen kwam er minder zelfverzekerd uit dan de eerste.

Jenny stak haar hand in haar zak en haalde de envelop met de dagvaarding en een ontvangstbewijs tevoorschijn.

'Dit wordt wel "persoonlijke bezorging" genoemd. Dit is een getuigendagvaarding voor hem om morgen bij mijn gerechtelijk onderzoek aanwezig te zijn. Ik heb er zelfs taxigeld bij gedaan... Het is een wettelijke verplichting. Als hij echt niet kan komen, kan hij vandaag contact opnemen met mijn kantoor om een andere afspraak te maken. Kunt u voor ontvangst tekenen?'

'Nou, ik...'

Jenny ontkrachtte haar ontwijkende houding. 'Als u dat niet wilt, wordt u een getuige van het feit dat ik dit document op dinsdag 9 februari om' – Jenny keek op haar horloge – 'twaalf over acht heb afgegeven, en dan komt u met of zonder hem naar de rechtbank.'

Ze gaf het meisje een pen. Ze keek er even naar, pakte hem toen aan en krabbelde haastig haar handtekening op het ontvangstbewijs. Die was onleesbaar.

'Ook nog in blokletters graag.'

Ze deed wat haar was gevraagd. Of ze rood aanliep van woede of verlegenheid kon Jenny niet zeggen. Toen het achter de rug was, zei Jenny: 'Nog één ding. Ik wil een bevestiging van het laatste adres van een van uw werknemers, meneer Christopher Tathum.'

Het meisje richtte haar ogen onzeker op haar computer.

'U gaat me zeker vertellen dat u geen priveadressen mag geven, hè?'

'Ja,' stamelde het meisje.

'Technisch gesproken kan ik u ertoe dwingen, maar laten we het zo doen... Ik vertel wat het is en u zegt of het klopt of niet.'

Jenny herhaalde Tathums adres. Het meisje aarzelde even en tikte toen iets op haar toetsenbord in. Zijdelings zag Jenny een lijst adressen langsrollen.

'Iets te zeggen?' zei Jenny.

Ze schudde haar hoofd.

'Mooi zo. U zorgt dat kolonel Maitland vanochtend nog deze brief krijgt, ja?'

Jenny reed naar Bristol terug met het gevoel alsof er een last van haar schouders was genomen. McAvoy had niet tegen haar gelogen. Tathum wás in dienst van Maitland, en zo nodig had ze een getuige die kon worden overgehaald om dat te bevestigen. In de rechtszaal had ze veel obstakels te nemen, maar voor het eerst in dagen had ze het gevoel dat ze op iets stond wat in de buurt kwam van vaste grond onder haar voeten. Ze vertrouwde McAvoy weer en ging gaandeweg weer op zichzelf vertrouwen.

Ze kwam op kantoor met het sterke gevoel dat ze Alison aan zou kunnen en was bereid om de kartelranden glad te strijken. Sinds haar pijnlijke faux pas de dag tevoren hadden ze nauwelijks iets tegen elkaar gezegd, op een paar woorden na toen Jenny haastig naar haar dringende afspraak met dr. Allen was vertrokken. Ze zette zich schrap voor een kille ontvangst en bereidde een verzoenend praatje voor.

'Goedemorgen, mevrouw Cooper,' zei Alison bits formeel toen Jenny binnenkwam.

Ze merkte dat het vertrek onnatuurlijk netjes was: de tijdschriften op tafel lagen keurig gerangschikt, er stonden verse bloemen in een vaas, de inspirerende boodschappen waren weggehaald. Het voelde... gezuiverd.

'Goedemorgen, Alison,' zei Jenny enigszins schuldbewust, en ze pakte haar post – op volgorde van formaat opgestapeld – uit het bakje op haar bureau.

'Was u op tijd bij uw zoon?'

Het duurde even voordat Jenny zich het excuus herinnerde dat ze had gemompeld toen ze een uur eerder dan anders het kantoor uit was gestormd.

'Ja, dank je. Ternauwernood.'

Ze bladerde door de enveloppen en vermande zich om haar excuses aan te bieden. Als ze daar nog langer mee zou wachten, zou het onmogelijk worden; dan zouden ze de hele dag in ijzige stilte doorbrengen.

'Luister eens, Alison, het spijt me heel erg wat ik gisteren heb gezegd.

Ik had dat niet over je dochter mogen zeggen, en ik had evenmin je privéleven mogen veroordelen. Ik was kwaad op Simon Moreton, niet op jou. Hij had het recht niet om vertrouwelijke informatie te vragen.'

'Excuses aanvaard, mevrouw Cooper,' zei Alison terwijl ze haar ogen strak op het bureau gericht hield.

'Je had de kaarten niet weg hoeven halen.'

'Ze horen niet op de werkplek thuis. Bij de politie zouden ze ook niet geaccepteerd worden. Tegenwoordig niet meer.'

'Wat jij het beste vindt.'

Er viel een pijnlijke stilte. Geen van beiden wisten ze hoe ze een eind aan het gesprek moesten breien.

'Ik weet dat ik soms uit mijn slof schiet, maar ze weten allebei ook dat ik zonder jou niet erg ver kom.'

Jenny glimlachte naar haar. Alison hield haar kaak nog altijd strak gespannen.

'Wat betreft Harry Marshall heb ik me aangesteld,' zei Alison, op de vorige rechter van instructie, haar ex-baas, doelend, 'maar met David is het anders. Niet dat er iets ongepasts tussen ons speelt,' voegde ze er haastig aan toe. 'Ik heb hem door een paar van de grootste beproevingen heen zien gaan waar een mens maar mee geconfronteerd kan worden. Hij is geen leugenaar, mevrouw Cooper. Hij doet zijn plicht.'

'Dat respecteer ik, natuurlijk, maar de taak van een onderzoeksrechter verschilt van die van een politieman. Het lijkt tot niemand door te dringen, maar het is mijn taak, mijn wéttelijke taak, om alles in het werk te stellen om de waarheid boven tafel te krijgen, ook al zijn er mensen die dat liever niet willen. Ik moet doorgraven totdat de Lord Chancelor de telefoon pakt en me ontslaat.'

Alison knikte, maar niet overtuigd. In haar hart was ze nog altijd een plichtsgetrouwe rechercheur. Wettelijk onderscheid en hoge idealen waren aan haar niet besteed. Ze wilde liever veilig bij een machtige stam horen en was bang om het in haar eentje te moeten opknappen. Maar ze hield Jenny met beide benen op de grond, wat de reden was waarom ze na acht vaak roerige maanden nog bij elkaar waren. Jenny had haar inmiddels net zo hard nodig als een boom zijn wortels nodig had.

Alison zei: 'Er is een boodschap van die vrouw van MI5. Ze wil dat u terugbelt. Ik vermoed dat het om het verslag van de Health Protection Agency gaat, dat is gisteravond gekomen.' Ze gaf Jenny een uitdraai van een document met als kop: 'Radiologische bepaling.' Er stond een stempel op met UITERST VERTROUWELIJK'.

Jenny bladerde naar de laatste alinea's:

De cesium 137-monsters die op het adres zijn genomen, waren voornamelijk geconcentreerd op de bekleding van een leunstoel. Verschillende deeltjes werden ook gevonden in de gemeenschappelijke ruimten van het gebouw en op de huid van de overledene, mevrouw Amira Jamal, met name op haar onderrug en billen. Het is veilig en zelfs logisch te concluderen dat de overledene vlak voor haar dood was besmet via contact met de leunstoel. Het is echter niet mogelijk te bepalen hoe lang de deeltjes op de stoel of in het gebouw aanwezig zijn geweest. Indirect bewijs wijst op een recente besmetting: er waren geen besmettingssporen in de stofzuiger in mevrouw Jamals flat, noch in het exemplaar dat door de conciërge voor de gemeenschappelijke ruimten wordt gebruikt.
Afrondend wordt aangenomen dat besmetting op een bepaald moment tijdens de dagen vlak voor mevrouw Jamals dood heeft plaatsgevonden.

Alison zei: 'Mocht het een troost zijn, de politie heeft geen flauw idee. Zij denken dat het iemand was met wie haar zoon omging. Sommigen beweren zelfs dat het spul misschien via het houtwerk naar boven is gekomen. Er doen allerlei wilde geruchten de ronde.'

'Op een leunstoel? Alsof iemand erop is gaan zitten terwijl die al besmet was,' zei Jenny.

'Stel dat het Nazim was,' zei Alison. 'Dat zou haar pas geschokt hebben: dat hij uit het graf naar haar is teruggekeerd.'

Jenny schudde haar hoofd. 'Nee. Dat slaat nergens op.'

'Waarom niet? Er is geen bewijs dat hij dood is. We hebben alleen maar twee tegenstrijdige observaties dat hij leeft en verschillende kanten op gaat. Hij kan zelfs teruggekomen zijn om zijn moeder de mond te snoeren. Zij geven niet om leven, die jihadstrijders... Als je als martelaar sterft, hebben jij en zeventig familieleden van je sowieso vrije doorgang naar het paradijs.'

Jenny merkte onmiddellijk dat Alison midden tussen de politiekantineroddels had gestaan en die had opgezogen. En zoals gebruikelijk had de politie theorieën in elkaar gedraaid die hun eigen vooroordelen ondersteunden: een compleet Aziatische toestand, gooi er een moedermoord tussen, en henzelf trof geen enkele blaam; niet nodig om je schuldig te voelen wanneer het door de veiligheidsdienst in de doofpot werd gestopt en twee jonge mannen spoorloos verdwenen waren.

Jenny zei: 'Je hebt het met niemand over Madogs verklaring gehad?'

'Natuurlijk niet, mevrouw Cooper,' zei Alison beledigd. 'Ik praat weliswaar met mijn ex-collega's, maar ik klap niet uit de school.'

'Dat bedoelde ik ook niet...'

'Ik weet dat u veel waarde aan hem hecht, maar als ik u was, zou ik dat echt niet doen.'

'Ik heb je nog niet alles verteld. Momenteel bouwt zich een hele reeks bewijzen op...'

'Voordat u het me gaat vertellen, moet u waarschijnlijk eerst iets weten... over Alec McAvoy.'

'O?' Jenny voelde haar nekhaartjes overeind komen, maar weerstond de aandrang om terug te snauwen. Het was beter om Alison voor de rechtszitting niets te vertellen over het verband met Maitland. Het laatste wat ze wilde was dat haar beste bewijs nog voor het openbaar werd naar de politie en de veiligheidsdienst zou lekken.

'Zodat het u duidelijk wordt wat voor man hij is,' zei Alison. 'Hij maakte deel uit van het team dat Marek Stich heeft verdedigd, die Tsjech die afgelopen oktober een jonge verkeersagent heeft doodgeschoten. Ik weet niet of u gisteren het nieuws hebt gehoord?'

'Dat wil ik het liefst vermijden.'

'Stich is ermee weggekomen. Dat was niet verbazingwekkend. Het enige wat ze hadden waren een paar getuigen die hem alleen maar verderop in de straat van de plaats delict hebben zien wegrijden. Punt is dat er achter Stich nog een auto stopte. Volgens een andere getuige werd die bestuurd door een vrouw die het allemaal moet hebben gezien. De CID heeft haar nooit kunnen opsporen, maar gisteravond kregen ze een anoniem telefoontje. Ze hadden een emotionele vrouw aan de lijn die zei dat Stich de trekker had overgehaald... dat ze het hem had zien doen. Ze wilde een verklaring afleggen, maar later die middag werd ze benaderd door een man met een Schots accent die haar aanhield buiten de hekken van de school van haar zoon. Hij zei tegen haar dat ze, als ze een woord zou zeggen, haar kind kwijt was. Daar was hij bij, moet u begrijpen, een jongetje van acht jaar.'

Alweer zo'n ongeloofwaardig verhaal om het falen van de CID onder te schoffelen, dacht Jenny onmiddellijk. Wat moesten ze het vreselijk hebben gevonden dat ze door een lastige advocaat, van wie ze dachten dat ze hem voorgoed van zich af hadden geschud, zo vernederd werden.

'Ik zal er zeker naar kijken,' zei Jenny, die nog een confrontatie wilde vermijden.

'Ik heb het u al gezegd, mevrouw Cooper: hij knoeit met getuigen – hij zoekt ze op en snoert ze de mond. Dat is het enige wat hij kan.'

Het onderwerp omzeilend, zei Jenny: 'Over getuigen gesproken, loopt alles voor morgen op schema?'

Alison schoof de lijst over het bureau naar haar toe. Daarop stonden de namen van brigadier Angus Watkins, de politieagent die de kamers van Nazim en Rafi had onderzocht op sporen van braak, inspecteur Pironi, David Skene, een van de MI5-agenten die bij het oorspronkelijke onderzoek betrokken was geweest, Donovan, Madog, Tathum, Sarah Levin, professor Brightman, McAvoy, Hugh Rees, de eigenaar van het autoverhuurbedrijf in Hereford, en een naam die ze niet herkende: Elizabeth Murray.

Alison zei: 'Dat is die oude dame die denkt dat ze de Toyota heeft gezien. U vroeg me of ze nog leefde. Dat doet ze. Gisteravond heb ik op weg naar huis een verklaring van haar afgenomen. Ze is zesentachtig, maar nog steeds bij de tijd.'

Ze gaf Jenny nog een vel papier met daarop een paar korte zinnen waarin mevrouw Murray weinig meer verklaarde dan dat ze een zwarte auto had zien staan, met twee mannen erin. Terwijl Jenny het doorlas, deed ze vergeefs haar best om zich te herinneren dat ze Alison had gevraagd de getuige op te sporen. Ze vroeg zich af wat ze verder nog kon hebben vergeten of gemist... Het was opnieuw McAvoy die al haar aandacht in beslag nam, ook al was ze zich er niet van bewust. En Alison wist het: ze zag dat ze behoedzaam en bezorgd naar haar keek en dat ze haar mentale uitglijder opmerkte. Haar inspecteursinstinct vertelde haar dat Jenny's geest verwrongen was, dat ze het risico liep de gekken en ongerijmden de overhand te laten krijgen, dat ze de voor de hand liggende waarheid negeerde vanwege een corrupte en oneerlijke man die ze fascinerend vond.

Alison zei: 'Ik begrijp het wel, mevrouw Cooper. Ik weet wat het is om zo van iemand onder de indruk te zijn. Neem nou Harry Marshall en mij... De ideale man is altijd degene die je nooit kunt krijgen. Dat is het hele punt. Het is een fantasie... U kunt denken wat u wilt.'

Ze had haar helemaal door. Ze had gelijk: het was een fantasie. Net zoals Alison had gedroomd dat Harry haar naar een vriendelijkere, mooiere wereld zou leiden, beeldde Jenny zich in dat McAvoy, een man die op duisterder plekken was geweest dan zij zich ooit kon voorstellen, haar monsters met één enkele klap zou afslachten.

Jenny, die zichzelf net zo goed voor de gek hield als Alison, zei: 'Maak je geen zorgen. Ik zou nooit iets voor hem kunnen voelen. De man is een wrak.'

Alison schonk haar een vaag, slechts gedeeltelijk overtuigd glimlachje. 'Blij dat te horen.'

Jenny gaf Alison de opdracht om de getuigen dubbel te checken, zich ervan te verzekeren dat de juryleden gegarandeerd op vervoer konden rekenen en verder talloze administratieve klusjes af te handelen waar alle andere afdelingen van de rechtbank een hele batterij personeelsleden voor hadden, en ging in haar kantoor zitten om Gillian Golder te bellen.

'Jenny, eindelijk. Ik begon me al af te vragen of jíj soms was verdwenen.' Het was als grapje bedoeld, maar het kwam er bot uit.

'Je hebt vast met Simon Moreton gesproken,' antwoordde Jenny. 'Ik heb hem alles verteld wat ik weet, ook al is het niet veel.'

'Dat is het probleem in een notendop,' zei Golder. 'We tasten allemaal nogal in het duister en weten niet zeker wat we daar zullen aantreffen.'

Jenny was niet blij met het 'we'. Het klonk onheilspellend.

Anticiperend op wat er nu zou komen, zei Jenny: 'Als je je zorgen maakt of mijn gerechtelijk onderzoek zich onverhoopt op het terrein van het strafrechtelijk onderzoek naar de dood van mevrouw Jamal zal begeven, dan kan ik je verzekeren dat dat niet zal gebeuren. Ik ben alleen geïnteresseerd in wat er acht jaar geleden is gebeurd.'

'Maar weten we zeker dat die twee gebeurtenissen helemaal los van elkaar staan?'

'Ik heb geen reden om het nog langer uit te stellen. Jouw organisatie en de politie hebben jaren geleden het strafrechtelijk onderzoek al opgegeven.'

'Laten we even naar de echte wereld teruggaan, oké, Jenny? Mijn dienst en de politie zijn naarstig op zoek naar de bron van onrechtmatig opgeslagen radioactief materiaal. En een van de hoofdverdachten is het onderwerp van jouw onderzoek.'

'Heb je dan bewijs dat Nazim nog leeft?'

'We hebben liever dat de hele kwestie buiten het nieuws blijft tot we die klootzak hebben gevonden naar wie we op zoek zijn. Zelfs als je mevrouw Jamal erbuiten laat, zullen de media zich er als aasgieren op storten. Als iets hem verder van het toneel zal verjagen, dan is dat het wel.'

'Zo zie ik dat helemaal niet,' zei Jenny. 'Ik zie alleen maar dat jullie jezelf uit een mogelijk gênante toestand proberen te redden. Het was jouw dienst die het spoor koud heeft laten worden. Destijds kwam het jullie misschien goed uit – met het argument van oorlog en dat soort dingen –, maar ik zou niet op mijn taak berekend zijn als ik me daardoor zou laten ringeloren.'

Gillian Golder zei ijzig: 'Geloof het of niet, we zijn niet zo onredelijk als je denkt. Ik weet zeker dat we wel een manier weten te vinden om jouw gerechtelijk onderzoek een halt toe te roepen als we dat echt zouden willen, maar misschien kunnen we tot een redelijk compromis komen.'

Golder zweeg even en wachtte tot Jenny vrijwillig in de val zou trappen, maar die deed er het zwijgen toe.

'Dit is ons voorstel: artikel zeventien van de Coroner's Rules stelt een rechter van instructie in staat om er een besloten onderzoek van te maken wanneer dat in het belang is van de nationale veiligheid. Ik weet niet welke getuigen je van plan bent op te roepen, maar Nazim Jamal en Rafi Hassan werden er door ons van verdacht dat ze er extremistische sympathieën op na hielden. Gezien het feit dat mevrouw Jamal onder omstandigheden is gestorven die doen vermoeden dat ze in contact is geweest met een substantie die alleen van belang en nuttig kan zijn voor een terrorist, denken we dat dat een steekhoudend argument is, zo niet een noodzakelijk, om je gerechtelijk onderzoek achter gesloten deuren te houden.'

'Ik begrijp waarom jullie dat graag willen,' zei Jenny, 'maar ik denk dat jullie de basisprincipes van de rechtspleging misschien even zijn vergeten.'

'Laat ik het dan zo formuleren,' zei Golder. 'We hebben advocaten ingeseind die klaarstaan om vanmiddag naar het hooggerechtshof te stappen, waar ze om een gerechtelijk bevel zullen verzoeken, waarmee zeker gesteld wordt dat artikel zeventien correct wordt toegepast.'

Jenny voelde de dode hand op haar drukken. Ze twijfelde er geen moment aan dat het Golder ernst was en dat de overheidsadvocaten er bij een zorgvuldig gekozen rechter op aan zouden dringen dat er wellicht uitermate gevoelig bewijs – waarvan een eenvoudige rechter van instructie uit de provincie de betekenis niet zou onderkennen – naar boven zou kunnen komen dat een bedreiging zou kunnen vormen voor de nationale veiligheid. De rechter, inmiddels gewend aan besloten hoorzittingen bij terrorismezaken, en gewend mensen ooit onschendbare vrijheden te ontnemen, zoals het recht om te zwijgen en het recht van een gevangene om kennis te nemen van het bewijs dat er tegen hem bestaat, zou er geen problemen mee hebben om een onderzoeksrechter te knevelen. Jenny kon daartegen knokken wat ze wilde, maar dat was een strijd die ze nooit zou winnen. Ze kon een beroep doen op Simon Moreton van het ministerie, maar zelfs als ze hem kon overhalen om namens haar protest aan te tekenen, zou hij nog door zijn superieuren teruggefloten worden. Het enige wat ze kon doen was proberen te redden wat er nog uit de puinhopen te redden viel.

Jenny tartte nog een laatste keer haar geluk. 'Het is niet nodig om het zonder publiek te doen als we restricties opleggen aan de verslaglegging.'

'Dat kon misschien in de tijd voordat er internet was, maar ik ben bang dat dat niet genoeg is,' zei Golder. 'We kunnen de naaste familie toelaten, maar onder de strikte voorwaarde dat ze over geen enkel stukje bewijs mogen communiceren.'

'Ik zou kunnen zeggen dat je naar de hel kon lopen.'

'Dat zou je kunnen doen, maar daar heeft niemand iets aan, denk je wel?'

23

Zachariah Jamal was een verbluffend gedistingeerde man van midden vijftig en leek buitengewoon veel op zijn zoon. Hij was opvallend knap om te zien en had dezelfde fijne gelaatstrekken en hetzelfde ravenzwarte haar. Jenny zag onmiddellijk waarom hij zijn overleden ex-vrouw had verlaten. Hij was gereserveerd en beheerst, de tegenpool van uitbundig en emotioneel. Hij zat in zijn eentje aan het uiteinde van de drie rijen stoelen achter de advocaten, die de week ervoor vol hadden gezeten met naar nieuws hongerende journalisten en de militante leden van de British Society for Islamic Change.

Jenny had kort na haar laatste gesprek met Gillian Golder contact met hem opgenomen en hem van de ontwikkelingen op de hoogte gesteld. Ze had hem gevraagd of hij wilde dat ze het verzoek zou trotseren en zou vechten voor een volledig openbare hoorzitting. Hij had daar ondubbelzinnig met 'nee' op geantwoord. Op goed geluk had ze hem gevraagd of hij enig inzicht had in wat tot de dood van zijn ex-vrouw had geleid. 'De afgelopen jaren was ze geen stabiele vrouw,' was het enige wat hij had gezegd. Hij had zo terughoudend en afstandelijk geklonken dat Jenny niet had verwacht dat hij bij de hoorzitting aanwezig zou zijn. Maar toen ze even na acht uur aankwam, zat hij volgens Alison in de hal buiten te wachten. Toen ze hem in levenden lijve zag, besefte Jenny dat ze zich aan de telefoon in hem had vergist. Het verdriet achter zijn stoïcijnse masker was duidelijk voelbaar. Nu hij hertrouwd was en een tweede gezin had, had hij waarschijnlijk maar weinig gelegenheid gehad om te rouwen om zijn eerstgeboren zoon. Dit was zijn kans.

Uit beleefdheid had ze meneer en mevrouw Hassan ook gebeld om hun te vertellen dat ze welkom waren. Meneer Hassan zei haar op effen toon dat ze niet aanwezig zouden zijn, verslaggevers of niet. Er had nauwelijks onderdrukte woede in zijn stem doorgeklonken, die Jenny als schuldgevoel opvatte. Meneer Hassan gaf zichzelf de schuld van het lot van zijn zoon. Als hij met kerst nou maar geen ruzie met hem had gemaakt, als hij wat vriendelijker was geweest... Ze wist zeker dat zijn vrouw en hij er graag bij wilden zijn, maar zelfs na acht jaar konden ze het eenvoudigweg niet aan.

Terwijl ze aan het hoofd van een weergalmende dorpszaal zat die normaal gesproken gebruikt werd om aan dansfeestjes en shows onderdak te bieden, voelde ze een bijna ondraaglijke verantwoordelijkheid.

De ochtend was al traumatisch begonnen. Toen Jenny aankwam, trof ze daar meer dan tien politiemensen in uniform aan die zich rondom de zaalingang hadden opgesteld. Hun brigadier zei dat hem was opgedragen om journalisten tegen te houden en leden van het publiek de toegang tot het hervatte onderzoek te ontzeggen. Jenny kwam daartegen bij hem in het geweer toen verscheidene bestelbusladingen vol BRISIC-aanhangers aan kwamen rijden en er woedende, vijandige taferelen ontstonden. Terwijl plaatselijke bewoners vol ongeloof toekeken, gingen scheldkanonnades en gescandeerde slogans over in geweld. Er werd op politieagenten ingeslagen, die daar geestdriftig met wapenstok en pepperspray op reageerden. Tijdelijk verblind en schreeuwend van de pijn werden verschillende demonstranten opgepakt en weggevoerd. De rest werd voor het merendeel uiteengedreven. Pas nadat Jenny de brigadier had gedreigd met meervoudige aanklachten als hij niet meewerkte, stond hij een paar overgebleven mensen toe als symbolische vertegenwoordiging.

Veel van de getuigen waren midden in het oproer aangekomen. Geflankeerd door de politie had Alison hen door een zijingang weten te loodsen. Ze stonden nu bij elkaar in een kleine bestuurskamer, die via een enkele deur uitkwam op de hal. Maitland en Tathum moesten hun gezicht nog laten zien, maar tot Jenny's verbazing hadden alle anderen gehoor gegeven aan hun dagvaarding, met inbegrip van McAvoy.

Afgezien van meneer Jamal was de enige andere toeschouwer Alun Rhys, Golders mannetje in het veld, die achterin aan het eind van een rij zat weggestopt. Ze had het recht om hem de deur te wijzen – het was immers een besloten hoorzitting en hij had volgens de wet geen recht aanwezig te zijn –, maar intuïtief liet ze hem begaan. Ze wilde van zijn gezicht verbazing, schrik of zelfs goedkeuring kunnen aflezen.

Ze was uitermate dankbaar voor dr. Allens nieuwe medicijnen, waarmee ze erin slaagde haar angsten in toom te houden, en wendde zich tot de juristen. Yusuf Khan, de advocaat die de BRISIC vertegenwoordigde, stond te popelen om als eerste het woord te nemen.

'Mevrouw, ik teken ten stelligste protest aan tegen uw beslissing om dit onderzoek achter gesloten deuren te houden. In de wet staat duidelijk dat alle onderzoeken door een rechter van instructie in het openbaar gehouden moeten worden, tenzij dit tegen het belang van de nationale veiligheid indruist. Degenen die ik vertegenwoordig kunnen slechts concluderen dat u hiermee hun aanwezigheid wilt uitsluiten.'

'Helemaal niet, meneer Khan,' bracht Jenny in het midden. 'U zult uiteraard de verslagleggingsrestricties respecteren die ook tijdens deze hoorzitting gelden, dus ik kan u zonder dat ik bang hoef te zijn om geciteerd te worden meedelen dat ik mijn bevel rechtstreeks op verzoek van de veiligheidsdienst heb uitgevaardigd.' Ze keek naar Rhys. 'Naar hun eigen goeddunken hebben ze me niet verteld waar ze bang voor zijn of welke getuigenis volgens hen de veiligheid van het koninkrijk zal aantasten. Ik heb echter besloten dat het beter was om onder deze omstandigheden door te gaan dan helemaal niet.'

'Maar dit is belachelijk,' zei Khan. 'Een rechter van instructie kan daar niet toe worden gedwongen. Dit is een onafhankelijke rechtbank, geen politiek tribunaal.'

'Aangezien dit een besloten zitting is, kan ik me frank en vrij uitspreken en zeggen dat ik het volkomen met u eens ben.'

Rhys trok een streng, afkeurend gezicht.

Jenny vervolgde: 'U mag van mij met alle liefde uw protesten van de daken schreeuwen, maar als ik uw aanhangers nu binnenlaat, kan ik u garanderen dat dit gerechtelijk onderzoek zal worden stopgezet. Het gaat er niet om wat een van ons goed of rechtvaardig acht, en ik stel voor dat u uw energie voor de getuigen bewaart.'

Niet tevreden stak Khan zijn vinger in de lucht. 'Ik wil dat er notitie van wordt genomen dat mijn cliënten dit via elke rechtbank zullen aanvechten en alles in het werk zullen stellen om de transcriptie van deze hoorzittingen openbaar te maken. Er bestaat niet zoiets als gerechtigheid in het geniep.'

De twee advocaten, Fraser Havilland voor de politiecommissaris en Martha Denton, advocaat van de Kroon voor de directeur-generaal van de veiligheidsdienst, leken enigszins verveeld en niet onder de indruk door Khans optreden. Trevor Collins, de pretentieloze en alledaagse advocaat die de erven van mevrouw Jamal vertegenwoordigde, was de enige die instemmend knikte.

Jenny zei: 'Dank u, meneer Khan', en terwijl ze naar Alun Rhys keek voegde ze eraan toe: 'Ik weet zeker dat als er niets ter sprake komt wat de nationale veiligheid aantast, uw verzoek zal worden ingewilligd.'

Rhys zette een pokerface op. Hij kwam Jenny merkwaardig krachteloos voor: een toeschouwer van een geheime rechtszaak zonder dat hij sancties kon opleggen.

Ze wendde zich tot de jury en dankte hen voor hun geduld gedurende de week dat ze geschorst waren geweest. Om Rhys of een van de advocaten niet op ideeën te brengen over wat ze wellicht te horen zouden krijgen, legde ze in opzettelijk vage bewoordingen uit waarom de vertraging noodzakelijk was geweest, namelijk om verdere onderzoekslijnen na te trekken, waarvan ze het resultaat tijdens de verhoren van verschillende nieuwe getuigen aan de orde zou laten komen. Niet onder de indruk reageerden de juryleden met een ongeduldige blik.

Toen Jenny zich tot Alison wendde met het verzoek om de eerste getuige binnen te brengen, stond Fraser Havilland abrupt op.

'Mevrouw, voor we verdergaan met de getuigenverhoren, zouden mijn geachte vriendin en ik dankbaar zijn als u ons een lijst van deze nieuwe getuigen zou kunnen overhandigen, en, zou ik willen voorstellen, een kopie van hun verklaringen. Dat is goed gebruik bij een modern gerechtelijk onderzoek van een rechter van instructie.'

Martha Denton, die naast hem zat, staarde Jenny met een uitdrukkingsloze blik aan.

Zeker van haar zaak zei Jenny: 'Wellicht goed gebruik, meneer Havilland, maar niet verplicht. Ik stel voor dat u nog eens kijkt naar *R. versus Hare Majesteits rechter van instructie voor Lincolnshire, ex parte Hay (1999)*. Toegang om documenten te raadplegen, zelfs getuigenverklaringen, is een zaak ter beoordeling van de onderzoeksrechter.' Ze wendde zich tot de jury. 'Een gerechtelijk onderzoek door een rechter van instructie is geen proces. Het is een onderzoek namens de Kroon. De rechtskundigen die de belanghebbenden vertegenwoordigen zijn hier eerder om assistentie te verlenen en hebben het recht om vragen te stellen. Ze kunnen geen inzage eisen.'

'Met alle respect, mevrouw,' drong Havilland aan, 'in de zaak-Bently uit 2003 wordt benadrukt dat het voor een onderzoeksrechter te prefereren valt om getuigenlijsten vrij te geven, vooral in complexe zaken.'

'U bent niet gauw tevreden, hè meneer Havilland? Dit is niet alleen een besloten zitting, maar u en de cliënten van mevrouw Denton wensen nu precies te weten welke getuigen tijdens deze hoorzitting worden opgeroepen. Volgens mij wordt dat zo geformuleerd: u wilt het onderste uit de kan.'

Verschillende juryleden glimlachten.

Havilland trok een nors gezicht. 'Dat wordt een goed gebruik genoemd, mevrouw.'

'Ik ben plooibaar, maar geen doetje, meneer Havilland,' zei Jenny, terwijl ze een oprisping van angst voelde die ze worstelend onderdrukte. 'U krijgt waar u recht op hebt, meer niet.'

Havilland dacht erover om terug te slaan, maar hij werd door zijn adviserend jurist teruggefloten, die hem aan zijn mouw trok en fluisterde dat hij moest gaan zitten. 'Uitstekend, mevrouw,' zei Havilland, en hij nam weer plaats.

Martha Denton gaf geen krimp. Ze bestudeerde Jenny's gezicht, zocht naar zwakheden en beidde haar tijd.

Elizabeth Murray was de eerste getuige die van het bestuurskamertje haar weg vond om aan het tafeltje links van Jenny, dat dienstdeed als getuigenbank, plaats te nemen. Ze was zesentachtig jaar oud, broos en krom, maar ze liep met stevige tred en zonder hulp. Ze droeg een elegant marineblauw mantelpak, had voor de gelegenheid haar haar laten doen en was vastbesloten om volop te profiteren nu ze in de schijnwerpers stond. Ze las de eed duidelijk en plechtig voor. Niemand twijfelde eraan dat ze de waarheid zou spreken.

'Mevrouw Murray,' zei Jenny, 'hebt u enige reden om zich de avond van 28 juni 2002 te herinneren?'

'Zeker,' zei ze stellig. 'Er stond de hele avond een grote zwarte auto voor mijn huis geparkeerd, met twee mannen op de voorbank. Hoe langer ze daar stonden, hoe wantrouwiger ik werd. Om ongeveer halftien 's avonds besloot ik de politie te bellen. Ik wilde net de telefoon pakken, toen ik de motor hoorde starten. Ik liep naar het raam en zag dat ze wegreden.'

'Wat voor merk auto was het? Kunt u zich dat nog herinneren?'

'Een personenbusje, zo noemen ze dat, geloof ik.'

'En hebt u de politie gebeld?'

'Nee. Ik vond het niet de moeite waard om ze daarmee lastig te vallen.'

'Maar later dat jaar kreeg u bezoek?' vervolgde Jenny.

'Inderdaad. In december van dat jaar belde er een man aan. Hij zei dat hij optrad namens de familie van een jonge man die het laatst was gezien toen hij die avond iets verderop in de straat een huis had verlaten. Hij ging alle huizen af om getuigen te zoeken. Ik heb hem over de auto verteld.'

'Herinnert u zich de precieze datum waarop u hem hebt gezien zelfs na een halfjaar nog?'

'Ja. Het was de laatste vrijdag van juni. Er was iets met die twee mannen... Het bleef eenvoudigweg hangen.'

'Wat was er dan met ze?'

'Ze kwamen op de een of andere manier bedreigend op me over. Degene achter het stuur kon ik behoorlijk goed zien. Hij was gedrongen en had zijn schedel geschoren.'

'En de passagier?'

'Die heb ik niet goed gezien. Die had volgens mij langer haar.'

Jenny merkte op dat Alun Rhys een notitie maakte. Dit leek nieuws voor hem.

Jenny zei: 'Hebt u gezien in welke richting de auto wegreed?'
'De richting waarin hij stond... naar rechts.'
Jenny wees naar Alison, die kopieën van een uitvergrote plattegrond aan de juryleden en rechtskundigen uitdeelde. Daarop stond Marlowes Road, de straat waar zowel mevrouw Murray als Anwar Ali destijds had gewoond. Mevrouw Murray bevestigde dat ze op nummer 102 woonde, aan de zuidkant van de straat. De flat van Anwar Ali, waar hij de halaqah hield, was ongeveer tweehonderd meter ten westen van haar huis aan de noordkant, op nummer 35. De halte waar Nazim en Jamal de bus naar de campus zouden nemen was dertig meter ten westen van haar huis aan de zuidkant. Mevrouw Murray bevestigde dat een bus in oostelijke richting langs de geparkeerde auto kwam als hij bij de halte wegreed; maar toen haar werd gevraagd of er inderdaad kort voordat de auto wegreed een bus was langsgekomen, kon ze zich dat niet herinneren.
'Kon u zien hoeveel mensen er in de auto zaten toen hij wegreed?' vroeg Jenny.
'Nee. Op dat moment stond ik niet bij het raam,' zei mevrouw Murray.
'En heeft behalve de privédetective nog iemand anders naar de gebeurtenissen van die avond gevraagd?'
'Nooit.'
'Er is nooit een politie-inspecteur bij u aan de deur geweest?'
'Nee.'
Fraser Havilland noch Martha Denton wilde de getuige ondervragen. Trevor Collins sloeg het kruisverhoor ook over. Khan, die tijdens haar getuigenis steeds opgewondener was geworden, legde haar een paar minuten het vuur na aan de schenen in een poging een kenmerkend detail van de raadselachtige inzittenden in de auto uit haar te krijgen. Elizabeth Murray deed haar best, maar zei weinig wat Jenny niet al aan haar had weten te ontlokken. Nadat hij een kwartier lang tevergeefs dezelfde vragen had herhaald, ging Khan teleurgesteld zitten. Hij had de smaak van een samenzwering geproefd en hongerde naar meer.
De gepensioneerde brigadier Watkins was de volgende in de getuigenbank. Hij was een man met grijs haar die ouder leek dan zijn zevenenvijftig jaar, zijn bierbuik puilde over de band van zijn pantalon. Hij las de eed van het kaartje met de vermoeide gelatenheid van een oudgediende agent voor wie de wereld weinig verrassingen meer in petto had.
'Meneer Watkins, u hebt op 3 juli 2002 een verklaring afgelegd nadat

u de kamers van Nazim Jamal en Rafi Hassan had onderzocht. Hebt u die onlangs nog gelezen?'

'Ja. Uw medewerkster heeft me een kopie gegeven.' Watkins had een zwaar Bristols accent en hij knikte waarderend naar Alison.

'Kunt u zich dat onderzoek nog herinneren?'

'Vaag. Ik was met inspecteur Pironi op die halvegaren gezet, dus hij vroeg of ik ook wilde komen toen we hoorden dat de jongens vermist werden.'

Jenny refereerde aan zijn verklaring. 'En u vond sporen van braak. Laptops en mobiele telefoons waren uit beide kamers verdwenen, maar andere waardevolle spullen, zoals een mp3-speler in de kamer van Rafi Hassan, lagen er nog.'

'Ja, mevrouw.'

'Wat maakte u daaruit op?'

Watkins ademde door gesloten lippen zwaar uit, terwijl hij een geluid maakte van een vermoeid, oud trekpaard. 'Het kon een inbraak zijn geweest, vermoed ik, maar de indrukken in de deurposten waren bij beide kamers dezelfde. Het was min of meer toevallig. Misschien wilden ze het erop laten lijken dat de deuren geforceerd waren.'

'Op de dag dat u uw verklaring schreef, had u geen idee wat er met de twee jongens was gebeurd. De getuige die beweert hem op de trein naar Londen te hebben gezien, kwam pas op 20 juli naar voren.'

'Dat klopt.'

'Dus hoe reageerde de politie op uw ontdekkingen?'

'Ik heb mijn verklaring aan de inspecteur gegeven, meer niet.'

'Inspecteur Pironi?'

'Ja.'

'U is niet gevraagd om de inbraak te onderzoeken?'

'Nee, mevrouw.'

'Wist u dat op 8 juli een andere student die in Manor Hall woonde, mevrouw Dani James, een verklaring heeft afgelegd dat ze op 28 juni rond middernacht een man in een dikke anorak en met baseballpet haastig Manor Hall had zien verlaten... de avond waarop de jongens zijn verdwenen?'

'Een paar collega's en ikzelf zijn de studentenhuizen af gegaan om met de studenten te praten, dus ik had er wel over gehoord.'

'Welke stappen zijn er ondernomen om deze man op te sporen?'

Watkins schudde zijn hoofd. 'Dat zou ik u niet kunnen zeggen, mevrouw. De beschrijving was vaag, dus ik denk niet dat er veel aan gedaan is.'

'Vertel me eens, meneer Watkins: heerste er een gevoel dat dit een belangrijk onderzoek was? Was u er ongerust over waar deze twee jongemannen zouden kunnen zijn gebleven?'

'Voor zover ik weet was er niet echt een misdaad gepleegd. Uiteraard wisten we dat ze in slecht gezelschap verkeerden, als u dat bedoelt... We dachten eerder dat ze waarschijnlijk ergens naartoe waren gereisd.'

'Was dat uw eigen mening, of is u dat verteld?'

'Ik meen dat inspecteur Pironi dat heeft gezegd. We hielden dat andere stelletje halvegaren nog steeds in de gaten; we moesten kijken wie de moskee en het huis van Anwar Ali in en uit gingen.'

'Toen hij het had over "slecht gezelschap", met wie gingen Nazim Jamal en Rafi Hassan dan volgens u precies om?'

Watkins haalde zijn schouders op. 'De inspecteur was degene die de inlichtingenverslagen las. Mijn collega's en ik hielden alleen hun bewegingen bij.'

'Geloofde u dat u mogelijke criminelen observeerde?'

'Ja. Zeker in die tijd. We wisten niet waar het toe zou leiden.'

'Des te vreemder dat er geen grote klopjacht is gehouden.'

Met een half glimlachje en een blik naar Alison zei Watkins: 'Die laat ik maar aan de inspecteur over, denk ik. Ik was maar gewoon voetvolk.'

Niet tevreden vroeg Jenny door. 'Welke reden is er aan u opgegeven dat er niet meer inspanningen zijn verricht om ze te zoeken?'

'Die is me niet verteld, mevrouw.' Hij aarzelde. 'Ik geloof niet dat het een geheim was dat MI5 zich ermee ging bemoeien, maar daarmee heb ik nooit iets te maken gehad.'

Jenny pakte het dossier met de aantekeningen van de politieobservaties. Ze sloeg een gemarkeerde pagina op. 'Was u op de avond van 28 juni op Marlowes Road aan het observeren?'

'Nee, mevrouw.'

'Er staat hier een opmerking: "Personen NJ en RH zijn om 22.22 uur uit Marlowes Road 35 vertrokken. Personen lopen in oostelijke richting naar de bushalte." Er staan geen initialen bij.'

'Niet op het transcript misschien, maar op de handgeschreven originelen moeten wel initialen hebben gestaan.'

'Al lang geleden vernietigd, neem ik aan?'

'Dat zou ik niet weten, mevrouw. Dat moet u aan de inspecteur vragen.'

'Dat zal ik doen.' Jenny had Pironi een hoop vragen te stellen. 'Dank u wel, meneer Watkins. Als u hier wilt blijven wachten?'

Fraser Havilland stond op en keek met een vermoeide, meevoelende blik naar de getuige. 'Meneer Watkins, wanneer een volwassene als vermist wordt opgegeven en er is geen onmiddellijk bewijs van enige criminele activiteit rondom zijn verdwijning, hoe treedt de politie dan meestal op?'

'Daar kunnen we maar heel weinig aan doen.'

Havilland keek de jury aan alsof hij wilde zeggen: dat ligt toch voor de hand, terwijl hij zijn volgende vraag stelde: 'En was er bewijs voor zo'n misdaad?'

Watkins schudde zijn hoofd. 'Geen sporen van geweld.'

'Dus u zou kunnen zeggen dat de politie het ongewoon grondig heeft aangepakt?'

'Dat zou ik wel denken, ja.'

'Dat is alles.' Havilland keek de jury meevoelend aan, alsof hij wilde zeggen dat Watkins' hele optreden in de getuigenbank een onnodige verspilling van ieders tijd was.

Martha Denton wilde ook deze keer geen vragen stellen, maar nu kreeg Collins vóór Khan zijn kans, en de stille advocaat, die meer thuis was in wetgeving dan in het afnemen van een kruisverhoor, stond nerveus op.

'Meneer Watkins,' zei Collins, terwijl hij zijn woorden half inslikte en nerveus kuchte. 'Uw verklaring waarin de schade aan de deurposten van de studentenkamers van beide jongens staat beschreven, werd pas een klein jaar later aan mijn cliënte, wijlen mevrouw Jamal, vrijgegeven, en dan nog pas nadat haar raadsman daartoe een verzoek had ingediend. Waarom was dat?'

'Dat zou ik niet weten, meneer.'

Collins frummelde onhandig aan de kleppen van de zakken op zijn colbert. 'De schade had opgevat kunnen worden als een bewijs van geweld,' zei hij, eerder als een vaststelling dan als een vraag. 'Waarom werd er in 's hemelsnaam geen volledig onderzoek ingesteld?'

'Dat is wel gebeurd, meneer.'

'Dat mocht geen naam hebben. Er is geen technisch onderzoek in de kamer gedaan, er is niet naar vingerafdrukken gezocht.'

'Het was een onderzoek naar vermiste personen, niet een strafrechtelijk onderzoek. Dat zijn twee verschillende dingen.'

'U lijkt uitermate weinig geïnteresseerd in de verblijfplaats van de twee jonge mannen die u maanden had geobserveerd, terwijl ze naar zogenaamde insubordinerende politieke bijeenkomsten gingen.'

'Zoals ik al zei: ik deed wat me was opgedragen.'

'Waar u kennelijk niet al te zeer uw best op mocht doen,' zei Collins, zo recht voor z'n raap dat de andere advocaten erdoor verrast werden. Hij verhief zijn stem nog verder. 'U en uw collega's was opgedragen om niet naar Nazim Jamal en Rafi Hassan te zoeken. Dat is de onverkwikkelijke waarheid, nietwaar, meneer Watkins?'

Watkins keek ongemakkelijk naar de jury. 'Dat zijn uw woorden, meneer, niet de mijne.'

'Daar hebt u geen antwoord op, is dat het wellicht, meneer Watkins? Was u tevreden geweest met het optreden van de politie als uw zoon of dochter vermist was geraakt?'

Watkins keek naar Jenny in de hoop dat hij gered zou worden.

'Het is een volkomen correcte vraag,' zei Jenny.

Na een stilte, waarin Watkins met het idee leek te spelen om uit de school te klappen, zei hij: 'Ik was een brigadier, meneer. Een ondergeschikte. U doet er beter aan dit soort vragen aan de leidinggevenden te stellen.'

Fraser Havilland en Martha Denton wisselden een blik en gingen in conclaaf met hun adviserend juristen. De beide juridische teams waren gezamenlijk iets van plan.

Khan schudde zijn hoofd, terwijl hij Watkins met onverholen minachting aankeek toen Jenny hem uitnodigde voor het kruisverhoor. De getuige die hij wilde was inspecteur Pironi. Die wilde Jenny ook, maar hij mocht nog even wachten. Anderen waren eerst aan de beurt.

'U mag gaan, meneer Watkins.' Ze wendde zich tot Alison. 'Simon Donovan, alsjeblieft.'

Donovan zat voor de tweede keer in de getuigenbank. Hij zag er afgejakkerd uit; het beetje spankracht dat hij ooit had bezeten was nu uit zijn uitgezakte, ongezonde gezicht verdwenen.

'U staat nog steeds onder ede, meneer Donovan,' zei Jenny. 'Ik heb nog een paar vragen om het een en ander op te helderen na uw getuigenis van vorige week.' Ze keek haar aantekeningen van de getuigenis door en vond het woordelijke verslag van zijn verklaring. 'U hebt ons verteld dat u de twee jonge Aziatische mannen op 29 juni in de trein naar Londen hebt gezien omdat u ze uit de krantenverslagen had herkend.'

'Dat klopt.'

'U vervolgde uw verhaal met dat de politie bij u langskwam – ik neem aan bij u thuis – met een serie foto's aan de hand waarvan u Nazim Jamal en Rafi Hassan identificeerde.'

'Inderdaad.'

Jenny zag dat Zachariah Jamal aandachtig naar Donovan keek.

'En dat was ingegeven door uw bezorgdheid dat ze wellicht bij illegale activiteiten betrokken waren.'

'Ja, mevrouw.'

Jenny zweeg even en wierp Donovan een vorsende blik toe. Hij klemde zijn handen samen en maakte ze weer los.
'Wat was uw beroep destijds, meneer Donovan?'
'Ik was beëdigd accountant, mevrouw.'
'Met een eigen praktijk?'
'Ja.'
'Vanaf april in dat jaar werd er onderzoek naar u gedaan in verband met fraudedelicten?'
Khan en Collins wisselden een blik. Havilland en Denton leken onaangedaan: Havilland was verdiept in een document en Denton maakte geduldig een aantekening.
'Ik werd door de politie ondervraagd, mevrouw,' zei Donovan, 'maar ik ben van alle blaam gezuiverd. En dat niet alleen, ik heb ook tegen een aantal van mijn cliënten en mijn voormalige zakenpartner getuigd, die, zo bleek, zich aan fraude schuldig hadden gemaakt.' Zijn antwoord was ingestudeerd, maar kwam er vol zelfvertrouwen uit. Jenny merkte dat zijn ogen naar Havilland schoten alsof hij onbewust goedkeuring zocht.
Jenny zei: 'Herinnert u zich nog dat u tussen 29 juni en 20 juli als verdachte werd ondervraagd, de datum waarop u uw verklaring aflegde?'
'Ik kan me geen precieze data herinneren, maar dat zou heel goed kunnen.'
'Ik zal niet om de zaak heen draaien, meneer Donovan: hebt u met de politie een deal gesloten over de kwestie van de fraudebeschuldigingen? En maakte de verklaring dat u Nazim Jamal en Rafi Hassan had gezien daar deel van uit?'
Havilland stond verontwaardigd op. 'Mevrouw, als raadsman voor de commissaris van de politiemacht in kwestie maak ik ernstig bezwaar tegen deze manier van ondervraging, tenzij die wordt gestaafd door geloofwaardig bewijs.'
'Er zal een getuige worden opgeroepen die de vraag verklaart, meneer Havilland. U zult gewoon geduld moeten hebben.'
'Mevrouw, louter in het belang van de rechtvaardigheid moet ik u eraan herinneren dat het uw taak is om onpartijdigheid te betrachten. Deze wijze van ondervragen lijkt verdacht veel op een kruisverhoor dat wordt uitgevoerd door een advocaat voor een partijdige zaak. Dat is niet de manier waarop van een rechter van instructie wordt verwacht dat die een gerechtelijk onderzoek uitvoert.'
'Ik kan u verzekeren, meneer Havilland, dat ik geen enkele intentie heb om mijn onpartijdigheid met voeten te treden,' snauwde Jenny. 'En als u zo vriendelijk wilt zijn, ik wil graag verder.'

Havilland gaf schoorvoetend toe, terwijl hij met een theatrale zucht ging zitten.

'Meneer Donovan,' zei Jenny, 'een rechtstreeks antwoord alstublieft. Heeft de politie gesuggereerd dat u de verklaring over de identificatie van Nazim Jamal en Rafi Hassan moest afleggen?'

'Nee,' antwoordde Donovan, zo nadrukkelijk dat het niet overtuigend overkwam.

'Hebt u dan enig bewijs dat u deze treinreis hebt gemaakt – een creditcardafschrift misschien?'

'Ik heb contant betaald.'

'En het kaartje voor de voetbalwedstrijd waar u naartoe op weg was?'

'Dat was ook contant.'

'Reisde u met iemand die uw verhaal kan verifiëren?'

'Nee.'

'Er moet toch iemand zijn die uw verhaal kan bevestigen?'

'U zou het bij mijn ex-vrouw kunnen proberen,' zei Donovan, in de hoop de jury een glimlach te ontlokken.

Jenny deed opnieuw haar best om zijn verhaal in twijfel te trekken door te suggereren dat hij wellicht in de verleiding was gekomen om zich als getuige op te werpen, met de bedoeling om daar zijn voordeel bij de politie mee te doen op het moment dat hij werd beschuldigd, maar hij ontkende alles. Zijn verklaring kwam voort uit een spontaan gebaar van een bezorgde burger, benadrukte hij. Meer zat er niet achter.

Havilland besloot Jenny's insinuaties niet te belonen met nog meer vragen, en Martha Denton volgde opnieuw zijn voorbeeld. Khan herhaalde zijn aanval van de week daarvoor, implicerend dat Donovan het ene Aziatische gezicht niet van het andere kon onderscheiden, maar de jury leek zichtbaar geïrriteerd door Khans aanmatigende toon: hoe meer hij tekeerging, hoe strenger hun gezichtsuitdrukking werd. Jenny leerde gaandeweg het een en ander over Britse juryleden: het maakte niet uit of hun huidskleur zwart, wit, bruin of een combinatie daarvan was, ze hadden allemaal een instinctieve afkeer van sentiment. Het was paradoxaal, maar in een cultuur die erdoor geobsedeerd was elk flintertje genotzuchtige emotie openlijk te etaleren, hield het instinct om binnen een rechtszaal alle uiterlijk vertoon van hartstocht af te keuren nog stevig stand.

Toen Khan eindelijk buiten adem was, stond Collins op om zelf een vraag te stellen.

Zachtjes, en nerveus met een pen tussen zijn vingers draaiend, zei hij:

'Vraagt u ons te geloven, meneer Donovan, dat het nooit bij u is opgekomen dat het identificeren van twee mogelijke terroristen – en u dacht dat ze dat waren – u wellicht bij uw zaak zou kunnen helpen? Ik kan me niet voorstellen wat voor soort raadsman u bijstond als dat niet zo was.'

Donovan aarzelde een fractie te lang om volslagen eerlijk over te komen. 'Voor ik die verklaring aflegde, is dat niet in me opgekomen, nee. Maar het kan zijn dat mijn advocaat daar na afloop iets over heeft gezegd.'

'Ja, dat weet ik wel zeker,' zei Collins, en vervolgens, alsof hij het tegen zichzelf had, voegde hij eraan toe: 'Ik zou dat zeker hebben gedaan. Ja, zeker.' Hij keek even naar de vloer, trok met zijn mond alsof hij aan een ongelukkige zenuwtic leed, en keek toen weer met een onverwachte geestdrift op. 'En ook al wordt u hier niet beschuldigd, ook al is deze hoorzitting geheim en zullen uw woorden nooit naar buiten worden gebracht, dan nog bent u niet mans genoeg om toe te geven dat u uw verklaring hebt afgelegd in ruil voor een gunstige behandeling. Het was een leugen, nietwaar, meneer Donovan?'

De muis had gebruld. De jury zat rechtop en had alle aandacht erbij. Ze keken nauwlettend naar Donovan, die zijn best deed smalend te glimlachen, terwijl zijn dikke, vette nek tegelijk een levendige kleur paars aannam.

'Nee,' zei Donovan afgemeten. 'Ik heb ze gezien. Twee Aziatische knullen. Zij waren het. Dat weet ik zeker.'

Toen hij uit de getuigenbank stapte en dankbaar naar de uitgang achter in de zaal liep, bracht Jenny zichzelf in herinnering dat haar werk niet simpelweg bestond uit het navolgen van de agenda die McAvoy voor haar had uitgezet. Het was mogelijk dat Donovan voor een groot deel de waarheid had gesproken. Misschien hád hij twee jonge Aziatische mannen in de trein gezien; het was voorstelbaar dat dat Nazim en Rafi waren geweest. Ze moest alle mogelijkheden openhouden.

Ze haalde diep adem. Kalm blijven, zei ze tegen zichzelf. Mensen zijn van jou afhankelijk om de waarheid te horen te krijgen. Voor hen moet je kalm blijven.

Dr. Sarah Levin wist er zowel zakelijk als moeiteloos glamoureus uit te zien. Ze wilde geen geloofseed zweren en legde in plaats daarvan een belofte af. Jenny stelde zich voor hoe McAvoy haar zou bespotten. 'Ik wil nog weleens zien hoe atheïstisch je bent als de eeuwigheid roept,' zou hij hebben gezegd. 'Wat heb je dan liever naast je bed: een lang genegeerde priester of een kapper?'

'Dr. Levin,' zei Jenny, terwijl ze de onaardige gedachten uit haar gedachten bande, 'u was in hetzelfde jaar natuurkundestudent als Nazim Jamal, nietwaar?'

'Ja, dat klopt.'

'U ging samen naar colleges en werkgroepen?'

'Ja.'

'U had een kamer in Goldney, een ander studentenhuis.'

'Inderdaad.'

'En ongeveer twaalf dagen na zijn verdwijning hebt u een verklaring aan de politie afgelegd.'

'Ja.'

'Weet u nog wat u hebt gezegd?'

'Ik zei dat ik hem in de kantine tegen een paar Aziatische vrienden over "broeders" had horen praten die naar de oorlog in Afghanistan waren gegaan. Hun gesprek ging over jihadstrijders die tegen de Britten en Amerikanen vochten. Nazim leek onder de indruk van dat idee. Of hij stond gewoon wat op te scheppen, dat weet ik niet.' Ze haalde haar schouders op. 'Ze waren heel jong.'

'Wanneer speelde dit zich af?'

'Ergens in het zomersemester. Mei, waarschijnlijk.'

'Heeft hij ooit gezegd dat hij erover dacht om naar Afghanistan te gaan?'

'Nee. Nooit.'

Jenny wachtte even en hield zichzelf voor dat ze zich moest intomen, dat ze de tijd moest nemen, de waarheid eruit moest trekken.

'Dr. Levin, uw verklaring tegenover de politie was gedateerd op 22 juli. Dat was drie weken na de verdwijning van Nazim Jamal en Rafi Hassan. Wat is er in die periode gebeurd?'

'Het semester was al afgelopen. Ik was nog een poosje gebleven. Het was een krankzinnige tijd en toen het wat rustiger werd, denk ik dat dat gesprek me te binnen schoot.'

'Inspecteurs hebben toch met studenten gepraat?'

'Er liepen er inderdaad een paar rond, ja. Geen van hen heeft me direct aangesproken.'

'Ik begrijp het. En toen u zich dat gesprek herinnerde, wat had u toen in gedachten?'

'Ik vermoed dat ik dacht dat het wel zo verantwoordelijk was om naar de politie te gaan.'

'Bent u naar hen toe gegaan of zijn zij naar u gekomen?'

'Er hing een bericht op de natuurkundefaculteit. Ik heb het nummer gebeld.'

'Uiteraard had meneer Donovan toen al bij de politie zijn verklaring afgelegd en was het al in de plaatselijke pers verschenen.'

'Daar was ik me inderdaad van bewust. Dat heeft me er waarschijnlijk op geattendeerd.'

Jenny keek Sarah Levin streng aan. Ze stelde zich bescheiden op, als een getuige die haar best deed, maar ze had iets kwetsbaars, een neiging om aan Havilland en Denton antwoord te geven in plaats van aan de jury, alsof ze werd aangetrokken tot het gezag dat zij vertegenwoordigden. En toch wist ze niet wie ze waren. Ze was de vorige week niet in de rechtszaal geweest en had tijdens de inleidingen aan het begin van de zitting achter gesloten deuren in de bestuurskamer gezeten.

Jenny zei: 'Hoe goed kende u Nazim Jamal, dr. Levin?'

Ze dacht even na voor ze antwoord gaf. 'Niet erg goed.'

'En hoe zit het met uw eerste semester op de universiteit. Stond u toen dichter bij hem?'

Sarah Levin wachtte even. Er gleed een uitdrukking van verdriet over haar gezicht en ze ging wat zachter praten. 'Ik weet wat u gaat zeggen.'

'U had een relatie met hem, hè?'

Sarah Levin keek naar meneer Jamal. Er viel niets van zijn gezicht af te lezen.

'Nazim en ik hadden een heel korte "relatie", als je dat zo kunt noemen... Het was ons eerste semester, ik was voor het eerst van huis...'

Jenny keek naar de advocaten. Ze zag dat Khan bij deze bekentenis een tikje geamuseerd keek.

'Hoe lang heeft die geduurd?'

'Een week of twee... Het was niet serieus of zo. U weet hoe dat gaat in je studententijd.'

'Inderdaad. Maar maakte Nazim in die tijd niet een religieus-orthodoxe fase door? Hij droeg traditionele kleding en liet een baard staan, toch?'

Niet op haar gemak zei Sarah Levin: 'Ik wilde echt zijn familie niet voor het hoofd stoten, daarom heb ik het er nooit over gehad. We waren allebei achttien. Op die leeftijd weet je niet goed waarin je gelooft. Je bent nog op zoek naar je eigen identiteit.'

'Waar ik op doel is dat hij geen enkele scrupules had om met u naar bed te gaan.'

'Daar leek het inderdaad op, ja.'

'Heeft hij het met u over zijn religieuze overtuigingen gehad?'

'Hij zei alleen dat niemand erachter mocht komen. Zijn familie noch zijn Aziatische vrienden... Het was allemaal heel clandestien. Opwindend, vermoed ik.'

'Kwam hij op u over als een religieus fanaticus?'

'Destijds niet. Hij was zonder meer een toeschouwer – hij bad wel vijf keer per dag –, maar in alle andere opzichten was hij gewoon een normale jonge man.'

'Wie heeft er een eind aan de relatie gemaakt?'

'Tijdens de kerstvakantie heeft hij me niet gebeld. Ons contact is als het ware vanzelf uitgedoofd.'

'Wellicht weet u, of niet, dat Nazim daarna een korte verhouding met een andere studente uit uw jaar heeft gehad, Dani James.'

Sarah Levin knikte. 'Dat heb ik vorige week gehoord. Ik had er geen idee van.'

'Zij denkt dat ze van hem chlamydia heeft opgelopen. Is u net zoiets overkomen?'

Sarah Levin verstrakte, haar schouders stonden plotseling gespannen. Een spontane reactie, dacht Jenny; ze is op zoek naar een antwoord.

'Is dat relevant?'

'Dat zou kunnen. Ik heb inzage gekregen in uw medische gegevens, dr. Levin...'

De getuige knipperde met haar ogen en wankelde door de onverwachte slag. 'Een paar maanden later kreeg ik een infectie en toen is die diagnose inderdaad gesteld, ja,' zei ze, plotseling in verlegenheid gebracht. 'Ik zou niet weten of ik het van Nazim heb gekregen.'

'Hebt u het tegen hem gezegd?'

'Nee.'

'Was u er boos over?'

'Niet op de manier waarop u doelt.'

'Dr. Levin, wist de politie van uw vroegere relatie met Nazim?'

'Nee. Ik heb het er tot op heden met niemand over gehad.'

'U begrijpt het belang van de vraag, nietwaar? Dit is geen strafproces, ik beschuldig u nergens van, maar als de politie bijvoorbeeld die informatie had gehad, en als ze probeerden te bewijzen dat hij en Rafi Hassan naar het buitenland waren gegaan, dan waren ze misschien naar u toe gekomen om te vragen of hij daar ooit iets over had gezegd.'

'Ik weet wat u impliceert, maar dat is niet het geval.'

'Heeft ooit iemand van de veiligheidsdienst met u gepraat of u ondervraagd?'

'Nooit.'

Jenny ging achterover in haar stoel zitten met het onbehaaglijke gevoel dat ze nog steeds iets over het hoofd zag, dat er een vraag onbeantwoord bleef. Als ze advocaat was geweest, had ze Sarah Levin er meedogenloos over doorgezaagd dat ze de jonge man die haar op zo'n intieme manier had verwond geen kwaad hart toedroeg. Maar dat mocht een onderzoeksrechter niet doen; ze mocht haar niet blootstellen aan beschuldigingen, tactloosheid of vooringenomenheid.

'Kunt u ons dan alstublieft vertellen of Nazim ooit iets tegen u heeft gezegd wat een aanwijzing kan zijn geweest voor wat er met hem is gebeurd?'

Sarah dacht zorgvuldig over haar antwoord na. 'Het was niet iets wat hij toen zei, maar nu ik erop terugkijk, snap ik dat hij boos was. Ik weet niet eens of hij wel wist waarop hij boos was. Hij uitte dat in zijn godsdienst – die gaf hem een soort doel, misschien voelde hij zich er wel speciaal door –, maar hij was ook intelligent, gevoelig...'

'Gelooft u dat hij naar het buitenland is gegaan?'

'Ik kan het niet geloven,' zei ze. 'Dat zou op een soort avontuur hebben geleken.'

'Heeft hij ooit met u over Rafi Hassan gepraat?'

'Ik wist niet eens wie hij was totdat ze allebei waren verdwenen. Nazim had het nooit over hem. Achteraf vermoed ik dat hij twee volkomen gescheiden levens leidde. Het andere heb ik nooit gezien.'

Jenny beëindigde haar ondervraging, terwijl het knagende gevoel dat de twijfel niet was weggenomen bleef. Toen Havilland opstond om Sarah Levin te laten bevestigen dat al haar contacten met de politie op haar eigen initiatief tot stand waren gekomen, worstelde Jenny ermee dat McAvoy zijn vermoeden dat Nazim en zij een verhouding hadden gehad voor zich had gehouden. Ze geloofde zijn verklaring niet dat hij mevrouw Jamal tegen schande en schaamte had willen beschermen. Hij had haar in een ingewikkelde en sinistere complottheorie geduwd, en ver weggehouden van degene met wie Nazim heel intiem was geweest. Het was alsof hij niet wilde dat Nazim en Rafi naar het buitenland waren gegaan. Hij wilde een groots gevecht tussen goed en kwaad; hij wilde zichzelf aan de zijde van de engelen plaatsen en om verlossing bidden.

Toen Havilland ermee klaar was de reputatie van de politie op te poetsen, stond voor het eerst die dag Martha Denton op voor een kruisverhoor.

'Dr. Levin, we begrijpen zeker al uw motieven waarom u uw intieme relatie met Nazim Jamal niet eerder ter sprake hebt gebracht, maar ik weet dat u het belang ervan inziet dat u de rechtbank alles vertelt wat enig licht kan laten schijnen op wat er van hem is geworden.' Ze sprak op geruststellend zachte toon, zonder een spoortje dreiging of ongeduld.

'Zonder meer.'
'En uiteraard zal elk begrip dat we over zijn gemoedstoestand kunnen krijgen zijn zaak kunnen ondersteunen of juist verzwakken dat hij het land om politieke of religieuze redenen heeft verlaten.'
'Als ik daar iets over te vertellen had, zou ik dat doen. Ik weet niet wat er in Nazim omging.'
'Praatte hij niet met u over zijn religieuze overtuigingen?'
'Niet in het bijzonder. Ik wist dat hij naar de moskee ging, ik zag dat hij boeken over politiek en geschiedenis had, maar eerlijk gezegd was ik er niet in geïnteresseerd.'
'U kreeg niet het gevoel dat hij u gebruikte?'
'Niet echt.'
'Zo te horen weet u dat niet zeker... Hij was een jonge radicale moslim die seks had met een ongelovige. Dat was een uitermate compromitterende toestand voor hem.'
'Ja, dat zal wel.'
'Had hij last van schuldgevoelens?'
Sarah Levin keek naar meneer Jamal, wiens gezicht eindelijk tekenen van spanning begon te vertonen. Na zoveel jaren vol onbeantwoorde vragen werd hij nu gedwongen een kijkje te nemen in de verwarde geest van zijn zoon. 'Ja, dat geloof ik wel, maar hij was te attent om me dat te laten merken. Er was duidelijk een conflict.'
'Een conflict tussen uitersten, was dat uw indruk?'
'Hij was een gepassioneerd mens... Op zo'n jonge leeftijd begrijp je de volle omvang van zoiets niet, maar als ik er nu over nadenk, begrijp ik dat dat aan de hand was.'
'En toen hij u liet vallen, verbrak hij alle contact?'
'Volkomen.'
'Waarom deed hij dat volgens u?'
'Zijn religie moet het hebben gewonnen... Ik was gekwetst, maar probeerde verder te gaan.'
'U hebt ons erg geholpen, dr. Levin,' zei Martha Denton.
Alsof hij wilde demonstreren dat hij ongevoelig was voor Sarah Levins nu gekwetste schoonheid, ondervroeg Khan haar agressief, met de bedoeling de notie onderuit te halen dat Nazim seksuele gevoelens onderdrukt zou hebben en die tot de woede van een fanatiekeling had getransformeerd. Hij suggereerde zelfs dat de affaire een hersenspinsel van haar was. Het was alsof de Nazim Jamal die hij zich had voorgesteld boven corruptie verheven was, maar of hij toch in elk geval – als een direct gevolg van zijn spirituele zuiverheid – wel zo onschuldig was dat hij wreed was verleid.

Toen Jenny Sarah Levins gepijnigde antwoorden hoorde, kwam het voor het eerst bij haar op dat ze misschien wel oprecht verliefd op Nazim was geweest: hoe meer Khan met zijn gescheld op haar inbeukte, hoe meer haar verdriet aan de oppervlakte kwam. Misschien voelde ze zich verantwoordelijk voor zijn verdwijning: een prachtige en ongewilde sirene die hem tot een fatale koers had aangezet.

24

Jenny zat in het bovenkamertje aan een klef broodje kaas te plukken toen Alison aanklopte met het nieuws dat hun ontbrekende getuigen, Tathum en Maitland, waren gearriveerd. Maitland had verzocht om vroeg gehoord te worden, omdat hij de volgende ochtend naar het Midden-Oosten zou afreizen. Jenny zei dat ze die middag aan hem zou toekomen. Ze had besloten om de serie bewijzen vanaf het moment dat Elizabeth Murray de Toyota had gezien naar Maitlands kantoor terug te volgen voordat ze McAvoy zou oproepen. Pas daarna zou ze Pironi en Skene verhoren. De getuigenis van die ochtend had een aantal scheuren in de officiële versie van de gebeurtenissen blootgelegd: ze wilde die zo breed mogelijk oprekken voordat de inspecteur en de MI5-functionaris ter verantwoording werden geroepen.

'Ik heb ook een verzoek van inspecteur Pironi,' zei Alison een beetje gegeneerd. 'Hij heeft gevraagd of meneer McAvoy in een andere ruimte dan de bestuurskamer kan wachten. Hij gedraagt zich kennelijk vreemd.'

'Ik kan me voorstellen dat het daarbinnen nogal gespannen is,' zei Jenny. 'Prima. Zolang hij maar uit de zaal blijft terwijl de anderen hun getuigenis afleggen.'

'Dank u wel, mevrouw Cooper,' zei Alison en ze weifelde even, alsof ze nog iets wilde zeggen.

Jenny keek haar aan. 'Wat is er?'

'Niets.' Alison draaide zich om naar de deur.

'Je hebt toch niet met Dave Pironi gepraat, hè?'

'Nee... Echt niet.'

'Maar?'

'Ik zou u mijn mening niet moeten geven. Hij doet zijn eigen zegje wel. Ik hoop alleen dat die wurm van MI5 hetzelfde doet.' Ze haastte zich weg voordat Jenny verder kon aandringen.

Maar ze hoefde niet meer te weten: Alison was ervan overtuigd dat wat er ook aan Pironi's onderzoek had geschort, dat niet aan hem te wijten was. Net als alle goede politiemensen had hij alleen maar bevelen opgevolgd. Hij had niet genoeg lef om dat in de rechtszaal te zeggen, dus liet hij die boodschap via zijn oude vriendin doorsijpelen. Slappe klootzak, dacht Jenny, en ook nog een lafaard. Het moet een hel voor hem zijn geweest dat hij de hele ochtend met McAvoy in dezelfde ruimte opgesloten had gezeten, alsof hij zijn geweten in vlees en bloed voor zich zag.

Madog las stotterend de eed op en frummelde aan zijn bril terwijl Jenny hem een paar inleidende vragen stelde, waarvan ze er een paar moest herhalen. Na een paar pogingen stelde ze vast dat hij negenenvijftig jaar was en dat hij drieëntwintig jaar als tolbeambte op de Severn Bridge had gewerkt.

'Ik weet dat het lang geleden is, meneer Madog, maar kunt u ons vertellen of u op 28 juni 2002 iets ongebruikelijks hebt gezien?'

Hij keek ongerust naar de advocaten en toen weer naar Jenny. 'Bedoelt u de zwarte auto?'

'Als u gewoon met ons doorneemt wat u al in uw verklaring hebt gezegd.'

'Nou, het was laat, rond elf uur 's avonds,' begon hij aarzelend. 'Ik zat daar in het hokje toen er een zwarte auto stilhield. Op de voorbank zaten twee blanke kerels en achterin twee Aziatische knullen.'

Zijn antwoord ging gepaard met gefluister tussen de advocaten. Martha Denton en Havilland draaiden zich om om met hun respectievelijke raadsmannen te overleggen, die even een groter, gemeenschappelijk groepje vormden. Alun Rhys reageerde echter niet.

Jenny zei: 'Wat voor soort auto was het?'

'Een grote zevenpersoons. Een Toyota, denk ik. Zwart.'

'Kunt u de passagiers wat gedetailleerder beschrijven?'

Met een beetje aansporing gaf Madog met horten en stoten een beschrijving van de bestuurder met de geschoren schedel, de man met de paardenstaart en de twee angstige passagiers die op de achterbank ineengedoken zaten. Intussen merkte Jenny dat de ogen van meneer Jamal zich geschrokken opensperden en dat zijn onwrikbare houding plaatsmaakte voor een woedende uitdrukking op zijn gezicht.

Jenny zei: 'Tijdens elke dienst int u de tol van honderden voertuigen. Wat viel u bij dit voertuig op?'

'De bestuurder was arrogant, weet u. Er kon geen alsjeblieft of dankjewel van af, hij griste het wisselgeld praktisch uit mijn hand. En een van die knullen op de achterbank keek naar me op een manier die ik maar niet uit mijn hoofd kon zetten. Hij had een baard, maar er was iets met hem... Hij zag er veel jonger uit, hij leek wel een kind.'

'Zaalwachter, kunt u meneer Madog foto's laten zien van Nazim Jamal en Rafi Hassan?'

Alison stond van haar tafel aan de zijkant van de zaal op en bracht twee grote foto's naar de getuige. Hij tuurde naar allebei, waarna hij knikte. 'Ze lijken er wel op.' Hij wees naar de linkerfoto. 'Hij was degene die me opviel.'

Alison controleerde het etiket op de achterkant van de foto. 'Dat is Nazim Jamal, mevrouw.'

Meneer Jamal keek Jenny nu recht aan, vol afgrijzen en verwachtingsvol, wachtend tot de stukjes op hun plek zouden vallen.

'Hebt u de inzittenden van dit voertuig nog teruggezien, meneer Madog?'

'Ik ben bang van wel...'

Jenny merkte op dat Alun Rhys nog altijd gespannen was en geen greintje verbazing liet merken. Het was alsof hij wist wat er nu zou komen.

'Ga door, meneer Madog.'

Vechtend tegen de zenuwen wist Madog verslag te doen over zijn treffen met de passagier met de paardenstaart de zaterdag daarop. Hij vertelde de jury dat de man het haar van zijn kleindochter met verf had bespoten, en dat hij niet eens kwaad keek toen hij dat deed. Hij toonde helemaal geen gevoelens, zei Madog.

'Hebt u de politie over die aanval op uw kleindochter verteld?'

'Dat durfde ik niet. Ik wilde haar niet in gevaar brengen.'

'Hebt u de man sindsdien nog gezien?'

Madog schudde zijn hoofd.

Jenny's maag draaide zich om. Ze keek naar Alison, die licht haar schouders ophaalde. Madog had minstens een kwartier in dezelfde ruimte als Tathum gezeten voor hij naar de getuigenbank kwam. Hij had zich vast zijn gezicht herinnerd, ook al had hij de paardenstaart nu afgeknipt. Ze kon Tathum naar de rechtszaal roepen en Madog vragen om hem te identificeren, maar dat bracht een geweldig risico met zich mee. De hogere rechtbanken fronsten hun wenkbrauwen bij identificaties in de rechtszaal – de omstandigheden waaronder die werden verricht werden als kunstmatig beschouwd, terwijl men onder grote druk stond – en waren geneigd ze als ontoelaatbaar af te doen. Maar als Madog Tathum er niet uit pikte, zou de bewijsketen op cruciale wijze verbroken worden.

Ze besloot haar tijd te beiden. Ze zou Madog vragen of hij na zijn getuigenis in de zaal wilde blijven en hem nadat hij Tathums verklaring had bijgewoond nogmaals naar de getuigenbank roepen.

Jenny nodigde uit tot een kruisverhoor. Havilland liet dat aan Martha Denton over, die zich met een vagelijk geamuseerd lachje tot Madog richtte.

'U beweert dat zich u bijna tien jaar na het vermeende voorval de details kunt herinneren van een enkele auto en zijn passagiers.'

'Niet precies...' Hij keek naar Jenny. 'Een of andere kerel vroeg me er destijds naar; dat zal in juli daarop zijn geweest.'

'O ja? En wie was dat?'

'Meneer Dean, zo heette hij geloof ik. Hij zei dat hij privédetective was.'

'En voor wie was hij een detective?'

'Daarmee kan ik u helpen, mevrouw Denton,' zei Jenny. 'Meneer Dean was geïnstrueerd door de advocaat van mevrouw Amira Jamal.'

'Ik begrijp het.' Martha Dentons raadsman trok aan haar elleboog en fluisterde haar iets toe. Ze glimlachte en draaide zich toen beschuldigend naar de getuigenbank om. 'En die advocaat was meneer Alec McAvoy? Een man die in december 2002 de gevangenis in is gedraaid omdat hij geprobeerd heeft de rechtsgang te belemmeren? Dus waarschijnlijk zat meneer McAvoy rond die tijd in de gevangenis.'

'Daar wist ik niets van,' zei Madog.

Wensend dat ze haar mond had gehouden, zei Jenny: 'U zult op korte termijn de getuigenis van meneer McAvoy te horen krijgen. Dan kunt u die vraag rechtstreeks aan hem stellen.'

'Dat zal ik zeker doen, mevrouw. Heeft deze detective een geschreven verklaring van u opgenomen, meneer Madog?'

'Toen wilde ik het liefst niets zeggen... vanwege mijn kleindochter.'

'Waarom is hij uitgerekend naar u toe gekomen?'

'Hij wist naar wat voor auto hij moest uitkijken en dat er een paar Aziatische knullen in hadden gezeten. Hij wilde van alle tolbeambten weten of ze die hadden gezien.'

'Aha. Dus hij vroeg u specifiek of u een groot zwart voertuig had gezien met twee blanke mannen en twee Aziatische jongeren?'

'Inderdaad.'

'Heeft hij u betaald, meneer Madog?'

'Nee. Niets.'

'En heeft hij u dat incident met uw kleindochter en de verf aan de hand gedaan?'

Madog schudde resoluut zijn hoofd. 'Daar heb ik hem nooit iets over verteld.'

'Ik begrijp het. Dus wanneer hebt u verslag gedaan van dat zogenaamde incident?'

'Vorige week, toen me gevraagd werd een verklaring af te leggen.'

Martha Denton trok een verward gezicht. 'Laten we hier heel duidelijk over zijn, meneer Madog. U beweert dat u te angstig was om de politie over de gemene aanval op uw zesjarige kleindochtertje te vertellen, en toch vertelt u dat doodleuk aan een privédetective die uit het niets opduikt?'

'Niet over mijn kleindochter. Dat zei ik u al: daar heb ik het niet over gehad.'

Martha Denton staarde de ruimte in alsof ze vergeefs uit de antwoorden wijs probeerde te worden. Toen liet ze zich met een laatdunkend schouderophalen en een afgemeten 'O, nou ja' op haar stoel vallen.

Jenny zag dat twee juryleden op de voorste rij een veelbetekenende blik met elkaar wisselden. Martha Denton had hun het gevoel gegeven dat zij slim waren terwijl ze Madog als een dwaas had neergezet.

Havilland had geen vragen en hij nam er genoegen mee zich achter de aanval van Denton te scharen. Khan bespeurde een doorbraak voor zijn zaak en wist iets van de schade te herstellen die Denton had toegebracht door te constateren dat Madog geen geloofwaardige reden had om te liegen over wat hij had gezien, en evenmin over de daaropvolgende confrontatie met de man met de paardenstaart, en dus niet omgekocht kon zijn. Madog hield vol dat hij nooit geld had aangenomen en dat hij alleen maar de waarheid had gesproken. Niet alle juryleden leken overtuigd.

Collins had geen vragen voor de getuige. Madog stapte maar wat graag uit de getuigenbank, popelend om zo snel mogelijk te ontsnappen.

Jenny hield hem staande en zei: 'Ik wil graag dat u tot het eind van de middag in de zaal blijft wachten, meneer Madog. Misschien moet u nog een paar vragen beantwoorden.'

Jenny keek naar Rhys' reactie. Die bleef onaangedaan. Zelfvoldaan. Ze stond zichzelf een korte lankmoedige fantasie toe: misschien kon ze nog steeds gerede twijfel zaaien, zoveel pijnlijke vragen stellen dat de jury een moedige beslissing zou nemen die hem uit zijn zelfgenoegzaamheid zou opschrikken. Hoewel de essentie van het bewijs geheim moest blijven, zou het oordeel van de jury niet verzwegen worden. En een jury van een onderzoeksrechter had de unieke macht om hun bevindingen in de vorm van een commentaar te gieten. Als ze besloten dat Nazim en Rafi tegen hun wil waren weggevoerd en dat het officiële onderzoek nalatig of opzettelijk in de kiem gesmoord was, dan konden ze dat breed uitmeten.

Deze acht volstrekt nietsvermoedende mannen en vrouwen, die momenteel tijdens het uitoefenen van hun obscure burgertaak verschillende stadia van verveling en ergernis doormaakten, hadden de macht om een storm te ontketenen.

De volgende getuige was David Powell, de eigenaar van het autoverhuurbedrijf in Hereford, dat Jenny en McAvoy een bezoek hadden gebracht. Hij was een gedrongen man, sprak met een omslachtig accent uit de grensstreek en deed geen poging zijn ongeduld te verbergen omdat hij zijn zaak in de steek had moeten laten. Hij keek Jenny nijdig aan, met dezelfde wantrouwige verachting waarmee hij in haar beleving alle ambtenaren tegemoet trad.

Ja, zijn bedrijf had in juni 2002 een zwarte Toyota Previa in bezit, maar volgens zijn gegevens was die van 20 tot 23 juni verhuurd en daarna niet meer tot 6 juli. De wagen moest op de achtentwintigste op het erf buiten hebben gestaan. Toen Jenny erop zinspeelde dat hij hem wellicht had verhuurd zonder dat hij dat op papier had bijgehouden, antwoordde Powell onwrikbaar met een nee en week daar niet van af. Als uit de gegevens bleek dat de auto niet verhuurd was, dan klopte dat. Geen discussie mogelijk.

Jenny veranderde van tactiek. 'Hebt u een vaste klant die meneer Christopher Tathum heet?'

'Zo vast is die nou ook weer niet,' gromde Powell.

'Hebt u de gegevens van de auto's die hij heeft gehuurd?'

Hij knikte en vouwde een vel papier open dat hij uit zijn jaszak tevoorschijn had gehaald. Het was een computeruitdraai op het bedrijfsbriefpapier met een lijst transacties met Tathum, C., Dhr. De eerste keer ging het om de verhuur van een Audi sedan in december 2001. Jenny liet haar ogen over de lijst glijden en zag dat Tathum in de twee jaar daarop een stuk of wat keer dezelfde auto had gehuurd, meestal voor de weekends. De Toyota stond er slechts één keer op: in maart 2003.

Jenny zei: 'Staat u op goede voet met meneer Tathum?'

'Niet in het bijzonder.'

'U zou hem geen speciale gunsten verlenen... een cash deal bijvoorbeeld?'

'Nee.'

Jenny hield zijn blik vast toen ze haar volgende vraag stelde. 'Heeft hij of iemand anders met u of met uw personeel over dit voertuig gepraat?'

Hij vermeed haar blik en mompelde: 'Nee, mevrouw.'

Het was niet veel, alleen een aanwijzing dat hij loog, maar het wakkerde haar woede aan. Ze kon het niet weerstaan om voor de jury een punt te maken. 'Weet u zeker dat u deze rechtbank de volledige waarheid hebt verteld, meneer Powell?'

'Heel zeker.'

Nadat Khan een paar speculatieve vragen op hem had afgevuurd, die allemaal met een ontkenning werden beantwoord, vroeg Jenny Powell of hij zich bij Madog op de lege publiekstribune wilde voegen. Het was weliswaar een stukje theater – de schakels van de keten om het verhaal voor de juryleden levendig te houden –, maar Jenny had het gevoel dat het gerechtvaardigd was. Sinds Donovan zijn onwaarschijnlijke verklaring had gegeven, had ze met een groeiend wantrouwen geworsteld dat de gebeurtenissen geregisseerd werden. Ze had angstvallig de identiteit van Elizabeth Murray, Madog, Tathum en Maitland geheimgehouden tot ze in de getuigenbank zaten, maar geen van hen had ook maar tot enige zichtbare onrust bij Alun Rhys geleid. Ze moest harder aandringen. Haar borst trok zich samen bij het vooruitzicht. Ze moest resoluut vechten tegen de paniek.

Tathum nam de tijd om van de bestuurskamer naar de getuigenbank te lopen. Gekleed in pak met stropdas kon hij wel een bedrijfsdirecteur zijn. Het enige wat verraadde dat hij een voormalig militair was, waren zijn zware vierkante schouders en een zekere roofzucht in zijn gespannen blik. Jenny keek naar Madog, in de hoop enige onrust te bespeuren: hij raakte zijn wang aan, krabde in zijn nek. Kleine aanwijzingen, maar niet genoeg om haar gerust te stellen.

Tathum pakte de bijbel en las de eed voor met de ontspannen houding die hij ook had aangenomen toen hij zich door Madogs autoraampje had gebogen. Ze had een instinctieve en fysieke afkeer van hem, een irrationele walging waarvan ze wist dat als ze die liet blijken, dat haar zwakker zou maken.

'Meneer Tathum,' zei ze, nadat hij zijn naam en adres had bevestigd, 'kunt u het hof vertellen voor wie u eind juni 2002 werkte?'

'Voor zover ik me kan herinneren, mevrouw, voor niemand.'

'Hoe hebt u dan in uw levensonderhoud voorzien?'

'Ik was het jaar daarvoor uit het leger vertrokken. Ik had een militair pensioen en deed zo nu en dan contractarbeid. Dat doe ik nog steeds.'

'Wat voor soort contractarbeid?'

'"Close protection" is de technische term.' Hij richtte zijn uitleg tot de jury. 'In gewonemensentaal is dat bodyguardwerk.'

Hij straalde moeiteloos zelfvertrouwen uit en werd er niet in het minst door afgeschrikt dat de jury wist wie en wat hij was.

'Wie was in dat jaar uw belangrijkste opdrachtgever?'

'Ik had verschillende contracten lopen bij een bedrijf, Maitland Ltd geheten. Ik bewaakte toen Britse olie-executives in Nigeria en Azerbeidzjan.'

'Was u tijdens de uitvoering van uw taken gewapend?'

'Ik zou niet veel klaarmaken als ik dat niet was.'

Ondanks de deken van de medicijnen, begon Jenny's hart sneller te kloppen en haar middenrif trok samen. Ze dwong zichzelf door te gaan.

'Destijds droeg u uw haar anders, is het niet, meneer Tathum? U had toen een paardenstaart.'

'Inderdaad,' zei hij zonder aarzeling.

Jenny sloeg even dicht; zijn directheid had haar van haar stuk gebracht. 'Laten we het over 28 juni van dat jaar hebben. Kunt u vertellen waar u op die dag was?'

'Waarschijnlijk was ik thuis, wat er nog van over was. Toen ik uit het leger kwam, heb ik een oude vervallen boerderij gekocht en die ben ik opnieuw aan het opbouwen.' Hij glimlachte naar de jury. 'Dat is inmiddels mijn levenswerk geworden.'

Ze reageerden niet. Er waren glimlachjes noch gefronste wenkbrauwen, alleen een vage behoedzaamheid voor Tathums bestudeerde charme.

Jenny vermande zich. 'Op de voorbank van een zwart Toyota-personenbusje zijn op die avond in Marlowes Road in Bristol twee mannen gezien. Hetzelfde voertuig of een vergelijkbaar exemplaar was om ongeveer elf uur 's avonds op de Severn Bridge gesignaleerd. De bestuurder was een blanke, gedrongen man met stekeltjeshaar; de passagier naast hem, ook blank, had een paardenstaart. Op de achterbank zaten twee Aziatische mannen. Bevond u zich in dat voertuig, meneer Tathum?'

Tathum schudde glimlachend zijn hoofd. 'Nee.'

'U hebt bij verschillende gelegenheden een auto gehuurd bij meneer Powells bedrijf in Hereford. Hebt u die dag in een van die voertuigen gereden?'

'Nee. Als ik niet werk, gebruik ik mijn eigen auto.'

Het was verbazingwekkend zoals hij alles ontkende, maar Jenny was verbijsterd door zijn vergaande zelfvertrouwen. Ze geloofde niet dat hij door wat ze ook op hem afvuurde van zijn stuk gebracht zou worden. Aan de vragende uitdrukking op het gezicht van de juryleden zag ze dat bij hen langzaam het kwartje viel, maar er was nog steeds niet genoeg bewijs waarop ze hun verdenkingen konden baseren.

'Meneer Madog, de tolbeambte op de Severn Bridge die de Toyota had opgemerkt, zegt dat hij op de zaterdag daarop werd aangesproken door een man met een paardenstaart die hij herkende als de bestuurder van dat voertuig. Deze man zei tegen meneer Madog dat hij "hem had gezien", en dat hij vervolgens verf heeft gespoten op het haar van zijn zesjarige kleindochter die op de achterbank zat.' Jenny ontmoette Tathums blik en voelde zich ineens zwak. 'Was u die man?'

Hij antwoordde met een oprecht verbaasde blik. 'Nee, mevrouw.'

'Kunt u vertellen waar u op die dag was?'

'Nog steeds thuis, neem ik aan.'

Het enige wat ze nodig had was iets waarop ze hem op meer dan slechts een greintje indirect bewijs kon vastpinnen, een flintertje vaste grond. Vanuit haar ooghoek zag ze dat meneer Jamal, met een gezicht dat een en al opgekropte woede uitdrukte, haar aanspoorde. Dit was het moment. Ze had niets meer te verliezen. Ze keek over de hoofden van de advocaten heen naar Madog.

'Meneer Madog,' zei ze, 'ik vraag u niet iemand officieel te identificeren, maar kunt u zeggen of u deze getuige herkent?'

Geschrokken kromp Madog ineen en schudde zenuwachtig zijn hoofd.

'Het is heel belangrijk dat u hier goed over nadenkt en dat u zich niet bedreigd voelt, meneer Madog. Ik zal het voor u uitspellen: herkent u deze getuige als de man die u en uw kleindochter wellicht heeft lastiggevallen?'

Madog ging timide in een gebogen houding half staan en zei: 'Nee, mevrouw... Hij is het niet.'

Een afschuwelijk bekend verdoofd gevoel bekroop haar. Ze ging mechanisch door, als een emotieloze toeschouwer. De kruisverhoren door Havilland en daarna door Khan drongen nauwelijks tot haar door, behalve dat Tathum het er zonder kleerscheuren vanaf had gebracht. Tathum veegde elke beschuldigende en intimiderende vraag die Khan op hem afvuurde van tafel, en stapte net zo zelfverzekerd uit het getuigenbankje als hij erin was gestapt.

Maitlands getuigenis duurde nog geen tien minuten. Een kordate, beleefde voormalige SAS-kolonel die een bedrijf runde dat erin gespecialiseerd was zeer goed getrainde ex-militairen te leveren die optraden als bodyguards en veiligheidsadviseurs voor rijke zakenlui en buitenlandse overheden. Tathum was dat ook geweest, hij had in 2002 drie contracten uitgediend. Bij geen ervan, legde hij op de geruststellende nonchalante toon van een hoge officier uit, was er sprake geweest dat hij twee jonge Aziatische universiteitsstudenten vanuit Bristol over de Severn Bridge had moeten escorteren.

Het was bijna vier uur toen Maitland met Tathum de zaal uit beende. Het was een natuurlijk moment om te schorsen en de puinhopen van de dag te inventariseren, maar Jenny kon het niet verdragen om de jury naar huis te sturen terwijl ze hun oordeel al klaar hadden. Het was een gok, maar misschien was het het juiste moment om McAvoy aan hen te introduceren. Hij zou om zich heen slaan, met allerlei buitenissige speculaties en giswerk komen, maar hij zou de jury tenminste weer bij de les krijgen.

'Meneer McAvoy als volgende getuige, alsjeblieft,' zei ze tegen Alison.

Haar medewerkster keek haar aan alsof ze wilde aangeven dat ze hoopte dat ze wist wat ze deed en liep toen naar de achterkant van de zaal om hem uit de hal aan de voorkant te gaan halen, waar hij tijdens de lunch naartoe verbannen was. Na een abnormaal lange tijd kwam Alison terug met de aankondiging dat volgens de politieagent bij de voordeur McAvoy een uur geleden het pand had verlaten.

'O,' zei Jenny, terwijl ze een plotselinge paniekgolf niet kon verbergen. 'Nou, dan is het beter om voor vandaag maar te schorsen en te kijken of we hem hier morgenochtend vroeg terug kunnen krijgen.'

Martha Denton kwam tussenbeide: 'Als ik u even mag lastigvallen, mevrouw, bij voorkeur niet in het bijzijn van de jury?'

'Wilt u een wettige kwestie bespreken?'

'Het is eerder een procedurele kwestie, maar niets wat in dit stadium de jury aangaat. Ik weet zeker dat ze na zo'n lange dag heel graag weg willen.'

Ze werd met dankbaar gelach begroet.

'Uitstekend,' zei Jenny, en ze herinnerde de jury eraan dat ze de zaak niet mochten bespreken, ook niet met hun naaste familieleden. Nog voordat ze uitgepraat was waren ze al bezig hun jassen en tassen te verzamelen, waarna ze bijna onfatsoenlijk snel en gretig de zaal uit stommelden.

'Ja, mevrouw Denton?' zei Jenny, terwijl ze er nog steeds moeite mee had te accepteren dat McAvoy haar in de steek had gelaten.

Martha Denton haalde een paar kopieën van een document tevoorschijn. Alison bracht een exemplaar naar Jenny. De rest werd onder de andere advocaten uitgedeeld.

Denton zei: 'Voor de duidelijkheid: mijn cliënten waren van mening dat David Skene een verklaring zou moeten afleggen waarin hij de kern van zijn getuigenis uiteenzet. Zoals u zult zien, komt daarin één belangrijke wettelijke kwestie aan de orde, maar mijn cliënten zijn vol vertrouwen dat die kan worden opgelost.'

'Wacht even, mevrouw Denton.'

Jenny keek vluchtig de korte verklaring van drie alinea's door.

Ik ben David Skene, een voormalige inlichtingenagent in dienst van de veiligheidsdienst. Van 2001 tot 2004 maakte ik deel uit van het antiterrorismeteam. Begin juli 2002 werd me gevraagd een eenheid te leiden als contactpersoon met de CID-agenten in Bristol, die de gerapporteerde vermissing van twee manlijke Aziatische universiteitsstudenten, Nazim Jamal en Rafi Hassan, onderzochten. Jamal en Hassan bezochten regelmatig de Al-Rahma-moskee, die onder politieobservatie stond nadat de inlichtingendienst informatie had ontvangen dat de zittende moellah, Sayeed Faruq, en een aantal van zijn naaste medewerkers, inclusief een postdoctoraalstudent, meneer Anwar Ali, mensen ronselden voor de islamistische organisatie Hizb ut-Tahrir.

Tijdens de daaropvolgende weken ondervroegen mijn collega, dhr. Ashok Singh, en ik een aantal studenten en stafleden van de universiteit, evenals naaste familieleden van de vermiste mannen. We zijn er niet in geslaagd enig significant bewijs boven tafel te krijgen over hun verblijfplaats. De CID had meer succes. Die legde met name de hand op anekdotisch bewijs (van een studente, nu 'dr.') Sarah Levin die Jamal in een studentenkantine jonge Britse radicalen had horen ophemelen die in Afghanistan als jihadstrijders waren gaan vechten. Iemand uit het publiek, meneer Simon Donovan, trad naar voren en beweerde dat hij op de ochtend van 29 juni Jamal en Hassan in een trein naar Londen had gezien. Terwijl de politie zijn onderzoek ter plekke voortzette, kregen meneer Singh en ik andere taken toebedeeld, maar we hielden regelmatig contact met de CID in Bristol.

In augustus 2002 kreeg de inlichtingendienst uit betrouwbare bron informatie die de theorie bevestigde dat Jamal en Hassan inderdaad met behulp van een radicale islamitische groepering het land hadden verlaten. De bron werd als zeer geloofwaardig beschouwd en de aard, hoewel niet de essentie, van de informatie werd aan de CID in Bristol doorgegeven. Hierdoor werd het onderzoek ter plaatse gaandeweg afgebouwd.

De essentie van deze informatie blijft topgeheim.

Jenny keek van het document op en realiseerde zich dat ze in een val was getuimeld waaruit geen ontsnapping mogelijk was. Een golf van misselijkheid steeg diep vanuit haar maag op.

'Krijgen we de essentie van deze informatie nog te horen?'

'Dat denk ik niet, mevrouw. Mij is verteld dat de bron nog altijd uiterst gevoelig is en dat elke onthulling hem of haar ernstig zou kunnen compromitteren. Ik ben er zeker van dat u zich ervan bewust bent dat de wet hier klip en klaar over is, maar om antwoord te geven op vragen die u hebt, heb ik een kort oordeel voorbereid.'

Martha Dentons raadsman was al bezig kopieën uit te delen van precedenten die tot 1960 teruggingen. Jenny's wetskennis met betrekking tot de nationale veiligheid en de openbaarmaking van bewijs was op z'n best oppervlakkig. Martha Denton vervolgde haar betoog.

Sinds de baanbrekende zaak van Conway v. Rimmer, uit 1968, legde ze uit, kon bewijs uit de rechtbank geweerd worden als de minister ervan overtuigd was dat het onomstotelijk duidelijk was dat dit in het belang van het publiek was. Zelfs Jenny wist dat. Wat haar echter niet duidelijk was, was hoe ver de definitie 'publiek belang' was opgerekt. De zaken waren helder: men vond het nu in het publieke belang dat kwetsbare en belangrijke inlichtingenbronnen beschermd werden, evenals, zo leek het, het bewijs waarmee ze eventueel geïdentificeerd konden worden.

Denton zei: 'Het spreekt voor zich dat de minister ervan overtuigd is dat het bewijs van onze bron hier inderdaad aan voldoet, en dat er morgenochtend een certificaat van immuniteit op basis van publiek belang bij de rechtbank ligt.'

Jenny bladerde snel door de pagina's van de zaak-Jervis en vond een passage waarin kennelijk werd gesuggereerd dat rechters van instructie, evenals andere rechters, het recht hadden om het bewijs in te zien dat de minister wilde waarmerken, om te bepalen of dat inderdaad voldeed aan de voorwaarden van het publieke belang. Denton stond al klaar met de volgende reeks precedenten, die allemaal stelden dat er zaken waren waarin een 'gerechtelijk inkijkje' in het omstreden bewijs niet eens van toepassing was. Dit was zo'n zaak, benadrukte Denton: het bewijs in kwestie was zo gevoelig dat het zelfs niet een van Hare Majesteits onderzoeksrechters kon worden toevertrouwd dat in te zien. Als Jenny weigerde in te stemmen, dan zou het gerechtelijk onderzoek verdaagd worden en zou de kwestie naar het hooggerechtshof worden doorverwezen.

'Laten we even de wet vergeten, mevrouw Denton,' zei Jenny. 'U vertelt me dat er bewijs bestaat dat Nazim Jamal en Rafi Hassan het land hebben verlaten. Er zijn acht jaar verstreken, maar u hebt de families nooit verteld waar die informatie over gaat, en dat bent u nog altijd niet van plan.'

'Met alle respect, mevrouw, de families is meegedeeld dat er bewijs was dat wees in de richting dat hun zoons het land hadden verlaten. Maar ik ben bang dat zelfs families niet noodzakelijkerwijs recht hebben op toegang tot zulke gevoelige informatie, met name geen families van verdachte extremisten.'

Khan kon zijn woede niet langer inhouden. 'Mevrouw, dit gaat alle perken te buiten. U moet erop staan om deze zogenaamde informatie in te zien, en als dat geweigerd wordt, moet u dit tot op de bodem bij elke rechtbank aanvechten.' Hij wees met een beschuldigende vinger naar Martha Denton. 'Haar cliënt, de veiligheidsdienst, dat zijn de mensen die klagen dat jonge Aziatische mannen door extremisten worden verlokt, en dan vraagt ze zich nog af waarom. Dit zijn geen respectabele mensen, ze zijn van de geheime politie. Denkt ze nou echt dat ze deze informatie kan achterhouden vanwege het publieke belang? Ik zal u vertellen waar het publiek belang bij heeft: bij een eerlijke en open rechtspraak.'

'Ik begrijp uw punt, meneer Khan,' zei Jenny. Ze had tijd voor onderzoek nodig, om net zulke krachtige argumenten te verzamelen als die van Martha Denton. 'Ik verdaag de zitting en zal deze discussie morgenochtend voortzetten.'

Martha Denton weigerde zich het zwijgen op te laten leggen. 'Ik geloof niet dat dat nodig is, mevrouw. Gezien het feit dat mijn cliënten van plan zijn om rechtstreeks naar het hooggerechtshof te stappen wanneer u tegen ze ingaat, is eerlijk gezegd verdere discussie zinloos. Sterker nog: voor zover ik weet is er geen enkel bewijs dat Jamal of Hassan feitelijk dood is, zeker geen bewijs op basis waarvan men redelijkerwijs van een jury een oordeel kan verwachten.'

Jenny's toch al zwaarbeproefde zelfbeheersing begaf het. 'Mevrouw Denton, ik heb een speciaal verzoek ingediend om dit gerechtelijk onderzoek uit te voeren, en dat gaat net zo lang door tot dat klaar is. Als de jury na het horen van alle getuigen niet tot een oordeel kan komen, dan is dat zo. In de tussentijd wil en zal ik me niet laten commanderen, niet door u of door wie u ook vertegenwoordigt. Begrijpt u dat?'

Martha Denton haalde onverschillig haar schouders op. Het maakte haar niet meer uit wat Jenny dacht.

Toen Denton en Havilland hun papieren verzamelden en Khan en Collins naar meneer Jamal liepen om hun woede te ventileren, merkte Jenny dat Alison in de buurt van de bestuurskamerdeur rondhing. Ze herkende de schuldbewuste, besluiteloze gezichtsuitdrukking van haar medewerkster, die ze ook had gehad tijdens de twee traumatische weken van hun eerste gezamenlijke zaak de vorige zomer. In Alisons wereld bestonden er goede en slechte mensen, en wanneer die categorieën door elkaar gingen lopen, werd ze daar angstig van en raakte ze ervan in de war.

Jenny ving haar blik en zag dat ze allebei met dezelfde gedachte worstelden: de hel moest eerst dichtvriezen wilde Skene of welke andere inlichtingenagent ook overgehaald worden om tijdens haar onderzoek met de volledige waarheid naar buiten te komen. Maar aan de andere kant van de deur zat inspecteur Pironi, een carrièresmeris met nog een handjevol jaren te gaan voordat hij zijn pensioen kon incasseren. Was hij zo fatsoenlijk en had hij het lef om die comfortabele toekomst op het spel te zetten? Zou Alison hem met haar geringe invloed kunnen overtuigen?

Martha Dentons raadsman wilde naar de bestuurskamer lopen. Alison stak haar hand op om hem tegen te houden en verdween even achter de deur. David Skene kwam een paar tellen later tevoorschijn. Even later volgde Alison, die een blik naar Jenny wierp en bijna onmerkbaar met haar hoofd knikte.

Pironi had de plek uitgekozen: een klein verlaten parkeerterrein, dat naar een stuk bos leidde dat vanaf de weg niet te zien was. Het was donker en het begon al bijna te vriezen, terwijl de melkachtige maan zoveel licht gaf dat Jenny de twee silhouetten op de voorbank van Alisons auto kon onderscheiden. Even leek het of ze hun hoofd bogen in gebed. Jenny dacht dat ze Pironi's lippen zag bewegen; zijn schouders wiegden zachtjes heen en weer alsof hij Gods leiding zocht. Alison legde een troostende hand op zijn schouder.

Ze spraken bijna twintig minuten met elkaar. Tijdens het wachten probeerde Jenny verschillende keren tevergeefs McAvoy te bereiken. Hij had zijn telefoon uitgezet. Ze stelde zich voor dat hij wellicht een spoor te pakken had, dat hij ergens daar buiten deals aan het sluiten en armen aan het verdraaien was, dat hij bewijs uit iemand perste waarmee hij met zwierige arrogantie aan zou komen zetten, waardoor Martha Denton en Alun Rhys in een woedende kramp zouden schieten.

Ze keek op toen ze een autoportier hoorde dichtslaan. Pironi haastte zich naar zijn eigen vlakbij staande voertuig en reed snel weg. Alison wachtte tot zijn achterlichten in de nacht waren verdwenen voordat ze de tien meter modderige grond overstak en op Jenny's passagiersstoel ging zitten. Ze zweeg even terwijl ze tot zichzelf kwam en haar handen in haar schoot liet rusten.

Ze nam de geur van haar auto mee, en daarmee een vleug van Pironi. Jenny had het gevoel dat ze zich in hun intimiteit binnendrong.

'Hij wilde geen gezworen verklaring afleggen,' zei Alison zachtjes. 'Als je dat eenmaal doet, sta je eigenlijk onder ede en dan zweer je dat je de héle waarheid vertelt.'

'En dat wilde hij niet?'

'Hij probeert trouw te blijven aan zijn principes, mevrouw Cooper.'

'Wat dacht hij dan in de rechtszaal te gaan doen?'

'Hij kreeg de indruk dat hij daar niet echt nodig was.'

'Wie heeft hem dat verteld?'

'Dat zei hij niet met zoveel woorden... Luister eens, u kunt hem hier echt niet de schuld van geven. Hij wordt in een onmogelijke positie gemanoeuvreerd. Dat begrijpt u toch zeker wel? Alleen omdat hij zo gewetensvol is, is hij hierheen gekomen.'

'Beter ten halve gekeerd dan ten hele gedwaald, vermoed ik.'

'Zo is het niet. Dat weet u best.'

Jenny zei nu zonder de wrange klank in haar stem: 'Wat heeft hij gezegd?'

'Dit is allemaal strikt vertrouwelijk, het moet...'

Jenny drong de neiging om een grapje te maken terug. Het viel haar op dat Pironi's religieuze geweten heel wat rekbaarder was dan zijn Kerk prettig zou hebben gevonden, laat staan zijn persoonlijke verlosser.

'Oké. Kom nou maar op.'

'Hij heeft het onderzoek naar de vermiste personen niet op een laag pitje gezet. Hij heeft geprobeerd ze op te sporen, maar MI5 was er vanaf het begin van overtuigd dat ze het land uit waren.'

'Heeft Donovan ze echt gezien?'

'Over hem heeft hij het niet gehad.'

Jenny trok haar eigen stilzwijgende conclusie. 'Wat nog meer?'

Alison zuchtte. 'Er stond een auto met twee agenten tegenover de halaqah. Zij hebben absoluut geen zwarte Toyota zien staan, maar ze konden het huis van mevrouw Murray dan ook niet zien; de weg maakt daar een bocht. Hij heeft een agent naar de busremise gestuurd en die heeft de buschauffeur gevonden; hij kon zich niet herinneren dat er die avond twee jongens de bus hadden genomen. Maar hij had ze op andere avonden wel gezien.'

'Heeft hij daar een verklaring over afgelegd?'

'Ja... Maar die is hoger in de gezagsketen terechtgekomen. Hij weet niet wat ermee is gebeurd.'

'Ontbreken er nog meer verklaringen?'

'Nee. Maar kennelijk was het een tijdje een chaos. MI5 was er al vrij zeker van dat de jongens het land uit waren. Ze leken zich er niet erg druk om te maken dat Dani James de man uit het studentenhuis had zien komen. Dat had iedereen kunnen zijn, zeiden ze.'

'Wat vindt Pironi ervan?'

'Hij had het gevoel dat hij in het ongewisse werd gelaten. MI5 vroeg hem alles door te geven wat hij had, maar uiteraard was dat eenrichtingsverkeer. Hij had vooral te doen met de families, met name met mevrouw Jamal.'

'Fijn dat te horen. Had hij theorieën over wat er met haar is gebeurd?'

'Hij is er zorgvuldig buiten gehouden. De antiterrorisme-eenheid van Scotland Yard heeft het overgenomen.'

'Ik kan niet zeggen dat het er duidelijker op wordt. Wat had hij over McAvoy te zeggen?'

Alison keek omlaag naar haar handen. 'Over hem wilde hij liever niet praten.'

'Heb je het niet over de aanklachten tegen hem gehad?'

'Ik heb mijn best gedaan,' zei Alison met een spoortje zelfmedelijden. 'Ik twijfel er niet aan dat hij te goeder trouw heeft gehandeld. Zo zit hij niet in elkaar.'

'Dat betekent dat... dat de getuige die zich opwierp doelbewust was opgezet? Hij gelooft niet dat het wel erg toevallig is dat het uitgerekend toen gebeurde, net toen McAvoy aan het graven sloeg?'

'Ik weet het niet, mevrouw Cooper. Eerlijk, ik weet het niet.'

'Ik wel,' zei Jenny.

'Er zijn allerlei mogelijkheden,' wierp Alison tegen. 'Hebt u er ooit aan gedacht dat mevrouw Jamal misschien informatie over haar zoon heeft losgelaten? Denk er eens over na... Zij tipt de politie dat ze zich zorgen maakt dat hij zich met extremisten inlaat, en vervolgens is hij verdwenen.'

'En acht jaar later besprenkelt ze zichzelf met radioactieve stof en springt uit het raam?'

'Nee. Nazims kompanen zijn naar haar toe gegaan en hebben het op zelfmoord laten lijken.'

'Gelooft Pironi dat soms?'

'Dat is net zo'n goede theorie als elke andere.'

Ze vervielen in een kregelige stilte, terwijl Alison zich gekwetst voelde omdat Pironi niet onfeilbaar bleek en Jenny zat te broeden en wilde dat ze een bereidwillig doelwit had waarop ze haar woede kon botvieren. Ze rook goedkope aftershave op Alison. Die had Pironi uit zijn poriën uitgezweet terwijl hij zijn karige kruit verschoot.

'Ik moest maar eens gaan,' zei Alison.

'Wacht even,' zei Jenny. 'Wat was het verhaal met McAvoy vanmiddag?'

'Hij gedroeg zich kennelijk vreemd. Dave zei dat hij als een dronkenlap in zichzelf begon te praten, behalve dat hij nu eens een keer niet naar alcohol stonk. Ik geloof niet dat hij een beste getuige was geweest.'

'Wat zei hij dan?'

Alison schudde haar hoofd. 'Dave probeerde met hem te praten, maar er kwam geen zinnig woord uit. Hij bleef maar mompelen over de duivel en een Amerikaan.'

25

Jenny wachtte tot Alison van het parkeerterrein was weggereden, pakte toen haar snoepjes uit haar handtas en slikte een preventieve dosis, drie uur voordat ze haar voor de nacht zouden moeten uitschakelen.

Wat was er met McAvoy gebeurd? Hij was vast niet krankzinnig geworden. Daar was hij te sterk voor. Hij had zijn carrière opgebouwd doordat hij flexibel kon omgaan met de waanzin van anderen, zich in en uit de gedachten van misdadigers en politiemensen kon weven door hun waanideeën uit te spelen. Hij kon haar niet in de steek gelaten hebben, niet nu. Zijn vreemde gedrag was een afleidingsmanoeuvre geweest, een tactiek om de tegenstander van zijn stuk te brengen.

Hij had het over een Amerikaan gehad. Bedoelde hij de beller die hem gedreigd had in een kist te stoppen? Wist McAvoy meer van deze man dan hij liet merken? Hij had andere dingen onder zijn pet gehouden, Sarah Levin met name. En nu Jenny erover nadacht, had Levin zelf een Amerikaanse relatie: professor Brightman had gezegd dat ze met een Stevenson-beurs op Harvard had gestudeerd. Dat zou als een klein toeval kunnen worden afgedaan, maar toen haar relatie met Anna Rose een factor werd, werd het een stevige connectie.

Er waren geheimzinnige overeenkomsten tussen de twee jonge vrouwen: Anna Rose had net als Sarah Levin een Aziatische vriend gehad, en zij was ook heel mooi. Maar er waren ook duidelijke verschillen. Op grond van wat Jenny van haar te weten was gekomen, had Anna Rose een opvallend andere persoonlijkheid dan haar mentor. Ze was uitbundig en intelligent, maar naïef en onontwikkeld, nog steeds op zoek naar zichzelf. Haar adoptiefouders waren verbaasd geweest dat ze een plek in het postdoctoraalprogramma op Maybury had gekregen, alsof ze haar nooit als een vakvrouw hadden beschouwd, alsof er een addertje onder het gras zat. Jenny haalde zich de gezichten van de Crosby's voor de geest toen ze hen voor het eerst in het lijkenhuis had gezien: een uitstraling van doodsangst, ingetoomd door berusting. Levend of dood, Anna Rose leek voor hen al verloren te zijn.

En toen zag ze het. Een enkel gezicht tussen de vele die die dag naar Jane Doe waren komen kijken. De man was lang, slank, in de vijftig, met een gebruind, verweerd gezicht. Zijn accent was haar opgevallen: trans-Atlantisch. Hij zei dat hij een zakenman was wiens vermiste stiefdochter door Europa had gereisd en die voor het laatst in Bristol was gesignaleerd. Hij had geen spier vertrokken toen hij naar de open lade was gelopen en het dode gezicht had bekeken. Ze was geïntrigeerd geweest. Een stout stemmetje in haar hoofd had gezegd: hij is aan de dood gewend.

Jenny deed de binnenverlichting aan, pakte haar telefoon en aftandse adresboek en bladerde door de beduimelde bladzijden naar de plek waar ze het privénummer van de Crosby's had opgeschreven. Ze belde het nummer, maar er werd niet opgenomen. Ze bladerde verder, terwijl er waardevolle stukjes papier op de grond vielen, en vond Mike Stevens' nummer in een hoekje van een kartonnen schutblad. Nadat het toestel een paar keer was overgegaan schakelde het antwoordapparaat in. Ze wilde een boodschap achterlaten.

'Hallo. Mevrouw Cooper?' zijn stem sneed er abrupt doorheen. Hij klonk geagiteerd.

'Ja. Maak u geen zorgen, ik heb geen slecht nieuws.'

'Oké...'

'Ik bel u alleen om wat te vragen. Het klinkt misschien irrelevant, en dat is het hoogstwaarschijnlijk ook, maar weet u ook of Anna Rose iets te maken had met een Amerikaan, een oudere man van in de vijftig?'

Er viel een stilte.

'Meneer Stevens?'

'Weet u wie die man is?'

'Nee... U?'

Ze hoorde hem snel en oppervlakkig ademhalen.

'Waar belt u vandaan?'

Mike Stevens woonde in een voormalig arbeidershuisje aan het eind van een rij lage stenen huizen in de buitenwijken van Stroud, een gerenoveerd marktstadje in het zuiden van Gloucestershire, van het soort waar je biologische voeding en maatkeukens kon krijgen. Hij deed de deur open, maakte de veiligheidsketting los en bekeek Jenny's gezicht goed voor hij haar binnenliet. Zodra ze de drempel over was, deed hij de deur dubbel op slot.

'Gaat het wel?' vroeg Jenny.

Hij haalde zonder commentaar zijn schouders op en gebaarde haar door te lopen.

De voordeur kwam rechtstreeks uit in een knusse, ouderwets gemeubileerde woonkamer met een smakeloos gedessineerd tapijt.

'Ik huur dit huis,' zei hij, min of meer verontschuldigend.

Hij droeg de pantalon en het overhemd die hij naar zijn werk aan had gehad. Hoewel het koud was in huis, parelden er zweetdruppeltjes op zijn voorhoofd. Jenny hield haar jas aan en ging op de bank zitten.

Mike nam op een rechte stoel tegenover haar plaats, zijn gezicht stond gespannen en afgetobd. 'Wat kan ik voor u doen?' vroeg hij.

Jenny zei: 'Toen u tien dagen geleden met de Crosby's in het lijkenhuis was, was er een lange man in een pak met stropdas. Een Amerikaan...'

Mike sloot even zijn ogen en knipperde er toen mee. 'Jezus...' Het kwam er fluisterend uit.

'Wat is er?'

Hij keek haar met grote, angstige ogen aan.

'Wat is er, Mike?' zei Jenny dringend. 'Het is belangrijk. Het kan verband houden met een gerechtelijk onderzoek dat ik momenteel uitvoer.'

'Wat voor gerechtelijk onderzoek? Wie is er dan dood?'

'Er zijn twee Aziatische jongens verdwenen. Dat is acht jaar geleden gebeurd. Ze waren allebei eerstejaarsstudenten in Bristol. Een van hen was student natuurkunde.'

Ze wachtte terwijl hij een ogenblik dwars door haar heen keek en die informatie verwerkte. Uiteindelijk zei hij: 'Er is gisteravond iemand hier geweest... Ik ben de hele dag bezig geweest om erachter te komen waar ik hem eerder had gezien.'

'De Amerikaan?'

Hij knikte, hield zijn hoofd in zijn handen en vocht tegen zijn tranen.

'Wat is er aan de hand, Mike?'

'Ik werd vannacht wakker... Ik werd wakker gemáákt... met een knie op mijn borst en een pistool op mijn hoofd.'

Nu was het Jenny's beurt om stil te zijn.

'Die man... had een Amerikaans accent. Hij zei: "Vertel me verdomme waar ze is of je eindigt in een kist." Ik zei dat ik het niet wist... Hij stompte me hard, hier.' Hij trok zijn shirt open en liet een akelige blauwe plek zien die zich over het hele bovengedeelte van zijn ribben verspreidde. 'Ik kreeg geen adem. Ik dacht dat hij me ging vermoorden.'

Jenny dankte God voor haar pillen. Een brandende hitte verspreidde zich door haar borst en nek, maar ze kon nog denken en redeneren.

'Wat deed hij toen?'

'Dat wilt u niet weten.'

'Zeg het me. Alsjeblieft.'

Hij keek de andere kant op en concentreerde zich op een lamp aan het plafond, terwijl hij moed verzamelde. 'Hij hield mijn neus vast... en piste in mijn mond tot ik stikte.' Zijn ogen waren plotseling met rode adertjes doorlopen. 'Toen ging hij weg.'

'Heeft hij nog iets gezegd?'

Mike schudde zijn hoofd.

'Heb je het aan iemand verteld?'

'Ik wilde vanavond de politie bellen, maar durfde de telefoon niet te gebruiken... Ik probeerde erachter te komen... Wie is hij, verdomme?'

'Dat weet ik niet. Laten we het even over Anna Rose hebben. Heb je enig idee waar ze is?'

'Nee.'

'Hoe gedroeg ze zich voor ze vertrok?'

'Ze leek prima in orde, haar gewone zelf... misschien een beetje stil.'

'Sinds wanneer?'

'Een maand geleden, denk ik.'

'Hoe zit het met die Aziatische knul die haar ouders de vorige herfst hebben gezien? Salim en nog wat?'

'Hij was gewoon een studievriend. Een postdoc of zoiets.'

'Ken je hem?'

'Ik heb wat rondgevraagd.'

'Heb je hem gesproken?'

'Ik heb een paar berichten op zijn voicemail achtergelaten.'

'Weet je waar hij woont?'

'Ik heb het bij de universiteit geprobeerd. Ze geven geen persoonlijke gegevens door.'

'Ik praat wel met ze.' Jenny maakte een aantekening dat ze moest bellen. 'Ik heb het er al eerder met je over gehad of ze aan radioactief materiaal kon komen.'

'Ja. Waar ging dat over?'

'Lang verhaal, maar er zijn sporen cesium 137 opgedoken in een appartement in Bristol.' Ze gaf een beknopte beschrijving van de strijd van mevrouw Jamal om een gerechtelijk onderzoek voor elkaar te krijgen, en haar plotselinge en gewelddadige dood. 'Het ziet ernaar uit dat iemand het cesium bij zich had of dat iemand besmet was.'

'Anna Rose heeft steeds op kantoor gezeten. Ze zou geen toestemming krijgen om maar in de buurt van iets gevaarlijks te komen.'

'Weet je dat zeker?'

'Heel zeker. Daar is geen sprake van.'

'Je klinkt boos. Waarom maakt die vraag je kwaad?'

'Dat weet ik niet...'

'Ja, dat weet je wel.'

Hij keek omlaag naar het lelijke patroon op het kleed. 'Het is onmogelijk, er is zoveel beveiliging... Maar ze was zo...' Hij dwaalde af, niet bereid om de gedachte af te maken.

'Zo wat?'

'Zo... onschuldig, denk ik. En iedere man daar viel op haar. Dat was strijk en zet.'

'Bedoel je dat ze daar gebruik van heeft gemaakt?'

'Zo nu en dan.'

Jenny's brein draaide op volle toeren en paste in elkaar wat hij niet kon uitbrengen. 'Ben je bang dat iemand haar ergens in heeft gepraat, dat ze door iemand gebruikt is?'

Hij haalde zijn schouders op. 'Natuurlijk, dat is wel door me heen gegaan... Ik heb eigenlijk aan weinig anders gedacht.'

'Theorieën?'

'Ik hoopte dat ze zou bellen. Ze zei dat ze van me hield, en ik geloofde haar.'

'Denk je dat ze nog leeft?'

Hij nam een ogenblik de tijd en zei toen: 'Ze luistert boodschappen af – althans, haar telefoon heeft dat gedaan... Ik had het de politie moeten vertellen, maar ik wilde haar eerst spreken.'

'Weten haar ouders dit?'

Stilte. Hij schudde zijn hoofd.

'Mag ik het nummer hebben?' Ze rommelde in haar tas naar haar adresboekje. 'Wie heeft dat nog meer?'

'Dat weet ik niet. Die telefoon hoorde bij het contract dat ik haar heb gegeven, zodat we contact konden houden.'

Ze gaf hem de pen en keek toe hoe hij de cijfers in een regelmatig, precies handschrift opschreef. Hij was betrouwbaar, niet onknap, maar geen prijswinnaar. Ze stelde zich zijn ouders voor: leraren of ambtenaren, mensen die binnen strakke, geruststellende grenzen leefden. Ze begreep wel waarom Anna Rose zich wellicht tot hem aangetrokken voelde – hij was veilig –, maar de jonge vrouw die hij had beschreven zou niet lang blijven en dat wist hij. Hij had zijn geluk beproefd, had zelfs uitgepakt met een extra telefoon, maar dit was het moment waarop hij uiteindelijk werd gedwongen het sprookje op te geven. Waar Anna Rose ook was, ze zou niet bij hem terugkomen.

Jenny keek naar een ingelijste foto die boven de televisie aan de muur hing: een poserende Mike in labjas met een glazen trofee, en eronder stond in gouden letters: AFGESTUDEERDE VAN HET JAAR 2004. Ze merkte een nu bekend voorwerp op dat op zijn borstzakje was gespeld.

Jenny zei: 'Je hebt zeker niet toevallig een stralingsmeter in huis, hè?'
Hij keek abrupt op. Ze zag de paniek in zijn ogen en wist dat ze het terecht had verondersteld: hij was vandaag niet naar zijn werk gegaan. Het rook zo muf in de kamer dat hij zichzelf hier al langer moest hebben opgesloten.
'Merkte je het voordat je vanochtend wegging?' zei ze. 'Hij was besmet... en jij kon niet naar je werk omdat het dan bij je zou worden aangetroffen. Er zijn daar overal stralingsmonitors, hè?'
Hij knikte versuft.
'Hoe erg is het?' zei Jenny, terwijl ze de paniek weer voelde terugkomen die ze eerder die dag in de rechtszaal had gevoeld.
'Tweehonderd millisievert... Het zat in zijn urine.'
Jenny zei: 'Zouden we hier wel moeten zijn?'
Mike zei: 'Beneden is het wel veilig. Ik zou niet naar boven gaan... Ik weet niet wat ik moet doen.'
'Heb je geen idee welke connectie deze man met Anna Rose zou kunnen hebben?' zei ze.
'Nee.'
'Je moet de politie bellen.'
'Dat had ik vanochtend al moeten doen.'
'Jij hebt niets verkeerds gedaan. Het komt prima in orde met je.' Ze deed een poging om te glimlachen. 'Als je één ding voor me zou willen doen: wacht een uur voordat je gaat bellen. Ik moet ergens heen en ik wil niet de hele avond door de politie vastgehouden worden.'
Zijn ogen schoten naar de telefoon op het dressoir. 'Een uur?'
Jenny zei: 'Alsjeblieft, Mike. Ik ga mijn best doen om Anna Rose te vinden, oké? Ik wil graag eerst met haar praten, voordat zij dat doen.'
'Hoe dan? Waar gaat u naartoe?'
'Wil je met me mee?'
Hij dacht daar even over na en schudde toen zijn hoofd.
'Ik bel je als ik iets te weten kom.'
Hij knikte, leek iets zelfverzekerder nu hij wist wat hij moest doen. Jenny wist dat ze op z'n hoogst een halfuur had. Hij zou het een paar minuten volhouden voor hij de telefoon zou pakken en de politie alles zou vertellen.

Jenny reed over achterafweggetjes naar de Severn Bridge terwijl ze telkens in haar spiegel keek naar spookachtervolgers. Zware regen met daartussendoor natte sneeuw roffelde op haar voorruit. Ze belde herhaaldelijk McAvoys nummer, maar tevergeefs. Hij had zijn toestel uitgezet. Buiten haar bereik. Ze speelde met de gedachte Alison te bellen en haar te vragen om nog een verklaring van Sarah Levin op te nemen, maar instinctief wist ze dat dat nutteloos was, dat welk verhaal Sarah ook te vertellen had, dit achter slot en grendel zou blijven tot er iets veel groters zou omvallen.

Ze wachtte een kwartier in de lege receptieruimte van het politiebureau van Chepstow op brigadier Owen Williams tot hij uit de pub zou komen, waaruit ze hem met haar raadselachtige telefoontje had verdreven. Hij begroette haar met een liefdevolle, berustende glimlach toen hij zijn natte jas uittrok.

'Mevrouw Cooper. Met u is het ook nooit saai, wel?'

'Sorry. Dit is gewoon iets wat ik de jongens van de overkant van het water niet toevertrouw.'

'Ik kan u alleen helpen als het binnen mijn district valt.'

'Gedeeltelijk is dat ook zo.'

'Zolang ik het maar kan verantwoorden.' Hij keek hoe laat het was. 'Het gaat toch niet lang duren, hè? Ik heb nog een rondje te goed.'

'Ik zal opschieten.'

Ze liep door de veiligheidsdeur achter hem aan naar zijn kantoor, een hok van drie bij drie met stalen schappen overvol stoffige archiefdozen. Op een apart bureau stond zijn computer met een beschermende plastic hoes eroverheen. De machine stond erbij als een voorwerp dat alleen bij speciale gelegenheden werd ontsluierd. Terwijl Williams zijn jas zorgvuldig over de radiator uitspreidde, gaf Jenny een samenvatting van de recente ontwikkelingen binnen haar onderzoek. Hij had nog niet gehoord dat mevrouw Jamal dood was en schrok ervan, maar was niet verbaasd dat hij niet was ingelicht over het radioactieve materiaal dat op de plaats delict was aangetroffen: zijn kantoor bevond zich op slechts vijftien kilometer afstand van het centrum van Bristol, maar wat de Engelse politie betrof had het net zo goed aan het einde van de wereld kunnen staan. Ze behandelden hun Welshe collega's met een onverschilligheid die aan minachting grensde, en dat gevoel was wederzijds.

Hij luisterde kalm en streek over zijn dikke grijzende snor toen ze de getuigenis samenvatte die ertoe had geleid dat ze naar Anna Rose op zoek was gegaan. Hij wist nauwelijks iets van haar verdwijning, laat staan wat het verband was met een kerncentrale die pal aan de overkant van de riviermonding tegenover zijn bureau stond.

'Op drie kilometer afstand van die kloteplek,' zei Williams. 'En u weet waar het getij die rommel die eruit komt heen voert: regelrecht in de monding van de Wye aan de Welshe kant –, hier dus. Zij ontkennen het natuurlijk. Leugenachtige klootzakken!'

‘Haar vriend gaf me het mobiele nummer dat ze heeft gebruikt. Hij denkt dat ze boodschappen heeft afgeluisterd.’

‘Waarvandaan? Als ze in Engeland zit, kan ik niets voor haar doen.’

‘Zie het eens zo: de laatste keer dat Nazim en Rafi gesignaleerd waren, gingen ze de brug over naar Wales. Er is al bewijs dat een strafrechtelijk onderzoek naar kidnapping rechtvaardigt, en Anna Rose is een mogelijke getuige.’

‘Ik begrijp het...’ Het idee stond hem steeds meer aan.

‘Het enige wat ik wil is dat je bij het telefoonbedrijf uitzoekt waar het nummer het laatst gelokaliseerd is.’

‘Hoe snel wilt u dat hebben?’

‘Nu?’

‘U maakt een grapje, zeker? U kunt dit niet zomaar tevoorschijn toveren, mevrouw Cooper. Dat kost geld. Voor een haastklus kun je bij deze bedrijven wel een extra hypotheek nemen... Als het vijfduizend kost, is dat een schijntje. Over zoveel geld beschik ik niet.’

‘Nou, wie wel?’

‘Ik zou het bij de commissaris kunnen proberen, maar reken daar maar niet op.’

‘Dan doen we het via mijn kantoor.’

‘Kan ik dat op papier krijgen?’

‘Je kunt het in bloed krijgen, als je dat wilt.’

Williams keek haar met vaderlijke zorg aan. ‘Mevrouw Cooper, u weet dat ik het niet erg vind om zo nu en dan mijn nek voor u uit te steken, maar alleen zolang we aan de juiste kant van de lijn staan. Dat telefoonnummer van dat meisje en de plek waar ze zich nu bevindt kunnen beschouwd worden als informatie die in verband staat met een terroristische daad, en in dat geval is het een ernstig misdrijf, dat niet voor de geëigende autoriteiten verborgen gehouden mag worden.’

‘Jij bent de geëigende autoriteit.’

‘En ik moet de protocollen volgen, het hoger in de gezagsketen brengen. Ik bedoel eigenlijk– mag ik je Jenny noemen? – dat, hoe heerlijk ik het ook vind om die Engelse schurken de loef af te steken, dit niet geheim kan blijven.’

‘Prima. Geef me alleen vijf minuten voorsprong.’

Het was nieuw voor Williams om de laatst bekende locatie van een mobiele telefoon op te sporen. Hij belde een paar collega’s, met wie hij uitsluitend Welsh sprak, en hoorde dat de telefoonmaatschappijen zulke verzoeken alleen maar in behandeling namen als dat door zekere daartoe aangewezen senior functionarissen werd gedaan. Nog een telefoontje leverde de naam op van een aardige politie-inspecteur in Cardiff, die Williams, door hem meer halve waarheden te vertellen dan hij aangenaam vond, ertoe wist over te halen om het verzoek in te dienen. Daarna volgde een kwartier lang gesteggel met een aanmatigende functionaris van het mobiele netwerk, die met een eis van tienduizend pond begon en die Williams tot zesduizend wist terug te brengen, maar daarna hield de functionaris zijn poot stijf.

Wat kan mij het ook schelen, dacht Jenny. Haar minuscule budget kon het toch bij lange na niet dekken, hoeveel hij ook vroeg. Ze haalde haar kantoorcreditcard tevoorschijn en bad dat de betaling werd geaccepteerd. Dat gebeurde niet. Pas na een kribbig telefoontje met Visa en de belofte dat ze persoonlijk garant zou staan, werd de transactie goedgekeurd.

Na nog eens ruim een uur praten en overreden had Jenny de informatie die ze wilde. Van Anna Rose. De telefoon was achtenveertig uur eerder voor het laatst met het netwerk verbonden geweest. Het gesprek was gelokaliseerd in een gebied – met een marge van honderd meter – midden in een gedeelte van Hanley Road, aan de noordkant van Bristol-centrum. Die keer was er nog geen twee minuten contact geweest. Drie dagen eerder was het toestel vanaf diezelfde plek ook actief geweest, ongeveer net zo kort.

'Ik hoop dat het verdomme de moeite waard is,' zei Willams toen hij de telefoon neerlegde.

'Ik stuur de rekening naar de CID van Bristol,' zei Jenny. 'Zij zullen absoluut de aanhouding willen verrichten.'

'Nou, doe ze de groeten van me, Jenny. En als je toch bezig bent, schop ze dan hard tussen de ballen.'

Het was na tien uur 's avonds toen Jenny via de snelweg over de Severn Bridge in de richting van Bristol reed. Ze probeerde tevergeefs de verleiding te weerstaan om haar telefoon aan te zetten om McAvoys nummer nog een laatste keer te proberen. Geen geluk. Ze tastte net naar de uit-knop toen het toestel overging. Haar hart sprong op toen ze naar het scherm keek: ONBEKEND NUMMER.

'Hallo?' De lijn was zwak. Ze popelde om McAvoys stem te horen.

'Jenny Cooper? Met inspecteur Pironi. Ik heb net met Mike Stevens gepraat.'

Shít.

'Dat werd tijd,' zei Jenny.

'Wie is in godsnaam die Amerikaan?'

'Zeg jij het maar.'

'Jij hebt met McAvoy gepraat. Hij weet het.'

'Nou, vraag het hem dan.'
'Waar is hij?'
'Pas.'
Pironi verloor zijn geduld. 'Je kent de straf voor achterhouden van dit soort informatie.'
'Ik heb niets achtergehouden. Ik heb de politie alles al verteld wat ik weet.'
'Welke politie?'
'Chepstow.'
'Lieve god. Waar ben je in hemelsnaam op uit, Cooper? De antiterrorisme-unit, MI5 en de geüniformeerde politie zijn allemaal op zoek naar Anna Rose Crosby. We kunnen wel met een maker van een vuile bom te maken hebben.'
'Daar was ik ook net achter.'
'Als je iets voor me achterhoudt...'
'Ik zal het goed met je maken. Wie Anna Rose ook het eerst vindt, we mogen allebei met haar praten.'
'Denk je dat het een van ons wordt toegestaan om ook maar bij haar in de buurt te komen? Je bent nog gekker dan ik al dacht.'
Jenny zei: 'Zo te horen ben je een man met een ongerust geweten. Als jij niet acht jaar op je gat had gezeten, zou mevrouw Jamal misschien nog onder ons zijn en zou Anna Rose Crosby wellicht nog steeds feestjes aflopen. Waarom gedraag je je niet fatsoenlijk en kijken we niet of we allebei kunnen krijgen wat we willen?'
Er viel een korte stilte. Toen zei Pironi: 'Ik heb gerede twijfel dat je informatie over terroristische activiteiten hebt achtergehouden. Ik raad je aan naar het dichtstbijzijnde politiebureau te gaan en je in hechtenis te laten nemen.'
Jenny zei: 'Hebben zij je verteld dat je dat moest doen – dezelfde bobo's voor wie je McAvoy in de val hebt laten lopen?'
'Je hebt gehoord wat ik zei.'
'Je zou eens diep moeten nadenken voor wie je eigenlijk werkt. Ik weet zo net nog niet of die kerk waar je naartoe gaat je daar wel bij helpt.'

Jenny reed het gebied in vanwaar Anna Rose haar berichten had afgeluisterd. De victoriaanse gebouwen langs Harlowe Road waren gehuld in natte sneeuw en zagen er in het groezelige oranje straatlicht smerig en vol roetvlekken uit. Ze reed stapvoets langs een hele rij met rolluiken afgesloten goedkope winkels, een paar armoedige pubs en een sjofele avondwinkel. Ze zette de auto in een zijstraat stil en haastte zich ernaartoe, terwijl ze haar jas over haar haar had getrokken.

Een oudere Aziatische man, gekleed in twee over elkaar zittende gebreide vesten en met vingerloze handschoenen aan, zat naar een Bollywood-film te kijken op een piepkleine tv die vervaarlijk op de plank met tabakswaren balanceerde. Jenny zocht in haar handtas en haalde een beduimeld kaartje tevoorschijn, stelde zich voor en zei dat ze op zoek was naar een aantrekkelijke jonge vrouw die wellicht onlangs in de winkel gezien was.

De oude man tuurde naar de door regen besmeurde letters. Ze schonk hem een charmante glimlach, zich ervan bewust dat velen binnen de Aziatische gemeenschap een diep wantrouwen koesterden jegens onderzoeksrechters. Traditionele hindoes waren net als veel moslims tegen autopsie.

'Ze is mogelijk een getuige,' zei Jenny. 'Een jonge vrouw van begin twintig, kort blond haar, intelligent, heel knap... Ze moet u zijn opgevallen.'

De man trok zijn mondhoeken omlaag en schudde zijn hoofd.

Jenny zei: 'Ik weet zeker dat ze hier twee dagen geleden is geweest. Misschien zag ze er angstig uit, was ze op haar hoede voor mensen.'

Dat leek zijn geheugen wat op te frissen. 'Engels meisje?'

'Ja. Hebt u haar gezien?'

'Dat weet ik niet zeker. Misschien. Er zijn hier een paar Bed and Breakfasts in de buurt.' Hij gebaarde met zijn duim naar het oosten. 'Veel jonge mensen maken daar gebruik van, vooral buitenlanders.'

Hij gaf haar het kaartje terug.

'Bedankt. Ik ben u zeer erkentelijk.'

Hij fronste zijn voorhoofd, hoestte rochelend en wendde zich weer naar de tv.

De eerste B&B waar ze kwam, het Metropole, was een omgebouwd victoriaans pand met afbladderende verf en een enkel kaal peertje boven de portiek. Ze liep naar de sjofele receptiebalie, waarachter een tengere vrouw zat met voortijdige kraaienpootjes om haar ogen, en gaf haar een beschrijving van Anna Rose. De receptioniste antwoordde met een nietsziende blik en legde vervolgens met een zwaar Oost-Europees accent uit dat de hotelgasten voornamelijk buitenlandse arbeiders waren. Het viel Jenny op dat de gelamineerde borden, die achter de balie op de muur waren geplakt, in het Pools waren gesteld. Het Metropole was een arbeiderslogement. Anna Rose was niet van het soort dat daar kwam.

IJskoud water sijpelde door haar schoenzolen toen ze het woedende verkeer omzeilde en de trappen van het Windsor Hotel op rende, dat aan de overkant stond. Het vond zichzelf van een betere kwaliteit dan zijn buren, maar door de halfhartige pogingen om grandeur uit te stralen werd het des te slonziger. De met chintz beklede banken in de lobby zaten vol vlekken en waren uitgezakt; op het versleten tapijt zat ducttape geplakt. Jenny drukte op een zoemer op de onbemande receptiebalie. Een korte, dikke man in een gevlekt marinevest met bijpassende das kwam met wazige blik uit een privékantoortje tevoorschijn. Hij droeg een plastic badge met daarop: GARY, ASSISTENT-MANAGER. Zijn ergernis omdat hij was gestoord verdween toen hij een tamelijk aantrekkelijke vrouw zag staan. Hij schonk haar een vettige glimlach.

'Goedenavond, mevrouw. Wat kan ik voor u doen?'

Jenny toonde haar kaartje dat ze ook aan de winkelier had laten zien en draaide haar verhaal af. Gary schakelde moeiteloos van een gulzige naar een glibberige houding over en zei dat volgens hem geen van zijn gasten aan haar beschrijving voldeed.

Jenny bespeurde een onzekere klank. 'Weet u dat zeker? Hoe zit het met de dagdienst? Is er iemand die ik kan bellen?'

Hij krabde zich op zijn hoofd en dacht opnieuw na. 'Er heeft hier een paar dagen een meisje gelogeerd, maar zij had zwart haar, kort, stekeltjeshaar...'

'Hoe heette ze?'

'Sam, Sarah... zoiets...' Hij tikte iets op zijn computer in. 'Dat is ze: Samantha Stevens.'

'Is ze hier nog?'

'Ze heeft eerder vanavond uitgecheckt, een uur geleden ongeveer.'

Logisch. Als ze vanavond haar boodschappen had afgeluisterd, waren er vast een paar van Mike bij geweest. Ze zou weten dat de Amerikaan achter haar aan kwam.

'Enig idee waar ze naartoe is gegaan?'

'Ik weet dat ze een taxi heeft besteld. Ik hoorde haar bellen.' Hij knikte naar een betaaltelefoon aan de muur naast de balie.

'Had ze veel bagage?'

'Alleen een rugzak, geloof ik. Ze leek haast te hebben. Zit ze in de problemen of zo?'

Jenny deed alsof ze de vraag niet had gehoord, pakte de hoorn van de haak en drukte op de herhaaltoets. De telefoon werd opgenomen door een telefoniste van PDQ-Cabs. Ongeduldig wilde Jenny weten waar de passagier van het laatste ritje vanaf het Windsor Hotel was afgezet. De telefoniste was een vijandige vrouw met een rokersstem, die beweerde dat het tegen de regels was om persoonlijke 'passagiersinformatie' vrij te geven.

Jenny zei: 'Ik zal het voor je uitspellen: je hebt geen keus. Je kantoor is ongetwijfeld dikke shit, maar ik weet zeker dat het nog altijd beter is dan een politiecel.'

Gary kwam achter de balie vandaan en gebaarde haar dat ze hem de hoorn moest geven. 'Laat mij maar even...'

'Hé, Julie, liefje,' snorde hij, 'met Gary. Luister, pop, mevrouw staat hier naast me en ik probeer haar zo goed mogelijk te helpen. Dus waarom vertel je niet gewoon wat ze wil? Want anders bevelen we misschien voortaan een ander taxibedrijf aan...'

Jenny hoorde de telefoniste chagrijnig grommen en tegen Gary zeggen dat de rit naar het busstation in Marlborough Street was gegaan, midden in de stad.

Hij hing met een brede glimlach op en vroeg of hij verder nog iets voor haar kon doen, terwijl hij zijn ogen naar Jenny's borsten omlaag liet glijden.

'Nee, bedankt. Je hebt me erg geholpen.' Ze trok haar jas voor haar borst. 'Ik zie je nog wel een keer, Gary.'

Toen ze de deuren naar buiten openduwde, ving ze zijn weerspiegeling in het glas op: hij stak zijn tong als een hongerige hagedis naar haar uit.

26

Jenny merkte niet dat de nachtblauwe Lexus-sedan twee auto's achter haar invoegde toen ze naar het stadscentrum racete. De hagel had plaatsgemaakt voor dikke vlokken natte sneeuw, die bleef liggen. Ze had geen ruitenwisservloeistof meer en de straatlantaarns reflecteerden als een caleidoscoop door de vuile voorruit. Ze drong zich door het drukke verkeer op Haymarket, miste op een haar na een lukraak overstekende dronkaard, schoot door de verkeerslichten en zwenkte Marlborough Street in.

Ze zette de auto langs een dubbele gele streep en rende het busstation in. Op een handvol vermoeid ogende achterblijvers na die bij een taxistandplaats stonden te wachten, was de stationshal verlaten. De enige aanwezige bussen waren voor de nacht weggezet. Er was een stalen rek voor het raam van het tickethokje getrokken. Jenny haastte zich tussen de rijen zwijgende voertuigen door: er was geen spoor van een jonge vrouw die met een rugzak zeulde.

Terwijl ze de opkomende angst terugdrong dat Anna Rose haar door de vingers was geglipt, liep Jenny weer naar de dienstregelingborden terug. Ze zag een man in een uniformoverall met een stofzuiger uit een lege bus stappen. Ze haastte zich naar hem toe terwijl ze haar vochtige en verkreukelde kaartje uit haar jaszak plukte.

'Neemt u me niet kwalijk...' Buiten adem gaf ze het aan hem. 'Ik ben rechter van instructie. Ik ben op zoek naar een jonge vrouw die hier ongeveer een halfuur geleden moet zijn geweest. Kort zwart haar. Rugzak.'

De schoonmaker, een goedaardige West-Indiër met zware oogleden en de vermoeide gezichtsuitdrukking van een man die zich in een levenslange vreugdeloze en slecht betalende baan had geschikt, tuurde wantrouwig naar het kaartje.

'Hebt u haar gezien?'

Behoedzaam zei de schoonmaker: 'Ik dacht het niet.'

'Zijn er in het afgelopen halfuur ook bussen vertrokken?'

'De bus naar Londen is om kwart voor weggereden.'

Jenny keek op haar horloge: negen minuten voor elf.

'Was dat de enige?'

'Voor zover ik weet wel.'

'Rijdt hij er in één keer heen?'

De schoonmaker haalde zijn schouders op. 'Ik heb hem nog nooit genomen.'

Jenny rende naar haar auto terug. Haar elegante schoenen gleden uit op het dunne sneeuwdekentje. De voeten van haar maillot waren nat en haar tenen deden zeer van de kou. Ze glipte achter het stuur, draaide de verwarming op de hoogste stand en reed weg. De achterkant van de auto slingerde toen ze van de stoeprand wegschoot. Vijftig meter achter haar ontstak de Lexus zijn koplampen en reed achter haar aan.

De hoofdstraat van de stad werd al snel breder en ging over in de M32. Jenny nam met honderdtwintig kilometer per uur de lege buitenste rijstrook, terwijl ze maagdelijke sporen in de sneeuw trok. Ook al zou ze de bus inhalen, wat zou ze dan doen, vroeg ze zich af. Ze kon de honderdtachtig kilometer naar Londen helemaal achter hem aan blijven rijden, maar wat dan? Als Anna Rose erin zat, dan was er nog geen reden waarom ze zou meewerken, en Joost mocht weten wat er in haar rugzak zat. Het was logischer geweest als ze de politie had gebeld en haar recht had opgeëist om een verklaring van haar op te nemen als Anna Rose eenmaal veilig in hechtenis was genomen. Als ze dwars zouden gaan liggen, kon ze er gewapend met een bevelschrift van het hooggerechtshof heen gaan en erop staan. Koud, nat en pijnlijk vermoeid als ze was, was dat een aanlokkelijk idee. Haar telefoon zat in haar handtas vlak naast haar. Ze kon binnen een paar tellen Pironi aan de lijn hebben.

Een andere, overtuigender stem zei tegen haar dat ze zich niet moest laten verleiden, dat ze nooit de kans zou krijgen om met Anna Rose te spreken als de politie haar eerst te pakken kreeg. Ze zou eruit gegooid worden, gekneveld, en bedreigd worden met ontslag als ze problemen dreigde te maken. De volledige macht van de terrorisme bestrijdende staat zou zich tegen haar keren.

Ze drukte het gaspedaal nog verder in. De kilometerteller klom naar honderdvijfendertig.

Aan de rand van de stad nam ze de baan in oostelijke richting en maakte een bocht van een kwartslag om de M4 op te rijden. De snelweg glooide in een onverlichte duisternis naar omlaag. Haar ogen prikten vanwege het ingespannen turen door de uitgesmeerde kringen viezigheid op de voorruit: elk tegemoetkomend paar koplampen verblindde het wegdek voor haar.

Stijf van de spanning had ze ruim twintig kilometer afgelegd toen de dubbele achterlichten van een snelbus in het donker opdoemden. Hij reed met een gestage snelheid van ongeveer honderd kilometer per uur op de binnenste rijbaan; smerig water spoot als een fontein van zijn reusachtige banden. Met de middelste rijbaan ertussenin ging Jenny ernaast rijden en probeerde de gezichten van de passagiers te onderscheiden, maar het enige wat ze door de beslagen busramen kon zien was de flakkering van de schermen op de rugleuningen.

Haar auto lichtte op door knipperende lichten. Geschrokken keek Jenny in de spiegel. Een groot, agressief voertuig reed een paar centimeter achter haar bumper en flitste opnieuw. Verdwaasd zwenkte ze naar de middenbaan links van haar en ving de volle laag van de bus op toen de Range Rover langs haar schoot. Instinctief trapte ze op de rem en zwenkte bij de bus vandaan. Achter haar werd getoeterd; opnieuw knipperende koplampen, die haar tot een scherpe zwaai naar links dwongen. Ze zag nauwelijks dat de Lexus accelereerde en wegreed toen de achterkant van de Golf naar rechts slipte. Even gleed ze zijwaarts over de rijbaan. Ze rukte aan het stuur, schampte de hoek van de bus, maakte een lange, trage, elegante draai van honderdtachtig graden en kwam in de harde berm tot stilstand, met haar neus naar het verkeer toe. Een reusachtige oplegger dreunde luid toeterend langs toen die uitweek om haar te omzeilen.

Blij dat ze überhaupt nog leefde, greep ze naar de contactsleutel, startte de motor en schakelde naar de eerste versnelling. De voorwielen slipten weg in de vijf centimeter sneeuw, kregen toen grip en schokten naar voren. Een paar dicht op elkaar rijdende auto's stoven toeterend over de binnenste rijbaan. Jenny richtte zich op een ruimte voor de volgende reeks naderende koplampen, trapte het gaspedaal in, maakte een scherpe draai naar links en schakelde door via negentig, honderdtien naar honderdtwintig...

Ze schoot zo'n vijftienhonderd meter vervaarlijk over de sneeuwlaag en haalde de oplegger in die haar bijna had geschept. Ze reed erlangs en zag toen de kenmerkende achterlichten van de bus voor zich. Hij had zijn richtingaanwijzer naar links uit staan en nam de afslag naar een benzinestation. Jenny schoot over twee rijbanen en wist de afslag op een halve meter te halen.

Over een talud volgde ze de borden naar de bus- en vrachtwagenparkeerplaats. De bus was in de verste rechterhoek van het terrein, dat zo groot was als een voetbalveld, tot stilstand gekomen. Ze reed met de Golf stapvoets over de sneeuw, langs rijen vrachtwagens die daar voor de nacht geparkeerd stonden, terwijl ze het vooruitzicht overdacht dat ze straks in levenden lijve tegenover Anna Rose zou komen te staan.

Stel dat ze niet wilde praten? Of de nacht in zou vluchten? Hete naalden verspreidden zich vanaf haar borst langs haar armen omlaag.

Ze ging naar de linkerkant van de bus. Ze was er niet meer dan dertig meter vandaan toen de voordeur aan de passagierskant openzwaaide. Op datzelfde moment kwamen er twee gedaanten uit de schaduw aanrennen: pezige, atletische mannen in zwarte paramilitaire overalls en met mutsen op. Ze staken een hand in hun jack toen ze bij de busdeur waren en naar binnen stormden. Ze trapte op de rem en gleed tot stilstand, terwijl ze naar de onduidelijke, woeste bewegingen van lichamen achter de beslagen ramen keek. Ze hoorde flarden van gedempte kreten en opgewonden stemmen. Een tengere, onduidelijke gedaante werd door het gangpad geschoven.

Met één oog ving ze een glimp op van een lichtreflectie op metaal. Ze keek scherp naar links en zag zijn lange, tengere silhouet tussen twee goederentrailers opdoemen. Hij was gekleed in spijkerbroek en een dikke anorak, en had een baseballpet over zijn voorhoofd getrokken, waardoor zijn gezicht niet te zien was. Hij bleef bij de hoek staan en keek even haar kant op.

Hij was het. De Amerikaan. De man die in het lijkenhuis was geweest en had beweerd dat hij op zoek was naar zijn verdwenen stiefdochter. Zijn aandacht schoot weer naar de bus. Hij stak twee handen op en richtte toen op de twee mannen die hun gevangene de trap af droegen.

In een reflex trapte Jenny op het gaspedaal en accelereerde zijn kant op. Een uitbarsting van oranje licht schoot uit de loop van zijn geweer, toen nog een; nog meer lichtflitsen kwamen van de kant van de bus. De Amerikaan wankelde en stak een hand uit naar de zijkant van de trailer. Jenny stoof langs hem en kwam zwenkend tot stilstand.

Tien meter links van haar gooiden de twee mannen een kleine, donkerharige vrouw op de achterbank van de Range Rover, sprongen erin en gingen er over de stoeprand vandoor, terwijl ze door de dunne heg raasden die tussen de busparkeerplaats en de oprit erachter stond.

Nog geen twee minuten later stond er een hele vloot politiewagens en burgerauto's. Een helikopter volgde al snel, die het tafereel met een batterij zoeklichten van bovenaf verlichtte. De parkeerplaats werd afgegrendeld, Jenny werd met de hysterische buspassagiers en een paar verbijsterde vrachtwagenchauffeurs bijeengedreven. Iedereen werd gefouilleerd en ontdaan van zijn mobiele telefoon, camera en andere elektronische apparatuur voordat hij naar het benzinestation werd geleid. Jenny vertikte het een stap te zetten en protesteerde bij een agent in uniform dat ze als rechter van instructie van Hare Majesteit officieel aan het werk was, toen ze inspecteur Pironi, met Alison in zijn kielzog, boos naar haar toe zag benen.

'Ik handel die vrouw wel af, agent,' riep hij tegen de agent terwijl hij met zijn aanhoudingsbevel zwaaide.

De agent deed weifelend een stap achteruit.

Pironi ontplofte. 'Denk je soms dat je boven dit alles verheven bent? Iemand loopt met een kernbom rond en jij speelt inspecteurtje pesten.'

'Ik heb een wettelijk recht om met Anna Rose te praten.'

'U hebt het recht te zwijgen, mevrouw Cooper. Informatie achterhouden...'

Jenny riep boven hem uit: 'Ik heb de Amerikaan gezien. Hij stond daar.' Ze wees naar de hoek van de trailer. 'Hij schoot op de mannen die Anna Rose hebben ontvoerd.'

Pironi zweeg een ogenblik. 'Waar is hij naartoe gegaan?'

'Hij nam vlak na hen de benen. Volgens mij is hij geraakt.'

'Blijf hier.'

Pironi beende naar de hoek van de trailer.

'Wat is het probleem?' zei Jenny tegen Alison.

'Hij heeft opdracht je aan te houden.'

'Van wie?'

'Daar vraagt u me wat.'

'Wat heeft dat te betekenen?'

'Dat weet hij niet. Het is gewoon aan hem doorgegeven.'

'En waarom ben jij hier – voor morele steun soms?'

'Ik denk dat hij moest praten.'

Pironi beende naar hen terug. Hij keek naar Alison, toen naar Jenny. Er stonden angst en besluiteloosheid in zijn ogen te lezen. 'Heb je zijn gezicht kunnen zien?'

'Ik heb hem tien dagen geleden in het lijkenhuis gezien. Hij beweerde dat hij op zoek was naar zijn vermiste stiefdochter.'

Pironi keek omlaag naar de vieze sneeuw. 'Je bent hier niet geweest. Verdwijn.'

Jenny zei: 'En mijn auto dan?'

'Geef me de sleutels. Wacht hier.'

Ze gaf ze aan hem. 'Ga je me nog vertellen wie die man is?'

'We hebben verdomme geen flauw idee.'

De gebeurtenissen bij het pompstation speelden zich telkens weer voor haar geestesoog af, als elkaar opvolgende, verontrustende nieuwsfragmenten. Ondanks alle moeite die ze had gedaan, waren zij toch het eerst bij Anna Rose geweest. En even zeker als ze haar buiten haar bereik hadden gebracht, zouden ze nu Sarah Levin het zwijgen hebben opgelegd. Jenny voelde niets, behalve dat al haar zintuigen verdoofd waren. Net als haar eigen frustrerende innerlijke reis was haar gerechtelijk onderzoek aan de voet van een onneembaar klif beland.

Op de grond buiten Melin Bach lag een dun sneeuwkorstje. De storm van daarstraks was overgewaaid, waarna de lucht roerloos was geworden. De nacht was zo verstild als ze niet vaak had meegemaakt. Zelfs de rusteloze spanten in het huis hadden hun kalme gekreun opgegeven. Alleen het geluid van haar ademhaling en haar voetstappen op de flagstones waren te horen. Gehuld in een nachthemd en vestje ijsbeerde ze rusteloos heen en weer van de woonkamer naar haar werkkamer terwijl ze elk argument of precedent afzocht dat haar gerechtelijk onderzoek in stand kon houden. Ze was op terrein aanbeland waar handboeken niets meer uithaalden. Die hadden het in grootse bewoordingen over de macht die onderzoeksrechters van hogere rechtbanken konden eisen, dat ze met getuigen en documenten voor den dag moesten komen, die van een zorgvuldig proces uitgingen, een rechtssysteem dat niet onder politieke druk doorboog, onpartijdige rechters die alle overheidsdiensten gelijk behandelden. Ze voorzagen niet in trucs, gesjoemel, officiële ontkenning en opzettelijke misverstanden.

Het was vier uur in de ochtend toen haar geest het ten slotte opgaf. Ze viel neer in een stoel en probeerde haar nog steeds onrustige lijf te ontspannen. Er viel niets meer te winnen, zei ze tegen zichzelf. Je hebt je best gedaan, je hebt meer gedaan dan welke onderzoeksrechter ook ooit gedaan zou hebben. Langzaam ontspanden haar spieren zich en werden ze zwaar. Sommige dingen zijn simpelweg ongrijpbaar. Red je vege lijf, Jenny.

Haar oogleden vielen dicht. Ze wiegde naar voren met de bedoeling om naar bed te gaan, maar in plaats daarvan doezelde ze weg, en daarna viel ze in een diepe, verslagen slaap.

Voor haar gevoel had die maar heel even geduurd toen ze pijnlijk door de telefoon wakker schrok. Gedesoriënteerd pakte ze de hoorn en mompelde een krakerige begroeting.

'Jenny? Met Alec.' McAvoys stem klonk rustig en nuchter.

'Mijn hemel.' Jenny tuurde naar haar horloge: het was bijna halfvijf. 'Waar ben jij in godsnaam geweest?'

'Ik vond dat ik vandaag onbereikbaar moest zijn. Ik moest een paar dingen doen.'

Haar gedachten kwamen in een tuimelende golf terug.

'Ik heb je nodig. Je moet morgen getuigen. Je moet het over de Amerikaan hebben... Je weet iets, hè?'

'Ik heb je meer dan genoeg te vertellen, Jenny. Meer dan genoeg. Ik kan er een boek over schrijven.' Hij klonk vermoeid.
'Alec, het gaat toch wel goed met je? Pironi zei tegen Alison dat je er niet goed uitzag.'
'O. Was dat een fysieke of een spirituele diagnose?'
'Ik laat hem naar de rechtbank komen om jouw getuigenis aan te horen. De kans bestaat dat hij overgehaald kan worden om uit de school te klappen, in elk geval dat hij zegt wie hem heeft opgedragen het oorspronkelijke onderzoek stop te zetten. Misschien geeft hij zelfs toe wie hem het bevel heeft gegeven om jou op te bergen.'
'Dat zou nog eens wat zijn.'
'Ik denk dat hij last heeft gekregen van zijn geweten. Er is vanavond iets gebeurd...' Ze hield zich in. 'Dat vertel ik je nog wel nadat je hebt getuigd. Je komt toch wel, hè?'
McAvoy zweeg.
'Alec, luister naar me, luister. Je móét komen. Ik begon al te denken dat er geen hoop meer was, maar er is nog een sprankje over, toch? Alec?'
'Er is altijd hoop.'
'En als dit achter de rug is, kunnen we dan praten?'
'Dat doen we. Welterusten, Jenny.'
'Welterusten, Alec...' Je hebt me niet verteld waarom je me belde, wilde ze zeggen, maar de lijn was al dood. Ze had hem terug kunnen bellen, maar dat zou het moment bederven. Bovendien wist ze wat hij wilde zeggen, ze kon het voelen: dat ze niet alleen was. Hij was bij haar.

27

Vanuit haar kantoor op de eerste verdieping kon Jenny de demonstranten buiten de gang horen scanderen. De menigte woedende jonge Aziatische mannen was tot meer dan dertig aangegroeid, maar ten opzichte van de politie waren ze nog in de minderheid. In de kranten of op radio en tv was er nog altijd met geen woord over het gerechtelijk onderzoek gerept. En de ontvoering van Anna Rose en het vuurgevecht bij een benzinestation langs de snelweg hadden het nieuws evenmin gehaald. Voor zover het de buitenwereld betrof, was dat allemaal nooit gebeurd.

Alison klopte op de deur en kwam met een verontschuldigende uitdrukking op haar gezicht binnen.

'Nog geen spoor van McAvoy, en ook niet van Dave Pironi. Ik heb nog een boodschap voor dr. Levin achtergelaten. Ze weet wat het betekent om hier te zijn.'

'En Salim Hussain, heb je hem weten op te sporen?'

'Ik heb een adres en een telefoonnummer van de universiteitsadministratie. Hij reageert niet. Ik heb met zijn studiebegeleider gepraat, die zegt dat hij voor de laatste twee supervisies niet is komen opdagen.'

'Wanneer heeft hij hem voor het laatst gezien?'

'Bijna drie weken geleden.'

Jenny drong het wantrouwen terug dat haar getuigen met opzet voor haar werden weggehouden.

'Wat wilt u gaan doen?' zei Alison. 'We hadden een kwartier geleden al moeten beginnen. Mevrouw Denton begint ongeduldig te worden.'

Jenny verzamelde haar slinkende krachtreserves. Zware vermoeidheid gecombineerd met de overweldigende angst dat alles haar door de vingers glipte, dreigde het effect van haar medicijnen teniet te doen. Haar hart hamerde tegen haar longen.

'Ik moet de jury in elk geval iets vertellen,' zei ze, en ze stond op van haar bureau. 'Probeer McAvoy en Pironi te pakken te krijgen. Wie weet, misschien zijn ze samen op weg hierheen.'

Alison trok haar wenkbrauwen op. 'Er zijn wel gekkere dingen gebeurd.'

Martha Denton stond ongeduldig op toen Jenny aan het hoofd van de rechtbank had plaatsgenomen.

'Kunnen we praten voordat de jury binnen wordt gebracht, mevrouw?'

Jenny kon geen reden bedenken om te weigeren.

Denton haalde een document tevoorschijn. 'Het zal u niet verbazen te horen dat de minister een verklaring heeft afgegeven dat de informatie met betrekking tot de verblijfplaats van Nazim Jamal en Rafi Hassan in de periode onmiddellijk na hun verdwijning niet onthuld mag worden, in het kader van het publiek belang.'

Alison bracht een kopie ervan naar Jenny. Ze keek naar de zakelijke tekst en zag dat meneer Jamal vandaag ouder leek, gelaten.

Jenny zei: 'Ik neem aan dat als ik deze informatie opeis, dat verzoek zal worden geweigerd?'

'Als het u helpt, mevrouw: op dit moment houdt er een rechter van het hooggerechtshof zitting in Bristol die zich vanmiddag beschikbaar kan maken.'

Aangezien dit verzoek al bij voorbaat was goedgekeurd, twijfelde Jenny daar niet aan.

'Ik zal nog een aantal andere getuigen oproepen, mevrouw Denton. Ik zal een besluit nemen over deze verklaring als ik hun getuigenis heb gehoord.'

Met een verbaasde blik zei Denton: 'Als u geen protest tegen deze verklaring aantekent, dan is de juiste procedure dat u eerder vroeg dan laat de jury instrueert tot de conclusie te komen dat de doodsoorzaak niet te achterhalen valt. De verklaring van meneer Skene bevestigt in elk geval dat hij over informatie beschikt dat de vermiste mannen het land uit zijn. Het is geen concreet bewijs, maar zover ik het kan zien is dat het beste bewijs dat we ooit tot onze beschikking krijgen.'

'Behalve dan dat het helemaal geen bewijs is tot ík het gezien heb, mevrouw Denton,' zei Jenny, waarmee ze Khan een goedkeurend hoofdknikje ontlokte.

Denton kaatste onmiddellijk terug. 'Mevrouw, hoewel het hoogst ongebruikelijk is, kan een uitspraak van een rechter van instructie verworpen worden en kan er een nieuw gerechtelijk onderzoek worden gelast wanneer de uitspraak duidelijk ongeoorloofd is. En hoewel dat misschien frustrerend is, kan de jury zonder deze informatie tot geen andere geloofwaardige uitspraak komen dan "doodsoorzaak onbekend".'

Jenny zei kalm: 'Mevrouw Denton, mijn jury zal tot zijn eigen uitspraak komen wanneer die kennis heeft genomen van alle beschikbare getuigen, en eerder niet. Dat kan met of zonder uw zogenaamde informatie zijn.'

Alison verscheen in de deuropening van de bestuurskamer rechts in de zaal en mimede: 'Dr. Levin is er.'

'Laat de jury binnenkomen, alsjeblieft,' zei Jenny. 'En dan zullen we nogmaals dr. Levin horen.'

Martha Denton wierp een blik over haar schouder naar Alun Rhys en liet zich in haar stoel vallen. Rhys staarde Jenny dreigend aan, maar hij kon niets anders doen dan blijven wachten. De jury ging op zijn plaats zitten en Sarah Levin kwam uit de bestuurskamer tevoorschijn.

Ze keek ongerust beurtelings naar Jenny en de advocaten toen ze in de getuigenbank plaatsnam.

'U staat nog steeds onder ede,' zei Jenny. 'Ik heb u gevraagd terug te komen om ons te helpen bij een paar achtergrondvragen die van belang zouden kunnen zijn. Heeft iemand van de politie of de veiligheidsdienst sinds gisteren met u gesproken of contact met u opgenomen?'

'Nee.'

'Heeft iemand u verteld wat u wel of niet mocht zeggen tijdens uw getuigenis?'

Ze schudde haar hoofd.

Jenny was niet overtuigd, maar deed haar best dat niet te laten merken. Havilland en Denton zouden bij het minste of geringste greintje vooringenomenheid opspringen.

Ze ging op verzoenende toon verder. 'U had een Stevenson-beurs, nietwaar? Na uw afstuderen hier hebt u een postdoctoraalbeurs bemachtigd aan de Harvard-universiteit in de Verenigde Staten.'

'Dat klopt.'

'Dat jaar was u een van de slechts twaalf kandidaten, of zo.'

'Ja.'

'Had u Amerikaanse connecties toen u nog in Bristol studeerde?'

'Nee,' antwoordde Levin, een beetje ongerust.

Jenny vroeg door. 'Op 28 juni is er een man van in de veertig gezien, die Manor Hall om middernacht verliet – de nacht dat Nazim en Rafi verdwenen. Volgens de beschrijving van Dani James was hij gekleed in een blauwe, dikke anorak en een baseballpet. Hij droeg een rugzak of reistas. Weet u wie die man was?'

'Ik heb geen idee.'

'Kende u destijds een Amerikaanse man die aan die beschrijving voldeed?'

'Nee...'

'U klinkt niet erg zeker van uzelf.'

'Nee, ik kende hem niet.'

'Vorige week was er een man met een vergelijkbaar signalement, alleen een paar jaar ouder, gezien toen hij het gebouw verliet waar Nazim Jamals moeder woonde, slechts een paar minuten na haar overlijden. Hebt u onlangs een vijfenvijftigjarige Amerikaan ontmoet?'

Martha Denton sloeg met haar handen op het bureau voor haar toen ze overeind sprong. 'Mevrouw, hoe kan dit relevant zijn voor gebeurtenissen van acht jaar geleden?'

'Mevrouw Denton, ik herinner u eraan dat ík beslis wat relevant is of niet.'

'Mevrouw, als ik correct ben geïnformeerd, is de dood van mevrouw Jamal momenteel in onderzoek bij de politie. Het is niet meer dan terecht dat ik u eraan herinner dat enige speculatie daaromtrent in deze rechtbank het risico in zich draagt dat de jury bevooroordeeld raakt en zijn uitspraak geweld aandoet.'

'Ga zitten, mevrouw Denton. En ik duld geen interrupties meer.'

De juryleden glimlachten. Martha Denton deed met een giftige blik wat haar was gezegd.

Jenny richtte haar aandacht weer op de getuige. 'U hebt mijn vraag nog niet beantwoord, dr. Levin.'

'Daar kan ik prima antwoord op geven. Ik ken geen man die aan die beschrijving voldoet.'

'Maar u kent Anna Rose Crosby wel, hè?'

Alun Rhys ging met een ruk rechtop zitten.

'Ja...' zei Sarah Levin weifelend.

'Kunt u de jury alstublieft vertellen wie ze is?'

'Ze is... was een student op mijn faculteit. Ze is afgelopen zomer afgestudeerd.'

'En u hebt haar de vorige herfst een opleidingsplaats bezorgd in de kernindustrie.'

'Ik was haar studiebegeleider... Ik heb voor de gebruikelijke referenties gezorgd.'

'En het is u bekend dat ze al veertien dagen wordt vermist?'

Sarah Levin keek angstvallig naar de advocatenbank. Alun Rhys was van zijn stoel opgestaan en liep door de zaal naar hen toe.

'Dat wist ik, ja.'

'Is het u ook bekend dat ze vorig jaar een verhouding had met een jonge Aziatische man, een postdoctoraalstudent aan de universiteit, die Salim Hussain heet?'

'Nee... dat wist ik niet.'

'En hebt u enig idee waarom dezelfde Amerikaanse man naar haar op zoek is sinds ze vermist is?'

Sarah Levin schudde haar hoofd, met haar ogen op Rhys, Denton en Havilland gericht. Hun raadsmannen waren haastig aan het beraadslagen.

'Daar hebt u helemaal geen idee van, dr. Levin?'

'Dat zei ik net: nee.'

'O? Zou het helpen uw geheugen op te frissen als ik u vertelde dat het erop lijkt dat deze man met radioactief materiaal besmet is waarmee u ongetwijfeld bekend bent...'

Denton interrumpeerde: 'Mevrouw, mij is opgedragen een eind te maken aan deze ondervraging.'

'Ik heb u al gezegd, mevrouw Denton...'

Rhys boog zich over de tafel achter haar, gaf Denton nog een paar orders en haastte zich de zaal uit.

Denton bond in en haar verontwaardigde gezichtsuitdrukking ging over in verbijstering. 'Mevrouw, mij is verteld om u mede te delen' – ze zei het alsof ze zelf nauwelijks kon geloven wat ze ging zeggen – 'dat dr. Levin een verdachte van een misdrijf is en dat ze onmiddellijk in hechtenis wordt genomen.'

'Ze is getuige in een wettelijk onderzoek. Iedereen die haar getuigenis in de weg staat minacht de rechtbank.'

Rhys stormde door de deuren achterin de zaal binnen, geflankeerd door twee politiemannen in uniform, een brigadier en een lid van de korpsleiding.

'Neemt u me niet kwalijk, mevrouw,' stamelde de brigadier. 'Mij is gevraagd dr. Sarah Levin te arresteren.'

'U kunt wachten tot ze haar verklaring heeft afgelegd of u wordt in hechtenis genomen wegens minachting,' snauwde Jenny.

'Doe het,' beval Rhys.

De twee politiemannen beenden naar de getuigenbank.

Jenny reageerde haar woede op hen af: 'Waag het niet tussen de voortgang van dit proces te komen!'

Achter het emotieloze masker van de mannen in uniform, die bevelen opvolgden, pakten de twee politiemannen een doodsbange Sarah Levin beet en leidden haar de getuigenbank uit. Sprakeloos van machteloze woede keek Jenny toe hoe ze haar de zaal uit brachten. Toen ze naar buiten liepen, was inspecteur Pironi degene die de deur voor hen openhield.

'Meneer Pironi,' zei Jenny, op nauwelijks meer dan een fluistertoon, 'gaat u me nog vertellen wat hier aan de hand is?'

Uit de kruimelige krochten van haar handtas viste ze de twee met pluisjes en viezigheid besmeurde Xanax-tabletten die ze daar had bewaard – terwijl ze steeds had gedaan alsof ze er niet waren – voor noodgevallen. Ze nam ze allebei in en gaf ze twee hele minuten de tijd om door haar lichaam te worden opgenomen voor ze Pironi bij zich riep. Alison sjokte achter hem aan. Jenny was het bezwaar maken voorbij. Geen enkele inbreuk op het protocol kon de situatie nog absurder maken.

Jenny staarde hem aan. 'En?'

'Ik heb geen idee, mevrouw Cooper,' zei hij met een stalen gezicht. 'Wat er net is gebeurd, heeft met mij niets te maken. Ik denk dat u daarvoor met de vinger naar MI5 moet wijzen. En wat ik u te vertellen heb, heeft niets met hen te maken. Nog niet.'

Jenny drukte haar handen op haar bonzende hoofd. 'Waar hebt u het over?'

'Ongeveer een uur geleden kreeg ik een telefoontje van meneer McAvoy. Hij beweert dat hij de stoffelijke resten heeft gevonden van Nazim Jamal en Rafi Hassan. Hij heeft een locatie in Noord-Herefordshire opgegeven.' Pironi slikte. 'Hij zei, en ik citeer: "Die duivelse klootzak van een Tathum wilde tot zijn laatste godvergeten adem niets loslaten."'

Toen Jenny en Alison over een steil modderpad liepen, belde Pironi haar met het nieuws over Tathum. Dat was een kleine twee kilometer van de dichtstbijzijnde weg, door een dicht bos van benauwende dennenbomen. Zijn lijk was in een bijgebouw bij zijn boerderij gevonden, met in beide bovenbenen gaten zo groot als puddingschaaltjes, waar de geweerschoten het vlees hadden weggerukt. Eén kant van zijn gezicht was kapotgeslagen en zijn rechterarm was op verschillende plaatsen gebroken. Het wapen was buiten op het erf gevonden. McAvoy werd gezocht wegens verdenking van moord. Jenny wist niets te zeggen en verbrak de verbinding met een dof 'Dank je.'

Ze kwamen op de kleine, door omgevallen bomen ontstane open plek. Jenny en Alison keken zwijgend toe hoe twee leden van de technische recherche voorzichtig de aarde wegveegden waar de hak van een schoen uit tevoorschijn kwam, een wit scheenbeen, flarden van half vergane kleren, een horloge om een polsbeen. Toen er meer aarde was weggehaald, werd gaandeweg het bekken van een tweede lijk zichtbaar, eveneens met het gezicht naar omlaag. Nauwgezet werd ruggenwervel na ruggenwervel blootgelegd, en ten slotte de omtrek van de schedel.

'Jezus christus,' zei de brigadier binnensmonds, 'kijk daar eens.' Hij wees met een in handschoen gestoken vinger naar de schedelbasis, even boven de aanhechting van de ruggenwervel.

Jenny boog zich in het wegstervende licht voorover en zag een keurige, ronde ingangswond.

'Het is tenminste snel gegaan,' zei Alison zonder overtuiging.

De genadeslag zelf misschien wel, maar wat eraan vooraf was gegaan had lang geduurd. Het was anderhalf uur rijden vanaf Bristol en een lange, eenzame tocht de heuvel op naar de executieplaats.

Er roerde zich iets in Jenny: een bitter, bevredigd gevoel dat Tathum net zoveel had geleden als zijn slachtoffers, zo niet meer. Ze was blij dat McAvoy dit had gedaan. Ze haalde hem zich voor de geest, buiten het dorpsgebouw op die allereerste dag van haar gerechtelijk onderzoek, toen hij met in de wind wapperende haren de regels had geciteerd: 'O, in gebed zou ik de hele nacht kunnen knielen, als ik maar genezing vond voor je vele euvels... Mijn donkere Rosaleen.'

Ze wilde hem weer zien. Dat moest.

28

Het was vrijdagochtend. Gillian Golder en Simon Moreton zaten naast Alun Rhys bij het hervatte gerechtelijk onderzoek. Ze waren er om er zeker van te zijn dat de deal nagekomen zou worden. Pas na langdurige en onaangename onderhandelingen, en nadat ze zich van de persoonlijke goedkeuring van meneer Jamal en de familie Hassan had verzekerd, was Jenny met veel pijn en moeite akkoord gegaan met de voorwaarden: Anna Rose Crosby zou niet meer worden genoemd, noch de voortgang van het onderzoek rondom haar; evenmin zou mevrouw Jamal ter sprake komen of het voortschrijdend politieonderzoek naar haar veronderstelde moord; en ten slotte zou de getuigenis van dr. Sarah Levin, aangezien die nu voor haar eigen veiligheid in hechtenis was genomen, door middel van een verklaring hardop voor de jury worden voorgelezen. In ruil daarvoor ging Golder ermee akkoord dat aan het eind van het onderzoek Jenny volledig zou worden ingelicht over de redenen waarom de veiligheidsmaatregelen nodig waren geweest, en wat er van Alec McAvoy was geworden.

Dr. Andy Kerr leverde gedetailleerde foto's van twee volledige geraamten, waarvan kopieën aan de van afgrijzen vervulde jury werden getoond. Hij stelde dat DNA-testen en gebitsgegevens hadden bevestigd dat de stoffelijke resten van Nazim Jamal en Rafi Hassan waren. Beide jonge mannen waren op dezelfde manier aan hun eind gekomen: met een enkele 9-mm kogel door de schedelbasis geschoten. Beiden hadden in het voorhoofd een identieke uitgangswond van zevenenhalve centimeter.

Een ballistisch expert, dr. Keith Dallas, bevestigde dat beide mannen met hetzelfde vuurwapen waren gedood. Op het terrein in de buurt van de lijken waren twee Corbon 115-gram DPX-hulzen gevonden. Het waren kogels met een holle punt, ontworpen om na de inslag te fragmenteren: de hersenen van Nazim en Rafi waren letterlijk uit hun schedels geschoten.

Denton noch Havilland wilde deze getuigen ondervragen; ze lieten het aan Collins en Khan over om elk gruwelijk detail breed uit te meten. Toen er geen fysieke verschrikkingen meer te melden waren, las Alison Sarah Levins verklaring aan de jury voor:

'Ik ben dr. Sarah Elizabeth Levin, woonachtig op Ashwell Road 18C, Bristol. Deze getuigenis is naar mijn beste weten en overtuiging de waarheid, en ik verklaar hierbij dat, mocht deze als bewijs worden ingediend, ik me beschikbaar houd voor gerechtelijke vervolging als ik met opzet iets heb gezegd waarvan ik weet of geloof dat het niet waar is.

In oktober 2001 was ik eerstejaarsstudent natuurkunde aan de universiteit van Bristol. Aan het eind van die maand was ik op een faculteitsborrel toen ik werd benaderd door een Amerikaanse man die zich voorstelde als Henry Silverman. Silverman zei dat hij professor in de scheikunde was en vertrouwelijk onderzoek verrichtte voor een Anglo-Amerikaans defensiebedrijf. Destijds schatte ik hem begin tot midden veertig. Hij was beleefd en charmant, en ik voelde me gevleid door zijn aandacht.

Een paar dagen later belde Silverman me met de vraag of ik hem kon ontmoeten om een "beroepsmatige kwestie" te bespreken. Hij zei dat hij mijn nummer had gekregen van mijn faculteitshoofd, professor Rhydian Brightman. Ik sprak op een vrijdagavond na de colleges met hem af, in een café vlak bij Goldney Hall, waar ik in die tijd woonde. Tijdens die afspraak vertelde hij me dat hij bovendien voor de Amerikaanse regering inlichtingen verzamelde over Britse moslimstudenten die ervan werden verdacht betrokken te zijn bij extremistische activiteiten. Hij zei dat hij op zoek was naar een "intelligente jonge vrouw" met wie hij kon samenwerken, en dat zijn werkgevers me goed konden helpen. Hij beweerde dat hij andere studenten aan beurzen op Amerikaanse topuniversiteiten had geholpen en zei dat hij hetzelfde voor mij kon doen. In die tijd financierde ik mijn studie met leningen en het was een verlokkelijk vooruitzicht dat ik in staat zou zijn mijn schulden af te betalen en in het buitenland kon studeren. Ik zei tegen Silverman dat ik erover zou nadenken en ontmoette hem nog bij verschillende gelegenheden – in het restaurant van Hotel du Vin in het centrum van Bristol – alvorens ik ermee akkoord ging om voor hem te gaan werken.

Tijdens onze derde ontmoeting, deze keer in een café in Whiteladies Road, zei hij tegen me dat hij wilde dat ik speciale aandacht schonk aan Nazim Jamal, een van de studenten in mijn jaar. Hij zei dat Nazim betrokken was bij een organisatie, Hizb ut-Tahrir genaamd, en dat hij samen met andere studenten een extremistische moskee bezocht. Mij werd verteld dat hun moellah Sayeed Faruq heette, die ervan werd verdacht een rekruteringsagent te zijn voor terroristische groeperingen. Silverman beweerde dat er e-mails waren onderschept waarin Nazim met een goede vriend van hem – een rechtenstudent die Rafi Hassan heette – gepraat had over manieren om "een Brits 9/11 te veroorzaken". Hij gaf toe dat het net zo goed de fantasieën van een jonge man konden zijn geweest, maar benadrukte dat ze beiden precies pasten in het profiel waarvan bekend was dat Al-Qaida dat rekruteerde. Toen ik aan Silverman vroeg waarom hij dacht dat ik dicht in de buurt van Nazim kon komen, antwoordde hij dat hij op internet graag naar mooie blonde meisjes keek. Ter plekke zei ik tegen Silverman dat ik niet van plan was om mezelf te prostitueren, maar hij verzekerde me ervan dat hij dat niet van me vroeg; ik moest alleen in gesprek met hem komen en bevriend met hem raken. Hij bood me vijfhonderd pond cash en beloofde dat er meer betalingen zouden volgen als en wanneer ik met informatie op de proppen kwam.

Het was makkelijker om Nazim te benaderen dan ik had gedacht. Ik deed samen met hem een labpracticum en knoopte een gesprek aan. Hij was helemaal niet zoals ik me hem had voorgesteld. Hij had op een goede school gezeten en het bleek dat we veel dezelfde interesses hadden. In de weken daarna werkten we vaak samen en we werden echt dol op elkaar, hoewel Nazim het niet prettig vond om met mij in het openbaar gezien te worden. In de laatste week van het semester, begin december 2001, nodigde hij me in zijn kamer uit en uiteindelijk brachten we de nacht samen door.

Tijdens de vakantie hielden we contact en onze relatie ging in het volgende semester door. Inmiddels was ik erg aan Nazim gehecht geraakt en was ik bijna zover dat ik vergat hoe onze relatie ook alweer was begonnen. Maar Silverman belde me in januari op en drong aan op informatie. Tijdens het voorjaarssemester trokken Nazim en ik steeds meer naar elkaar toe. We sliepen een paar keer per week bij elkaar, hoewel hij daar heel tegenstrijdig over was en vroeg opstond om te bidden, zelfs als ik in de kamer was. Hij praatte niet veel over godsdienst of politiek, maar ik zag aan de boeken die hij las en door de sites die hij op internet bezocht dat hij zeer toegewijd was geraakt aan de islamitische zaak. Meerdere keren hoorde ik hem met Aziatische vrienden praten over Israël en Palestina, en de oorlog in Afghanistan. Tijdens de weinige momenten dat ik met hem over zijn geloof probeerde te praten, veranderde hij stelselmatig van onderwerp en zei dat het niet relevant was of dat het mij toch niet zou interesseren. Meer en meer kreeg ik het gevoel dat hij twee levens leidde: het ene deelde hij met mij en het andere met zijn Aziatische vrienden, en hij zorgde ervoor dat die twee nooit in elkaar overliepen. Gevolg daarvan was dat ik Silverman niet veel te vertellen had, die vervolgens gefrustreerd raakte omdat ik niet verder kwam. Hij begon me bijna dagelijks te bellen, stelde manieren voor waarop ik meer vragen kon stellen. Hij zei zelfs dat ik het met Nazim over bekering tot de islam moest hebben.

Ik voelde me steeds ongemakkelijker met de hele toestand, en eerlijk gezegd was ik bezig een uitweg te zoeken, toen Nazim aan het eind van het semester aankondigde dat hij een eind aan onze relatie wilde maken. Hij zei niet waarom, maar hij was zichtbaar van streek. Ik weet nog dat ik dacht dat het bijna leek alsof hij betrapt was en dat hem te verstaan was gegeven dat hij bij mij uit de buurt moest blijven.

Ik vertelde Silverman wat er was gebeurd en hij was des duivels. Hij zei dat hij uit andere bron wist dat Nazim en verschillende vrienden hadden gepraat over een aanval op een van de vier kerncentrales aan de monding van de Severn. Ze waren een weekend in de gaten gehouden toen ze naar Hinkley Point gingen, en daarna naar Maybury. Hij droeg me op met nee geen genoegen te nemen. Inmiddels was ik echt bang voor hem geworden en ik kon niemand om hulp vragen.

Aan het begin van het zomersemester probeerde ik naar Nazim terug te gaan, maar hij gedroeg zich vijandig tegenover mij en zei dat ik uit zijn beurt moest blijven. Silverman gaf me daarop mini-afluisterapparatuur en zei me dat ik die in Nazims kamer moest verstoppen. Dat was de enige keer dat ik mezelf wel heb verkocht. Ik ging een keer 's avonds laat naar hem toe en smeekte hem me binnen te laten. We hebben de nacht samen doorgebracht, maar hij liet me zweren dat aan niemand te vertellen. De volgende ochtend was hij in tranen: hij had zijn ochtendgebed gemist en gaf mij de schuld. Hij zei dat ik een hoer was en door de duivel naar hem toe was gestuurd om hem te verleiden. Hij was heel emotioneel en verliet de kamer terwijl ik me ging aankleden. Ik was boos op hem en walgde van mezelf. Ik deed zijn deur op slot en doorzocht zijn papieren. Ik vond een blocnote waarop hij aantekeningen had gemaakt van een van zijn religieuze bijeenkomsten en ontdekte dat hij op de achterkant een lijst tijden en plaatsen had opgeschreven. Ik herinner me het eerste trefwoord nog: de brandstofopslag van Avonmouth. Ik maakte met een digitale minicamera die Silverman me had gegeven een foto van de bladzijde.

Hij was opgetogen met de lijst en zei dat dit het bewijs was dat Nazim en zijn vrienden van plan waren een tankauto te kapen en daarmee op een van de vier kerncentrales in te rijden. Hij speculeerde zelfs dat ze meerdere kapingen zouden plegen in de hoop dat ze een gat in de wand van een reactor konden slaan. Hij wilde meer weten. Ik vertelde hem dat de relatie afgelopen was, maar hij stond erop dat ik zo dicht mogelijk bij Nazim in de buurt bleef. Geen detail was te klein: stemmingswisselingen, de kleinste verandering in zijn uiterlijk – hij wilde alles weten.

Ik deed wat me werd gevraagd. In de maand juni had ik bijna dagelijks contact met Silverman. Ik merkte dat Nazim steeds afweziger werd en zich steeds meer terugtrok. Hij sloeg hoorcolleges en werkgroepen over. Hij wilde met mij noch met andere studenten praten. Ik maakte me ongerust en vroeg Silverman wat er met Nazim zou gebeuren. Daar wilde hij geen antwoord op geven. Hij zei alleen dat ik moest blijven rapporteren.

Halverwege de maand juni had ik mezelf ervan overtuigd dat Nazim werkelijk bij een terroristisch complot betrokken was. Toen gebeurde er iets waardoor ik van gedachten veranderde. Plotseling hield hij me een keer in de gang staande – ik geloof dat het de vierentwintigste was – en zei dat het hem speet dat hij zo vervelend tegen me had gedaan. Hij was ineens heel anders: ik had hem voor het eerst in weken zien glimlachen. Ik vroeg of het goed met hem ging. Hij zei van wel. Hij raakte even mijn hand aan en liep toen weg. We hebben elkaar daarna nooit meer gesproken.

Op zaterdag 29 juni 2002 belde Silverman en sprak af om me bij Goldney Hall op te halen. Hij reed met me naar Bristol Downs en gaf me een envelop met daarin vijfduizend pond. Hij zei tegen me dat Nazim en Rafi Hassan gearresteerd waren – hij zei niet door wie – en dat ik daar tegen niemand iets over mocht zeggen. Hij bedreigde me niet met zoveel woorden, maar dat hoefde ook niet: zijn manier van doen vertelde me alles wat ik moest weten.

Ongeveer een week later belde hij opnieuw en zei tegen me dat ik een verklaring bij de politie moest afleggen; ik moest zeggen dat ik in de kantine Nazim met een Aziatische vriend had horen praten over de oorlog in Afghanistan. Hij zei dat ik het kort moest houden. Ik waagde het niet om tegen hem in te gaan.

Eind juni nam hij nogmaals contact met me op. Hij zei dat hij het land uit ging om in het buitenland te gaan werken, maar dat hij zich aan zijn belofte zou houden. In het eerste semester van mijn derde jaar kreeg ik een aanvraagformulier toegestuurd voor een Stevensonbeurs op Harvard. Ik had succes: ik heb daar drie jaar gestudeerd en promoveerde in 2007.

Ik weet helemaal niets van wat er met Nazim Jamal of Rafi Hassan is gebeurd. Op grond van het weinige wat Silverman me heeft verteld heb ik de indruk gekregen wat ze door de veiligheidsdienst waren gearresteerd. Toen ik meer te weten kwam over de politieke situatie, bedacht ik dat ze door de Amerikaanse autoriteiten gearresteerd waren en naar het buitenland waren overgebracht, maar daar heb ik geen bewijs voor.

Ik zit nu in beschermende hechtenis van de Britse veiligheidsdienst en leg deze verklaring vrijwillig en bereidwillig af, en ik ontvang geen beloning of gunsten ervoor in ruil.'

Khan schoot overeind.

'Mevrouw,' zei hij met een uitdrukking van volslagen ongeloof op zijn gezicht, 'stelt u in alle oprechtheid voor dat de inhoud van deze verklaring aan niemand buiten de naaste families van de overledenen gerapporteerd of bekendgemaakt mag worden? Als het waar is wat dr. Levin zegt, schieten woorden tekort om te beschrijven hoe ver de corruptie hiervan reikt.'

Collins, die naast hem zat, knikte instemmend. Havilland verschoof ongemakkelijk in zijn stoel. Uit Martha Dentons gezicht sprak kille afstandelijkheid.

'Ik stel helemaal niets voor, meneer Khan. Hoe eenieder van ons zich gedraagt wanneer er een pistool op zijn hoofd wordt gedrukt, is een kwestie van persoonlijk geweten.'

Khan was opstandig. 'Ik weiger me de mond te laten snoeren. Ik ben van plan de getuigenis die we hebben gehoord met alle mogelijke middelen openbaar te maken.'

Jenny voelde de ogen van Golder, Rhys en Moreton op haar gericht. Ze realiseerde zich dat de muur van stilte die rond haar rechtszitting was opgetrokken nooit doorbroken zou worden. Iedere krantenredacteur of radio/tv-zender wachtte onmiddellijk de gevangenis als die dit bevel naast zich neer zou leggen. Als Khan het nieuws wilde verspreiden, zou hij genoegen moeten nemen met een megafoon en een zeepkist, of een obscure buitenaardse hoek van internet, waar hij met malloten en complottheoritici om de aandacht zou moeten vechten.

'U moet doen wat u het beste lijkt, meneer Khan,' zei Jenny, en ze begon met haar slotbetoog voor de jury.

De uitspraak van wederrechtelijke moord ging gepaard met een gevoel van ontgoocheling. Er was geen sprake van dat er een knieval voor de gerechtigheid was gemaakt, er was geen golf van tevredenheid dat de waarheid nu aan een wachtende wereld bekend zou worden gemaakt. Het was eerder een schuldig, steels ogenblik waarop iedereen in de zaal het gevoel had alsof hij stilzwijgend had deelgenomen aan het toedekken van een kwaad dat te monsterlijk en machtig was om in de ogen te kijken. Het onbehaaglijke gevoel van medeplichtigheid was compleet toen Jenny de jury eraan herinnerde dat elk woord dat ze hadden gehoord strikt geheim moest blijven, zelfs voor hun naaste familieleden.

Ze wist niet of ze de waarheid had blootgelegd of die nog dieper had begraven.

Toen de juryleden van hun stoel opstonden, keek ze naar meneer Jamal. Hij veegde de tranen van zijn wang, knikte haar even waarderend toe en liep naar de achterkant van de zaal, waar politiefunctionarissen hem naar zijn auto escorteerden. Het was slechts een schrale troost, maar ze voelde dat hij blij was dat er geen ruchtbaarheid aan zou worden gegeven.

Dat gold niet voor Khan. Hij stormde naar buiten en kondigde de wachtende aanhangers aan dat hun broeders door Amerikaanse en Britse agenten waren vermoord. Er brak een kleine rel uit. Er ontstond een schermutseling; mensen werden gearresteerd, hoofden raakten gewond en er klonken uitroepen van pijn, maar er waren geen verslaggevers die er getuige van konden zijn.

Jenny trof Golder en Rhys in het restaurant van het vogelasiel. Ze zaten bij het raam dat over het meertje uitkeek. Het licht stierf aan de schitterende hemel weg en de in het water wadende flamingo's glansden fluorescerend roze.

'Houdt u van vogels?' vroeg Gillian Golder, terwijl ze een zoetje door haar thee met melk roerde.

'De meeste wel. En u?'

'Zolang ze niet smerig zijn,' zei Golder. 'Ik vind dat alle duiven in Londen uitgeroeid moeten worden.'

'Ik bewonder eerder hun vastberadenheid.'

Alun Rhys onderbrak hen. 'Wat wilt u weten, mevrouw Cooper?'

Jenny nipte van haar lauwe koffie. Ze wilde dat ze haar zoveel vertelden, en ze vertrouwde hen zo weinig.

'Wie is Silverman?'

Golder antwoordde: 'Zover wij weten was hij een Amerikaans agent die buiten de normale samenwerkingskanalen opereerde. Kennelijk had hij toegang tot onze inlichtingendienst, maar we weten niets van hem of zijn activiteiten.'

'Ontkennen jullie ook maar iets van hem te weten?'

'Het waren angstige tijden. De Amerikanen waren begrijpelijkerwijs zenuwachtig en we hadden eerder het gras voor onze voeten laten wegmaaien. Niet dat dat een rechtvaardiging is voor een standrechtelijke moord, dat geef ik toe.'

Jenny bleef sceptisch. 'Als ze dachten dat ze met een paar terroristen te maken hadden, waarom hebben ze die dan niet aan jullie overgedragen of hen naar het buitenland overgebracht?'

Golder en Rhys wisselden een blik. Golder zei: 'Daar werken we nog aan. Het enige wat we momenteel weten is het weinige dat Alec McAvoy ons heeft verteld. Kennelijk heeft Tathum bekend dat hij en zijn collega – die later in Irak is gedood, als dat een troost voor u is – de twee jongens regelrecht van Bristol naar het bos hebben gebracht, waar ze Silverman ontmoetten. Hij heeft ze bijna de hele nacht ondervraagd, maar heeft niets anders uit hen gekregen dan ontkenningen, en schoot toen Hassan neer om Jamal aan te sporen. Kennelijk leverde dat niet het gewenste effect op.'

'Hebben jullie nog contact met McAvoy?' Jenny deed haar best haar opwinding niet te laten merken.

'Hij heeft de politie één keer gebeld. Verder is er geen communicatie geweest.'

'Wordt hij vervolgd?'

De loyale dienaren van de Kroon wisselden opnieuw een blik. 'Die beslissing hangt van veel factoren af,' zei Rhys, 'niet in de laatste plaats van de vraag of hij nog in leven is. De politie heeft gisteren een voertuig aangetroffen dat volgens ons van hem is.'

'Waar?'

'Vanaf hier langs de riviermonding, bij Aust, vlak bij de brug.'

Jenny staarde naar de vogels en zei tegen zichzelf dat het een truc was van McAvoy. Hij probeerde tijd te rekken, dat was alles. Hij zette hen op een dwaalspoor om zijn volgende zet uit te werken. Hij zou haar nu niet in de steek laten, dat had hij beloofd...

Golder onderbrak haar gedachten met haar scherpe, zakelijke stem. 'De politie heeft ons geïnformeerd dat hij ook wordt gezocht in verband met een andere verdachte dood. Hij heeft onlangs de verdediging van een Tsjechische nachtclubeigenaar georkestreerd, ene Marek Stich, die een jonge verkeersagent heeft doodgeschoten maar op wonderbaarlijke wijze niet-schuldig is verklaard. Stichs vriendin raakte vlak voor zijn rechtszaak vermist. Ze was in de Oekraïne. Kennelijk werkt de CID nu aan de theorie dat het haar lijk was dat vorige week zo roemrucht uit uw mortuarium werd gestolen.'

'Dat kan niet kloppen...'

'Ik kan daar onmogelijk commentaar op geven,' zei Gillian Golder. 'Ik stel voor dat u dat met de politie bespreekt.'

Dat heeft hij niet gedaan. Dat kon hij niet... Maar waarom was hij anders op die dag naar Jane Doe komen kijken? Ze wist het weer: hij had een verhaal opgehangen over een cliënt met een vermiste dochter, over wie hij het nooit meer had gehad. Dat was een fabeltje... Zijn cliënt was Stich. Hij moest McAvoy hebben gestuurd om het lijk te identificeren dat zo onaardig door het getij was teruggegooid. Maar dat was niet illegaal, dat was geen medeplichtigheid; zulke dingen deden strafpleiters nou eenmaal voor hun cliënten. McAvoy zou niets te maken hebben met de moord of de diefstal van een lijk.

'Ik neem aan dat u nu onze gedachten over mevrouw Jamal wilt weten, mevrouw Cooper?' Golder onderbrak haar overpeinzingen.

'Ja,' zei Jenny afwezig.

'We veronderstellen dat Silverman bij haar dood betrokken was. Het lijkt ons het meest aannemelijk dat het vooruitzicht van een openbaar onderzoek hem heeft afgeschrikt. Van wat wij eruit begrijpen is hij niet de meest stabiele persoon. We hebben geen concreet bewijs dat hij haar gedwongen heeft zich uit te kleden en een halve fles whisky op te drinken, maar dat lijkt net zo aannemelijk als iedere andere verklaring.'

'Waarom? Ze wist niets.'

'Misschien kende ze dr. Levin. Wellicht heeft ze haar benaderd, op haar geweten ingewerkt, haar aan het praten gekregen.'

'Maar hij kende Levin. Hij had rechtstreeks met haar kunnen praten.'

'We denken dat hij dat ook heeft gedaan,' zei Rhys. 'Dat hij zich ontdeed van mevrouw Jamal was meer een huishoudelijke exercitie, zo u wilt.'

'En hoe zit het met Anna Rose?'

Rhys liet dat aan Gillian Golder over, die haar woorden zorgvuldig koos. 'Zover wij weten dook Silverman begin vorig jaar na een lang verblijf in het Midden-Oosten weer op. Hij ging opnieuw naar Sarah Levin, op zoek naar een volgende jonge vrouw die voor hem kon werken.'

'Op dezelfde universiteit?'

'Daar had hij de contacten,' zei Golder. 'Maar we denken dat zijn masterplan deze keer heel anders was.' Ze zweeg even om haar woorden af te wegen. 'Laten we zeggen dat, ook al ziet het er aan de buitenkant anders uit, sommigen van onze Amerikaanse vrienden nog steeds een restje frustratie koesteren jegens Britistan, zoals ze ons graag noemen. Zij denken dat we nog altijd door middel van een schok onze zelfgenoegzaamheid, zoals zij het zien, over de radicale elementen binnen onze moslimbevolking heen moeten zien te komen. Anna Rose was minder een informant en meer een agent-provocateur.'

Golder keek Jenny aan met een blik waaruit sprak dat ze niet bereid was verder te gaan.

Jenny was niet tevreden. 'Hij heeft haar gebruikt om Salim Hussain in de val te lokken. Zij moest doen alsof ze de hand kon leggen op de bestanddelen om een vuile bom te maken, maar die kwamen feitelijk van Silverman. Wat gebeurde er toen? Werd ze bang en sloeg ze op de vlucht?'

'U begrijpt dat we niet de vrijheid hebben om daar iets over te zeggen.'

'Wat wil Silverman? Wat is zijn agenda? Hij wilde toch zeker geen kernbom laten ontploffen?'

'Dat lijkt me niet, nee, maar als propaganda zou het prima zijn geweest. Nou ja... grenzeloos. En ik weet zeker dat onze Amerikaanse collega's ons met alle liefde hadden willen adviseren om de noodzakelijke zuiveringsmaatregelen te treffen, zodat zou worden voorkomen dat zoiets in de toekomst nog een keer zou kunnen gebeuren.'

'Wat is er met hem gebeurd? Hebben jullie hem ook te grazen genomen?'

Gillian Golder keek op haar horloge. 'Ik ben bang dat we moeten gaan.' Ze dronk een flinke slok thee en stond van tafel op. Ze zei tegen Rhys dat ze hem buiten wel zou zien en liep naar de damestoiletten.

Enigszins in verlegenheid gebracht zei Rhys: 'Wat meneer McAvoy betreft, u weet zeker niet voor wie dit bedoeld is, hè? We vonden dit in zijn auto.'

Hij haalde een doorzichtig plastic bewijszakje uit zijn jaszak tevoorschijn met daarin een opgevouwen vel gelinieerd papier. In een elegant schuin handschrift stond er met inkt, die wellicht door regen of tranen was uitgelopen, geschreven: 'Mijn donkere Rosaleen.'

'Mag ik?'

'Natuurlijk,' zei Rhys onbeholpen. Hij maakte de zak open en gaf haar het briefje.

Ze wendde zich van hem af en deed het voorkomen alsof ze het restje daglicht bij het raam nodig had om het te kunnen lezen. De strofen waren even keurig als uit een voorbeeldschrijfboek opgeschreven:

Roll forth, my love, like the rushing river,
That sweeps along to the mighty sea;
God will inspire me while I deliver,
My soul of thee!

Tell thou the world, when my bones lie whitening
Amid the last homes of youth and eld,
That once there was whose veins ran lightning
No eye beheld.

Him grant a grave to, ye pitying noble,
Deep in your ossoms: there let him dwell.
He, too, had tears for all souls in trouble,
Here and in hell.

'Zegt dat u iets, mevrouw Cooper? zei Rhys. 'Mevrouw Cooper...'

In de loop van de zaterdag gaf Alison Jenny beetje bij beetje flarden informatie die door ex-collega's bij de CID bij elkaar waren gesprokkeld. Ze hoorde dat foto's van de vermiste vriendin van Marek Stich overeen leken te komen met Jane Doe, en dat Stich zelf was gearresteerd op verdenking van moord en samenzwering om brand te stichten. McAvoy werd gezocht als een medeplichtige aan het 'onwettig verbergen, opruimen of vernietigen' van een lijk. Er was gedurende achtenveertig uur geen activiteit met zijn creditcard of zijn bankrekening waargenomen, en zijn telefoon was sinds zijn laatste telefoontje naar Pironi niet meer gebruikt. Er waren onbevestigde berichten dat er een elegant geklede man van middelbare leeftijd was gezien, die vrijdag aan het eind van de ochtend over het openbare voetpad aan de rand van de Severn Bridge had gelopen, maar niemand was getuige geweest van een zelfmoord. Bij de CID werd nog steeds gewed dat hij binnen een paar weken zou opduiken om een deal te sluiten: dat hij niet zou worden vervolgd in ruil voor bewijslast tegen Stich.

Maar Jenny voelde dat hij weg was; niet uit zelfmedelijden of wanhoop, maar omdat hij uit vrije wil zijn vonnis tegemoet wilde gaan. Hoe hij haar had beroerd en wat zijn korte aanwezigheid in haar leven had betekend kon ze nog niet bevatten, maar ze twijfelde er niet aan of dat zou binnenkort gebeuren.

EPILOOG

Jenny liep over het erf naar Steves boerderij. Ze trof hem in de moestuin achter de schuur, waar hij aan het werk was. Een zwerm hongerige vogels vocht om de wormen en insecten die hij uit de zwarte aarde omhoog had gewerkt. Hij werd zo door zijn lichamelijke arbeid in beslag genomen dat hij niet merkte dat ze leunend op het hek naar hem stond te kijken. Hij had een hele rij omgeploegd toen hij door een zesde zintuig achteromkeek.

'Jenny, hoe lang sta je daar al?' Hij veegde met de mouw van zijn geruite werkhemd zijn voorhoofd af.

'Een poosje. Zo te zien was je mijlenver weg.'

'Inderdaad.' Hij plantte de spade in de aarde en kwam naar haar toe.

'Sorry dat ik zo weinig van me heb laten horen,' zei ze. 'Je hebt dagen geleden al een bericht ingesproken. Ik moest nog een paar dingen op kantoor afhandelen.'

'Dat dacht ik al.'

Hij leunde tegen de andere kant van het hek, buiten handbereik, merkte ze, terwijl hij zijn ogen dichtkneep tegen de felle winterse zonnestralen. Hij was afgevallen. De huid lag strak over zijn kaken en zijn ogen leken diep in hun kassen verzonken. Hij leek somber.

'Is Ross nog steeds bij zijn vader?' vroeg Steve.

'Ja... Ik weet het niet, misschien is hij voorlopig in de stad beter af. Ik ben geen best gezelschap voor hem.'

'Je zei dat David hem van je had afgepakt.'

'Het was mijn schuld... Ross vond me op een avond toen ik er niet best aan toe was. Hij moest me naar bed brengen.'

Steve plukte aan een splinter in een verweerde hekbalk. 'Wil je erover praten?'

'Je zult er inmiddels wel genoeg van hebben dat ik steeds bij jou in therapie kom. Het wordt tijd dat ik mezelf in de hand krijg.'

Hij keek naar haar op. 'Mag ik iets zeggen?'

Ze knikte.

'Je raakt gespannen als hij bij je woont. Het lijkt wel alsof je bang bent voor de verantwoordelijkheid.'

Ze haalde haar schouders op. 'Dat is ook zo. Hij is mijn zoon.'
'Waar ben je bang voor?'
Jenny schudde haar hoofd en voelde dat haar keel werd dichtgeknepen, wat betekende dat ze haar tranen inhield. 'Als ik dat wist...'
Steve liep naar haar toe en streek teder met zijn hand over haar gezicht. 'Je hoeft jezelf niet in de hand te krijgen, Jenny. Je moet loslaten.'
'Ja, oké... een rechter van instructie die haar emoties niet kan beheersen. Dat straalt nog eens zelfvertrouwen uit.'
'Je moet het proberen... En volgens mij wil je dat ook.'
Hij woelde met zijn hand door haar haar en streelde haar nek, schampte met zijn lippen langs haar wang.
Het voelde goed om weer dicht bij hem te zijn, om zijn warme huid te voelen.
Jenny zei: 'Op de voicemail zei je dat je iets wilde vertellen.'
'Dat is ook zo... Maar ik verwachtte niet...'
Hij sloot zijn ogen, deed zijn best de woorden te vinden.
'Ik weet niet hoe jij je voelt,' zei Steve, 'of je bij me wilt zijn of... Maar ik wil bij jou zijn, Jenny. Ik heb er maanden over gedaan om het maar niet te hoeven zeggen, maar ik moet wel. Ik ben verliefd op je.'
Ze was geschokt. 'Dat meen je niet.'
'Je hebt al genoeg aan je hoofd zonder dat ik dingen zeg die ik niet meen.' Hij kuste haar licht op haar voorhoofd. 'Zo, nou heb ik het gezegd. Nu jij.'
Hij deed een stap opzij en pakte zijn schep op. 'Ik heb mezelf beloofd dat ik dit stuk voor de lunch zou afmaken. Wil je blijven?'
'Ik wilde eigenlijk mijn vader gaan opzoeken.'
'O... ik wist niet dat die nog leefde.'
'Hij zit in een verpleeghuis in Weston. Ik moet hem iets over het verleden vragen. Opdracht van de dokter.'
'Ga dan maar gauw... Maar als je me afwijst, heb ik liever dat je me nu uit mijn lijden verlost.'
Jenny keek naar de ijsblauwe hemel omhoog. 'Ik kan daarna terugkomen.'
'Blijf je dan?'
'Ja. Dat vind ik fijn... Dit is een dag voor een nieuw begin.'

In de afgelopen vijf jaar had Brian Coopers leven zich beperkt tot een kamer van drie bij drieënhalf op de tweede verdieping van een grote grindstenen villa op loopafstand van de zee. Hij was pas drieënzeventig en was fysiek goed gezond, maar halverwege de zestig had de dementie toegeslagen en zijn tweede echtgenote, een vrouw voor wie Jenny nooit enige genegenheid had gevoeld, had hem binnen het jaar in een tehuis gedumpt en iemand anders gevonden, die haar meenam op goedkope cruises op de Middellandse Zee. In het begin waren er genoeg mensen langsgekomen, maar toen Brian steeds minder heldere momenten had, droogde dat bezoek op tot een plichtmatig straaltje. Jenny had hem sinds kerstavond niet meer gezien, toen hij zijn diner naar de televisie had gegooid, in de veronderstelling dat zijn eerste vrouw, Jenny's moeder, het avondnieuws voorlas.

De verzorgster waarschuwde Jenny dat ze hem misschien een beetje stilletjes zou vinden. Hij kreeg nieuwe pillen om zijn steeds wispelturiger en explosiever wordende stemmingen in toom te helpen houden. Jenny voelde zich totaal niet geroepen om daar enig commentaar op te geven.

Ze klopte op de deur en duwde hem open.

'Ha, pap.'

Hij zat in zijn hemdsmouwen. Zijn leunstoel stond naar het raam gekeerd, dat op de straat uitkeek. Hij was schoon en geschoren, zijn haar netjes geknipt.

'Pap? Ik ben het, Jenny.'

Ze liep naar de hoek van het bed naast zijn stoel en ging zitten.

'Ik heb je alweer een tijdje niet gezien. Hoe gaat het?'

Zijn ogen schoten wantrouwig in haar richting; hij bewoog zijn mond, maar er kwam geen geluid uit. Toen, terwijl hij ogenschijnlijk zijn belangstelling verloor, richtte hij zijn blik op een zeemeeuw die met een korst brood in zijn snavel op de vensterbank was neergestreken. Hij glimlachte.

Jenny zei: 'Je ziet er goed uit. Hoe voel je je?'

Geen antwoord. Dat kreeg je zelden, maar de specialist had tegen haar gezegd dat ze zo lang ze het kon opbrengen als een volwassene tegen hem moest blijven praten. Er was altijd een kans dat iets ervan aankwam, had hij gezegd; ze zou het wel merken wanneer hij helemaal niets meer begreep. Jenny speurde naar een teken dat hij haar herkende en zag een soort kinderlijkheid in zijn gezicht; hij keek bijna speels naar de meeuw die aan de tussen zijn poten geklemde korst trok.

'Pap, ik moet je iets vragen. Ik probeer me dingen van vroeger te herinneren. Ik dacht dat het goed was om ze voor Ross op te schrijven, samen met een paar oude foto's... iets wat hij ooit aan zijn kinderen kan laten zien.'

Brian knikte, alsof hij het volkomen begreep.

Ze dook in haar handtas en haalde er een paar oude polaroids uit die ze eerder die ochtend uit een schoenendoos had gehaald. Ze liet ze hem zien: foto's van haarzelf op een schommel toen ze vier of vijf was, in de achtertuin van hun huis, Brian duwde haar glimlachend met de ene hand, een sigaret in de andere.

'Ik weet nog dat je die aan het timmeren was. Het was een verjaardagscadeau, hè?'

'Ja, het was je verjaardag. Je was een glimlachertje. Moet je jezelf nou eens zien.' Hij pakte de foto van haar aan en staarde ernaar.

Jenny voelde zich helemaal opgewonden. 'Weet je dat nog?'

'Dat was de jurk die je moeder voor je had gemaakt. Daar heeft ze op gezwoegd; hij heeft haar haar ogen gekost, zei ze.'

Dat waren tot op de draad versleten zinnetjes, woorden die ze al honderden keren eerder had gehoord, maar door de foto's waren ze in hem opgekomen en hij gooide ze er niet willekeurig uit zoals het meeste van het weinige wat hij tegenwoordig nog kon. Ze moest het ijzer smeden nu het heet was.

'O, verdorie, die ben ik natuurlijk weer vergeten. Er was ook een foto waar achterop "Katy" stond geschreven. Ik kon niet bedenken wie ze was...'

'Nicht Katy?'

Nicht? Jenny wist alleen dat ze nog drie neven had.

'Is Katy mijn nicht? Weet je dat zeker?'

'Van Jim en Penny. De kleine meid.'

Jim en Penny waren Brians broer en zijn vrouw. Ze hadden maar één kind, een zoon die tien jaar jonger was dan Jenny.

'Volgens mij klopt dat niet, pap.'

Brian liet de foto op de grond vallen. 'Ook al sterf je van de dorst, dan krijg je in dit oord nog geen kop thee.'

Jenny raapte de foto op. 'Ik kan me geen Katy herinneren. Jim en Penny hadden toch alleen Christopher?'

'De gladjanus, helemaal uitgedost in pak en das. Je moeder dacht dat hij geld had. Ha!'

Nog zo'n overbekende herhaling, maar deze keer sloeg die nergens op: hij doelde op de makelaar die er met Jenny's moeder vandoor was gegaan.

'Ik heb het nu niet over mam,' zei Jenny. 'Wat is er met nicht Katy gebeurd?'

Een tweede meeuw voegde zich op de vensterbank bij de eerste en griste het laatste stukje brood uit zijn snavel. Brian grinnikte.

'Pap, het is belangrijk. Ik moet het weten.'

Zijn ogen werden wazig en er leek een waas overheen te komen.

'Pap, doe alsjeblieft je best.'

Ze pakte zijn arm vast en schudde eraan. Hij wrikte hem los, de spieren in zijn onderarmen waren spijkerhard.

'Dat weet je toch nog wel, glimlachertje?' zei hij. 'Je hebt haar vermoord.'

DANKWOORD

Het schrijven van een eerste boek was een pure gok. Wat maakt het uit als het niet lukt, zeg je tegen jezelf; ik heb het tenminste geprobeerd. Een tweede boek schrijven, met een deadline en mensen die verwachtingsvol op je manuscript wachten, is een heel andere onderneming. Gelukkig voor mij hebben die mensen me eindeloos gesteund en aangemoedigd. Speciale dank gaat uit naar Greg Hunt, mijn scenarioagent die geen blad voor de mond neemt en die me ertoe heeft aangezet om romans te schrijven, in de rotsvaste overtuiging dat 'niemand je serieus neemt tot je een boek hebt geschreven'; en naar Zoë Waldie, mijn literair agent, die me niets anders dan volmaakt duidelijk advies heeft gegeven. Ook veel dank aan Maria Rejt, mijn uitgever en redacteur bij Macmillan, die vele mooie talenten heeft, waaronder de zeldzame gave om haar grote wijsheid op subtiele en respectvolle wijze over te brengen; en tevens voor haar complete, vriendelijke en uitermate professionele team.

Bovendien wil ik mijn kleurrijke, levendige en uitgebreide familie bedanken, die me allemaal onvoorwaardelijk gesteund hebben. Vooral mijn moeder en stiefvader, allebei schrijvers, zijn er altijd voor me. Zij begrijpen wat ervoor nodig is om je dag in dag uit aan de eenzame taak te zetten om het ene woord na het andere te schrijven; en mijn vader, die musicus is, heeft me consequent bewezen dat op artistieke schouders een nuchter hoofd kan rusten. Mijn vrouw en zoons, dagelijkse toeschouwers van de vele ups en downs van het schrijversleven, maken alles mogelijk.

Ed Husains boek *The Islamist* (Penguin, Londen, 2007) was een grote hulp om de geest van de jonge moslimextremist te doorgronden. Iedereen die graag wil begrijpen hoe in het Westen opgevoede jonge mannen door akelig extremisme kunnen worden verleid en er ook van worden bevrijd, moet het lezen.

Ten slotte dank ik al die vrienden en ex-collega's in de rechtspraktijk op wie ik kan vertrouwen vanwege hun ervaring en anekdotes, vooral James McIntyre, door wiens verhalen ik ervan overtuigd ben geraakt dat de werkelijkheid altijd vreemder is dan fictie.